LA NOVIA PERFECTA

Amor y Aventura

LA NOVIA PERFECTA

Stephanie Laurens

Traducción de Ana Isabel Domínguez Palomo y
María del Mar Rodríguez Barrena

VERGARA
GRUPO ZETA

Barcelona • Bogotá • Buenos Aires • Caracas • Madrid • México D.F. • Montevideo • Quito • Santiago de Chile

Título original: *The Ideal Bride*

Traducción: Ana Isabel Domínguez Palomo
          y María del Mar Rodríguez Barrena

1.ª edición: noviembre 2008

© 2004 by Savdek Management Proprietory Ltd.
© Ediciones B, S. A., 2008
   para el sello Javier Vergara Editor
   Bailén, 84 - 08009 Barcelona (España)
   www.edicionesb.com

Printed in Spain
ISBN: 978-84-666-3791-6
Depósito legal: B. 43.678-2008

Impreso por LIBERDÚPLEX, S.L.U.
Ctra. BV 2249 Km 7,4 Polígono Torrentfondo
08791 - Sant Llorenç d'Hortons (Barcelona)

El árbol genealógico de la Quinta de los Cynster

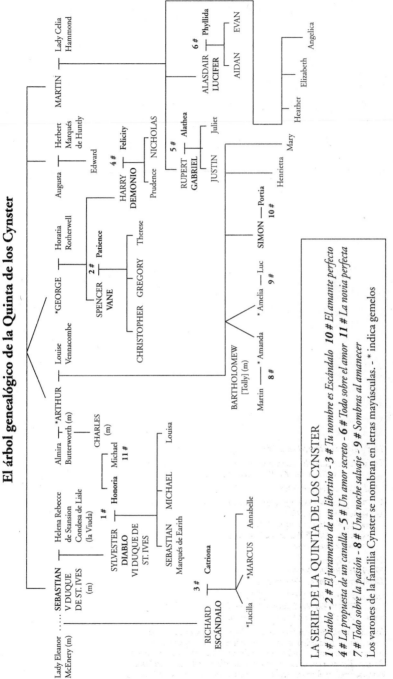

A mis cuatro compañeras de Rogue Authors...
Victoria Alexander, Susan Andersen, Patti Berg y Linda
Needham: me volvería loca sin vosotras.
Con cariño,

S.L.

1

Finales de junio,
Eyeworth Manor, cerca de Fritham en New Forest, Hampshire

«Esposa, esposa, esposa, esposa.»

Michael Anstruther-Wetherby maldijo por lo bajo. Ese sonsonete llevaba martirizándolo las últimas veinticuatro horas. Se pegó a las ruedas de su tílburi en cuanto se marchó del banquete de la boda de Amelia Cynster y en ese momento volvía a sonar al cadencioso compás de los cascos de su bayo.

Apretó los labios y, a lomos de *Atlas*, enfiló el largo camino que rodeaba su casa, dejando atrás el patio del establo.

Si no hubiera ido a Cambridgeshire para asistir a la boda de Amelia, ya estaría a un paso de ser un hombre comprometido. Sin embargo, era un evento ineludible. Con independencia de que su hermana Honoria, la duquesa de St. Ives, fuera la anfitriona, la boda había sido una reunión familiar, y él valoraba los lazos familiares por encima de todo.

Las conexiones familiares lo habían ayudado inmensamente a lo largo de los años, primero al conseguirle el cargo de diputado del distrito en el Parlamento y, después, al allanarle el ascenso, aunque no era ésa la razón de que le otorgara tal importancia. La familia siempre había significado mucho para él.

Cuando rodeó la casa —una sólida mansión de piedra gris de tres plantas—, desvió la mirada, como era habitual cuando pasaba por ese lugar, hacia el monumento situado al borde del camino entre la casa y la verja de entrada a la propiedad. El monolito llevaba allí catorce años, delante de los setos de hojas oscuras que se alzaban entre los huecos de los árboles. Señalaba el lugar donde su familia, sus padres y sus hermanos menores, murieron aplastados por un árbol caído cuando regresaban a casa a toda prisa en una noche tormentosa. Honoria y él habían presenciado el accidente desde las ventanas de la habitación de estudio.

Tal vez la naturaleza del ser humano lo llevara a valorar aquello que había perdido por encima de todas las cosas.

Desolados, solos y angustiados, así se habían quedado Honoria y él, aunque se tenían el uno al otro. Sin embargo, puesto que él acababa de cumplir los diecinueve años y ella sólo tenía dieciséis por aquel entonces, se habían visto obligados a separarse. Jamás habían perdido el contacto; de hecho, seguían estando unidos, pero Honoria había conocido a Diablo Cynster y había formado una familia propia.

Refrenó a *Atlas* cuando se acercó al monolito y fue muy consciente de que él no lo había hecho. Llevaba un ritmo de vida frenético y su agenda estaba siempre ocupada. Sólo en momentos como ése lo asaltaba la soledad y la ausencia de la familia.

Se detuvo para contemplar el monolito y después, con los dientes apretados, apartó la vista y reanudó la marcha. *Atlas* se puso en camino y, una vez que cruzaron la verja de entrada, lo puso al trote por el estrecho camino.

Los aterradores relinchos de los caballos se desvanecieron poco a poco.

Estaba decidido a dar el primer paso para formar una familia propia. Y lo haría ese mismo día.

«Esposa, esposa, esposa, esposa.»

La campiña se cerró en torno a él, lo envolvió con sus exuberantes brazos, lo acogió en los bosques que para él eran la esencia del hogar. La luz del sol se filtraba entre las hojas mecidas por la brisa. Los pájaros trinaban. Aparte del murmullo de las copas de los árboles, sólo se escuchaba el sonido de los cascos de *Atlas*. El estrecho y serpenteante camino secundario sólo conducía a Eyeworth Manor y daba a un camino más amplio que llevaba hasta Lyndhurst, en el sur. No lejos de esa intersección, otro camino se dirigía por el este hacia el pueblo de Bramshaw y hacia Bramshaw House, su destino final.

Había tomado una decisión hacía meses, pero una vez más los asuntos de gobierno habían reclamado su atención y había relegado el asunto a un segundo plano... Cuando se dio cuenta, reorganizó sus actividades y planificó su agenda de acuerdo a la decisión que había tomado. Pese a la distracción de la boda de Amelia, se atuvo al pie de la letra al inflexible calendario y abandonó el banquete de bodas para encaminarse a Eyeworth Manor. Para encaminarse a un destino ineludible.

Partió de Somersham a media tarde y se detuvo en casa de un amigo en Basingstoke para pasar la noche. No le mencionó sus motivos para volver a casa; aunque los había tenido muy presentes en todo momento. Retomó el viaje a primera hora de la mañana y llegó a casa al mediodía. En esos momentos acababan de dar las dos y estaba decidido a no retrasar más el momento. La suerte estaría echada y el asunto, si no zanjado del todo, al menos estaría ya en marcha... medio concluido.

«—¿Un asunto electoral?

»—Bueno... sí, se le podría llamar así.»

La pregunta se la había hecho Amelia y su respuesta se ceñía a la verdad en cierto modo. Para un diputado que había alcanzado la edad de treinta y tres años, que seguía soltero y al que acababan de informar de un posible nombramiento como ministro, el matrimonio era sin lugar a dudas «un asunto electoral».

Había aceptado que tenía que casarse. De hecho, siempre había sabido que lo haría con el tiempo. De otro modo, ¿cómo iba a formar la familia que tanto ansiaba? No obstante, los años habían pasado y se había dejado absorber por su carrera política. Gracias a ésta y a sus relaciones con los Cynster y con la alta sociedad, había logrado una visión del matrimonio que le había quitado las ganas de casarse.

Sin embargo, ya había llegado el momento. Cuando con la llegada del verano concluyeron las sesiones parlamentarias, no le quedó la menor duda de que el primer ministro esperaba verlo regresar en otoño con una esposa del brazo, detalle que haría posible que su nombre se barajara como posible candidato para la renovación ministerial que se llevaría a cabo en octubre. Llevaba buscando a la novia ideal desde abril.

La paz de la campiña se cerró en torno a él. El soniquete de «esposa, esposa, esposa, esposa» seguía acompañándolo, pero cuanto más se acercaba a su objetivo, menos perentorio le parecía.

Le había resultado muy sencillo enumerar las cualidades y atributos que requería en una esposa: cierta belleza, lealtad, capacidad para ayudarlo en su carrera (como la desenvoltura a la hora de ejercer de anfitriona) y cierto grado de inteligencia, todo ello aderezado con una pizca de sentido del humor. Encontrar a semejante parangón no había sido tan sencillo. Después de pasar interminables horas en los salones de baile, había llegado a la conclusión de que sería mejor que buscase a una esposa que comprendiera en cierta medida la vida de un político. O, mejor aún, que comprendiera en cierta medida la vida de un político de éxito.

Fue entonces cuando conoció a Elizabeth Mollison o, mejor dicho, cuando renovó su relación, ya que la conocía de toda la vida. Su padre, Geoffrey Mollison, era el dueño de Bramshaw House y había sido su predecesor en el cargo que ocupaba. Destrozado por la repentina muerte de su esposa, Geoffrey había dimitido justo cuando él tanteaba sus posibilidades en el partido, con el respaldo de su abuelo Magnus Anstruther-Wetherby y de los Cynster. En aquel momento le pareció obra del destino. Geoffrey, un hombre cabal, se sintió muy aliviado al pasarle las riendas a un hombre a quien conocía. A pesar de que pertenecían a dos generaciones distintas y eran radicalmente opuestos en su forma de ser (por no hablar de sus ambiciones), Geoffrey siempre había estado dispuesto a apoyarlo y a echarle una mano.

Esperaba que también le echara una mano en ese momento, y que apoyara la idea de que se casara con su hija.

La muchacha era, a sus ojos, casi un fiel reflejo de su ideal. Cierto que era joven (tenía diecinueve años), pero también era de buena cuna, tenía una buena educación y una reputación intachable; además de ser capaz, o eso le parecía, de aprender cuanto necesitara saber. Era una belleza inglesa, de cabello rubio platino, ojos azules y tez clara, y su delgada figura era perfecta para la moda que se estilaba. No obstante, lo más importante era que se había criado en una casa donde se respiraba la política. Aun después de la muerte de su madre y de que su padre se retirara de la política activa, Elizabeth había estado al cuidado de su tía Augusta, lady Cunningham, que estaba casada con un diplomático de alto rango.

Por si eso fuera poco, su otra tía, Caroline, era la viuda del antiguo embajador británico en Portugal. Elizabeth había pasado cierto tiempo en la embajada de Lisboa bajo la tutela de Caro.

Elizabeth había nacido y se había criado en un ambiente donde se respiraba la política, y Michael estaba convencido de que no tendría la menor dificultad para manejar sus asuntos domésticos. Y, por supuesto, un matrimonio con ella reforzaría su ya de por sí fuerte arraigo en el condado. Algo que no debía tomar a la ligera, dado que todo indicaba que pasaría gran parte de su futuro involucrado en asuntos internacionales. Una esposa capaz de manejar los asuntos cotidianos del distrito sería una bendición.

Repasó en su cabeza lo que le diría a Geoffrey. Todavía no quería hacer una petición formal de su mano, primero debía conocerla mejor y permitir que ella lo conociera a su vez, pero dada su relación con los Mollison, le parecía sensato tantear a Geoffrey. No tenía sentido que prosiguiera con su plan si el hombre no estaba por la labor.

Dudaba que ése fuera el caso, pero tampoco estaría de más preguntar, asegurarse el apoyo incondicional de Geoffrey. Si con un par de encuentros confirmaba que Elizabeth era tan agradable como le había parecido en Londres, podrían pasar a la petición de mano y de ahí al altar, de modo que todo quedara listo para la llegada del otoño.

Su plan tal vez fuera un poco frío; claro que, en su opinión, un matrimonio basado en el cariño mutuo más que en la pasión se ajustaría mejor a sus necesidades.

A pesar de sus lazos con los Cynster, no compartía sus ideales en lo tocante al matrimonio. Él era un hombre muy diferente. Los Cynster eran apasionados, decididos y arrogantes en exceso. No podía negar que él también era decidido, pero hacía mucho que había aprendido a enmascarar su arrogancia; además, era un político y, por ende, un hombre poco dado a las fuertes pasiones.

Un hombre que no permitía que el corazón le nublara la mente.

Un matrimonio sin complicaciones con una dama que casi personificaba su ideal... sí, eso era lo que necesitaba. Había hablado largo y tendido con su abuelo de las candidatas (y de Elizabeth Mollison en concreto) y también con su tía, Harriet Jennet, una anfitriona política de renombre. Ambos habían alabado su decisión haciendo gala del inimitable estilo de los Anstruther-Wetherby.

—Me alegra comprobar que Honoria y ese puñado de locos no te han hecho perder el sentido. La posición que ocupará tu esposa es demasiado importante como para elegirla por el color de sus ojos —masculló su tía cuando le informó de sus intenciones.

Aunque dudaba mucho de que el color de ojos de una mujer estuviera entre las cualidades que llamaban la atención de un Cynster a la hora de decidirse a contraer matrimonio. Otros atributos físicos, sin embargo... Por supuesto, se mordió la lengua.

Su abuelo había soltado unas cuantas perlas de sabiduría contra la necedad de permitir que las pasiones gobernaran la vida de una persona. Sin embargo, y por extraño que pareciera, aunque su abuelo le había insistido día sí y día también para que pidiera la mano de Elizabeth desde el momento en el que le informó de sus intenciones, desaprovechó la magnífica oportunidad de seguir insistiendo en la boda de Amelia, en Somersham... Claro que, según la historia de los Cynster, todas las bodas oficiadas en ese lugar eran matrimonios por amor. Tal vez hubiera sido eso, la certeza de que el suyo no iba a ser un matrimonio por amor, lo que había convencido a su abuelo para no decir ni pío en semejante compañía.

El camino continuaba frente a él. Lo invadió una extraña impaciencia, pero no azuzó a *Atlas*. Un poco más adelante, el bosque comenzaba a clarear y más allá de los troncos y de los espesos matorrales se atisbaban los campos de labor que flanqueaban el camino de Lyndhurst.

De repente, se sintió total y absolutamente seguro de lo que estaba haciendo. Ése era el momento adecuado para que se casara, para que formara una familia en ese lugar, para plantar las semillas de la nueva generación, para echar raíces profundas y seguir creciendo hasta alcanzar la siguiente etapa de su vida.

El camino se convertía en una sucesión de recodos y los árboles y los arbustos eran lo bastante espesos como para amortiguar los sonidos a su alrededor. Cuando escuchó el estrépito de los cascos de un caballo y del carruaje que se acercaba a toda velocidad, ya casi lo tenía encima.

Apenas tuvo tiempo de apartar a *Atlas* a un lado del camino antes de que una calesa, a toda velocidad y fuera de control, doblara el recodo. Pasó por su lado como una exhalación, camino de Eyeworth Manor. Con el rostro crispado y pálida como un fantasma, una mujer delgada tiraba de las riendas con desesperación en su intento por controlar el caballo.

Hizo girar a *Atlas* mientras soltaba un juramento y salió en persecución de la calesa al galope antes de darse cuenta siquiera. Cuando comprendió lo que estaba haciendo, volvió a maldecir. Los accidentes de carruaje eran su peor pesadilla. La posibilidad de presenciar otro se le clavó como un puñal en el estómago. Hundió los talones en los flancos de *Atlas* para que corriese más.

La calesa se bamboleaba y prácticamente volaba. El caballo no tardaría en cansarse, pero ese camino sólo llevaba a la mansión, y estaría allí dentro de nada.

Había nacido en Eyeworth Manor, había pasado los primeros diecinueve años de su vida allí; conocía el camino como la palma de la mano. *Atlas* estaba descansado. Soltó las riendas y guió al caballo con las manos y las rodillas.

Acortaron la distancia, pero no era suficiente.

En breve, el camino se transformaría en la avenida de acceso a la mansión, que terminaba en una curva cerrada frente a la casa. El caballo daría la curva, pero la calesa no. La calesa volcaría y la dama saldría despedida... hacia las rocas que delimitaban los parterres.

Azuzó a *Atlas* mientras maldecía entre dientes. El enorme caballo respondió a sus órdenes alargando las zancadas y volando por el camino mientras acortaba poco a poco la distancia que los separaba de la bamboleante calesa. Estaban casi a la par...

La verja de entrada apareció ante ellos y en un santiamén quedó atrás.

Se acabó el tiempo.

Se armó de valor y saltó de su montura a la calesa. Se aferró al asiento y, una vez que estuvo prácticamente tendido sobre él, extendió un brazo hacia la mujer, le quitó las riendas y tiró con fuerza.

La dama gritó.

Y el caballo relinchó.

Michael afianzó su posición y tiró con todas sus fuerzas. No quedaba tiempo ni tampoco más camino para preocuparse de otra cosa que no fuera detener el caballo. Los cascos del animal resbalaron sobre la gravilla, el caballo relinchó una vez más mientras se deslizaba hacia un lado... y se detuvo.

Estaba a punto de echar el freno, pero ya era demasiado tarde. El impulso hizo que la calesa girara y no volcó de milagro.

Sin embargo, la dama salió disparada y cayó sobre la hierba del borde del camino.

Él fue el siguiente en salir despedido.

La mujer cayó bocabajo y él, casi encima de ella.

Por un instante, fue incapaz de moverse... incapaz de respirar e incapaz de pensar. Un millar de sensaciones bullían en su interior. Ese cuerpo delgado y frágil que estaba bajo él, delicado e innegablemente femenino, disparó su instinto protector... Y el terror y la furia se apoderaron de él por lo que había estado a punto de suceder. Por lo que habían arriesgado.

Tras ellos, llegó el pánico con una fuerza arrolladora e irracional surgida de sus recuerdos. Y creció hasta borrar todo lo demás.

Escuchó el sonido de la gravilla bajo los cascos del caballo y echó un vistazo a su alrededor. El animal resoplaba e intentaba alejarse, pero la calesa se lo impedía; de modo que cejó en su empeño. *Atlas* se había detenido al otro lado del camino y los observaba con las orejas alzadas.

—¡Uf!

Bajo él, la dama se afanaba por levantarse. No obstante, su hombro le inmovilizaba la espalda y tenía la mitad inferior del cuerpo sobre sus muslos... Estaba claro que no podría moverse a menos que él lo hiciera.

Giró y se sentó en el suelo. Su mirada recayó en el monolito, a dos metros de ellos.

Volvió a escuchar los aterradores relinchos de los caballos en su cabeza.

Con la mandíbula apretada, inspiró hondo y se puso en pie. Después, contempló con el rostro ceniciento cómo la mujer se ponía de rodillas antes de darse la vuelta para sentarse.

Extendió los brazos, la cogió por las manos y la puso de pie sin muchos miramientos.

—De todas las insensateces y necedades... —Hizo una pausa en un intento por controlar su creciente furia, que se nutría de ese miedo irracional. Perdió la batalla. Puso los brazos en jarras y fulminó con la mirada al objeto de su furia—. Si no es capaz de controlar las riendas, no debería conducir un carruaje —masculló, escupiendo las palabras sin importarle que fueran hirientes—. ¡Ha estado a punto de acabar malherida o muerta!

Por un instante, se preguntó si la mujer estaría sorda, ya que no parecía estar escuchándolo.

Caroline Sutcliffe se sacudió el polvo de las manos y agradeció a su buena suerte el hecho de haber llevado guantes. Sin hacer caso de ese hombre tan corpulento que temblaba de furia delante de ella (no tenía ni idea de quién era ya que aún no le había visto el rostro), se sacudió las faldas, contrariada al ver las manchas de hierba, se arregló el corpiño, las mangas y, por último, se colocó el chal de gasa. Una vez satisfecha, levantó la vista.

Y la levantó aún más, ya que el desconocido era más alto de lo que había creído. También era más ancho de hombros... El impacto físico que sintió al verlo aparecer junto a la calesa, y cuando sintió su peso encima al caer al suelo, acudió a su mente, pero se desentendió de él con firmeza.

—Muchas gracias, señor, sea quien sea, por haberme rescatado... por descortés que haya sido. —Su tono era digno de una duquesa: frío, seguro y altivo. Justo el tono de voz que utilizaría con un hombre presuntuoso—. Sin embargo...

Su mirada, que seguía subiendo, llegó al rostro del desconocido. Parpadeó. Su rostro quedaba velado por las sombras, ya que tenía el sol a la espalda.

Se llevó la mano a los ojos para protegérselos de la brillante luz y lo contempló abiertamente. Vio un rostro cuadrado de mandíbula bien definida y de rasgos aristocráticos. Un rostro patricio de frente despejada y cejas oscuras que se curvaban suavemente sobre unos ojos que su mente le recordó que eran de un azul claro. Su cabello era espeso, de color castaño oscuro; las sienes canosas le otorgaban un aspecto distinguido.

Era un rostro con carácter.

Era el rostro que estaba buscando.

Ladeó la cabeza.

—¿Michael? Eres Michael Anstruther-Wetherby, ¿verdad?

Michael miró a la mujer detenidamente. Su rostro en forma de corazón quedaba enmarcado por un halo de lustroso cabello castaño tan rizado que parecía un diente de león alrededor de su cabeza; tenía los ojos almendrados y de un azul grisáceo...

—Caro. —El nombre acudió a sus labios sin necesidad de pensar.

Ella le sonrió, a todas luces encantada y, por un instante, se sintió paralizado.

Los relinchos de los caballos se acallaron de golpe.

—Sí. Han pasado años desde la última vez que hablamos... —Esos ojos grises se tornaron distantes mientras recordaba.

—En el funeral de Camden —le dijo. Su difunto marido, Camden Sutcliffe, una leyenda en los círculos diplomáticos, había sido el embajador de Su Majestad en Portugal. Caro había sido la tercera esposa de Camden.

Ella se concentró de nuevo en su rostro.

—Tienes razón... hace dos años.

—No te he visto por la ciudad. —Aunque sí había oído hablar de ella. El cuerpo diplomático la había apodado «La Viuda Alegre»—. ¿Cómo te va?

—Muy bien, gracias. Camden fue un buen hombre y le echo de menos, pero... —Se encogió de hombros—. Me llevaba más de cuarenta años, así que ya me había hecho a la idea de que esto pasaría.

El caballo se agitó de nuevo e intentó arrastrar la calesa con el freno puesto. De vuelta en el presente, ambos se apresuraron a actuar: Caro sostuvo la cabeza del caballo mientras él soltaba las riendas y, acto seguido, comprobaba las bridas. Frunció el ceño.

—¿Qué ha pasado?

—No tengo ni idea. —También con el ceño fruncido, Caro acarició el hocico del caballo—. Volvía de una reunión de la Asociación de Damas en Fordingham.

El rápido repiqueteo de unos cascos los hizo mirar hacia la verja de entrada. Una calesa apareció en la avenida y se acercó hacia ellos a paso vivo; la corpulenta dama que lo conducía los vio y los saludó con la mano.

—Muriel insistió en que asistiera... y ya sabes cómo es —se apresuró a decirle Caro al amparo del ruido de la calesa—. Se ofreció a llevarme, pero decidí que podía aprovechar el viaje para visitar a lady Kirkwright. Así que salí temprano, después asistí a la reunión y, cuando ésta acabó, Muriel y yo emprendimos el regreso la una detrás de la otra.

Una explicación clara y concisa. Muriel era la sobrina de Camden, y la sobrina política de Caro, si bien la dama en cuestión era siete años mayor que ella. También había crecido en Bramshaw, pero, a diferencia de ellos, jamás había abandonado el lugar. Nacida y criada en Sutcliffe Hall, Muriel vivía en esos momentos en el centro del pueblo, en Hedderwick House, la residencia de su marido, que estaba a un tiro de piedra de la avenida de acceso a Bramshaw House, la casa de la familia de Caro.

Para más señas, Muriel se había erigido a sí misma como la voz cantante de la parroquia, un papel que llevaba interpretando durante años. Aunque sus modales eran un poco autocráticos, todo el mundo, incluidos ellos, soportaba sus disposiciones por la sencilla razón de que realizaba ese trabajo tan necesario a las mil maravillas.

Muriel detuvo la calesa en el patio con una elegante floritura. Era un mujer atractiva si bien un tanto masculina. Su porte regio y su cabello oscuro le otorgaban un aspecto imponente.

—¡Válgame Dios, Caro! —exclamó, con los ojos clavados en ella—. ¿Has salido despedida de la calesa? Tienes manchas de hierba en el vestido. ¿Estás bien? —Su voz era algo débil, como si no terminara de dar crédito a lo que veía—. Cuando vi que salías disparada de ese modo pensé que no serías capaz de refrenar a *Henry*.

—Y no lo hice —replicó Caro, señalándolo a él—. Tuve la suerte de que Michael estuviera por aquí. Saltó con valentía a la calesa. Él es el verdadero héroe.

La miró a los ojos y se percató del asomo de una sonrisa agradecida. Tuvo que hacer un enorme esfuerzo para no devolverle el gesto.

—Gracias a Dios. —Muriel se giró hacia él y lo saludó con un gesto de la cabeza—. Michael... No sabía que hubieras regresado.

—Llegué esta mañana. ¿Tenéis alguna idea de lo que ha podido asustar a *Henry*? He comprobado las riendas y las bridas, pero no parecen estar mal.

Muriel miró al caballo con el ceño fruncido.

—No. Volvíamos a casa cuando Caro se giró para despedirse de mí antes de enfilar la avenida de Eyeworth Manor. Apenas se había adentrado en ella cuando *Henry* se encabritó y... —Hizo un gesto con la mano—. Bueno, y salió al galope tendido. —Miró a Caro.

Ésta asintió.

—Sí, eso es lo que ha sucedido —confirmó ella, acariciando el hocico de *Henry*—. Algo muy raro, porque suele ser un animal muy tranquilo. Siempre lo engancho a la calesa cuando estoy aquí.

—Bueno, pues la próxima vez que tengamos una reunión en Fordingham, vendrás conmigo, no te quepa la menor duda. —Muriel compuso una expresión espantada—. Ha estado a punto de darme un soponcio... Creí que iba a encontrarte desmadejada y cubierta de sangre.

Caro no replicó. Estaba contemplando su caballo con el ceño fruncido.

—Algo debe de haberlo asustado.

—Un ciervo, seguramente. —Muriel sujetó sus riendas—. Los arbustos son tan espesos en este tramo que es imposible saber qué acecha al otro lado.

—Cierto —convino Caro, que asintió con la cabeza—. Pero *Henry* se habría dado cuenta de que no era peligroso.

—Ciertamente. Pero ahora que estás a salvo, debo continuar camino. —Muriel lo miró—. Hemos estado comentando los arreglos para la fiesta parroquial y debo asegurarme de que todo se pone en marcha. ¿Contaremos con tu asistencia?

Michael esbozó una sonrisa afable.

—Por supuesto. —Se recordó que debía averiguar cuándo se celebraría la fiesta—. Dale recuerdos a Hedderwick, y también a George si lo ves.

Muriel inclinó la cabeza.

—Se los daré de tu parte.

Una vez que se hubo despedido, Michael desvió la vista hacia la calesa de Caro, que bloqueaba la salida.

—Será mejor que llevemos a *Henry* a los establos. Le diré a Hardacre que lo examine, a ver si encuentra algo que justifique su estampida —dijo mirando a Caro.

—Una idea excelente —replicó ella. Esperó a que soltara el freno antes de despedirse de Muriel con un gesto de la mano y alejarse con *Henry*.

Entretanto, él comprobó que la calesa no había sufrido daño alguno y que las ruedas se movían como era debido. En cuanto la avenida quedó despejada, le hizo un gesto a Muriel. Ésta arreó a su caballo y se alejó al trote con porte regio. En cuanto la calesa traspuso la verja, se giró para seguir a Caro.

Atlas seguía esperando pacientemente. Cuando Michael chasqueó los dedos, el caballo se acercó. Una vez llegó a su lado, se enrolló las riendas en una mano y echó a andar con paso firme hasta ponerse a la altura de *Henry*. Mientras caminaban, miró a Caro (o a lo poco que veía de su rostro por encima de la cabeza del caballo). El sol arrancaba destellos a su cabello, recogido en un estilo totalmente opuesto a la moda del momento, aunque lo hacía parecer tan sedoso que despertaba deseos de acariciarlo en aquel que lo contemplaba.

—¿Vas a pasar el verano en Bramshaw House?

Ella lo miró.

—De momento. —Le dio unas palmaditas a *Henry*—. Voy y vengo entre la casa de Geoffrey, la de Augusta en Derby y la de Angela en Berkshire. También tengo a mi disposición la casa de Londres, pero aún no la he utilizado.

Asintió con la cabeza. Geoffrey era su hermano y Augusta y Angela sus hermanas. Caro era la pequeña y con mucha diferencia. Volvió a mirarla al escuchar que le murmuraba algo a *Henry* con un tono tranquilizador.

Aún se sentía algo desorientado, como si estuviera mareado. Y tenía que ver con Caro. Cuando se encontraron dos años atrás, ella acababa de enviudar y llevaba luto riguroso, incluido un tupido velo. Intercambiaron unas pocas palabras, pero no había llegado a verla ni a hablar con ella de verdad. Antes de ese momento, Caro había pasado una década en Lisboa. La había visto a lo lejos en algún que otro salón de baile y se había cruzado con ella cuando estaban de visita en Londres, pero jamás habían ido más allá de los saludos de rigor.

Apenas los separaban cinco años, y aunque se conocían de toda la vida y habían crecido en la restringida zona de New Forest, en realidad no la conocía en absoluto.

Desde luego que no conocía a esa dama elegante y segura en la que se había convertido.

Caro lo miró, lo sorprendió observándola y le sonrió abiertamente, como si reconociera esa curiosidad mutua.

La tentación de satisfacerla se intensificó.

Al verla desviar la vista al frente, la imitó. Alertado por el crujido de las ruedas de la calesa, Hardacre, el encargado de los establos, los estaba esperando. Le hizo un gesto para que se acercara a ellos y el hombre obedeció. Saludó a Caro con una reverencia y ésta le correspondió con un sonriente:

—Hardacre.

Entre los dos le explicaron al hombre lo sucedido mientras llevaban la calesa al patio de los establos.

Hardacre examinó con ojo experto y ceño fruncido tanto el caballo como la calesa y después se rascó la calva.

—Será mejor que me lo deje una hora o así... Le quitaré el arnés y lo examinaré. A ver si tiene algún problema.

—¿Tienes prisa? —le preguntó a Caro, mirándola a la cara—. Si es así, puedo prestarte una calesa y un caballo.

—No, no. —Rechazó la oferta con una sonrisa y un gesto de la mano—. Una hora de paz y tranquilidad me vendrá muy bien.

El comentario le recordó la experiencia que acababa de sufrir y le ofreció el brazo.

—¿Te apetece una taza de té?

—Me encantaría —aceptó, ensanchando la sonrisa. Se despidió de Hardacre y, tomada del brazo de Michael, echó a andar hacia la mansión. Seguía teniendo los nervios a flor de piel, cosa que no era de sorprender, pero el pánico de verse en una calesa descontrolada comenzaba a desvanecerse... ¿Quién iba a pensar que lo que podría haber sido un desastre acabaría tan bien?—. ¿La señora Entwhistle sigue siendo tu ama de llaves?

—Sí. El personal de servicio sigue siendo el mismo desde hace años.

Clavó la vista en la sólida mansión de piedra con su tejado a dos aguas y sus buhardillas. En esos momentos atravesaban la huerta, rodeados por las sombras de los árboles y el dulce aroma de la fruta madura. Entre la huerta y la puerta trasera se extendía un jardín de plantas aromáticas dividido en dos por un sendero empedrado; a la izquierda y separado por una cerca no muy alta, estaba el huerto de la cocina.

—Pero eso es lo que nos hace regresar, ¿no es cierto? —Giró la cabeza y sus miradas se entrelazaron—. El hecho de que las cosas sigan siendo tan agradables como siempre.

Michael siguió mirándola a los ojos un instante.

—No lo había pensado, pero... tienes toda la razón. —Se detuvo para dejarla pasar por el estrecho sendero—. ¿Te quedarás mucho en Bramshaw?

Sonrió, a sabiendas de que no podría verla al estar detrás de ella.

—Acabo de llegar. —En respuesta a la histérica llamada de Elizabeth, su sobrina. Lo miró por encima del hombro—. Creo que me quedaré unas semanas.

Llegaron a la puerta trasera. Michael extendió el brazo para abrirla, muy consciente de la presencia de Caro mientras lo hacía... Sólo tenía ojos para ella. De camino al salón y mientras atravesaban la agradable penumbra del pasillo, se percató de que era una mujer increíblemente femenina. Se percató de lo mucho que lo afectaba esa feminidad, esa esbelta aunque voluptuosa figura ataviada con la diáfana muselina.

El vestido no tenía nada de raro; era Caro la que se salía de lo normal, en más de un sentido.

Una vez en el salón, tocó la campanilla. Cuando apareció Gladys, la doncella, pidió que les llevaran el té.

Caro se había acercado a los enormes ventanales del otro lado de la estancia. Le sonrió a la doncella, que hizo una reverencia y se marchó, antes de mirarlo.

—Hace una tarde preciosa... ¿Te apetece que salgamos a la terraza para disfrutar del sol?

—¿Por qué no? —Se acercó a ella y abrió las puertas francesas de par en par. La siguió a la terraza embaldosada. Una mesa de hierro forjado y dos sillas colocadas estratégicamente permitían disfrutar del sol y del panorama de los jardines en todo su esplendor.

Le apartó la silla para que se sentara antes de rodear la mesa y hacer lo propio. Se percató de que ella tenía una expresión preocupada cuando volvió a mirarlo a los ojos.

—No consigo acordarme... ¿Tenías mayordomo?

—No. Teníamos uno hace años, pero cerramos la mansión durante una buena temporada y se buscó otro empleo. —Frunció los labios—. Supongo que debería buscar otro.

Caro enarcó las cejas.

—En efecto. —A juzgar por su expresión, Caro era de la opinión de que un diputado debía tener mayordomo—. Pero si te das prisa, no tendrás que buscar mucho.

Cuando la miró con expresión interrogante, ella se limitó a sonreír.

—¿Te acuerdas de Jeb Carter? Se marchó de Fritham para aprender el oficio de mayordomo en Londres con su tío. Al parecer, le estaba yendo bastante bien, pero decidió buscar un empleo en el condado para estar más cerca de su madre. Muriel estaba buscando de nuevo un mayordomo y lo contrató. Por desgracia, Carter, al igual que tantos otros antes que él, no cumplió las expectativas de mi sobrina política, de manera que ésta lo despidió. Cosa que sucedió ayer mismo... Y, ahora, Carter está en casa de su madre.

—Comprendo. —Estudió su mirada con la esperanza de interpretar bien el mensaje que veía en esos ojos grises—. ¿Crees que debería contratarlo?

Caro esbozó una de sus alentadoras y prontas sonrisas.

—Creo que deberías ponerlo a prueba. Lo conoces y también conoces a su familia. Su honestidad está fuera de toda duda y los Carter siempre han sido buenos trabajadores.

Asintió con la cabeza.

—Lo haré llamar.

—No. Ve a verlo en persona —lo reconvino de forma educada pero contundente—. Como si pasaras por allí.

La miró a los ojos antes de asentir con la cabeza. Estaba dispuesto a aceptar consejos de muy pocas personas, pero sabía que la opinión de Caro en esos asuntos era incuestionable. De hecho, era la persona perfecta (la persona mejor cualificada, sin duda) para tantear sus posibilidades con Elizabeth. A la sazón, su sobrina.

La señora Entwhistle les llevó el té en persona, ya que a todas luces quería ver a su invitada. Caro llevaba con desenvoltura el hecho de ser una celebridad. Estuvo observando su intachable comportamiento mientras le preguntaba primero al ama de llaves por su hijo y después alababa los pastelillos rellenos de crema dispuestos en la bandeja. La señora Entwhistle se marchó encantadísima con el encuentro.

Mientras Caro servía el té, se preguntó si sería consciente de su comportamiento; si éste era espontáneo o premeditado. Después, cuando le ofreció la taza con una sonrisa, decidió que aunque en otro tiempo fuera fruto de la educación, a esas alturas ya se había convertido en una parte esencial de sí misma. En esencia, su comportamiento era espontáneo.

Era, ni más ni menos, su forma de ser.

Disfrutaron del té y de los pastelillos (él a bocados y ella con mucha más delicadeza) mientras intercambiaban noticias de sus conocidos comunes. Se movían en los mismos círculos sociales y ambos estaban muy bien relacionados en el ámbito político y diplomático. El tiempo pasó volando.

Ninguno de los dos tenía el menor problema a la hora de entablar una conversación; habilidad que daba buena fe de la experiencia que tenían a sus espaldas. Sin embargo, debía descubrirse ante ella en el contenido de dichas conversaciones, ya que sus comentarios demostraban una intuición infalible en lo que a las personas y sus reacciones se refería. Una intuición mucho más desarrollada que la suya, que sabía leer tras las apariencias y revelaba los verdaderos motivos de las personas.

Se estaba bien al sol. La contempló mientras intercambiaban información; Caro irradiaba seguridad, aunque no de forma deslumbrante, sino más bien con una serenidad que parecía surgir de lo más hondo de sí misma.

Esa inusual serenidad parecía rodearla con un aura de paz.

De pronto se le ocurrió que el tiempo corría... No, que volaba. Dejó la taza en la mesa.

—Dime, ¿qué planes tienes?

Caro lo miró y abrió los ojos de par en par.

—Para serte sincera, no lo sé. —Había un deje burlón en su voz—. Pasé parte del periodo de luto viajando, de modo que ya he satisfecho esa necesidad. Este año he pasado la temporada en Londres... Ha sido agradable reencontrarme con amigos, retomar ciertas relaciones, pero... —Hizo un mohín—. Eso no basta para llenar una vida. Me alojé con Angela durante la temporada... Aún no tengo claro qué hacer con la casa, si convertirla en mi residencia habitual y organizar en ella veladas literarias, o tal vez sumergirme de cabeza en obras de caridad... —Esbozó una sonrisa y sus ojos se iluminaron con un brillo travieso—. ¿Me ves haciendo algo de eso?

El azul grisáceo de su mirada parecía estar conformado por unas cuantas capas... había honestidad y franqueza en sus ojos, pero también parecían ocultar muchas otras cosas.

—No —contestó, observándola con detenimiento. Parecía relajada y contenta. Era incapaz de imaginársela siendo otra cosa que lo que era: la esposa de un embajador—. Creo que deberías dejarle las obras de caridad a Muriel y, en cuanto a lo de las veladas literarias... en fin, creo que sería una corte demasiado reducida para ti.

Caro se echó a reír, un sonido burbujeante que se fundió con el esplendor de la tarde.

—Tienes el piquito de oro de un político —dijo con aprobación—. Pero ya hemos hablado bastante de mí, ¿qué hay de ti? ¿Has pasado la temporada en Londres?

Eso era lo que había estado esperando; dejó que sus labios esbozaran una mueca socarrona.

—Sí, pero unos cuantos comités y alguna que otra reforma de ley acabaron distrayéndome más de lo que esperaba. —Le explicó un poco más, dispuesto a dejar que se fuera haciendo una ligera idea de él y de la vida que llevaba... Así como de la necesidad que tenía de una esposa. Contaba con suficiente experiencia como para decírselo abiertamente; ella lo adivinaría sin más... y sabría cómo explicárselo y cómo tranquilizar a Elizabeth cuando llegara el momento.

El hecho de hablar con alguien que conocía su mundo y sus entresijos era estimulante. Contemplar el rostro de Caro resultó todo un placer. Observó cómo sus facciones cambiaban de expresión y gesticulaba con elegancia, y se percató de que su sentido del humor y su inteligencia se reflejaban en su mirada.

Caro también estaba más que dispuesta a escuchar; sin embargo, a la par que él la observaba, ella también lo estudiaba, oculta tras su máscara de urbanidad... a la espera.

A la postre, Michael la miró a los ojos y preguntó sin más:

—¿Qué te traía a mi casa?

El camino sólo conducía hasta allí y ambos lo sabían.

Dejó que sus ojos adoptaran una expresión alegre y le regaló una sonrisa deslumbrante.

—Gracias por recordármelo. Se me había olvidado por completo mientras nos poníamos al día, así que menos mal que lo has hecho.

Apoyó los codos en la mesa y lo miró con su expresión más incitante.

—Como ya te he dicho, me quedo en casa de Geoffrey, pero los malos hábitos son difíciles de superar. Sé que hay un nutrido número de políticos y diplomáticos pasando el verano en el condado... Así que he organizado una cena para esta noche, pero... —Dejó que su sonrisa se torciera un poco—. Bueno, lo cierto es que me falta un caballero para cuadrar el número de invitados. Tú, al menos, entenderás lo necesario que eso es para mi tranquilidad mental.

Su elocuencia lo encandiló y se echó a reír.

—En fin... —prosiguió, adornando el cuento sin piedad—. Hay un grupito de la embajada portuguesa, tres miembros de la austrohúngara, y... —Procedió a enumerar a los invitados; ningún político que se preciara rechazaría la oportunidad de codearse con tales personajes.

Michael no fingió considerar la idea, sino que se limitó a sonreír.

—Estaré encantado de asistir.

—Gracias. —Le regaló su mejor sonrisa. Puede que hubiera perdido un poco de práctica, pero parecía seguir surtiendo efecto.

Escucharon que alguien caminaba sobre la grava de la avenida principal. Cuando miraron, vieron que Hardacre se acercaba con *Henry*, nuevamente enganchado a la calesa.

El hombre los saludó con la cabeza.

—Está estupendo... No debería darle ningún problema.

Caro cogió su ridículo y rodeó la mesa. Michael la tomó por el codo para ayudarla a bajar los escalones de la terraza. Una vez junto a la calesa, le dio las gracias al encargado de los establos y permitió que Michael la ayudara a subir al asiento. Tras tomar las riendas, le sonrió.

—Te espero a las ocho en punto... Te prometo que no te aburrirás.

—Estoy seguro —replicó él. Agitó la mano a modo de despedida y se apartó de la calesa.

Henry se puso en marcha en cuanto sacudió las riendas y ella se alejó al trote por el camino, haciendo gala de su habilidad como conductora.

Michael observó cómo se alejaba la calesa... y se preguntó cómo se habría enterado Caro de que estaba en casa. Era el primer día que pasaba allí desde hacía meses, así que... ¿había sido suerte o fruto del azar? Después de todo, no podía olvidar que ella era quien era.

A su lado, Hardacre carraspeó.

—No he querido decir nada delante de la señora Sutcliffe, no habría servido de nada. Pero ese caballo...

—¿Qué le pasa? —preguntó, mirándolo.

—Se asustó porque le dispararon unos cuantos perdigones. He encontrado tres heridas en la pata trasera izquierda, como las marcas que dejan las piedras que se lanzan con un tirachinas.

Eso le hizo fruncir el ceño.

—¿Una travesura de algunos niños?

—Una travesura muy peligrosa. Pero la verdad es que no se me ocurre ningún muchacho tan tonto como para hacer algo así.

Hardacre tenía razón. Todos los habitantes del condado dependían de los caballos, y sabían cuál podría ser el resultado de semejante estupidez.

—Tal vez alguno de los veraneantes de Londres. Algunos niños que no sean conscientes del peligro.

—Sí, es posible —admitió el hombre—. De todos modos, no creo que vuelva a suceder, al menos no a la señora Sutcliffe.

—Por supuesto. Sería demasiada coincidencia.

Hardacre regresó a los establos mientras él permanecía un buen rato con la vista clavada en el camino antes de dar media vuelta y subir los escalones de la terraza.

Se había hecho demasiado tarde para hacerle una visita a Geoffrey Mollison, sobre todo si la servidumbre estaba atareada con la preparación de la cena de Caro. Además, dicha visita ya no era necesaria, puesto que asistiría a la cena y, por tanto, podría hablar con Geoffrey más tarde.

De todos modos, su impaciencia se había calmado. Prefería considerar la cena de Caro como una oportunidad más que como una distracción. Semejante evento sería la ocasión perfecta para retomar y profundizar su relación con Elizabeth, su novia ideal.

Mientras entraba en la mansión dispuesto a sacar su ropa de gala, concluyó que estaba en deuda con Caro.

—¡Ya hemos contactado con el enemigo! Nuestro plan está en marcha. —Con una sonrisa triunfal en el rostro, Caro se dejó caer en un sillón tapizado de cretona en la salita familiar de Bramshaw House.

—Sí, pero, ¿funcionará? —le preguntó su sobrina con una expresión esperanzada y ansiosa en sus enormes ojos azules. Estaba sentada en el diván, ataviada con un vestido de muselina estampada y con el cabello recogido en la nuca.

—¡Por supuesto que funcionará! —Se giró para alardear de su triunfo con el otro ocupante de la salita, su secretario, Edward Campbell, que estaba sentado al lado de Elizabeth en el diván. A sus veintitrés primaveras, era un joven serio, recto y digno de confianza y desde luego, por su aspecto, nadie diría que había logrado que Elizabeth se enamorara locamente de él. Las apariencias, como bien sabía ella, engañaban.

Dejó que su sonrisa se desvaneciera y miró a su secretario a los ojos.

—Te aseguro que cuando un caballero como Michael Anstruther-Wetherby decide que eres la candidata ideal para ser su esposa, el único modo de evitar la presión, y la habrá, que no te quepa la menor duda, que todo el mundo va a ejercer sobre ti mientras te aferras al «no» con uñas y dientes, pasa por convencerlo de que pedir tu mano sería un error.

Aunque sus palabras estaban dirigidas a Elizabeth, sus ojos no se apartaron de Edward. Si la relación de la pareja no era tan firme como querían hacerle creer, prefería saberlo, verlo, en ese mismo instante.

Hasta hacía cinco días, estaba la mar de contenta en Derbyshire, con Augusta y con la idea de pasar el verano allí. Dos misivas urgentes de Elizabeth, una dirigida a ella y otra a Edward, les habían hecho acudir a toda prisa a Hampshire tras pasar por Londres.

Su sobrina les había escrito aterrada por la posibilidad de recibir una proposición de matrimonio por parte de Michael Anstruther-Wetherby. Ella creía que todo se trataba de un malentendido, ya que conocía la edad de Michael y los círculos que frecuentaba, pero Elizabeth les había relatado una conversación durante la cual Geoffrey procedió a cantar las alabanzas de Michael una vez que se aseguró de que no estaba enamorada de ningún caballero.

Eso, se vio obligada a admitir, era sospechoso. No porque Michael no se mereciera las alabanzas, sino porque su hermano hubiera elegido ponerlas de manifiesto.

Edward también había albergado sus dudas con respecto a las conjeturas de Elizabeth, pero cuando pasaron por Londres, hizo unas cuantas preguntas discretas entre sus amigos, también secretarios y asistentes de políticos muy poderosos. Lo que averiguó lo hizo llegar a casa lívido y muy nervioso. Se rumoreaba que Michael Anstruther-Wetherby había sido propuesto para ser nombrado ministro, aunque dicho nombramiento dependía de que hubiera cambiado su estado civil llegado el otoño, tal y como le habían sugerido.

Caro había decidido pasar un día más en la ciudad, lo justo para hacerle una visita matutina a la formidable tía de Michael, Harriet Jennet. Habían hablado de anfitriona política a anfitriona diplomática. Ni siquiera había tenido que sacar el tema; Harriet había aprovechado la oportunidad para comentarle el interés de Michael por Elizabeth.

Ésa había sido confirmación más que suficiente. De hecho, la situación era peor de lo que su sobrina había supuesto.

Sus ojos volaron hacia ella en ese momento. Ella misma había sido la esposa de un diplomático... una jovencita inocente de diecisiete años que se había enamorado locamente por las exquisitas atenciones de un hombre mucho mayor que ella. Jamás se había enamorado de otro hombre en toda su vida, pero no le deseaba un matrimonio como el suyo a ninguna jovencita.

Aunque jamás había conocido el amor de primera mano, su corazón estaba con Elizabeth y Edward. La pareja se conoció en su casa de Lisboa. Jamás ofició de casamentera, pero tampoco había hecho nada por mantenerlos separados. Si estaban destinados a amarse, que así fuera; y en su caso, así había sido. Habían permanecido fieles a su amor durante más de tres años y ninguno de los dos daba señales de flaquear en su afecto.

Llevaba un tiempo considerando opciones para darle un empujoncito a la carrera de su secretario, al menos para que pudiera pedir la mano de Elizabeth. Sin embargo, eso era otra historia. Primero debían zanjar la posibilidad de que Michael pidiera la mano de su sobrina. Ya.

—Tienes que comprender —explicó— que una vez que Michael pida tu mano, será muy difícil que se retracte y mucho más difícil que tú te niegues, habida cuenta de quién es tu padre. Por lo tanto, la mejor forma de evitar el desastre es asegurarnos de que no pida tu mano, y para ello debemos lograr que Michael cambie de opinión.

Edward miró a Elizabeth con una expresión seria en sus ojos castaños.

—Estoy de acuerdo. Es la táctica más fiable y la que nos puede asegurar el éxito sin necesidad de que los implicados sufran en demasía.

Elizabeth enfrentó su mirada antes de desviar la vista hacia ella. Después, suspiró.

—Muy bien. Admito que tenéis razón. ¿Qué tengo que hacer?

Caro le sonrió para darle ánimos.

—Esta noche debemos concentrarnos en crear dudas acerca de tu idoneidad. No debemos hacer que te rechace a las primeras de cambio, sólo darle motivos para meditar las cosas. Sin embargo, debemos actuar con mucha discreción. —Entrecerró los ojos mientras consideraba varias posibilidades—. La clave para manipular a un caballero como Michael Anstruther-Wetherby reside en la sutileza y la mesura.

2

A las ocho y diez de esa misma tarde Michael subía los escalones de Bramshaw House. Catten, el mayordomo, que lo conocía bien, lo condujo al salón y anunció su llegada antes de apartarse para dejarlo pasar. Entró en la enorme estancia y esbozó una sonrisa afable cuando los ojos de todos los presentes se clavaron en él y las conversaciones cesaron, aunque no tardó en ver que todos le sonreían en respuesta.

Caro lo vio, a pesar de estar charlando animadamente con un grupo de personas al lado de la chimenea. Michael dio unos cuantos pasos en su dirección antes de detenerse, a la espera de que ella se disculpara y se acercara a recibirlo acompañada por el frufrú de las faldas de su vestido de seda cruda.

—¡Mi héroe! —exclamó con una sonrisa al tiempo que le tendía la mano; cuando la soltó, Caro se colgó de su brazo con actitud confiada y se giró para quedar junto a él y recorrer con la vista a los invitados—. Creo que conoces a la mayoría, pero dudo mucho que hayas coincidido alguna vez con la delegación portuguesa. —Lo miró de soslayo—. ¿Vamos?

—Por supuesto. —Le permitió que lo condujera hacia el grupo del que acababa de separarse para recibirlo.

Caro se inclinó hacia él para murmurarle en voz baja:

—El embajador y su esposa están en Brighton, pero las dos parejas que tenemos aquí son, si cabe, más influyentes todavía. —Esbozó una sonrisa cuando se unieron al grupo—. Los duques de Oporto. —Hizo un gesto hacia un caballero de cabello negro y rostro demacrado y una dama alta, también morena y de porte altivo—. Los condes de Albufeira. —Señaló a otro caballero también de pelo oscuro, pero completamente diferente al

31

anterior. El conde era un hombre corpulento, con los ojos risueños y las mejillas sonrosadas típicas de los buenos bebedores. Su esposa era una mujer de pelo castaño, hermosa aunque de aspecto severo—. Y éste es Ferdinand Leponte, el sobrino del conde. Permítanme que les presente al señor Michael Anstruther-Wetherby. Es el diputado del distrito.

A continuación intercambiaron las reverencias y los saludos de rigor. Caro se soltó de su brazo y tomó el del duque.

—Creo que sería muy acertado que se fueran conociendo —le dijo al portugués, al tiempo que se giraba para mirarlo con una expresión resplandeciente—. He oído el rumor de que, en un futuro no muy lejano, el señor Anstruther-Wetherby pasará mucho más tiempo en los círculos diplomáticos que en los puramente políticos.

Michael la miró con una ceja enarcada, aunque no le extrañó que hubiera escuchado los rumores. Lo extraño era que no lo hubiera mencionado por la mañana.

Su silencio fue tomado por una confirmación en toda regla y el conde se apresuró a entablar una conversación con él, a la que se sumó el duque al cabo de unos minutos. Sus esposas mostraron un interés similar; con unas cuantas preguntas muy concretas se informaron sobre sus orígenes y sus amistades.

Por su parte, Michael se aprestó a darles conversación y a escuchar sus puntos de vista acerca de los aspectos que creían más relevantes en las relaciones bilaterales de sus países. Las dos parejas tenían toda la intención de plantar las semillas adecuadas en su mente, de influir sus opiniones antes de que las hubiera formado siquiera... O, para ser más exactos, antes de que averiguara los puntos de vista de los funcionarios del Ministerio de Asuntos Exteriores.

Caro le tocó el brazo con sutileza y se despidió del grupo. Sin dejar de prestarles atención a sus interlocutores, se percató de que Ferdinand Leponte también se había marchado y de que había reclamado el puesto de acompañante de Caro.

Al contrario que sus compatriotas, el señor Leponte no había mostrado el menor interés por su persona una vez que intercambiaron los saludos de rigor. El portugués parecía rondar los treinta años, tenía el pelo negro, la piel morena y debía admitir que su apostura, su deslumbrante sonrisa y sus enormes ojos oscuros serían una baza importante a la hora de tratar con las mujeres.

Un mujeriego, a todas luces, a juzgar por el aura que lo rodeaba. Era el típico ejemplo de los asistentes diplomáticos; un puesto sin relevancia alguna que solían ocupar los familiares de un diplomático de carrera (como el conde) y que sólo les garantizaba el acceso a los círculos diplomáticos. Ferdinand Leponte era, sin duda alguna, un aprovechado, aunque no era precisamente del conde de quien quería aprovecharse.

Cuando Caro regresó al grupo unos diez minutos después con la intención de llevárselo para que conociera al resto de los invitados, el señor Leponte seguía pegado a sus talones.

Tras despedirse de las dos parejas, miró al tipo a los ojos y le hizo una reverencia como si se estuviera despidiendo. El susodicho esbozó una sonrisa inocente y se colocó al otro lado de Caro cuando ésta lo tomó del brazo para acompañarlo hacia el siguiente grupo.

—Ni se le ocurra provocar al general —le aconsejó Caro al portugués, quien se limitó a sonreír haciendo un despliegue de su encanto latino.

—¡Caramba! Semejante tentación es casi irresistible...

Caro lo fulminó con una mirada reprobatoria poco antes de que llegaran junto al grupo en cuestión, que estaba delante de los ventanales, y una vez allí procedió a hacer las presentaciones.

Michael le estrechó la mano al general Kleber, un prusiano, y después saludó al embajador austrohúngaro y a su esposa, a quienes ya conocía.

El general era un anciano severo y sin pelos en la lengua.

—Me parece estupendo que ahora disfrutemos de paz, pero aún queda mucho por hacer. Mi país está muy interesado en la construcción naval... ¿Sabe algo de astilleros?

Tras confesar su total desconocimiento del tema, incluyó al embajador en la conversación. El general señaló que Austria no tenía salida al mar y, por tanto, no tenía flota. De modo que cambió la conversación hacia temas agrícolas, y no le sorprendió en lo más mínimo que Caro aprovechara el momento para alejar de allí al señor Leponte.

Regresó varios minutos después, sola. Lo rescató del grupo y le presentó al resto de invitados: tres diplomáticos ingleses y sus respectivas esposas; un parlamentario escocés, el señor Driscoll, que estaba acompañado por su esposa y sus dos hijas; y un aristócrata irlandés de cierto atractivo, lord Sommerby, a quien la señora Driscoll miraba de soslayo.

A la postre y con una sonrisa cariñosa, Caro lo acompañó hasta el último grupo de la estancia. Saludó a su hermano con evidente afecto mientras él le estrechaba la mano y correspondía a su sonrisa. Geoffrey era un hombre alto y corpulento cuyos hombros caídos le otorgaban un aire de perpetuo cansancio. Aunque había ocupado el puesto de diputado local durante varios años, una reunión de semejante calibre le resultaba agobiante.

—Tengo entendido que Elizabeth y tú os conocisteis en Londres.

—Con una sonrisa afectuosa, Caro señaló a la esbelta joven que estaba junto a Geoffrey.

«¡Por fin!»

—Así es. —Cogió la delgada mano que Elizabeth le tendía—. Señorita Mollison. —La había visto al entrar en el salón, si bien se había cuidado mucho de no mostrar su interés. En ese momento intentó atrapar su mirada, intentó vislumbrar qué reacción le provocaba su presencia; pero, aunque ella le sonrió y sus miradas se entrelazaron, no detectó ningún interés especial en esos ojos azules.

Sin embargo, dichos ojos se iluminaron casi al instante cuando Caro le presentó al joven que se encontraba a su lado, intentando pasar desapercibido.

—Éste es mi secretario, Edward Campbell. Fue el asistente de Camden, pero me acostumbré de tal modo a contar con sus servicios que decidí que era demasiado valioso como para dejarlo escapar.

Campbell la miró como si quisiera recordarle que únicamente era su secretario. Le tendió la mano y él se la estrechó al tiempo que experimentaba la necesidad de decirle al muchacho que no le quitara el ojo de encima a Ferdinand Leponte. Reprimió el impulso y se concentró en el asunto más acuciante de su agenda: Elizabeth Mollison.

—He oído que tu nombre se baraja para un ascenso —dijo Geoffrey.

—Todo depende del primer ministro, y no dirá nada hasta que llegue el otoño —replicó con una sonrisa afable.

—Siempre ha sido un hombre muy reservado. Bueno, ¿cómo va lo de Irlanda? ¿Crees que tendrás que irte una temporada para allá?

Intercambiar novedades políticas con Geoffrey era la tapadera perfecta para estudiar a su hija. Elizabeth siguió junto a su padre mientras ojeaba la estancia; no parecía interesada en su conversación... De hecho, parecía totalmente ajena a ella. Caro se colgó del brazo de su secretario y juntos se marcharon para mezclarse con los invitados. Michael cambió de postura para estudiar mejor a la muchacha.

Había algo que no terminaba de encajar...

Miró a Caro antes de devolver la vista a su sobrina; después estudió los vestidos de las otras dos jóvenes presentes, las señoritas Driscoll. Una iba de rosa pálido y la otra, de amarillo claro.

Elizabeth iba de blanco.

Muchas jóvenes solteras elegían ese color, sobre todo durante su primera temporada social. Elizabeth acababa de disfrutar de la suya y, sin embargo... El blanco no le sentaba bien. Su tez era demasiado pálida de por sí, y si a eso se le sumaba el color platino de su cabello, el efecto era desastroso. Sobre todo si se sumaban los diamantes que había elegido como complemento para el etéreo vestido.

Estudió el resultado del conjunto al completo y disimuló la contrariedad que le produjo. Ni se le ocurriría cometer la presunción de sermonear a una joven sobre su vestimenta, pero sí conocía la diferencia entre una dama bien vestida y una dama que no lo estaba. En los círculos políticos, era muy raro encontrar al segundo tipo.

Ver a Elizabeth vestida de esa manera le produjo cierto sobresalto. Aparte de que el blanco le confería un aspecto deslustrado, el vestido virginal y el sensual brillo de los diamantes desentonaban muchísimo.

Volvió a mirar a Caro. La seda cruda y el exquisito diseño de su vestido resaltaban las seductoras curvas de su cuerpo; el color realzaba su tez pálida, aunque sonrosada, y complementaba a la perfección los destellos cobrizos y dorados que las arañas arrancaban a su glorioso cabello rizado. Llevaba un collar de perlas engarzadas en plata, que hacía juego con sus ojos, con ese raro matiz plateado que brillaba en ocasiones en sus iris grisáceos.

Un nuevo vistazo a Elizabeth lo convenció de que era imposible que Caro no hubiera aconsejado a su sobrina en contra de ese vestido en concreto. De modo que llegó a la conclusión de que tras el aura inocente de la joven se escondía una férrea fuerza de voluntad... O una obstinación tan arraigada como para desatender los consejos de su tía.

Se sintió un poco más contrariado. Una férrea fuerza de voluntad o una naturaleza obstinada... ¿eso era bueno? ¿O no tanto? ¿Sería innato en Elizabeth mostrar desprecio por los consejos procedentes de otras personas capacitadas para darlos?

Varios invitados llegaron tarde. Caro los acompañó para realizar las presentaciones. Mientras dos de los recién llegados charlaban con Geoffrey, aprovechó las circunstancias para entablar conversación con Elizabeth.

—Si no recuerdo mal, nos conocimos en el baile que lady Hannaford celebró en mayo... ¿Ha disfrutado de su primera temporada?

—¡Ay, sí! —Los ojos de Elizabeth brillaron de felicidad y lo miraron con expresión radiante—. Los bailes eran tan divertidos... Adoro bailar. Y también los demás entretenimientos... Bueno, salvo las cenas. Suelen ser muy aburridas. Pero he hecho muchas amistades. —Lo miró con una sonrisa inocente—. ¿Conoce a los Hartford? ¿A Melissa Hartford y a su hermano Derek? —Guardó silencio, esperando a todas luces una respuesta.

—¡Vaya! Pues no —respondió al tiempo que se movía, inquieto. Tenía la sospecha de que Derek Hartford tendría unos veinte años y Melissa sería aún más joven.

—Bueno, son mis mejores amigos. Vamos a todos sitios juntos, de un lado a otro de la ciudad. Y Jennifer Rickards también viene con nosotros, y sus primos Eustace y Brian Hollings. —Interrumpió su alegre parloteo y clavó la vista al otro lado de la estancia—. Esas dos muchachas parecen algo perdidas, ¿no cree? Será mejor que vaya a hablar con ellas. —Le regaló una sonrisa radiante y se alejó... sin despedirse como era debido.

La observó alejarse, sintiéndose bastante... desorientado. Lo había tratado como a un amigo de la familia, como a alguien con quien no era necesario guardar las formalidades, aun así...

Alguien se detuvo a su lado entre el frufrú de la seda. Un sutil y esquivo aroma a madreselva le inundó los sentidos.

Bajó la vista al mismo tiempo que Caro lo tomaba del brazo. Al igual que él, había seguido a Elizabeth con la mirada y cuando sus ojos se encontraron hizo un mohín.

—Lo sé, pero no creas que ha sido idea mía.

—Ni se me ha pasado por la cabeza —le aseguró con una sonrisa.

Tras devolver la vista a su sobrina, Caro suspiró.

—Por desgracia, se empeñó en vestir de blanco aunque estaba desesperada por lucir los diamantes... quería que le infundieran valor. Es que eran de Alice.

Alice era, o había sido, la madre de Elizabeth, la esposa de Geoffrey.

—¿Para que le infundieran valor? —repitió con expresión sorprendida.

—No está acostumbrada a las veladas de este tipo, así que supongo que necesitaba un empujoncito. —Caro alzó la vista y su radiante mirada se le antojó un tanto burlona y velada—. No es más que una fase pasajera, parte del proceso de aprendizaje para saberse mover en este tipo de eventos. No tardará en estar como pez en el agua.

Clavó la vista al frente y él observó un instante su perfil. ¿Habría presenciado su desastrosa conversación con Elizabeth?

¿Debería hablar con ella y pedirle su ayuda...?

Caro se puso de puntillas para ver por encima de los invitados.

—¿Aquél es...?

Michael siguió su mirada y vio a Catten en la puerta del salón.

—¡Por fin! —exclamó, con una sonrisa radiante mientras se soltaba de su brazo—. Por favor, discúlpame mientras me encargo de los preparativos.

La siguió con la mirada mientras se alejaba, representando a la perfección su papel de anfitriona al emparejar a los invitados de acuerdo a su orden de precedencia. Dado que el grupo lo conformaban una variedad de dignatarios ingleses, irlandeses y de otros países europeos, no era una tarea nada desdeñable; aun así, lo organizó todo sin el menor problema.

Mientras se acercaba a la señora Driscoll para ofrecerle el brazo, Michael se preguntó cómo se las habría ingeniado Elizabeth en las mismas circunstancias...

—Bien, ojalá lo veamos en Edimburgo el año que viene —le dijo la señora Driscoll mientras se servía guisantes verdes de la bandeja que él sostenía. Una vez servida, se la quitó de las manos para pasársela al siguiente comensal.

—Me encantaría volver, pero me temo que el primer ministro tiene otros planes. —Cogió los cubiertos y se dispuso a cortar la carne del quinto plato—. El deber es el deber...

—Sí, bueno, todos los presentes estamos familiarizados con ese lema.

La señora Driscoll abarcó la mesa con la mirada. Tras responder al comentario con una inclinación de cabeza, él también observó a los invitados. Aunque lo consideraba un partido potencial para cualquiera de sus hijas, la dama no había insistido demasiado y, por tanto, no había forzado la conversación.

Su comentario, desde luego, era de lo más acertado. Todos los invitados a esa mesa sabían cómo se hacían las cosas, cómo debían comportarse en ese selecto y, en cierta forma, misterioso círculo que tanto se veía influido por las vicisitudes de la política, tanto a nivel nacional como internacional. Desde luego, él se sentía muchísimo más a gusto y más entretenido en ese ambiente que en entre los círculos aristocráticos.

Sentado entre la señora Driscoll, que estaba a su derecha, y la condesa de Albufeira, a su izquierda, no le faltó conversación en ningún momento. Los comensales en conjunto charlaban de forma agradable a juzgar por los murmullos. Las jovencitas, Elizabeth y las hermanas Driscoll, flanqueadas por dos caballeretes, ocupaban el lado opuesto de la opulenta mesa, adornada por un mantel de damasco blanco, la cubertería de plata y el cristal de las copas. Edward Campbell estaba sentado junto a Elizabeth.

Caro, sentada en la cabecera, estaba enzarzada en una animada discusión y gesticulaba sin parar mientras describía algo.

La condesa le hizo una pregunta y él se giró para responder. Acababa de clavar la vista en la señora Driscoll de nuevo cuando una súbita carcajada llamó la atención de todos... y Elizabeth se convirtió en el centro de todas las miradas.

El sonido se cortó en seco, ya que ella se había llevado la mano a los labios mientras miraba a uno y otro lado de la mesa. Sus pálidas mejillas estaban cubiertas por el rubor

Una de las hermanas Driscoll se inclinó hacia delante para decir algo. Edward Campbell respondió y eso puso fin al silencio. Los demás comensales retomaron sus conversaciones. Puesto que él fue uno de los últimos en hacerlo, se percató de que Elizabeth cogía su copa de vino con la cabeza gacha.

Dio un sorbo, se atragantó... y cuando intentó dejar la copa de nuevo sobre la mesa, estuvo a punto de tirarla. El tintineo del cristal y la tos volvieron a convertirla en el centro de atención. Una vez que la copa estuvo sana y salva sobre el mantel, Elizabeth cogió la servilleta, se limpió los labios y agachó nuevamente la cabeza.

Campbell le dio unas palmaditas en la espalda y la tos cesó. Inclinó la cabeza para preguntarle algo, seguramente si se encontraba bien. Ella le dijo que sí con un breve gesto. Después enderezó la espalda, levantó la cabeza e inspiró hondo. Esbozó una titubeante sonrisa y dijo con un hilo de voz:

—Discúlpenme, por favor. El vino se me fue por mal sitio.

Los invitados sonrieron con afabilidad y retomaron una vez más sus conversaciones.

Mientras charlaba con la condesa, Michael descubrió que su mente insistía en divagar. Había sido un incidente de lo más nimio, aun así...

Su mirada vagó hasta el lugar que ocupaba Caro, que seguía enzarzada en lo que parecía ser una conversación interesantísima con el duque y el general. Si ella se hubiera atragantado, por remota que le pareciera la posibilidad, estaba seguro de que habría salvado la situación de un modo mucho más elegante.

Claro que, tal y como la misma Caro había dicho, Elizabeth era joven.

—Espero visitar su país en un futuro no muy lejano —le dijo a la condesa con una sonrisa.

Cuando los caballeros se reunieron con las damas en el salón, Michael siguió observando a Elizabeth, pero desde lejos. La muchacha seguía rodeada de los invitados más jóvenes y dejaba que todo el peso de la velada recayera sobre su tía y sobre su padre, impidiéndole evaluar sus dotes como anfitriona.

Se sentía extrañamente frustrado. No podía unirse sin más a su grupo, por la sencilla razón de que no era uno de ellos. Había llovido mucho desde la época en la que sólo le preocupaban las carreras en tílburi u otros asuntos por el estilo. Aun así, estaba decidido a conocer mejor a Elizabeth. Estaba meditando a solas en uno de los laterales de la estancia, sopesando diversos acercamientos a su objetivo, cuando Caro apareció de repente a su lado.

Se percató de su presencia incluso antes de que llegara y lo tomara del brazo. Era un gesto tan natural, propio de dos amigos ajenos a todas las restricciones sociales, que la imitó al punto.

—No sé... —musitó sin apartar la vista de su sobrina—. Me vendría bien un poco de aire fresco y estoy segura de que a Elizabeth también.

—Levantó la vista y le sonrió con cariño, aunque a sus ojos asomaba un brillo decidido—. Además, quiero separarla de ese grupo. Debería estar moviéndose entre los invitados y ampliando su círculo de conocidos. —Le dio un apretón en el brazo y lo miró con una ceja enarcada—. ¿Te apetece pasear por la terraza?

Le devolvió la sonrisa y puso especial cuidado en ocultar lo mucho que le gustaba su sugerencia.

—Tú primero.

Ella lo precedió por el salón mientras se acercaba al grupo de Elizabeth. Una vez allí, la apartó con suma elocuencia y, sin soltarlo del brazo, los acompañó hasta las puertas francesas. Los tres salieron a la terraza bañada por la luz de la luna.

—¡Bien! —exclamó mientras arrastraba a su sobrina por la terraza sin dejar de observarla—. ¿Te encuentras bien? ¿Te duele la garganta?

—No. La verdad es que...

—¿Caro?

El susurro hizo que se giraran hacia las puertas francesas. Su secretario la reclamaba

—Creo que sería mejor que... —Señaló el interior del salón.

—*¡Peste!* —exclamó mirando al joven antes de desviar la vista hacia él y, por último, hacia Elizabeth. Apartó la mano de su brazo y la sustituyó por la de su sobrina—. Dad un paseo. Hasta el otro extremo de la terraza al menos. Y después regresa al salón y practica engatusando al general por mí.

Elizabeth parpadeó sorprendida.

—Pero...

—No hay peros que valgan. —Replicó mientras se alejaba hacia el salón. Les hizo un gesto con la mano, y los anillos brillaron a la luz—. Vamos, id a pasear. —Tomó a su secretario del brazo, alzó la barbilla y regresó al salón.

Dejándolo a solas con Elizabeth. Contuvo una sonrisa (Caro era increíble) y miró a la muchacha.

—Será mejor que sigamos sus instrucciones. —La instó a dar media vuelta y echaron a andar despacio—. ¿Está disfrutando del verano?

Elizabeth lo miró con una sonrisa resignada.

—No es tan emocionante como Londres, pero ahora que la tía Caro está aquí, las cosas se animarán un poco. Habrá más gente a la que conocer y más actos sociales a los que asistir.

—¿Le gusta conocer gente? —Una actitud muy loable en la esposa de un político.

—¡Sí! Bueno, pero sólo si son jóvenes, por supuesto —añadió con un mohín—. Me resulta dificilísimo «entablar conversación» con viejos chochos o con personas con las que no tengo nada en común, pero mi tía dice que aprenderé con el tiempo. —Hizo una pausa antes de añadir—: Aunque la verdad es que preferiría no tener que aprender. —Esbozó una sonrisa deslumbrante—. Preferiría con mucho disfrutar de las fiestas, de los bailes y de los saraos sin preocuparme por tener que hablar con tal o con cual persona. Quiero disfrutar de mi juventud, quiero disfrutar de la música, de los paseos a caballo y en carruaje, y de todas esas cosas.

Eso lo dejó perplejo.

Elizabeth se inclinó hacia él e hizo un gesto vago con la mano libre.

—Debe recordar lo que era... Todas las diversiones que ofrece la capital. —Lo miró a la cara, con la evidente esperanza de que él sonriera y asintiera con la cabeza.

Después de acabar sus estudios en Oxford, había pasado casi todo su tiempo como secretario de hombres influyentes; había estado en la capital, pero tenía la sensación de haber vivido en un universo paralelo al que la muchacha le estaba describiendo.

—¡Caray! Sí, por supuesto.

Se mordió la lengua para no decirle que de eso hacía mucho tiempo. Elizabeth se habría echado a reír como si estuviera bromeando. Cuando llegaron al final de la terraza, dieron media vuelta y emprendieron el regreso. Ella no dejó de parlotear sobre los maravillosos meses que había pasado en Londres, sobre eventos y personas de los que él sabía muy poco y que le interesaban todavía menos.

Estaban muy cerca de las puertas francesas cuando cayó en la cuenta de que la muchacha no había mostrado el menor interés en él. Ni tampoco se había interesado por sus gustos, sus conocidos o su vida.

La miró, un tanto alarmado. No sólo lo trataba como a un amigo de la familia, sino como a algo peor, como a un tío. Ni se le había pasado por la cabeza que...

—¡Por fin! —exclamó Caro mientras salía por las puertas. Sonrió al verlos y se encaminó hacia ellos—. Aquí fuera se está de maravilla; es el lugar idóneo para un interludio muy agradable.

—¡Caramba, Caro! Me ha leído el pensamiento...

Caro giró sobre sus talones. Ferdinand la había seguido al exterior, pero dejó la frase en el aire al percatarse de que no estaban a solas. A fin de detenerlo, se acercó a él.

—El señor Anstruther-Wetherby y Elizabeth han disfrutado de un paseo por la terraza y estábamos a punto de regresar al salón.

Ferdinand le regaló una sonrisa deslumbrante.

—¡Excelente! Que regresen ellos mientras nosotros damos un paseo.

Su intención había sido la de tomarlo del brazo para obligarlo a regresar al salón. Sin embargo, sucedió todo lo contrario. Fue él quien la giró para seguir en la terraza. Aunque no lo consiguió del todo, porque logró cogerlo del brazo para darle media vuelta. Estaba a punto de hacerlo cambiar de dirección cuando se percató de que Michael se había acercado a ellos.

—A decir verdad, señor Leponte, no creo que ésa fuera la intención de la señora Sutcliffe.

La amonestación fue muy civilizada y su tono de voz muy educado; sin embargo, a ninguno le pasó por alto la férrea determinación que ocultaban.

Exasperada y conteniendo el impulso de darle unas palmaditas a Michael en el brazo para asegurarle que era perfectamente capaz de enfrentarse a los mujeriegos como Ferdinand, le dio a éste unos tironcitos en el brazo para llamar su atención, ya que seguía mirando a Michael con expresión asesina.

—El señor Anstruther-Wetherby tiene razón. No tengo tiempo de pasear. Debo regresar con mis invitados.

Ferdinand apretó los labios, pero no le quedó más remedio que acceder.

A sabiendas de que el portugués estaría resentido, decidió aprovechar la oportunidad que se le acababa de presentar. Se giró hacia su sobrina y, dado que los hombres no podían verle el rostro, le indicó con la mirada que debía llevarse a Ferdinand.

—Tienes mucho mejor aspecto, querida... ¿Eso quiere decir que puedes ayudarme?

Elizabeth parpadeó un par de veces antes de esbozar una sonrisa inocente.

—Sí, por supuesto —respondió al tiempo que se soltaba del brazo de Michael y se giraba hacia Ferdinand con una sonrisa—. ¿Sería tan amable de llevarme con su tía? Apenas he tenido oportunidad de hablar con ella.

Ferdinand tenía demasiada experiencia como para delatar su irritación; de modo que, tras un fugaz titubeo, esbozó su sonrisa más encantadora, hizo una reverencia y le aseguró que estaría encantado.

Michael, que seguía tras ella, se movió al verlo extender el brazo para coger la mano de Elizabeth. Fue un cambio muy sutil, pero tanto ella como Ferdinand se percataron. La sonrisa del portugués se tornó un tanto forzada. Una vez que estuvieron tomados del brazo se acercó para decirle:

—Haré mucho más que eso, preciosa. Me quedaré a su lado y...

Lo que planeaba hacer a continuación fue un misterio, ya que bajó la voz al tiempo que se inclinaba para decírselo a Elizabeth prácticamente al oído. Sin embargo, ella la conocía demasiado bien (y también conocía a Edward) como para creer que ese mujeriego pudiera engatusarla. Elizabeth, de todos modos, tuvo el buen tino de reír encantada mientras regresaba de su brazo al salón.

Bastante satisfecha con la actuación de Elizabeth, se giró hacia Michael y decidió hacer caso omiso de la irritación que percibía bajo su máscara de urbanidad. Era bastante bueno a la hora de ocultar sus emociones, pero ella gozaba de una enorme experiencia como anfitriona diplomática y, por tanto, era una experta en adivinar las verdaderas reacciones de las personas.

Michael estaba, tal y como ella había esperado, frustrado, confundido, y receloso. Tanto ella como su sobrina (y Edward) necesitaban que Michael sopesara de nuevo la situación. Estuvo a punto de cruzar los dedos tras la espalda cuando volvió a cogerse de su brazo.

—El duque ha mencionado que le gustaría hablar contigo de nuevo.

Reclamado por el deber, la acompañó de regreso al salón.

A partir de ese momento, se aseguró de que estuviera siempre ocupado, bien lejos de Elizabeth. De todos modos no estaba muy segura de que hubiera notado el coqueteo de Ferdinand con su sobrina quien, representando un fantástico papel de jovencita inocente, lo animó aún más. El interés del duque en hablar con él sí era sincero. En ese sentido, Michael había causado sensación. Estuvieron charlando durante un buen rato. Mientras continuaba su recorrido entre los invitados (en una reunión de semejante magnitud la anfitriona no podía bajar la guardia en ningún momento), intentó no perderlo de vista; sin embargo, cuando la velada estaba tocando a su fin, descubrió de repente que no estaba en el salón.

Le bastó un rápido vistazo a la estancia para darse cuenta de que Geoffrey tampoco estaba.

—¡Maldita sea! —Se obligó a sonreír mientras se acercaba a Edward—. A partir de ahora te encargas tú. —Bajó la voz—. Tengo que sacarte las castañas del fuego.

Edward parpadeó varias veces, pero ya había actuado como su representante en crisis mucho más peliagudas, de modo que asintió con la cabeza y ella se marchó.

Tras echar un último vistazo al salón para asegurarse de que no se cernía ningún otro desastre sobre ellos, salió al vestíbulo principal. Catten estaba en su puesto y le dijo que Geoffrey se había llevado a Michael a su despacho.

Se le cayó el alma a los pies. Después de haber visto el comportamiento de Elizabeth, después de las serias dudas que dicho comportamiento debía de haber suscitado en su mente, era imposible que fuera tan obcecado como para seguir en sus trece y pedir su mano... ¿o no?

No podía creer que fuera tan estúpido.

Echó a andar hacia el despacho prácticamente a la carrera. Llamó una sola vez, abrió la puerta y entró en tromba.

—Geoffrey, ¿qué...?

Le bastó una mirada a la escena (los dos estaban inclinados sobre unos cuantos mapas desplegados sobre el escritorio) para sentirse inundada por el alivio. Ocultó lo que sentía tras un ceño reprobatorio.

—Sé que no estás acostumbrado a este tipo de eventos, pero no es el momento para hablar de... —Hizo una pausa en busca de la palabra mientras señalaba los mapas—. De asuntos electorales.

Geoffrey se disculpó con una sonrisa.

—Me temo que ni siquiera estábamos hablando de política. Se ha bloqueado uno de los afluentes del río. Está en los bosques de Eyeworth y se lo estaba enseñando a Michael.

Se colgó del brazo de su hermano haciendo un magnífico despliegue de exasperación filial.

—¿Qué voy a hacer contigo? —Después, compuso una fingida mueca reprobatoria y fulminó a Michael con la mirada—. Y tú ya deberías saber que esto no se debe hacer.

Michael le sonrió y los siguió mientras salían del despacho.

—Pero los bosques son míos, después de todo.

Cuando entraron en el salón, ya había recobrado la tranquilidad. Elizabeth miró hacia la puerta y los vio entrar. Sus ojos la buscaron con desesperación... y ella esbozó una sonrisa serena. A partir de ese momento se aseguró de que Michael no tenía más oportunidades de hablar a solas con Geoffrey, aunque para ello tuvo que pasar el resto de la noche de su brazo mientras charlaban con el general Kleber.

Los invitados comenzaron a marcharse, señalando así el final de la velada. Las delegaciones diplomáticas, más acostumbradas a trasnochar, fueron las únicas que se quedaron. Se agruparon en el centro de la estancia alrededor de Ferdinand.

—Me gustaría invitarlos a todos a dar un paseo en mi yate, si les apetece. —Cuando recorrió a los presentes con la mirada, sus ojos se detuvieron en ella—. Está anclado en Southampton Water. Podríamos navegar unas cuantas horas y después buscar un sitio agradable donde echar el ancla y almorzar.

La oferta era muy generosa. La concurrencia estaba deseando aceptar. Con una cuantas preguntas, ella se aseguró de que el yate fuera del tamaño adecuado, lo bastante grande como para acomodarlos a todos. Ferdinand le aseguró que su tripulación se encargaría del almuerzo. Era una oportunidad demasiado buena (y en más de un sentido) como para dejarla pasar.

—¿Cuándo sería? —le preguntó al portugués con una sonrisa.

Entre todos acordaron fechar la excursión dos días después. Hacía buen tiempo y no se esperaba ningún cambio. Un día de descanso antes de volver a disfrutar de su mutua compañía sería suficiente para todos.

—Una idea maravillosa —afirmó la condesa. Se giró hacia ella—. Por lo menos, el yate servirá para algo de provecho por fin.

Se vio obligada a contener una sonrisa. Los planes se elaboraron en un santiamén. Michael aceptó, tal y como ella había supuesto que haría.

Cuando los demás se giraron para marcharse, Elizabeth llamó su atención dándole un tironcito en el brazo.

Se hizo a un lado y bajó la voz.

—¿Qué pasa?

Su sobrina clavó la vista en Michael.

—¿Crees que ya hemos hecho suficiente?

—Esta noche hemos hecho todo cuanto podíamos hacer. A decir verdad, creo que hemos estado magníficos. —Miró al grupo que salía por la puerta del salón—. En cuanto al crucero... ni yo misma habría planeado algo mejor. Será la oportunidad perfecta para seguir con nuestro plan.

—Pero... —Elizabeth se mordió el labio sin apartar la vista de Michael, que estaba hablando con el general Kleber—. ¿Crees que está surtiendo efecto?

—Aún no ha pedido tu mano, y eso es lo único que importa. —Hizo una pausa, meditó un instante y le dio unas palmaditas en el brazo a su sobrina—. Aunque mañana será otro día... Así que nos aseguraremos de que está ocupado.

Se encaminó hacia el grupo de invitados sin pérdida de tiempo, haciendo que las faldas se agitaran en torno a sus piernas. Una palabrita al oído de la condesa, un aparte con la duquesa y con la esposa del embajador, y todo quedó arreglado a su satisfacción. O casi todo.

De camino a la salida con el resto de los invitados, Michael se sorprendió al ver que Caro estaba a su lado.

Se colgó de su brazo y se inclinó hacia él para murmurarle:

—Me preguntaba si te gustaría acompañarnos mañana a Southampton. Irán Elizabeth, Edward y unos cuantos más. Había pensado que podríamos encontrarnos en la ciudad a media mañana para una vuelta y almorzar en El Delfín antes de hacer una visita rápida a las murallas y regresar sin prisas a casa.

Levantó la vista y lo miró con una ceja enarcada.

—¿Contaremos con tu compañía?

Otra oportunidad, y mucho más tranquila, para evaluar a Elizabeth.

—Será un placer acompañaros —contestó mientras contemplaba esos ojos grisáceos.

No se le había pasado por la cabeza que el propósito de la excursión de Caro fueran las compras. Ni tampoco que Ferdinand Leponte los acompañara. Cuando llegó a Bramshaw House a las once de la mañana, se vio obligado a unirse a Caro, Elizabeth y Campbell en el cabriolé. Hacía un día estupendo, con una ligera brisa y un sol radiante. Todo parecía presagiar que disfrutarían de un día muy agradable.

Se unieron al resto del grupo en Totton, en el camino de Southampton. La duquesa, la condesa, la esposa del embajador y Ferdinand Leponte. El portugués, como era de esperar, intentó modificar la distribución del grupo al sugerirle que intercambiaran sus asientos, de modo que él acompañara a las damas de mayor edad en el landó de la duquesa, pero Caro rechazó la idea con un gesto de la mano.

—Sólo son unos cuantos kilómetros, Ferdinand. Está demasiado cerca para que tengáis que cambiar ahora de lugar. —Le dio unos golpecitos al cochero en el hombro con la punta de su sombrilla, que estaba cerrada, y éste se puso en marcha—. Ordena al cochero que nos siga y llegaremos en un santiamén. Una vez allí podremos caminar todos juntos.

Dicho lo cual, se reclinó en el asiento, a su lado y lo miró. Michael le dio las gracias con una sonrisa. Ella clavó la vista al frente con el asomo de una sonrisa en los labios.

Pasaron la media hora que duró el trayecto discutiendo asuntos locales. Caro, Edward y él no estaban tan bien informados como Elizabeth, cosa que la animó en gran medida, de modo que procedió a ponerlos al tanto de las últimas noticias.

Le gustó saber que la muchacha se mantenía al tanto de los asuntos locales.

—La fiesta parroquial es el acontecimiento más importante que se avecina —dijo, haciendo un mohín—. Supongo que tendremos que asistir si no queremos que Muriel nos lo eche en cara.

—Siempre ha sido una ocasión entretenida —señaló Caro.

—Lo sé, pero es que odio sentirme obligada a asistir.

Caro se encogió de hombros y apartó la vista. Molesto de nuevo por la actitud de Elizabeth, Michael siguió su mirada hacia Southampton Water.

Se apearon de los carruajes en El Delfín y deambularon por High Street antes de que las damas dedicaran toda su atención a las tiendas de French Street y Castle Way.

Los tres caballeros las siguieron a regañadientes. Acababan de comprender que los habían engañado para que hicieran las veces de mozos de carga. Es decir, que sin darse cuenta habían bailado al son que las damas tocaban.

Edward Campbell, mucho más acostumbrado sin duda a tales torturas, se limitó a suspirar y a aceptar los paquetes que Caro y la esposa del embajador le iban dando. En su caso, fue Elizabeth, con una dulce sonrisa en los labios, quien le endosó una sombrerera atada con un enorme lazo rosa.

Las damas entraron en la siguiente tienda parloteando sin cesar. Le echó un vistazo a Ferdinand. El portugués, que llevaba en las manos dos paquetes ostentosamente envueltos, parecía tan descompuesto y disgustado como él mismo. Sin embargo, los paquetes que Caro le había dado a su secretario iban envueltos con un discreto papel marrón. Miró a Edward a los ojos con una ceja enarcada.

—¿Cambiamos?

Edward negó con la cabeza.

—Según dicta el protocolo para estas ocasiones, cada cual debe quedarse con lo que le pongan en las manos para no confundir a las damas.

—Acaba de inventárselo —objetó, sosteniendo la mirada del secretario, quien le sonrió en respuesta.

Cuando las damas por fin aceptaron regresar a El Delfín, donde les esperaba el almuerzo en un salón privado, iba cargado con la sombrerera y otros tres paquetes, dos de ellos con lazo. Lo único que consiguió aligerar su humor fue el hecho de que Ferdinand Leponte quedara oculto tras los diez paquetes que su tía y la duquesa le habían puesto en los brazos.

Algo peligrosamente parecido a la camaradería lo asaltó cuando dejaron los paquetes en un banco del comedor de la posada. Intercambiaron una mirada antes de clavar la vista en Edward, que había salido bastante bien parado en comparación. Al ver sus expresiones, el susodicho asintió con la cabeza.

—Me encargaré de que podamos dejarlos aquí.

—Bien. —Su tono de voz dejó bien claro que cualquier otra solución habría provocado un motín.

Leponte se limitó a echar chispas por los ojos.

El almuerzo comenzó bastante bien. Tomó asiento entre Elizabeth y Caro, flanqueada por el portugués al otro lado. Los demás se acomodaron frente a ellos. Quería preguntarle a Elizabeth acerca de sus aspiraciones con la intención de averiguar qué esperaba del matrimonio, pero los dos comentarios que hizo en ese sentido acabaron sin que supiera muy bien cómo en conversaciones sobre los bailes, las fiestas y los entretenimientos de Londres.

Por si eso fuera poco, la conversación que mantenían la condesa y la duquesa al otro lado de la mesa lo distraía. Sus continuas preguntas y comentarios eran demasiado perspicaces como para tomarlos a la ligera. Tal vez no fueran sus maridos, pero las damas lo estaban tanteando a todas luces; debía prestarles la atención debida.

Edward acudió en su ayuda un par de veces, y él le agradeció el gesto con un movimiento casi imperceptible de la cabeza. Elizabeth, sin embargo, parecía sumida en sus pensamientos y no aportó nada a la conversación.

Después llegaron los postres y las dos damas se concentraron en la *crème anglaise* y en las peras escalfadas. Aprovechó el momento y se giró hacia Elizabeth, pero justo en ese momento notó que Caro se pegaba a su costado.

Se giró hacia ella y se percató de que se había acercado mucho a él; y, con una furia asesina, también se percató del motivo: Ferdinand Leponte se había pegado a ella.

Tuvo que reprimir un poderoso impulso de extender el brazo por detrás de Caro y darle una colleja al portugués. Era lo que se merecía por comportarse como un patán, pero... En fin, se habían originado incidentes diplomáticos por mucho menos.

Clavó los ojos en el rostro del portugués, cuya atención estaba clavada en Caro, intentando leer la expresión de su rostro.

—Dígame, Leponte, ¿qué tipo de caballos tiene en la ciudad? ¿Algún árabe?

El aludido levantó la vista para mirarlo, momentáneamente confundido. Después se ruborizó un tanto mientras contestaba.

Siguió haciéndole preguntas, sobre carruajes e incluso sobre el yate, de modo que la atención de todos se centrara en él, hasta que terminó el almuerzo y se levantaron para marcharse.

Cuando se puso en pie para abandonar la mesa, Caro le dio un ligero apretón en el brazo. Fue el único indicio de que apreciaba su gesto y, a pesar de su insignificancia, sintió una inesperada alegría que le pareció de lo más oportuna.

Después del almuerzo, habían planeado dar un paseo por las antiguas murallas. La espectacular vista abarcaba todo Southampton Water hasta la Isla de Wight en el sur, de modo que podían ver todas las embarcaciones comerciales y de recreo que salpicaban la inmensa extensión azul.

El viento agitaba las faldas de las damas y amenazaba con arrancarles los bonetes. Era difícil mantener una conversación. La esposa del embajador y Elizabeth caminaban cogidas del brazo y con las cabezas muy juntas, charlando de algún tema femenino. La duquesa y la condesa paseaban codo con codo y parecían hechizadas por el panorama. Caro las seguía con Ferdinand Leponte a la zaga. Tuvo la impresión de que el portugués estaba disculpándose, en un intento por congraciarse de nuevo con ella, ya que sabía que se había pasado de la raya.

Dado que el tipo poseía un increíble encanto era muy posible que se saliera con la suya.

Siguió caminado al lado de Edward mientras contemplaba la calculadora interpretación de Leponte y se preguntaba si el portugués habría malinterpretado u obviado por completo la ironía que encerraba el apodo de Caro, atribuyéndole al «alegre» de La Viuda Alegre un significado que no tenía.

3

El día siguiente amaneció soleado y sin una sola nube. A petición de Caro, Michael se reunió con ellos en Bramshaw House. Elizabeth, Geoffrey y ella se subieron al cabriolé mientras que Michael y Edward los seguían a caballo por el corto trayecto hasta el embarcadero, situado al sur de Totton.

Le sonrió a Michael desde el carruaje mientras revisaba los planes trazados para el día... las órdenes de batalla. Ferdinand, ansioso por agradar tras su paso en falso del día anterior, había accedido a llevar su yate río arriba para acortar así la distancia que tanto ellos como los demás debían recorrer para embarcarse en su crucero.

Acortar el trayecto en carruaje le había parecido lo más acertado. Si Michael veía a Elizabeth en situaciones cotidianas demasiado tiempo, era posible que su sobrina trastocara sin darse cuenta la imagen que se esforzaban por proyectar.

Tenían que andarse con mucho cuidado. Mientras estuviera a solas con él o se encontraran en presencia de Edward y ella misma, tenía libertad para comportarse de un modo que no sería apropiado delante de otros testigos; lo único que debía tener en mente era no exagerar para que Michael no sospechara. Sin embargo, en público no podía dejarse ver como una tontuela frívola si su objetivo era casarse con Edward y apoyarlo en su carrera. Las personas que integraban los círculos diplomáticos tenían buena memoria. Cuando estuvieran en presencia de otras personas, lo único que podía hacer era cometer traspiés sin importancia que se pudiera achacar a su juventud o a su inexperiencia en esas lides, como la elección del vestido blanco y los diamantes o el falso atragantamiento durante la comida.

Hasta ese momento, se las habían arreglado de maravilla. Estaba muy contenta por los logros, pero no pensaba dormirse en los laureles. Aún no.

El cabriolé traqueteó por las calles de Totton antes de abandonar el camino principal y emprender el descenso hasta la orilla. Ante ellos aparecieron los dos mástiles del yate de Ferdinand, que se mecía suavemente junto al embarcadero y que quedó a la vista en cuanto transpusieron la última loma.

La práctica totalidad del grupo se encontraba ya allí; el embajador y su esposa estaban embarcando cuando llegaron al extremo del embarcadero. Era una estructura de madera que salía de tierra firme en la margen occidental del estuario, alejada del bullicio del puerto emplazado en la otra orilla y utilizada casi en exclusiva por las embarcaciones de recreo.

Michael desmontó, dejó su caballo al cuidado del mozo de cuadra de la posada de Totton que habían contratado a tal efecto y se acercó al cabriolé para abrir la portezuela. Ella le tendió la mano con una sonrisa sincera y emocionada, y se percató al instante de su fuerza mientras permitía que la ayudara a apearse.

Sus miradas se cruzaron antes de que él desviara la vista hacia el yate.

—Es impresionante, ¿verdad? —le preguntó.

Michael la miró de nuevo y guardó un instante de silencio antes de admitir:

—No esperaba que fuese tan grande. La mayoría de los «yates» no son así.

—Tengo entendido que Ferdinand lo utiliza para recorrer la costa portuguesa, así que supongo que tiene que soportar el oleaje del Atlántico. —Le explicó mientras se colocaba el chal en torno a los hombros—. Es mucho más fuerte que el del Canal en plena tempestad.

El movimiento del cabriolé a sus espaldas le recordó a Michael sus obligaciones. Se dio la vuelta y ayudó a Elizabeth a bajar.

Entretanto, ella se acercó a la estrecha pasarela que daba acceso a la embarcación. Mientras esperaba a que Edward y Geoffrey se reunieran con ella, observó a los invitados que ya estaban a bordo. Le alegró sobremanera ver a la señora Driscoll y a sus hijas. Le había sugerido a Ferdinand que las invitara también. Estaba claro que la había complacido.

Aún no sabía si las Driscoll estarían a la altura de las expectativas. Miró hacia atrás y se percató de la deliciosa estampa que representaba Elizabeth, ataviada con el vestido veraniego de muselina estampada, adornado con unos pequeños volantes fruncidos en el cuello, en el bajo y en el borde de las mangas. La sombrilla a juego también llevaba volantes. El conjunto era perfecto para un almuerzo campestre o para impresionar a los caballeros en cualquier actividad al aire libre.

Por supuesto, ninguna mujer con dos dedos de frente optaría por semejante atuendo para dar un paseo en yate.

Sonrió para sus adentros al notar la silenciosa pero evidente conformidad de Michael por el aspecto de Elizabeth. Ya cambiaría de opinión mucho antes de que regresaran. Le lanzó una mirada elocuente a Edward para que se acercara. Su secretario dejó a Elizabeth al cuidado de Michael y se acercó para ofrecerle el brazo y ayudarla a cruzar la pasarela.

—Espero fervientemente que sepas lo que estás haciendo —murmuró él al tiempo que la ayudaba a recuperar el equilibrio al ver que se tambaleaba.

Ella se echó a reír mientras se agarraba con más fuerza a su brazo.

—¡Hombre de poca fe! ¿Te he fallado alguna vez?

—No, pero no es de ti de quien dudo.

—¿No? —Lo miró antes de echarle un nuevo vistazo a Elizabeth, que en esos momentos atravesaba la pasarela con mucho garbo del brazo de Michael.

—No, tampoco de Elizabeth, pero no dejo de preguntarme si estás interpretando bien sus intenciones.

—¿Te refieres a Michael? —preguntó, echándose hacia atrás para poder mirarlo a la cara.

Edward eludió su mirada con una expresión adusta.

—No sólo a él.

Siguió la dirección de su mirada y se encontró con Ferdinand, el sonriente y alegre anfitrión que los aguardaba al final de la pasarela. Su aspecto era el de un apuesto lobo... con demasiados dientes. Sonrió en respuesta, recorrió los últimos metros y le tendió la mano. Él le hizo una elegante reverencia mientras la ayudaba a embarcar. Cuando se enderezó, se llevó su mano a los labios.

—Son los últimos en llegar, tal y como corresponde a los más importantes, querida Caro. Ya podemos zarpar.

Ella se zafó de sus dedos con un giro de muñeca.

—Al menos espere hasta que mi hermano, mi sobrina y el señor Anstruther-Wetherby estén a bordo. —Con una mirada risueña, instó a Ferdinand a clavar la vista allí donde Elizabeth se enfrentaba a la estrecha pasarela—. Es la primera vez que mi sobrina sube a un yate. Estoy segura de que encontrará la experiencia de lo más reveladora. —Le dio unas palmaditas al anfitrión en el brazo—. Lo dejo para que los reciba.

Se percató de la mirada irritada que el hombre le lanzó cuando la vio alejarse. Edward la siguió al punto. Ambos eran excelentes navegantes y estaban más que acostumbrados al ligero balanceo de la cubierta.

—Condesa. Duquesa. —Intercambió los saludos de rigor con las da-

mas y después con los caballeros antes de dirigirse a la señora Driscoll—.
Me alegro mucho de que usted y sus hijas hayan podido acompañarnos.

Tal y como había previsto, ¡qué agradable era acertar en sus suposiciones!, las hermanas Driscoll se habían vestido con sensatez y lucían un par de vestidos de paseo de sarga, sencillos y sin adornos. Ella también había elegido un vestido de sarga en color bronce, de cuello alto, mangas largas y ajustadas, y faldas con poco vuelo. El chal era sencillo, sin adorno alguno. Aparte de la puntilla de encaje que adornaba el cuello y el corte del talle, ambos lugares sin riesgo alguno, su vestimenta carecía de frunces y perifollos susceptibles de engancharse en algún lado.

No como los delicados volantes del vestido de Elizabeth.

—¡Ay!

Como si le hubiera leído el pensamiento, el grito femenino hizo que todo el mundo se girara para mirar. El bajo del vestido de su sobrina se había enganchado en el pequeño hueco que quedaba entre la pasarela y la cubierta. Ferdinand estaba muy ocupado sujetándola para que no se cayera mientras que Michael, precariamente agachado en la pasarela, bregaba con la delicada tela para liberarla.

Entretanto, ella esbozó una alegre sonrisa que ocultó sus pensamientos y se giró hacia los demás. Para captar su atención, hizo un amplio gesto con el brazo que abarcó la brillante extensión azul que se ondulaba bajo la suave brisa.

—¡Va ser un día espléndido!

Y, ciertamente, así comenzó. Una vez que Elizabeth, Michael y Geoffrey estuvieron sanos y salvos a bordo, se retiró la pasarela y se soltaron las amarras; un trío de marineros se apresuró a trepar por las jarcias para desplegar las velas, y el yate se puso en movimiento gracias al impulso del viento.

Con un coro de exclamaciones de sorpresa, los invitados se aferraron a la barandilla de la borda y contemplaron maravillados cómo surcaban las olas. A medida que la embarcación ganaba velocidad, el agua comenzó a salpicarlos y las damas retrocedieron hasta las tumbonas agrupadas en la cubierta de proa. Tras dejar a Elizabeth que campara a sus anchas, después de todo ya tenía las instrucciones estrictas sobre la actitud que debía mostrar, ella tomó el brazo de Geoffrey y lo instó a dar un paseo por la cubierta, decidida a mantenerse apartada tanto de Michael como de Ferdinand.

Pasaron entre las damas y se sintió contagiada por la alegría que embargaba al grupo a medida que el yate avanzaba en paralelo a la orilla occidental del estuario. Aparte de la estela de un enorme carguero con el que se cruzaron, la travesía estaba siendo relativamente tranquila.

Cuando pasaron por el lugar de la proa donde Michael, Elizabeth y las Driscoll conversaban, aguzó el oído para escuchar.

Elizabeth, con una expresión radiante, llevaba la voz cantante en ese momento.

—Los menús no son nada del otro mundo, pero las pistas de baile, sobre todo la más cercana a la rotonda, son de lo más emocionantes; ¡nunca se sabe quién puedes tener al lado!

Vauxhall. Caro sonrió. Los jardines de recreo no eran santo de la devoción de los políticos ni de los diplomáticos. Mientras seguía paseando del brazo de Geoffrey, vio cómo su sobrina se inclinaba para sujetarse a una soga y así guardar el equilibrio; cuando intentó enderezarse, el volante del hombro se enganchó en la áspera maroma. Una de las hermanas Driscoll acudió a su rescate.

Elizabeth ya había intentado abrir la sombrilla. Michael se había visto obligado a atraparla y bregar con ella hasta cerrarla antes de explicarle por qué no podía utilizarla.

Se arriesgó a echarle una miradita al rostro; parecía un poco molesto, tal vez incluso ceñudo. Contuvo una sonrisa y siguió paseando.

Puesto que Ferdinand estaba cumpliendo las labores propias del anfitrión, pasaría algún tiempo antes de que quedara libre para perseguirla. Era muy consciente de las intenciones del hombre, pero confiaba en su habilidad para esquivarlo. La diferencia de edad que había existido entre ella y su marido la había convertido en el blanco de las atenciones de otros mujeriegos mucho más experimentados durante más de una década; libertinos, sinvergüenzas y aristócratas disolutos de todo tipo. Ferdinand no tenía la menor oportunidad. De hecho, ningún hombre tenía la menor oportunidad con ella. No tenía ningún interés en aquello que estaban tan ansiosos por ofrecerle. A decir verdad, no estarían tan ansiosos si supieran que...

Geoffrey carraspeó en ese momento.

—¿Sabes, querida? Llevo un tiempo queriendo preguntarte algo. —Los ojos de su hermano, resguardados por sus pobladas cejas, estaban clavados en ella—. ¿Eres feliz, Caro?

Sólo atinó a parpadear.

—Me refiero —se aprestó a continuar él— a que no eres tan mayor y a que todavía no has acondicionado tu residencia de Londres y, en fin... —Se encogió de hombros—. No puedo evitar preguntarme por qué.

Pues ya eran dos. Esbozó una sonrisa fugaz mientras le daba unas palmaditas en el brazo.

—No lo he hecho porque no sé muy bien lo que voy a hacer con ella; no sé si quiero establecer mi residencia allí o no. —Hasta ahí llegaba; de hecho, expresar sus sentimientos en voz alta consolidaba la aprensión que le provocaba la mansión de Half Moon Street. Había sido su residencia oficial durante su matrimonio con Camden. Emplazada en la mejor zona de la ciudad, no era ni muy grande ni muy pequeña, contaba con un agradable jardín trasero y estaba repleta de exquisitas antigüedades; pero aun así...—. Para serte sincera, no estoy segura.

Le gustaba la mansión, pero cada vez que entraba en ella... echaba algo en falta.

—Yo, esto... me preguntaba si estás considerando la idea de volver a casarte.

Miró a su hermano a los ojos.

—No. No tengo intención de volver a casarme.

Geoffrey se ruborizó y le dio unas palmaditas en la mano mientras clavaba la vista al frente.

—Es que... Bueno, en caso de que lo hagas, me gustaría tenerte más cerca esta vez. —Su voz se había tornado gruñona—. Tu familia está aquí...

Dejó la frase en el aire, pero sus ojos siguieron clavados al frente. Ella siguió la dirección de su mirada y se topó con Ferdinand, que se encontraba junto al timón, dándole instrucciones a su capitán.

Su hermano resopló.

—No quiero que te cases con algún extranjero maleducado.

Ella se echó a reír y le dio un reconfortante apretón en el brazo.

—Te aseguro que no necesitas preocuparte por eso. Ferdinand anda tramando algo, lo sé, pero no me interesa en lo más mínimo. —Enfrentó la mirada de Geoffrey—. No pienso hacerle el menor caso.

Él la observó con detenimiento para ver si le estaba diciendo la verdad antes de refunfuñar:

—¡Me alegro!

Media hora más tarde le agradeció a los hados que Geoffrey la hubiera hecho partícipe de su preocupación en ese preciso instante, porque así pudo tranquilizarlo antes de que Ferdinand se lanzara al ataque. Tan pronto como hubo acabado de darle instrucciones a su capitán, sólo tuvo ojos para ella. Haciendo un impresionante alarde de habilidad, la separó de Geoffrey y, acto seguido, también de la multitud congregada en la cubierta de proa. No protestó cuando comenzaron a pasear por la sencilla razón de que estaban a la vista de todos. Fuera cual fuese el objetivo que se había marcado, había un límite que no podría traspasar.

Sobre todo porque también estaba la tía del susodicho, que para su sorpresa, no le quitaba ojo a su sobrino; aunque no tenía muy claro si ese ojo era complaciente o agraviado.

—Mi queridísima Caro, como veo que está disfrutando tanto de esta travesía, tal vez podríamos zarpar mañana otra vez. Un crucero privado para nosotros dos.

Compuso una expresión pensativa mientras lo notaba contener el aliento y después se negó con un contundente gesto de cabeza.

—La fiesta parroquial está a la vuelta de la esquina. Si no ayudo con los preparativos, no habrá quien soporte a Muriel Hedderwick.

Ferdinand frunció el ceño.

—¿Quién es Muriel Hedderwick?

Ella sonrió.

—En realidad, es mi sobrina política, pero eso no describe nuestra relación en absoluto.

Su interlocutor siguió frunciendo el ceño antes de aventurarse a preguntar:

—Sobrina política... ¿Eso significa que es la sobrina de Sutcliffe, de su difunto esposo?

Asintió con la cabeza.

—Exacto. Se casó con un caballero que se apellida Hedderwick y vive... —Se lanzó a una explicación, utilizando la historia de Muriel para distraer por completo a Ferdinand, cuyo único propósito no había sido otro que el de saber más sobre ella para contrarrestar su influencia y engatusarla de modo que lo acompañara de nuevo al día siguiente.

El pobre hombre estaba destinado a llevarse un chasco, a ese respecto y a todos los demás. Cuando por fin comprendió que era una táctica dilatoria, estaban de nuevo en la proa.

Al mirar hacia el lugar donde estaban Michael y las jovencitas, descubrió que se encontraban todos agolpados contra la borda. Vio la espalda de Michael, la parte trasera de las faldas de las Driscoll y también a Edward.

En ese instante, su secretario miró hacia atrás y le hizo una señal para que se apresurara.

Lo hizo del brazo de Ferdinand, sin pérdida de tiempo.

—Ya está —estaba diciendo una de las Driscoll—. Tenga, coja mi pañuelo.

—Pobrecita. Qué mal rato. —Al ver que ella se aproximaba, la otra hermana Driscoll se apartó.

Edward, con un semblante muy serio, se apresuró a ocupar el lugar de la muchacha para aferrar del brazo a la flácida figura inclinada sobre la barandilla.

—¡Ayyyyyy! —gemía Elizabeth con voz lastimera. Michael, que se encontraba al otro lado, sostenía la mayor parte de su peso.

Edward le lanzó una mirada elocuente que ella le devolvió. No se les había ocurrido la posibilidad de que...

Parpadeó y se giró hacia Ferdinand.

—¿Tiene un camarote o algún lugar donde pueda recostarse?

—Por supuesto —contestó el hombre, dándole un apretón en el hombro—. Ordenaré que lo preparen.

—¡Espere! —Michael giró la cabeza para hablarle—. Ordénele al capitán que vire. Estamos en el Solent; tenemos que regresar a aguas más tranquilas y permanecer cerca de la costa.

Hasta ese preciso momento no se había percatado de que el agua parecía más encrespada; acostumbrada a moverse por la cubierta de los barcos, aunque aquello no era nada comparado con las travesías por el Atlántico, no se había dado cuenta del momento en el que abandonaron las aguas relativamente tranquilas de Southampton Water y pusieron rumbo suroeste hacia el Solent.

Ferdinand echó un vistazo a la flácida figura que Michael sostenía y se marchó tras asentir brevemente con la cabeza. De camino al timón, le dio órdenes a un marinero que se apresuró a abrir la escotilla que conducía a la cubierta inferior. El hombre la miró, le hizo un gesto con la mano y, hablando en portugués, los instó a seguirlo antes de desaparecer por las empinadas escalerillas.

Ella intercambió un par de miradas con Michael y Edward, y se acercó a la barandilla para ocupar el lugar de su secretario. Intentó echarle un vistazo a la cara de su sobrina mientras le frotaba la espalda.

—No te preocupes, cariño. Vamos a llevarte a un camarote. En cuanto estés tumbada, te sentirás mejor.

Elizabeth respiró hondo e intentó hablar, pero al instante meneó la cabeza con impotencia mientras gemía de nuevo. Se inclinó un poco más hacia delante y Michael se vio obligado a sujetarla con más fuerza.

—Está a punto de desmayarse. Será mejor que... Déjenme sitio. —Se enderezó y cogió a Elizabeth en brazos. Tras asegurar su postura, le hizo un gesto con la cabeza—. Tú primero. Tienes razón. Necesita tumbarse.

Bajarla por las escalerillas no fue tarea fácil, teniendo en cuenta que estaba prácticamente inconsciente. Con su ayuda por delante y la de Edward por detrás, Michael se las apañó. En cuanto estuvieron en la cubierta inferior, levantó la vista hacia Edward y le dijo:

—Agua fría, una palangana y toallas.

—Yo me encargo —replicó él con semblante serio.

Ella se dio la vuelta y se aprestó a adelantar a Michael con el fin de abrirle la puerta del camarote. Como buenamente pudo, dado el peso muerto que llevaba, él entró de costado y se acercó a la litera que el marinero había preparado momentos antes. Dejó a Elizabeth en ella.

El movimiento le arrancó otro gemido. Estaba blanca como la cera; a decir verdad, su pálida tez tenía un tinte verdoso.

—Ha vomitado el desayuno por la borda. —Michael se apartó y enfrentó su mirada preocupada—. ¿Necesitas algo más?

Ella se mordió el labio mientras negaba con la cabeza.

—De momento no; sólo el agua.

Él hizo un gesto afirmativo con la cabeza y se giró hacia la puerta.

—Llámame cuando Elizabeth quiera regresar a la cubierta; no podrá subir las escaleras sin ayuda.

Le dio las gracias con un gesto distraído. Se inclinó sobre Elizabeth y le apartó unos cuantos mechones húmedos de la frente. Escuchó que la puerta se cerraba suavemente. Cuando giró la cabeza, se percató de que el marinero también se había marchado. Con sumo cuidado, cogió los brazos de su sobrina y se los apartó del pecho.

—No pasa nada, cielo; voy a aflojarte el corsé.

Edward llegó poco después con un jarro y una palangana. Se acercó a la puerta para ayudarlo.

—¿Está bien? —le preguntó su secretario.

—Lo estará. —Hizo un mohín—. No se me pasó por la cabeza que pudiera marearse.

Edward se marchó con aire preocupado. Ella se dispuso a refrescar el rostro y las manos de su sobrina con el agua y después la incorporó para que pudiera beber un poco de un vaso. Todavía estaba muy pálida, pero su piel ya no estaba sudorosa ni fría al tacto. Se recostó de nuevo sobre la almohada con un suspiro y un pequeño estremecimiento.

—Duerme —le dijo mientras se quitaba el chal y se lo echaba a su sobrina sobre los hombros y el pecho. Acto seguido, le apartó los rizos rubios de la frente—. Yo estaré aquí.

No le hizo falta echar un vistazo por los ojos de buey orientados a la popa para saber que el yate había virado. Habían dejado el oleaje del Solent atrás y el barco volvía a surcar las aguas con suavidad, de vuelta al estuario.

Elizabeth se durmió mientras ella la velaba, sentada en la única silla del camarote. Al cabo de un rato se puso en pie, estiró los músculos y se acercó a la hilera de ojos de buey. Observó los pestillos y abrió uno de ellos. Entró una bocanada de brisa fresca que despejó el ambiente cerrado del camarote. Abrió dos más, en total había cinco, y después escuchó un traqueteo y un ruidoso chapoteo.

Miró hacia la estrecha litera, pero Elizabeth ni siquiera se había movido. Cuando echó un vistazo al exterior, atisbó la costa. El capitán había echado el ancla. Posiblemente estarían a punto de servir el almuerzo.

57

Se debatió un instante, pero decidió no dejar sola a Elizabeth. Volvió a sentarse en la silla con un suspiro.

No pasó mucho tiempo antes de que alguien llamara con suavidad a la puerta. Su sobrina seguía durmiendo. Cruzó el camarote para abrir. Michael aguardaba en el pasillo, con una bandeja en las manos.

—Campbell ha hecho una selección con los platos que os gustan. ¿Cómo está?

—Sigue durmiendo —contestó, extendiendo los brazos para coger la bandeja.

Él le hizo un gesto para que se apartara.

—Pesa mucho.

Con el chal sobre los hombros, su sobrina estaba bastante decente, así que retrocedió para dejarlo pasar. Michael dejó la bandeja en la mesa y ella lo siguió para echarle un vistazo a los platos.

—Deberías intentar que coma algo cuando despierte.

Lo miró de soslayo antes de hacer un mohín.

—Nunca me he mareado en el mar. ¿Y tú?

Él negó con la cabeza.

—Pero he visto cómo les sucedía a otros. Se sentirá débil y un poco mareada cuando despierte. Ahora que volvemos a estar en aguas tranquilas, le vendrá bien comer algo.

Caro asintió mientras volvía a clavar la vista en su sobrina.

Michael titubeó antes de añadir:

—Geoffrey también parece un poco afectado.

Ella se giró para mirarlo, con semblante preocupado y los ojos abiertos de par en par.

—Por eso no ha bajado a preguntar por Elizabeth —le explicó—. No está tan mal como ella, pero le conviene quedarse al aire libre.

Caro había fruncido el ceño. Se vio obligado a contener el impulso de borrarlo con el pulgar y, en cambio, se conformó con darle un ligero apretón en el hombro.

—No te preocupes por tu hermano. Campbell y yo nos encargaremos de él. —Hizo un gesto con la cabeza en dirección a Elizabeth—. Tú ya tienes bastante.

Caro siguió la dirección del gesto con la mirada y la dejó clavada en el rostro de su sobrina. Él titubeó un instante antes de darse la vuelta. Mientras abría la puerta, oyó el suave «Gracias» que ella pronunció. Hizo un gesto de despedida con la mano, salió y cerró la puerta tras él.

Una vez en la cubierta principal, se unió a los otros invitados en torno a las mesas que había dispuesto la tripulación con los deliciosos manjares que componían el almuerzo. Estuvo charlando con el general Kleber, que había hecho una visita el día anterior a Buckler Hard, localidad donde se encontraban los principales astilleros de la zona. Después se acercó al duque y al conde con la intención de hablar un rato con ellos y ampliar su conocimiento sobre la postura de sus respectivos países con respecto a ciertos temas mercantiles de especial relevancia.

Cuando el almuerzo llegó a su fin y la tripulación recogió las mesas, las damas se reunieron en la cubierta de proa para charlar. La mayoría de los caballeros se acercó a la borda para relajarse al sol. La brisa, que hasta poco antes había soplado con bastante fuerza, se había calmado; el suave chapoteo de las olas estaba acompañado por los estridentes gritos de las gaviotas.

La serenidad de la sobremesa cayó sobre el yate.

Fue así que se encontró a solas en la popa. En un principio, Ferdinand se había mostrado enfurruñado al verse privado de la compañía de Caro. En ese instante había acorralado a Edward Campbell; ambos charlaban apoyados en el cabestrante. Habría apostado una buena suma a que el portugués estaba intentando sonsacarle información sobre Caro a su secretario. Le deseaba suerte. Pese a su relativa juventud, Campbell era bastante inteligente y parecía poseer la experiencia y la lealtad suficiente como para no revelar nada importante sobre ella.

Inspiró hondo y se llenó los pulmones con el aire cargado de olor a mar antes de darse la vuelta y apoyarse contra la barandilla, de espaldas al resto de la concurrencia. Se estaban acercando al punto donde convergían Southampton Water y el Solent. Tras él se alzaba la silueta de la Isla de Wight en el horizonte.

—Aquí tienes; prueba un poquito de esto. Es muy suave.

La voz de Caro. Miró hacia abajo y se percató de los ojos de buey. Elizabeth debía de estar despierta.

—No sé yo...

—Pruébalo y no discutas. Michael ha dicho que deberías comer y no me cabe duda de que tiene razón. No querrás desmayarte de nuevo, ¿verdad?

—¡Válgame Dios! ¿Cómo diantres voy a mirarlo de nuevo a la cara? ¿A todos ellos? ¡Qué vergüenza!

—¡Tonterías! —La voz de Caro sonaba alta y clara, aunque parecía que ella también estaba comiendo—. Cuando suceden episodios como éste, lo mejor es no darles la mayor importancia. No estaba previsto, no hemos podido hacer nada para evitarlo. Ha sucedido sin más y ya ha acabado. En estos momentos hay que actuar con naturalidad, sin darse aires y sin hacerse la interesante por el malestar físico sufrido.

Siguió un silencio interrumpido por el sonido metálico de los cubiertos sobre los platos.

—Así que... —la voz de Elizabeth parecía haber ganado fuerza y casi sonaba normal—... debería limitarme a sonreír y a darles las gracias a los que me han ayudado y...

—Y a olvidarlo, sí.

—¡Vaya!

Otra pausa, pero en esa ocasión fue Caro quien le puso fin.

—No sé si sabes que verse aquejada de este tipo de malestar no es un punto a favor para la esposa de un diplomático.

Su voz tenía un tono reflexivo, meditabundo.

Michael alzó las cejas al recordar las sospechas de que Caro conocía su interés por Elizabeth.

—En fin, tendremos que asegurarnos de que Edward apunta a otro lugar que no sea el Ministerio de Asuntos Exteriores.

Michael parpadeó. «¿¡Edward!?», pensó.

—Tal vez el Ministerio del Interior. O incluso un puesto a las órdenes del canciller.

Escuchó que Caro se movía.

—Debemos considerar el asunto con detenimiento.

Su voz se desvaneció a medida que se alejaba de los ojos de buey. Siguió charlando con su sobrina de temas sin importancia, pero no escuchó nada más acerca de las esposas de los diplomáticos ni de los requisitos y criterios que dicha posición exigía.

Se enderezó y se trasladó a estribor, donde apoyó una cadera contra la borda y clavó la vista en la orilla mientras intentaba comprender lo que estaba sucediendo. Hasta ese momento había creído que Caro conocía su interés por Elizabeth y que lo había estado ayudando. Sin embargo, estaba claro que conocía y apoyaba activamente la relación existente entre su sobrina y su secretario.

Dejó las elucubraciones... y se centró en identificar la emoción que le provocaba la posibilidad de que Elizabeth se convirtiera en la esposa de Campbell en lugar de en la suya. Sólo llegó a la conclusión de que, sin duda alguna, hacían una buena pareja.

Torció el gesto, cruzó los brazos por delante del pecho y apoyó un hombro en una soga cercana. Sin lugar a dudas, ésa no era la reacción que debería mostrar si estuviera realmente interesado en casarse con Elizabeth, si estuviera convencido de que ella era la esposa que necesitaba. Tal vez no fuera un Cynster, pero si estuviera seguro de quererla como esposa, su reacción habría sido mucho más profunda.

Tal y como estaban las cosas, le molestaba muchísimo más la persecución a la que se veía sometida Caro por parte de Ferdinand que el aparente éxito de Campbell con Elizabeth. Sin embargo, no era ese el motivo de su inquietud.

Si analizaba los últimos tres días, desde su regreso a casa y su decisión de considerar a Elizabeth (o, más bien, desde el melodramático momento en el que Caro había regresado a su vida), los acontecimientos se habían desarrollado de forma natural y sin necesidad de tener que esforzarse en lo más mínimo para conseguir sus fines. Las situaciones y las oportunidades que necesitaba se habían presentado sin más.

Si lo analizaba... llegaba a la conclusión de que Caro había estado ejerciendo de hada madrina, moviendo su varita mágica y dirigiendo la escena; aunque su toque era tan sutil, tan magistral, que era absolutamente imposible estar seguro. No le cabía duda de que Caro era una experta a la hora de participar en los juegos diplomáticos y políticos.

La pregunta era: ¿a qué estaba jugando con él?

Tal vez no fuera un Cynster, pero era un Anstruther-Wetherby. Y nunca le había sentado muy bien que lo manipularan.

En cuanto levaron el ancla y el yate reanudó su lento ascenso por la orilla occidental, Caro dejó a Elizabeth para que descansara, por insistencia de ésta, y regresó a la cubierta principal.

En cuanto salió al aire libre, alzó la cabeza e inspiró hondo; esbozó una sonrisa, entrecerró los ojos para protegerse del brillo del sol poniente y se dio la vuelta... para darse de bruces con un cuerpo masculino muy duro.

Uno con el que ya había chocado en otra ocasión. Mientras su mente registraba la identidad del hombre en cuestión, se preguntó fugazmente por qué sus sentidos parecían estar tan seguros en lo que a él se refería. Más aún, se preguntó por qué cobraban vida, ansiosos por experimentar esa fuerza tan poderosa que irradiaba, ávidos por sentir su proximidad. Llevaba días tomándolo del brazo y caminando a su lado; se había convencido de que necesitaba esa proximidad para llamar su atención y dirigirla según su conveniencia, pero ¿habría sido ésa la única razón?

Ciertamente jamás había ansiado esa cercanía con ningún otro hombre.

Alzó la vista y sonrió a modo de disculpa. Habría retrocedido, pero uno de sus brazos le rodeaba con fuerza la cintura y la mantenía pegada a su cuerpo como si aún corriera el riesgo de caerse.

Se aferró a ese brazo con ambas manos. El corazón le dio un vuelco y se le aceleró el pulso. Abrió los ojos de par en par y contempló esas profundidades azul claro... Por un instante, perdió la capacidad de raciocinio y le resultó imposible entender lo que estaba sucediendo.

Esos ojos azules como el cielo la miraban con intensidad. La estudiaban y ella le correspondió del mismo modo. Para su sorpresa, no pudo adivinar lo que él estaba pensando. En ese instante, Michael esbozó una sonrisa afable y la soltó.

—¿Estás bien?

—Sí, por supuesto. —Apenas podía respirar, pero le agradeció el gesto con una sonrisa—. No te vi; el sol me deslumbró.

—Iba a ver cómo estaba Elizabeth. —Hizo un gesto en dirección a la proa—. Geoffrey se está poniendo nervioso.

—En ese caso, será mejor que vaya a tranquilizarlo. —Contuvo el impulso de reclamar el brazo de Michael y se dio la vuelta.

Para descubrir que él mismo se lo ofrecía. Contuvo la frustración y lo aceptó con la misma seguridad y confianza que había demostrado durante los últimos días. Con independencia de sus propias susceptibilidades, sería acertado mantener ese tipo de interacción hasta que abandonara de una vez por todas su interés por Elizabeth. Así era más fácil manipular sus impresiones.

—¿Se ha recuperado?

Estaban paseando por la cubierta.

—Está bastante mejor, pero creo que lo más sensato será que se quede en el camarote hasta que hayamos atracado de nuevo. —Lo miró a los ojos y comprobó que no había preocupación en ellos, tan sólo había sido una pregunta educada—. Si le ofreces tu brazo en ese momento, estoy segura de que te lo agradecerá.

Michael asintió con un gesto de la cabeza.

—Por supuesto.

La acompañó hasta el lugar donde los invitados estaban sentados al abrigo del castillo de proa. El día había sido estupendo para casi todos ellos; incluso para Geoffrey, a pesar de la preocupación por el bienestar de su hija. Caro les aseguró que estaba muy repuesta, le quitó importancia al incidente con su habitual diplomacia y después dirigió la conversación hacia otros temas que nada tenían que ver con la indisposición de Elizabeth.

Entretanto, él se apoyó contra la barandilla y la observó. Mientras, cavilaba. Caro rechazó la invitación de Ferdinand para pasear por la cubierta y, en cambio, tomó asiento entre su tía y la duquesa para intercambiar recuerdos sobre la corte portuguesa.

Una hora después, el yate ya había echado el amarre. Los invitados desembarcaron. Tras dar las gracias y desearse un buen viaje unos a otros, desaparecieron en el interior de sus respectivos carruajes.

Elizabeth y Caro fueron las últimas damas en atravesar la pasarela. Los tres, Caro, su secretario y él, habían ayudado a la muchacha a subir a la cubierta principal. Aún se sentía débil, pero estaba decidida a mantener cierta dignidad y subió por su propio pie las escaleras.

Cuando llegó a la pasarela, se detuvo y le dio las gracias con elegancia a Ferdinand, antes de disculparse por los inconvenientes que había ocasionado. Caro no se apartó de su lado. Él aguardó tras las damas, y se percató de que Elizabeth no tenía dificultad alguna para encontrar las palabras adecuadas en tales circunstancias. Caro ni siquiera estaba tensa, no parecía prever la necesidad de acudir en ayuda de su sobrina.

Ferdinand hizo una reverencia y aligeró la tensión del momento con una sonrisa mientras restaba importancia a las preocupaciones de la muchacha. Entretanto, su mirada se desvió hacia Caro.

Campbell tomó la mano de Elizabeth y enfiló la pasarela. La muchacha lo siguió con paso incierto. Caro se hizo a un lado y lo dejó pasar para que pudiera seguir a su sobrina. La estabilizó poniéndole una mano en la base de la espalda y se aprestó a ayudarla por si perdía el equilibrio. Había subido la marea y las olas hacían que la pasarela se balanceara mucho más que por la mañana.

Mientras avanzaban lentamente por la pasarela, observó la expresión de Edward Campbell cada vez que se giraba para mirar a Elizabeth. No ocultaba la preocupación que sentía; una preocupación de índole muy personal. Aunque no podía ver el semblante de la muchacha, percibió que ésta se apoyaba más en el secretario de su tía que en él.

La posibilidad de haber malinterpretado la relación de los dos jóvenes y de que no hubiera nada entre ellos se desvaneció.

Y si él se había percatado, qué duda cabía de que Caro también.

La necesidad de que le prestara ayuda a Elizabeth había dejado a Caro a expensas de Ferdinand. Cuando por fin cruzaron la pasarela y llegaron al embarcadero, dejó que fuese Campbell quien acompañara a Elizabeth al carruaje, donde ya estaba Geoffrey. Él se plantó en el extremo de la pasarela, y observó a Caro mientras ésta la atravesaba. Cuando estuvo cerca, le ofreció la mano.

Ella la apretó con fuerza y se apoyó en él para dar el último paso. Ni siquiera esperó a que fuera Caro quien entrelazara sus brazos, sino que le colocó la mano en su antebrazo y la cubrió con la suya mientras ella se giraba para despedirse de Ferdinand...

Que a todas luces estaba irritado por haberse visto privado de ese momento a solas con ella.

El portugués lo miró a los ojos con expresión adusta y desafiante. Sin embargo, se vio obligado a mantener las formas; más aún, tuvo que aguantar sin rechistar que Caro lo tildara de ser meramente una compañía divertida y nada más.

No supo muy bien cómo lo había logrado, pero aun así, su edicto quedó bien claro en el tono de su voz y en la sonrisilla con la que acompañó el elegante gesto de despedida que hizo con la cabeza. Ni él ni el portugués tuvieron dificultades para interpretar el mensaje. Ferdinand se vio obligado a aceptarlo; aunque no le gustó ni un pelo.

Él, al contrario, lo aprobaba de todo corazón.

Mientras caminaba junto a Caro por el embarcadero en dirección al carruaje, que ya era el único que quedaba, se preguntó si tal vez no sería apropiado tener unas palabritas con el portugués. Una conversación de hombre a hombre para explicarle el significado del apodo de Caro.

A pesar de su contundente despedida, Ferdinand no se había dado por vencido.

4

Eran las once de la mañana del día siguiente cuando Michael salía a caballo en dirección a Bramshaw House. *Atlas*, entusiasmado por volver a cabalgar todos los días, estaba retozón. Consciente de ello, dejó que el poderoso caballo disfrutara a su antojo, dejándolo trotar un rato por el camino.

No había anunciado su visita. El regreso desde Totton el día anterior había sido muy deprimente. Elizabeth, excesivamente pálida, se había mostrado silenciosa y ensimismada. Edward y él dejaron que el carruaje se adelantara y lo siguieron a caballo a cierta distancia a fin de que Elizabeth disfrutara de cierta intimidad.

Se separaron al llegar a la avenida de acceso a Bramshaw House, aunque siguió dándole vueltas a la actitud de Caro. La sospecha de que lo había manipulado, de que había bailado al son que ella tocaba creyendo que compartían el mismo objetivo, había echado raíces y no dejaba de atormentarlo. Había pasado toda la noche pensando en ella y rememorando sus conversaciones.

Por regla general, en cualquier reunión política o diplomática habría estado en guardia, pero con Caro ni se le había pasado por la cabeza que necesitara estar alerta.

Traición era una palabra demasiado fuerte para lo que sentía. Aunque sí rayaba en la irritación por el hecho de sentirse herido en el amor propio. Dado que ya estaba convencido de que no necesitaba ni quería a Elizabeth por esposa con independencia de la manipulación de la que había sido objeto, semejante reacción se le antojaba un tanto irracional; sin embargo, así era como se sentía.

Por supuesto, no tenía pruebas irrefutables de que Caro hubiera empleado sus artes manipuladoras con su persona.

Aunque, claro estaba, tenía un modo de averiguarlo.

Encontró a Caro, a Elizabeth y a Edward en la salita familiar. Caro levantó la vista y la sorpresa que sintió al verlo quedó oculta de inmediato tras una evidente alegría. Se puso en pie con una sonrisa deslumbrante.

—He venido para decirle a Geoffrey que la obstrucción del arroyo ya está solucionada —explicó al tiempo que aceptaba la mano que ella le ofrecía.

—Vaya por Dios, pues no está en casa.

—Eso me ha dicho Catten, así que le he dejado una nota. —Se giró para saludar a Elizabeth y a Edward antes de volver a mirarla a los ojos—. Yo...

—Hace un día estupendo —lo interrumpió, haciendo un gesto hacia los enormes ventanales, tras los cuales se extendían los prados bañados por la brillante luz del sol. Le sonrió con una confianza arrolladora—. Has tenido una idea maravillosa porque hace un día perfecto para salir a cabalgar. Podríamos visitar el monumento a Guillermo el Rojo. Hace años que no voy y Edward nunca lo ha visto.

Hubo una brevísima pausa antes de que Elizabeth sugiriera:

—Podríamos comer allí.

Caro se aprestó a apoyar la idea.

—Por supuesto, ¿por qué no? —Dio media vuelta para tocar la campanilla de la servidumbre.

—Haré que preparen los caballos mientras os cambiáis de ropa —se ofreció Edward.

—Gracias —le dijo Caro con una sonrisa antes de desviar la vista hacia él. Su expresión se ensombreció de repente, como si se le acabara de ocurrir algo—. Bueno, si te apetece pasar el día deambulando por la campiña, claro está.

Sostuvo esa mirada sincera por un instante y se percató una vez más de lo francos que parecían los ojos que lo observaban abiertos de par en par... aunque en sus profundidades podían apreciarse múltiples facetas si se miraba con atención. Quien juzgara a Caro por su rostro y la creyera una mujer hermosa y carente de poder cometería un grave error.

No había tenido la intención de dar un paseo a caballo, y desde luego que no había sido idea suya, aun así... Esbozó una sonrisa tan encantadora como la que ella le ofrecía.

—Me encantaría. —Dejaría que Caro siguiera creyendo que llevaba las riendas y controlaba la situación.

—¡Excelente! —Se giro hacia Catten, que acababa de aparecer en el vano de la puerta y se apresuró a ordenarle que preparara una cesta con comida.

Elizabeth ya se había marchado para cambiarse de ropa. Cuando Caro acabó de darle las órdenes pertinentes al mayordomo, se dio la vuelta y él le regaló una sonrisa afable.

—Ve a cambiarte. Yo ayudaré a Campbell a preparar los caballos. Nos encontraremos en la entrada principal.

La observó mientras se alejaba, segura y confiada, y después se encaminó a los establos, donde ya estaba su secretario.

Una vez en su habitación, Caro se puso el traje de montar a toda prisa y suspiró aliviada cuando Elizabeth entró, apropiadamente vestida para la ocasión.

—Muy bien... Estaba a punto de enviar a Fenella a por ti. Recuerda que es imperativo que no sobreactúes. No te pases de la raya intentando hacerte la torpe o la tonta. De hecho... —Frunció el ceño mientras se enderezaba el ajustado corpiño de su traje de montar marrón con unos tironcitos—. De hecho, creo que sería mejor que te comportaras como eres en realidad, al menos en la medida de lo posible. Montar a caballo y comer en el campo sin desconocidos es una situación muy informal y relajada. Si te comportaras como una estúpida, levantaría sospechas... La situación no va a prestarse a ello.

Elizabeth parecía confundida.

—Creí que habías sugerido que saliéramos a caballo para demostrar lo poco adecuada que soy. Porque todavía no ha cambiado de opinión, ¿verdad?

—No lo creo. —Cogió sus guantes y su fusta—. He sugerido la excursión porque no quería que te invitara a dar un paseo por los jardines a solas.

—Vaya. —Elizabeth salió al pasillo tras ella y bajó la voz—. ¿Crees que ésa era la intención de su visita?

—Ésa u otra parecida. ¿Para qué si no iba a venir? —Se puso los guantes—. Apostaría mis perlas a que pretendía hablar contigo o conmigo a solas, y ninguna de las dos posibilidades habría sido sensata. Debemos evitar una conversación privada con él a toda costa —concluyó mientras comenzaba a bajar la escalinata con su sobrina a la zaga.

Michael y Edward las esperaban al pie de los escalones de la entrada, cada uno de ellos con las riendas de dos caballos en las manos. Josh, el mozo de cuadra, estaba sujetando las alforjas donde habían guardado el almuerzo. Para su sorpresa, era Michael quien sujetaba las riendas de su yegua torda, *Calista*, no las de *Orión*, el caballo de Elizabeth.

El detalle la puso aún más nerviosa; si Michael estaba decidido a hablar con ella en lugar de encontrar el modo de pasar más tiempo con Elizabeth... Su intención sería la de preguntarle acerca de la experiencia de su sobrina en el ámbito diplomático y la de pedirle su opinión sobre la posible respuesta de Elizabeth a una proposición de matrimonio.

Ocultó sus reflexiones, decidida a hacerlo desistir en su empeño, y bajó los escalones con una sonrisa afable en los labios.

Michael la observó acercarse. Soltó las riendas de *Atlas* y enrolló las de la yegua en el pomo de la silla al tiempo que se ponía al lado del animal. Esperó a que Caro llegara a su altura para extender los brazos. La aferró por la cintura y la acercó un poco para poder alzarla hasta a la silla. La mano enguantada de Caro se posó sobre su brazo mientras lo miraba a la cara.

De repente, y sin lugar a dudas, el deseo surgió entre ellos como la sensual caricia de la seda sobre la piel desnuda. Se percató del estremecimiento que la sacudió de los pies a la cabeza, que la dejó sin respiración y que nubló sus ojos un instante.

Caro parpadeó sin pérdida de tiempo, su mirada se despejó... y esbozó una sonrisa como si no hubiera sucedido nada.

Sin embargo, todavía no había recuperado el aliento.

Sin apartar los ojos de ella, la apretó con más fuerza y sintió cómo se resquebrajaba su control.

La sentó en la silla y le sujetó el estribo. Tras un momento de incertidumbre, o más bien de desorientación, Caro metió el pie en el estribo. Sin levantar la vista, sin mirarla a la cara, se acercó a *Atlas*, cogió las riendas y montó.

Sólo entonces consiguió volver a respirar.

Elizabeth y Edward ya estaban sobre sus respectivas monturas. El caos reinó un instante, cuando instaron a los caballos a dar media vuelta en dirección a la verja. Estaba a punto de girarse hacia Caro, de mirarla a la cara y comprobar si...

—¡Vamos! ¡Echemos una carrera! —exclamó entre carcajadas y gesticulando con una mano mientras pasaba a su lado.

Elizabeth y Edward se echaron a reír y salieron en su persecución.

Él titubeó un instante y tuvo que reprimir el impulso de volver la vista hacia el lugar donde todo había sucedido... Pero estaba seguro de que no habían sido imaginaciones suyas.

Con los ojos entrecerrados, clavó los talones en los flancos de *Atlas* y los siguió.

Caro.

Ya no tenía el menor interés en Elizabeth. Sin embargo, cuando llegaron al camino principal Caro aminoró la marcha para que pudieran proseguir el paseo en grupo, y le quedó clarísimo que tenía toda la intención de hacer caso omiso de ese inesperado lapso.

De la reacción que había provocado en él.

Y, sobre todo, de la reacción que había provocado en ella.

Caro rio a carcajadas, sonrió e interpretó el papel de su vida disfrutando al máximo del día estival; les hizo ver que estaba encantada de contemplar el cielo azul surcado por alguna que otra nube y de aspirar el olor a hierba recién cortada que flotaba desde los campos cercanos bañados por el sol. En ese momento agradeció los años de rígida disciplina. Se sentía conmocionada hasta lo más profundo de su alma, como si la hubiera sacudido un terremoto. Tenía que recomponer sus defensas, y deprisa.

Su pulso recobró el ritmo normal y la opresión que sentía en el pecho aminoró a medida que recorrían el camino de Cadnam y doblaban hacia el sur por el frondoso sendero que llevaba hasta el lugar donde la flecha mató a Guillermo II mientras cazaba en el bosque.

Fue muy consciente de las miradas de Michael... de las continuas miradas de Michael. Sabía que detrás de esa fachada tranquila y relajada de un hombre dispuesto a disfrutar del día, estaba confuso. Y no del todo complacido.

Al menos, eso último era bueno. Ella tampoco estaba muy contenta por el inesperado giro de los acontecimientos. No estaba muy segura del motivo que había precipitado una reacción tan intensa y desconcertante; pero el instinto le advertía que debía evitar una repetición de la misma y, por tanto, que debía evitar a Michael.

Dado que él estaba interesado en Elizabeth, no debería costarle mucho trabajo.

Edward cabalgaba a su derecha y Elizabeth a su izquierda. El camino se estrechaba un poco más adelante.

—Edward. —Tras mirar a *Calista*, desvió los ojos hacia su secretario y refrenó a la yegua para quedarse un poco rezagada—. ¿Has tenido oportunidad de preguntarle a la condesa por el señor Rodrigues?

Había elegido el tema porque sería inocuo a oídos de Michael, pero antes de que Edward pudiera reaccionar y ponerse a su lado, Michael ya lo había hecho.

—¿Debo entender que la condesa es una vieja conocida?

Lo miró y asintió con la cabeza.

—La conozco desde hace años. Forma parte de la corte portuguesa... Es muy influyente.

—¿Cuánto tiempo pasaste en Lisboa? ¿Diez años?

—Más o menos. —Decidida a encauzar la situación por los derroteros adecuados, miró al frente y le sonrió a su sobrina—. Elizabeth fue a vernos en varias ocasiones.

La mirada de Michael se clavó en Edward.

—Supongo que eso sería durante los últimos años...

—Sí. —Se percató de la dirección de su mirada, pero antes de que pudiera deducir si quería insinuar algo con el comentario, si había deducido algo que ella prefería mantener oculto, la miró a los ojos.

—Imagino que la vida de la esposa de un embajador debe de estar plagada de diversiones. No te habrá resultado muy fácil acostumbrarte al cambio.

Sus palabras la irritaron y se percató de que no podía disimular su reacción al mirarlo.

—Te aseguro que la vida de la esposa de un embajador no es ni mucho menos una sucesión de divertidos y placenteros eventos. —Alzó la barbilla y sintió que se le ruborizaba el rostro a causa del enfado—. Es cierto que hay una constante sucesión de eventos, pero... —Se interrumpió y lo miró. ¿Por qué diantres había mordido el anzuelo con una pulla tan burda? ¿Y por qué se la había lanzado precisamente él? Prosiguió con su diatriba en un tono más calmado—. Como ya debes saber, la organización de la agenda social del embajador recae casi por completo en su esposa. Ése fue mi papel durante el tiempo que duró mi matrimonio.

—Creía que Campbell habría sido el encargado de manejar esos asuntos.

Se percató de que Edward la miraba de reojo y le ofrecía su ayuda, pero no le hizo caso.

—No... Edward era el asistente de mi marido. Lo ayudaba en cuestiones legales, gubernamentales y diplomáticas. No obstante, el escenario donde se toman la mayoría de las decisiones importantes y donde resulta más sencillo influenciar a aquellos que tienen que tomarlas es y siempre será el salón de la embajada. En otras palabras, si bien es el embajador quien expone sus ideas con el plan de acción, es su esposa quien proporciona el campo de batalla donde se llevará a cabo.

Clavó la vista al frente, inspiró hondo para tranquilizarse y echó mano de su acostumbrada e inconmovible máscara social, sorprendida de haberse despojado de ella por un instante. Después de todo, Michael tenía un motivo válido para hacer sus preguntas.

—Si los rumores son ciertos y pasas a la cabeza del Ministerio de Asuntos Exteriores, necesitarás recordar que un embajador se verá maniatado sin una esposa adecuada, por muy hábil que el hombre sea.

Giró la cabeza con frialdad y clavó la vista en sus ojos azules.

Michael esbozó una sonrisa que no le llegó a los ojos.

—Hace poco me dijeron exactamente lo mismo acerca de los ministros.

Caro parpadeó.

Él clavó la vista al frente y su sonrisa se ensanchó al ver que Elizabeth y Edward se habían adelantado bastante. El camino se estrechaba un poco más adelante y sólo permitía el paso de dos jinetes juntos.

—Todo el mundo sabe —murmuró en voz queda de modo que sólo ella pudiera escucharlo— que Camden Sutcliffe era un embajador de primera. —Volvió a mirarla a la cara—. Sin duda, él vislumbró... —Se interrumpió, sorprendido al captar un atisbo de dolor en los ojos de Caro, una expresión efímera pero tan sentida que lo dejó sin aliento. Se olvidó al instante de lo que había estado a punto de decir. La había estado acicateando, pinchándola para que reaccionara a fin de descubrir más—. ¿Caro? —Extendió el brazo en busca de su mano—. ¿Te encuentras bien?

Ella se recompuso y apartó bruscamente su montura para evitar su mano, tras lo cual clavó la vista al frente.

—Sí, perfectamente.

Su voz era fría y distante. No volvió a ponerla a prueba, fue incapaz de hacerlo. Aunque había contestado con voz serena, tenía la impresión de que le había supuesto un gran esfuerzo. Sentía que debía disculparse, si bien no tenía ni idea del motivo. Antes de que se le ocurriera un modo de arreglar el estropicio llegaron a una vasta explanada, y Edward y Elizabeth se lanzaron al galope.

Caro los imitó al instante. Presa de una creciente frustración, azuzó a *Altas* y los siguió.

El claro era tan amplio como cualquier campo de labor y estaba salpicado de robles. Más o menos en el centro, se encontraba el monumento erigido por el conde de la Warr unos ochenta años antes y que señalaba el lugar donde Guillermo II, conocido como Guillermo el Rojo por el color de su cabello, murió el 2 de agosto de 1100. A pesar de conmemorar un momento crucial de la historia del país, la piedra, en la que se había grabado el relato de los hechos acaecidos, se alzaba con muy pocos adornos y apenas resaltaba en el entorno tranquilo y silencioso del bosque.

Edward y Elizabeth se habían detenido al amparo de la sombra de un viejo roble. Edward desmontó y ató las riendas a una rama. Después se giró, pero antes de que pudiera acercarse a Elizabeth para ayudarla a descender, Caro detuvo su montura junto a ellos. Con un gesto imperioso, muy impropio de ella, llamó a su secretario.

Edward acudió junto a ella al punto y la ayudó a bajar.

Una vez que *Atlas* se detuvo, desmontó y los observó un instante. Ató las riendas y se acercó a Elizabeth para ayudarla a bajar de la montura.

Con una sonrisa deslumbrante, Caro señaló el monumento y le comentó algo a Edward antes de que ambos echaran a andar en su dirección. Él miró a Elizabeth con una sonrisa afable y los siguieron para ver de cerca el monumento.

71

El momento estableció la pauta de la siguiente hora. Caro parecía empeñada en disfrutar del día. No dejaba de sonreír y de reír a carcajadas, lo que les contagió su buen humor. La actuación fue tan sutil —jamás se pasó de la raya y resultó tremendamente convincente, ya que no cometió ni un solo desliz—, que se vio obligado a admitir que era su instinto quien le advertía de que era una farsa, de que no era más que una fachada.

Después de admirar el monumento y de rememorar el momento en el que Guillermo cayó bajo la flecha disparada por Walter Tyrrel, uno de los componentes de la partida de caza, suceso que permitió que el joven Enrique se hiciera con el trono, imponiéndose a Roberto, su hermano mayor, decidieron extender una manta e investigar las viandas que había en las alforjas, dando por finalizada la conversación sobre cómo cambió la dichosa flecha el curso de la historia.

Caro llevaba la batuta, como de costumbre. Y él le siguió el juego, dispuesto a aplacarla y calmarla. Recurrió a su propia máscara de urbanidad y, haciendo un despliegue de encanto, sonrió a Elizabeth, que había tomado asiento a su lado, y dejó que fuera ella quien eligiera los temas de conversación. Aunque la muchacha no estuviera intentando convencerlo de que era una cabeza de chorlito que sólo pensaba en bailes y saraos, fue muy consciente de que carecía de la profundidad o de la complejidad de carácter que podría haberlo interesado; y, sin embargo, debía admitir que su atractivo crecía en gran medida siendo ella misma.

Se mantuvo pendiente en todo momento de Caro, oculto tras su máscara y sin dejar de charlar.

Al otro lado de la manta y separados de ellos por la comida, Edward y Caro conversaban animadamente e intercambiaban comentarios sobre viejos conocidos. A juzgar por su aspecto, Edward debía de tener unos tres o cuatro años menos que Caro; y, aunque los observó con detenimiento, no vio el menor atisbo de atracción amorosa. Era evidente que Campbell admiraba y respetaba las habilidades de Caro. Era la persona adecuada para haber llegado a esa conclusión. Por lo que sabía, los asistentes de políticos y diplomáticos eran los jueces más despiadados y certeros en cuanto a los talentos de sus patrones se refería.

La actitud de Edward hacia Caro encajaba a la perfección con la imagen que él tenía de ella. El joven transmitía la impresión de que la consideraba su mentora y de que estaba encantado y muy agradecido por la oportunidad de aprender de ella.

De todos modos, no era eso lo que le interesaba saber de ella ni por lo que la estudiaba con tanto detenimiento.

Sus comentarios la habían herido y ella se había replegado tras la exquisita fachada de la persona que mostraba al mundo.

Una fachada que había perfeccionado durante una década bajo las circunstancias más escabrosas, se recordó mientras buscaba alguna fisura en ella, sin encontrarla. Resultaba impenetrable, como si se tratara de una máscara de metal bruñido. No revelaba nada.

Cuando por fin guardaron los restos del almuerzo y sacudieron la manta, ya había aceptado el hecho de que para conocerla tendría que convencerla de que le hablara de sí misma. O de que le permitiera verla tal y como era en realidad.

El rumbo de sus pensamientos lo sorprendió y se preguntó por qué de repente había cobrado tanta importancia el deseo de conocerla, de conocer a la verdadera Caro. No obtuvo respuesta, pero aun así...

Se reunieron en torno a los caballos para volver a colocarles las alforjas. Caro tuvo algunos problemas, de modo que se colocó detrás de ella con la intención de ayudarla. En ese preciso momento, su yegua se agitó, le dio un empujón y... acabó chocando con él.

Sintió el roce de su espalda contra el pecho y el de su trasero sobre los muslos.

Sus manos la aferraron por la cintura de forma instintiva y la pegaron a él. Notó que se tensaba y que contenía el aliento. La soltó y retrocedió, muy consciente de su propia reacción.

—¡Vaya! Lo siento —se disculpó ella con una sonrisa inocente, pero evitó mirarlo a la cara cuando se puso a su lado y extendió las manos para coger las correas que ella intentaba atar.

Caro apartó las manos al punto, aunque él consiguió sujetar las correas antes de que se soltaran del todo.

—Gracias —le dijo.

—Esto debería aguantar —replicó él, sin apartar la vista de las correas.

Se dio media vuelta con una expresión afable en el rostro y dejó que fuera Edward quien la ayudara a montar mientras que él hacía lo propio con Elizabeth.

Cuando se acercó a *Atlas*, miró a los tres jinetes que ya lo aguardaban montados.

—Aún quedan varias horas de sol. —Le sonrió a Elizabeth—. ¿Por qué no acortamos por el bosque, rodeamos Fritham y nos detenemos en Eyeworth Manor para tomar el té?

Intercambiaron unas cuantas miradas, con las cejas enarcadas.

—Sí, ¿por qué no? —Elizabeth lo miró con una sonrisa encantada—. Será un maravilloso colofón para un día maravilloso.

Miró a Caro y vio que estaba esbozando una de sus deslumbrantes sonrisas mientras asentía con la cabeza.

—Una sugerencia excelente.

Pusieron rumbo al bosque en cuanto estuvo a lomos de *Atlas*. Salvo Edward, todos conocían el camino. Atravesaron los claros al galope y aminoraron la marcha cada vez que llegaban a los tramos más estrechos del sendero. Aquel que fuera a la cabeza del grupo marcaba el ritmo. El sol se colaba entre las frondosas ramas de los árboles y teñía el camino de luces y sombras; los fragantes aromas del bosque los rodeaban y el único sonido que perturbaba el silencio eran los cantos de los pájaros y la ocasional huida de algún animal más grande.

Nadie intentó entablar conversación. Por su parte, él estaba más que dispuesto a dejar que el agradable silencio se alargara. Caro no se sentía obligada a entablar conversación cuando estaba entre amigos y el hecho de que no lo intentara en ese momento era muy esperanzador.

Se acercaron a Eyeworth Manor por el sur y emergieron por la linde del bosque directamente al patio de los establos. Hardacre se hizo cargo de las monturas mientras ellos atravesaban la huerta en dirección a la mansión.

Una vez en el interior y mientras enfilaban el largo pasillo que partía del vestíbulo principal, Caro lo miró por encima del hombro.

—¿Vamos a la terraza? Se tiene que estar muy bien allí.

—Adelantaos —respondió mientras asentía con la cabeza—. Yo hablaré con la señora Entwhistle para que prepare el té.

El ama de llaves los había oído entrar. La idea de servir té y pastas la alegró muchísimo y a él le recordó las escasas tareas que la mujer tenía que hacer por regla general.

Cuando salió a la terraza, encontró a los demás sentados a la mesita de hierro forjado. El sol, que aún seguía bien alto, bañaba la terraza con su luz dorada. Sin apartar la vista del rostro de Caro, se sentó en la única silla libre, frente a ella. Parecía un poco más relajada, aunque no estaba muy seguro.

Elizabeth se giró hacia él.

—Caro nos estaba diciendo que se rumorea que lord Jeffries va a dimitir. ¿Es verdad?

Lionel, lord Jeffries, había sido nombrado ministro de Comercio hacía menos de un año, pero su cargo había estado marcado por un incidente diplomático tras otro.

—Sí. —Buscó la mirada de Caro al otro lado de la mesa—. Era algo inevitable después de su última metedura de pata.

—¿Eso quiere decir que es cierto que llamó «extorsionista» al embajador belga? —preguntó Caro con una mirada radiante.

Él asintió con la cabeza.

—Y él mismo se arrojó a las fauces del lobo en el proceso, aunque diría que valió la pena sólo por verle la cara a Rochefoucauld.

Caro abrió los ojos de par en par.

—¿Lo viste?

Sonrió.

—Sí... Yo también estaba allí.

—¡Caramba! —Edward silbó entre dientes—. Tengo entendido que los asistentes de Jeffries estaban como locos... Debió de ser una situación espantosa.

—En cuanto Jeffries vio a Rochefoucauld se supo lo que iba a pasar. Nada, ni siquiera el primer ministro, lo podría haber evitado.

Aún seguían discutiendo el último escándalo diplomático cuando Jeb Carter les llevó el té.

Caro lo miró al punto. Había estado esperando esa mirada, había esperado ver cómo la comprensión asomaba a sus ojos y poder disfrutar así de su aprobación.

Estaba decidido a acercarla más a él. Poco a poco, paso a paso. Y utilizaría todos los recursos que tuviera a mano.

—¿Sirves tú? —le pidió.

Caro cogió la tetera y miró al mayordomo con una sonrisa mientras le preguntaba por la salud de su madre antes de permitir que se marchara, ruborizado por el hecho de que se hubiera acordado.

Elizabeth cogió su taza, tomó un sorbo con el ceño fruncido... y su expresión se aclaró un momento después.

—¡Por supuesto! Es el último mayordomo de Muriel, el que ha despedido hace poco. —La expresión desconcertada regresó—. ¿Cómo es que lo conoces?

Caro sonrió y le explicó a su sobrina que no lo recordaba porque Jeb había estado mucho tiempo en Londres, formándose como mayordomo.

Claro que ella había estado lejos mucho más tiempo.

Michael dio buena cuenta de su té mientras se preguntaba si, pese a todos los años transcurridos, Caro habría olvidado a alguien, habida cuenta de la conversación que estaba manteniendo con su sobrina durante la cual le recordó el nombre de otros trabajadores de la zona y sus respectivas familias, su paradero, las bodas que habían tenido lugar, los fallecimientos y también los cambios de dirección. Semejante memoria con respecto a las personas y sus circunstancias personales era una bendición en los círculos políticos.

El tiempo pasó volando y la tarde se desvaneció. La tetera se había enfriado hacía bastante tiempo y ya habían acabado con todos los pastelillos de la señora Entwhistle cuando, a petición de Caro, ordenó que les llevaran los caballos. Estaban bajando los escalones de la terraza para esperar en el patio cuando escucharon el traqueteo de una calesa que se acercaba.

Caro se detuvo en los escalones y se protegió los ojos con una mano para ver de quién se trataba. Los efectos del breve momento de debilidad que había experimentado cuando se acercaban al monumento en memoria del Guillermo el Rojo habían ido desapareciendo poco a poco; sus nervios se habían tranquilizado y volvía a sentirse de nuevo relativamente calmada. Más tarde se reprendería por haber reaccionado como lo había hecho, pero no hasta estar en la seguridad de su habitación y bien lejos de Michael.

Aparte de eso, el día había transcurrido más o menos según sus planes. Dudaba mucho que hubiera contribuido mucho a su causa, pero tampoco creía que se hubiera visto perjudicada... Además, Michael no había tenido la oportunidad de hacer la proposición matrimonial ni de hablar del asunto con ella.

En resumen, había sido un día bastante positivo y con eso le bastaba.

La calesa apareció frente a ellos. El caballo trotaba a paso vivo por el camino mientras Muriel manejaba las riendas. Era una experta en esos menesteres. Detuvo la calesa frente a los escalones con elegancia.

—Caro. Michael. —Los saludó con un gesto de cabeza antes de clavar la vista en Michael—. Mañana por la noche voy a celebrar una cena para la Asociación de Damas. Ya que estás en casa, he venido para invitarte... Sé que todas se alegrarán de tener la oportunidad de hablar contigo.

Michael bajó los escalones hasta ponerse a su lado. Caro notó que la miraba al rostro y, al percibir lo que escondía su momentánea indecisión, giró la cabeza y lo miró con una sonrisa.

—Ven. Ya conoces a la mayoría de los que vamos a asistir.

A pesar del reciente enfado (y debía perdonarlo porque era imposible que Michael lo supiera), se compadeció de él. Desde que hiciera el doloroso comentario esa mañana, se había comportado con un tacto ejemplar.

Michael interpretó su mirada y, acto seguido, se colocó su máscara de político para decirle a Muriel:

—Será un placer cenar con las damas. Supongo que contaréis con nuevos miembros desde la última vez que estuve aquí.

—Desde luego. —Muriel sonrió con elegancia; la Asociación de Damas era su orgullo y su máxima alegría—. Nos ha ido bastante bien este año, aunque ya te enterarás de todos nuestros éxitos mañana por la noche.

Hardacre apareció en ese momento con los tres caballos. La mirada de Muriel se clavó en ella.

—Caro, si vas a casa, tal vez puedas cabalgar a mi lado para discutir los planes de la fiesta.

—¿Por qué no? —respondió, asintiendo con la cabeza.

En ese momento se percató de que Michael alzaba la mano para tocarle la espalda y, sin pérdida de tiempo, bajó los escalones restantes con la vista clavada en el suelo. Hizo ademán de coger las riendas de *Calista*, pero notó que Muriel los observaba como si fuera un halcón. Lo único que les faltaba era que empezaran a especular sobre la relación entre Michael y Elizabeth...

Tomó aire, se dio la vuelta... y vio que Michael estrechaba la mano de Edward y se despedía de Elizabeth con un gesto educado.

—Vamos, deja que te ayude —le dijo una vez que hubo soltado la mano de su secretario.

Su sonrisa era un tanto forzada, pero difícilmente podía esperar a que Edward ayudara a montar a Elizabeth para que se acercara a ella, al menos no con Michael a su lado, dispuesto a hacerlo. Con aspecto sereno a pesar de tener los nervios a flor de piel, se acercó a *Calista*. Inspiró hondo de nuevo, retuvo el aire y se giró.

Y se encontró con Michael a escasa distancia.

Él extendió las manos... y fue peor de lo que había esperado. Se estremeció de la cabeza a los pies. Era mucho más alto que ella, de modo que sus ojos quedaban al mismo nivel que sus hombros. Unos hombros tan anchos que le impedían ver cualquier otra cosa.

En cuanto la aferró por la cintura, sintió una especie de debilidad, como si la fuerza que él irradiaba acabara de consumir la suya.

Michael titubeó un instante. Se sentía muy pequeña, frágil y vulnerable. Atrapada. Su mundo acababa de reducirse drásticamente. Tenía la impresión de que el corazón estaba a punto de salírsele por la boca.

Un instante después, Michael la levantó sin dificultad alguna y la dejó en la silla. La presión de sus manos disminuyó y la soltó muy despacio. Acto seguido, sostuvo el estribo para que ella metiera el pie.

Consiguió agradecerle el gesto, pero tuvo la impresión de que su propia voz sonaba muy distante.

Colocó el pie en el estribo y se aprestó a arreglarse las faldas. Por fin podía respirar con normalidad. Cogió las riendas con firmeza y levantó la vista.

—En marcha —le dijo a Muriel con una sonrisa.

Michael retrocedió.

Le hizo un gesto de despedida con la mano antes de azuzar a *Calista* para que trotara al lado de la calesa. Edward y Elizabeth también le hicieron un gesto de despedida antes de partir en pos de la calesa.

Michael observó al grupo hasta que desapareció de su vista. Se quedó allí plantado unos minutos con la vista clavada en la verja antes de dar media vuelta y regresar a la casa.

5

Al menos ya comprendía por qué necesitaba saber más, mucho más, sobre Caro, reflexionaba Michael sentado a la mesa del desayuno a la mañana siguiente, mientras se preguntaba por qué había tardado tanto en interpretar las señales como era debido. Tal vez porque se trataba de Caro, a quien conocía de toda la vida. Fuera cual fuese el motivo, el hecho era que ya podía ponerle nombre a una de las emociones que mantenían su atención clavada en ella.

Había pasado mucho tiempo desde la última vez que deseó a una mujer de forma impulsiva sin verse alentado en ningún modo. Desde que deseó a una mujer a pesar de que dicha mujer estuviera empeñada en salir corriendo en la dirección contraria.

O ésa era la conclusión a la que había llegado tras observar la reacción de Caro. Ella sentía la atracción, esa chispa que no requería del pensamiento ni de ningún permiso; su reacción había sido la de evitar que prendiera por todos los medios y, en caso de que eso no fuera posible, fingir que no había sucedido nada.

Sabía por la experiencia que semejante táctica no serviría de nada. Mientras siguieran manteniendo una proximidad que garantizara sus encuentros y los roces ocasionales, el deseo seguiría acrecentándose y la chispa se haría cada vez más poderosa, hasta llegar a un punto en el que se verían obligados a dejar que los consumiera con sus llamas.

El único problema que le veía al asunto radicaba en el hecho de que la mujer en cuestión fuese Caro.

Su reacción no lo sorprendía en absoluto. Al contrario que Ferdinand, él sabía cuál era la explicación de su apodo. La Viuda Alegre era un sobrenombre irónico, siguiendo la costumbre inglesa. En el caso de Caro, se aplicaba a su capacidad para ser una anfitriona de renombre, una viuda alegre; pero, en realidad, el sentido oculto se refería al hecho de que la habían perseguido los mujeriegos más afamados y había escapado alegremente de sus garras. En realidad, era una viuda casta con un comportamiento ejemplar, que jamás daba pie a que nadie se hiciera ideas equivocadas sobre ella.

Era justo lo opuesto a lo que cualquier ingenuo pensaría al escuchar el apodo por primera vez.

Lo que significaba que le iba a costar la misma vida convencerla de que su única opción era una que les conviniera a ambos.

Saboreó el último sorbo de café y meditó acerca del tiempo que le llevaría convencerla. Meditó sobre los obstáculos que se le presentarían por el camino. Un camino que lo convertiría en el caballero que tentó a La Viuda Alegre hasta el punto de meterse en su cama y en su...

Todo un desafío.

Sería un triunfo diplomático de gran relevancia aun cuando nadie fuera partícipe del mismo. Aunque sí que se enterarían, por supuesto. Y eso formaba parte del plan.

Podía ganar. Era un político de los pies a la cabeza, con las habilidades innatas que las circunstancias requerían. Sólo tenía que abrirse camino con mucha sutileza entre las defensas de Caro.

Y, de paso, cuando la tuviera indefensa en los brazos, descubriría lo que la inquietaba y haría todo lo posible por eliminar la fuente de su inquietud, si estaba en su mano hacerlo.

Concluyó que sería acertado dejar que el día procediera a su placer, de modo que Caro retomara su habitual seguridad y confianza en sí misma y llegara a la conclusión de que no suponía una amenaza para ella y de que no era necesario mantener las distancias. Así pues, se obligó a sentarse en su despacho para lidiar con las facturas del mes y los asuntos que su administrador le había dejado sobre el escritorio.

El montón de documentos había disminuido bastante cuando, dos horas después, Carter llamó a la puerta y entró.

—La señora Sutcliffe acaba de llegar, señor.

Michael meditó un instante.

—¿Cuál de ellas? —¿Sería Caro? ¿O una de las sobrinas de Camden?

—La señora Caroline Sutcliffe, señor. Está en el salón.

—Gracias, Carter. —Se puso en pie mientras decidía que no debía preocuparse. Conocería los motivos de su visita en breve.

Cuando entró en el salón, ella estaba de pie frente a las ventanas que daban al prado principal. Los rayos del sol arrancaban destellos dorados y cobrizos a sus indomables rizos castaños. Llevaba un vestido azul grisáceo, aunque era de un tono un poco más oscuro que el de sus ojos. Liviano, tal y como correspondía a la estación, y que resaltaba cada una de sus curvas.

Al escuchar sus pasos, se giró con una sonrisa.

Y, en ese instante, supo que estaba lejos de verlo como a alguien inofensivo. Como era habitual, habían sido sus instintos los que lo alertaran, ya que ella no se delató en modo alguno.

—Espero que no te importe; he venido a pedirte opinión sobre algo.

Él le devolvió la sonrisa y señaló el diván para que tomara asiento.

—¿En qué puedo ayudarte?

Mientras atravesaba la estancia hacia el diván, se recogía las faldas y se sentaba con elegancia, Caro aprovechó para poner en orden sus pensamientos y sofocar la oleada de pánico que amenazaba con engullir su sentido común cada vez que cabía la posibilidad de experimentar una proximidad física con Michael. Entretanto, él tomó asiento en un sillón emplazado frente al diván.

No entendía la repentina susceptibilidad que la embargaba. Apenas podía creer que, tras años de experiencia en esas lides, acabara siendo víctima de una aflicción semejante y, para colmo, en mitad de Hampshire. Decidida a superarla o, cuanto menos, a desentenderse de ella, se aferró a su pose de serenidad.

—He decidido organizar un baile la víspera de la fiesta parroquial. Se me ha ocurrido que con tantos veraneantes procedentes de Londres en la zona si celebramos un baile, los invitamos a todos y hacemos los arreglos pertinentes para que pasen la noche aquí, podrán asistir a la fiesta parroquial al día siguiente antes de marcharse por la tarde. —Hizo una pausa antes de continuar—: Supongo que lo que estoy proponiendo es una breve fiesta campestre con el baile como momento cumbre y la fiesta parroquial como colofón.

La mirada de Michael estaba clavada en su rostro. Le era imposible adivinar lo que estaba pensando. Un instante después, él replicó:

—De modo que tu intención es utilizar el baile como excusa para que la gente asista a la fiesta parroquial, sobre todo entre los veraneantes londinenses, lo que a su vez avivará el interés local y así lograrás que el día acabe siendo un rotundo éxito.

—Exactamente.

Sonrió, encantada de tratar con alguien que veía más allá de las acciones y comprendía las implicaciones y los resultados de las mismas. Claro que el propósito de su último proyecto no era el de asegurarse el éxito de la fiesta. Tras lo acontecido el día anterior, Elizabeth y Edward habían llegado a la firme conclusión de que debían poner fin a la situación con Michael de una vez por todas. Querían promover algún tipo de situación que dejara bien clara la incapacidad de Elizabeth para asumir el papel de esposa de un político.

De ahí la organización de un acontecimiento social de relevancia, al que asistiría un nutrido grupo de personajes del ámbito político y diplomático, ligado a un acontecimiento local también relevante. Los preparativos les obligarían a hacer un esfuerzo hercúleo y Elizabeth era, después de todo, una simple aprendiz en ese sentido.

Ella, por supuesto, era capaz de manejar semejante desafío sin pestañear, y eso haría. Esperaban que el contraste obligara a Michael a reconocer la falta de habilidades sociales de la que Elizabeth haría gala.

Él la estaba observando con una expresión un tanto alegre.

—Estoy seguro de que ya lo tienes todo medio organizado. ¿En qué puedo ayudarte?

—Me preguntaba si accederías a alojar la noche del baile a los invitados que residen más lejos. —No esperó una respuesta, sino que continuó con consumada habilidad—: Y también quería saber tu opinión sobre la lista de invitados. ¿Crees que las pequeñas rencillas entre rusos y prusianos han llegado a mayores? Y, por supuesto...

Con las riendas de la conversación en sus manos, se dispuso a establecer el campo de batalla.

Michael la dejó parlotear a placer, convencido de que se estaba yendo por las ramas a propósito. Fuera cual fuese la conclusión a la que quería llegar, sus observaciones eran acertadas y, en ocasiones, tremendamente perspicaces. Cada vez que le hacía una pregunta concreta y guardaba silencio en espera de su respuesta, invariablemente se trataba de un asunto diplomático espinoso. Los comentarios subsiguientes acabaron enzarzándolos en una conversación de cierta seriedad.

En un momento dado, Caro se levantó y, sin dejar de hablar, rodeó el diván para volver a sentarse de nuevo. Él no movió ni un músculo, sino que la observó con detenimiento, consciente del desafío intelectual que suponía enfrentarse a ella en varios frentes a la vez. En dos, en realidad. A todas luces, allí se cocía algo más que lo obvio y sabía que ella estaba decidida a hacer caso omiso de uno de los niveles de su interacción.

A la postre, volvió a relajarse en el diván, extendió las manos hacia él y le preguntó sin ambages:

—En fin, ¿vas a ayudarme?

La miró a los ojos.

—Con dos condiciones.

Una súbita cautela apareció en aquellos preciosos ojos, aunque la ocultó de inmediato con un parpadeo, quedando reemplazada por una sonrisa cuya intención fue la de parecer jocosa.

—¿Con dos condiciones? ¡Válgame Dios! ¿Cuáles?

Sonrió y tuvo que hacer un esfuerzo por mantener una expresión lo menos amenazadora posible, si bien no estaba muy seguro de haberlo logrado.

—La primera es que hace un día precioso para pasarlo aquí dentro. Así que propongo que prosigamos esta discusión mientras paseamos por los jardines. Y la segunda... —Sostuvo su mirada—. La segunda es que te quedes a almorzar.

Caro parpadeó muy despacio. Estaba segurísimo de que era muy consciente de su presencia física y se mostraba recelosa. Por un posible acercamiento. Sólo conocía un modo de lidiar con semejante problema y ella acababa de ponérselo en bandeja.

Después de haberse metido en la boca del lobo ella solita, no podía echarse atrás. La vio ensanchar la sonrisa y clavar la mirada en su rostro.

—Muy bien. Si insistes...

Tuvo que contener el impulso de sonreír más abiertamente.

—¡Por supuesto que lo hago!

Caro se puso en pie. Él también lo hizo, pero sólo para tocar la campanilla y darle las órdenes precisas a Carter concernientes al almuerzo, ofreciéndole así a ella la oportunidad de escapar hacia la terraza.

La encontró junto a los escalones que llevaban al prado principal, con las manos entrelazadas por delante. Contemplaba el paisaje mientras respiraba hondo, gesto que le hizo elevar los hombros.

Se acercó hasta ponerse a su lado y Caro estuvo a punto de dar un respingo por la sorpresa.

—Ven, paseemos por el prado hasta los arbustos. Mientras tanto, podrás hablarme de los invitados que crees acertado que se alojen aquí.

Ella inclinó la cabeza y aceptó el brazo que le ofrecía. Tuvo que resistir el impulso de acercarla y cubrirle la mano. Bajaron los escalones y emprendieron el paseo.

Caro alzó la cabeza y clavó la vista en los árboles que flanqueaban la avenida principal mientras se obligaba a concentrarse en el millar de detalles que conllevaba la organización del baile... en lugar de hacerlo en la perturbadora presencia del hombre que tenía al lado. Una vez más se había quedado sin aliento, era un milagro que pudiera hablar.

—Los suecos, sin duda alguna. —Lo miró de reojo—. No te impondré al general Kleber... alojaremos a los prusianos en Bramshaw House. Estoy segura de que la gran duquesa asistirá y esperará hospedarse conmigo.

Continuó repasando la lista de invitados. A decir verdad, las cuestiones de logística le facilitaban la tarea de enfrentarse a la proximidad de Michael, que no le dio motivos para alarmarla más de la cuenta; muy al contrario, procedió a hacerle preguntas pertinentes que ella no tuvo el menor problema en responder. Michael ya conocía, en persona o de oídas, a la mayoría de los personajes que tenía intención de invitar. Estaba al tanto de las interrelaciones que existían entre las diferentes delegaciones diplomáticas.

Enfilaron un sendero que se internaba entre los árboles y después rodearon la extensa superficie ocupada por los setos hasta que volvieron a salir a la avenida principal, no muy lejos del punto de partida.

—Tengo que hacerte una confesión —le dijo Michael mientras subían los escalones de la terraza.

Lo miró de soslayo.

—¿Ah, sí?

Él le devolvió la mirada y de repente tuvo la firme impresión de que ese hombre era capaz de ver más allá de su escudo social. Se quedó sin respiración y se le crisparon los nervios. Michael seguía observando su rostro, pero no tardó en esbozar una sonrisa afable y tranquila, que a ella le resultó, además, muy tranquilizadora.

—Aunque me arrancó la promesa de inaugurar la fiesta parroquial, Muriel se olvidó de mencionar la fecha. —Esos ojos azules volvieron a clavarse en los suyos mientras se reían abiertamente de sí mismo—. Ayúdame, ¿cuándo es?

Ella se echó a reír y sintió cómo se desvanecía la tensión que se había apoderado de ella. Descubrió que podía enfrentar su mirada sin temor.

—Dentro de ocho días.

—De modo que tu baile será dentro de una semana. —Habían llegado a la terraza y le hizo un gesto para que tomara asiento a la mesa de hierro forjado en la que ya habían servido el almuerzo.

—Sí —le confirmó mientras se sentaba en la silla que le había retirado. Esperó hasta que él ocupó la que estaba justo enfrente antes de enzarzarse en los detalles del baile propiamente dicho; se los había reservado hasta ese momento para tener un tema de conversación con el que distraerlo—. Aún no estoy segura de la temática.

Michael titubeó antes de sugerir:

—Algo sencillo. —Al ver que lo miraba extrañada, se explicó—: Que sea más informal que los bailes que se celebran en Londres. Todos los invitados estarán hartos después de la temporada social, pero aquí en el campo y en verano no hay por qué adherirse a la pompa y el boato de la capital.

De no ser así, le costaría mucho poder pasar un poco de tiempo con ella la noche en cuestión.

—¿Aunque estemos hablando de las delegaciones diplomáticas? —Caro enarcó las cejas un poco más—. Tal vez tengas razón. —Hizo una pausa para probar el pastel de la señora Entwhistle y después prosiguió, con la mirada perdida y haciendo un gesto con el tenedor—: ¿Qué tal si lo llamamos «Verbena Estival»?

Puesto que era capaz de identificar una pregunta retórica al punto, él guardó silencio.

—Hay un maravilloso grupo de músicos en Lyndhurst que sería perfecto. Son muy buenos para las contradanzas y los alegres ritmos de las tonadas rurales. —Se le habían iluminado los ojos y estaba claro que ya estaba viéndolo todo en su mente—. Sería algo muy diferente...

—Un vino estival para tentar los paladares más hastiados —dijo él, tras tomar un sorbo de vino y alzar la copa.

Caro lo miró a los ojos y sonrió.

—Exactamente. Eso es lo que haremos.

Durante la siguiente media hora discutieron los problemas que podrían surgir y sus posibles soluciones. A sabiendas de lo importante que era prever ese tipo de contratiempos para poder solucionarlos en caso de que se produjeran, Caro había elaborado la lista de invitados para que Michael se diera cuenta de una vez por todas de que lo que él necesitaba era una anfitriona capaz de comprender asuntos tales como las disputas privadas que en esos momentos enfrentaban a los rusos y a los prusianos.

—Así que —concluyó—, ¿puedo dejar en tus manos la cuestión de los rusos y los prusianos para que no acaben a puñetazos? Quiero que Edward esté pendiente de los asuntos más generales y yo estaré ocupada con todo, claro está.

Michael asintió.

—Creo que puedo contar con la ayuda del encargado de negocios polaco.

—¿En serio? —preguntó ella, alzando las cejas—. Siempre me ha parecido un tipo bastante moderado, un poco inútil.

Los labios de Michael esbozaron una sonrisa.

—Las apariencias pueden ser engañosas.

En su fuero interno se quedó helada. De cara a la galería, abrió los ojos como platos antes de encogerse de hombros.

—Si estás seguro... —Echó la silla hacia atrás y dejó la servilleta en la mesa—. Y ahora debo irme para ponerme manos a la obra con las invitaciones.

Él se puso en pie y se acercó para retirarle la silla.

—Te acompañaré a los establos.

Cogió el echarpe de gasa que había dejado en el respaldo de la silla. Lo estiró con la intención de colocárselo en la cabeza, pero se lo pensó mejor. Lo mantuvo en las manos y comenzó a juguetear con él de forma distraída mientras bajaban los escalones y rodeaban la casa, con el propósito de que no le ofreciera el brazo.

Aunque él no había hecho ademán alguno al respecto. En cambio, se colocó a su lado y la acompañó con pasos largos, tranquilos y casi... perezosos.

Atravesaron la huerta bajo la sombra de los frutales y volvió a relajarse. Aunque ese extraño temor que la invadía cada vez que él estaba cerca jamás se disipaba del todo, su última estrategia había funcionado muy bien. Se las había arreglado para sobrevivir al encuentro con bastante éxito. Era imposible que Michael no se percatara de que una jovencita inocente y relativamente inexperta en esos asuntos como lo era Elizabeth carecía de las habilidades sociales necesarias para organizar los eventos que la esposa de un político se vería obligada a celebrar.

Como esposa de Camden, ella se había visto inmersa en los círculos diplomáticos más preeminentes a pesar de que contaba con mucha menos preparación de la que Elizabeth tenía en esos momentos. Aún recordaba el atenazante pánico, los nervios que le hacían un nudo en el estómago... No le deseaba algo así a ninguna jovencita y muchísimo menos a su sobrina.

Estaba convencida de que una vez que Michael analizara el asunto del baile y los preparativos que éste conllevaba, se daría cuenta de que...

Inspiró hondo y alzó la barbilla.

—Elizabeth está disfrutando de un almuerzo campestre con las Driscoll y lord Sommerby. —Regaló a su interlocutor una sonrisa—. Odia encargarse de las invitaciones... Tener que escribir una y otra vez las mismas frases, pero...

Michael captó la crispación de la voz de Caro mientras continuaba buscando la forma de resaltar con sutileza la juventud de Elizabeth y su falta de preparación. Ése había sido el objetivo principal de su visita y, tal vez, del baile en sí mismo. No le cabía la menor duda. A esas alturas ni siquiera se cuestionaba que estuviera actuando de ese modo para evitar que pidiera la mano de Elizabeth. De todas formas, la obvia manipulación no lo inquietaba; lo preocupante era la razón por la que se había visto abocada a hacerlo, así como sus actitudes, sus silencios y, sobre todo, la vulnerabilidad y el pánico que detectaba en ocasiones tras su encantadora máscara de suprema seguridad en sí misma y consumada habilidad.

El rostro de Elizabeth y el de Edward pasaron por su mente; y, sin embargo, fue la necesidad de ayudar a Caro lo que lo llevó a cogerle la mano.

Estaba gesticulando mientras hablaba y atrapó sus dedos en el aire. Su repentino silencio no lo tomó por sorpresa. Se detuvo y lo miró con los ojos desorbitados y las pupilas dilatadas mientras contenía el aliento.

La miró a los ojos y quedó atrapado en el hechizo de esas profundidades grisáceas. Era muy consciente de que las frondosas ramas de los árboles de la huerta los protegían de cualquier mirada indiscreta procedente de la casa.

—No necesitas preocuparte tanto por Elizabeth.

La aferró mejor por la mano y se acercó a ella. Su modo de parpadear y el ceño que se había formado entre sus cejas mientras estudiaba su mirada le dejó bien claro que no había comprendido a qué se refería.

—Ya no necesitas decirme nada más sobre Elizabeth. —Esbozó una sonrisa torcida—. Me has convencido.

Caro guardó silencio mientras contemplaba esos ojos azules. Jamás se había sentido tan perdida como en ese instante. Michael estaba demasiado cerca... y ella era muy consciente de...

¿Cuánto hacía que lo había descubierto?

La pregunta la liberó del hechizo hipnótico que su proximidad ejercía sobre ella. Entrecerró los ojos y se concentró. ¿Habría querido decir lo que ella pensaba?

—¿Has cambiado de opinión? ¿No vas a pedir la mano de Elizabeth?

Él sonrió.

—He cambiado de opinión. No voy a pedir la mano de Elizabeth. —Hizo una pausa antes de llevarse sus dedos a los labios para depositar un beso fugaz en sus nudillos—. Elizabeth no es mi novia ideal.

El roce de esos labios le provocó un cosquilleo que le subió por el brazo, pero la sensación quedó sofocada por el increíble alivio que la invadió.

Sólo entonces fue consciente de que no había estado segura de poder salvar a Elizabeth, de que el hecho de librarla de un infeliz matrimonio de conveniencia con un político se había convertido en algo de vital importancia para ella.

Sonrió con sinceridad y sin restricción alguna, sin disimular la felicidad que la embargaba.

—Me alegro muchísimo. No habría funcionado, ¿sabes?

—Ya me he dado cuenta.

—Estupendo. —Era incapaz de dejar de sonreír; de haber sido un poco más joven, se habría puesto a bailar allí mismo—. Será mejor que me vaya. —Para darle a Elizabeth la buena nueva.

Michael sostuvo su mirada un poco más antes de inclinar la cabeza y soltarle la mano. Le hizo un gesto en dirección a los establos.

La acompañó hasta allí y esperó a su lado mientras Hardacre le llevaba la calesa. Esa sonrisa... era radiante. Se sentía inmensamente satisfecho por haber pronunciado las palabras que la habían provocado. Era maravilloso contemplarla y le calaba hasta lo más hondo. Siguió disfrutando de la sensación con las manos entrelazadas a la espalda para asegurarse de que no la cogía de la mano, gesto que podría estropear el momento.

La calesa llegó y la ayudó a subirse al asiento. Entretanto, ella siguió contándole los planes para el baile, pero sus palabras eran espontáneas y ya no estaban cargadas de intenciones ocultas. No eran más que la voz de sus pensamientos; se percató de la sinceridad que encerraban y comprendió que había dado un paso significativo que lo acercaba a ella, un paso importante para ganarse su confianza.

Se despidió de ella sintiéndose considerablemente satisfecho. Cuando la calesa desapareció al doblar el recodo de la avenida, se giró hacia la casa con la sonrisa aún en los labios.

Estaba claro que sus palabras la habían liberado de una pesada carga. Si pudiera volver a revivir ese instante, no cambiaría nada de lo sucedido. Su alegría había sido cautivadora, una demostración sincera de gozo, aunque le había impedido percatarse de que el abandono de su interés por Elizabeth se debía a que había puesto sus miras en otra persona.

Alguien con mucha más experiencia.

Ensanchó la sonrisa, alzó la vista hacia la casa y avivó el paso.

Estaba deseando asistir a la cena de Muriel esa noche.

—¡Vaya, aquí estás, Michael!

Ataviada con un vestido de seda en color ciruela que resaltaba su austero atractivo, Muriel se acercó a él en cuanto entró en el salón.

Estrechó la mano que la dama le ofrecía y echó un vistazo a la concurrencia. La estancia estaba repleta de damas, aunque también había algún que otro caballero entre tanta falda.

—Permítame presentarle a las nuevas incorporaciones a nuestras filas. —Muriel lo condujo hasta un grupo emplazado junto a las puertas francesas que estaban abiertas para dar paso al jardín trasero—. Ésta es la señora Carlisle. Ella y su esposo se han mudado recientemente a Minstead.

Con la sonrisa de político en los labios, estrechó la mano de la señora Carlisle, quien le informó de que su marido y ella habían vivido con anterioridad en Bradford. También en ese mismo grupo le presentaron a dos damas recién llegadas al distrito y saludó a tres más a las que conocía de toda la vida.

Aunque las mujeres no votaran, allí, al igual que sucedía en todos los distritos electorales, eran ellas las más activas a la hora de preocuparse por los servicios para la comunidad en todos los sentidos. Organizaban reuniones como la fiesta parroquial y también apoyaban económicamente instituciones benéficas como los orfanatos y los asilos para los obreros. Sabía que su buena voluntad y su apoyo eran claves para su permanencia en la posición de diputado local. Si se aseguraba su respaldo, podría concentrarse totalmente en cualquier desafío que el primer ministro tuviera a bien presentarle. En consecuencia, no se arrepentía del tiempo que pasaba en veladas como ésa. A decir verdad, le alegraba poder aprovechar la oportunidad que Muriel le había brindado y tenía la intención de sacarle todo el partido posible.

Estaba haciendo precisamente eso cuando llegó Caro. Se encontraba con dos caballeros junto a la chimenea, charlando de espaldas a la puerta, cuando el instinto lo impulsó a alzar la vista hacia el espejo situado sobre la repisa.

Caro estaba en el vano de la puerta, ojeando la estancia. Su apariencia llamaba la atención, si bien no desentonaba en absoluto con el resto de las damas. Llevaba un elegante vestido de seda estampada de corte sencillo, que complementaba con un collar y una pulsera de perlas de la que colgaba un ridículo a juego. No llevaba más adornos; claro que tampoco los necesitaba.

Localizó a Muriel y se acercó para saludarla con una sonrisa.

Michael disimuló el lapsus que había sufrido y continuó hablando sobre el precio del maíz antes de disculparse de forma convincente con los caballeros y proseguir con el paseo por la estancia. Para interceptar a Caro, que se sobresaltó fugazmente cuando llegó junto a ella. Nadie más lo habría notado... porque nadie la observaba con tanto detenimiento como él lo hacía. Atrapó una de sus manos y contuvo el impulso de llevársela a los labios. En cambio, se contentó con colocársela en el antebrazo.

—Me preguntaba cuándo llegarías.

Ella correspondió a su sonrisa con una que aún irradiaba gran parte de la dicha que sintiera esa mañana.

—Hace una noche tan bonita que decidí venir caminando. —Echó un vistazo a su alrededor—. ¿Te han presentado a las demás?

—Todavía no he hablado con la señora Kendall —contestó, al tiempo que señalaba con la cabeza en dirección a un grupo situado en un lateral de la estancia—. Querrá hablarme sobre el orfanato. Ven a ayudarme.

Tenía la intención de dejar clara su postura desde un principio. Aunque no sabía cuánto tiempo tardaría Caro en percatarse de sus intenciones.

Ella se tensó un instante como si quisiera protegerse del efecto que su mano ejercía sobre ella, pero inclinó la cabeza a modo de asentimiento sin perder su radiante sonrisa.

—Como desees. Aunque no creo que necesites ningún apoyo por mi parte.

Caro lo miró a la cara y lo vio sonreír... ¿Serían imaginaciones suyas o esa sonrisa era un tanto depredadora? De todos modos, la expresión era tan afable como siempre cuando la miró a los ojos y musitó:

—Eres la única persona de las presentes con una trayectoria similar a la mía; eres la única que comparte mi sentido del humor.

Soltó una carcajada. Tal y como sucediera esa misma mañana, el toque humorístico la ayudó a calmar sus nervios. Le alegró estar a su lado mientras conversaba con la señora Kendall, cuya intención era, como él había previsto, la de hablar del orfanato. Una vez que se despidieron de la mujer, prosiguieron con su paseo para charlar con el resto de las invitadas. Algunas damas requerían su atención mientras que otras deseaban hablar con Michael.

Esa misma tarde, cuando regresó a casa desde Eyeworth Manor embargada por un incontenible alivio, fue directamente a la salita para informar a Elizabeth y Edward del éxito que había obtenido. Lo celebraron durante el té mientras se felicitaban y admitían, porque en aquel momento ya podían hacerlo, que engañar de ese modo a Michael no les había hecho ni pizca de gracia, aunque hubieran sido mentirijillas sin importancia que buscaban su propio bien.

Pero él se había dado cuenta de la realidad, había accedido y esa capitulación los absolvía. Se sentía tan inmensamente feliz y aliviada que sobreponerse a la tonta reacción que le provocaba su cercanía para poder estar a su lado le parecía, en comparación, un precio insignificante.

Pasó una hora en un santiamén. Muriel anunció que la cena estaba servida en el comedor. Se detuvo al caer en la cuenta de que estaba junto a Michael en el largo bufé mientras él le servía empanadas a las finas hierbas y áspic de gambas, rodeados por todos los demás pero aislados en cierto sentido.

Él se percató y la miró. Estudió su mirada, alzó una ceja y esbozó una sonrisa torcida.

—¿Qué pasa?

—Deberías circular entre la gente, no quedarte pegado a mis faldas —le contestó mientras contemplaba una bandeja con pepinillos cortados en juliana.

Michael guardó silencio hasta que ella volvió a alzar la vista.

—¿Por qué?

Lo miró con los ojos entrecerrados.

—Sé que eres muy consciente de que ésta es una de esas ocasiones en las que un diputado tiene que granjearse las simpatías de la concurrencia.

Él esbozó una sonrisa que parecía sincera.

—Lo sé.

Decidió no comer pepinillos y se alejó de la mesa.

Con un plato en una mano y tomándola del codo con la otra, Michael la guió hasta la hilera de ventanas abiertas que daban al jardín trasero.

—Es que no entiendo por qué no podemos hacerlo juntos.

Porque cada vez que la tocaba, se le ponían los nervios de punta y se quedaba sin aliento.

Se mordió la lengua, mantuvo una expresión serena y relajada y luchó contra la tendencia de sus sentidos a concentrarse en él, a permanecer alerta y a despertar en ella el deseo de experimentar otra vez su fuerza mientras caminaba tranquilamente a su lado. Sabía de buena tinta lo musculoso que era su cuerpo; ya se había dado de bruces con él en dos ocasiones. Por alguna razón ilógica, irracional y totalmente absurda, sus sentidos parecían estar obsesionados por la posibilidad de que hubiera una tercera ocasión.

La soltó cuando se detuvieron frente a las ventanas. Respiró hondo y antes de que pudiera pronunciar la protesta que estaba segura de que debía pronunciar, él le dijo:

—Interprétalo como si me estuviera encomendando a tu protección.

—¿A mi protección? —Le lanzó una mirada que dejaba bien claro que no estaba dispuesta a aceptar un motivo tan poco creíble... ni tampoco cualquier apelación a la sensibilidad femenina—. Tú, de entre todos los presentes, eres quien menos protección necesita, habida cuenta de tu piquito de oro.

Él se echó a reír y eso la tranquilizó bastante porque sintió que había recuperado parte de su autocontrol.

De súbito comprendió que con él —a decir verdad, sólo era con él, al menos en lo tocante a su vida privada— no hacía gala de su habitual dominio de la situación, tal y como sucedía con los demás. O, para ser más exactos, podría hacer gala de él, pero cabía la posibilidad de que no surtiera efecto alguno. No estaba muy segura de su habilidad para manipular a Michael. No era algo que diera por sentado.

Tras degustar unos bocados de los distintos manjares de su plato, alzó la vista hacia su rostro. Michael, que la había estado observando, la miró a los ojos y enarcó una ceja a modo de silenciosa pregunta.

Ella alzó la barbilla.

—¿Por qué te empeñas en seguir a mi lado?

Michael arqueó las cejas y a sus ojos asomó una expresión risueña.

—Pensaba que era obvio; tu compañía es mucho más entretenida que la de cualquier otra dama, sobre todo comparada con la de nuestra ultra-servicial anfitriona.

En eso tenía que darle la razón. Los intentos de Muriel por mostrarse solícita podían ser desastrosos en ocasiones. De todas formas, lo apuntó con el dedo índice y acompañó cada palabra con un ligero meneo.

—Sé que estás encantado de que haya organizado una velada semejante; te ha dado la oportunidad de recabar el apoyo local sin mover un dedo.

—No he dicho que no esté agradecido; sin embargo, mi gratitud tiene un límite.

Ella resopló antes de replicar:

—Si no hubiera organizado esta cena, ¿qué habrías hecho?

Su sonrisa la desarmó.

—Pedirte a ti que la organizaras, por supuesto.

Ella volvió a resoplar, decidida a pasar por alto el efecto de dicha sonrisa.

Michael fingió ofenderse por su reacción.

—¿No me habrías ayudado?

—Posiblemente sí —contestó mientras lo miraba e intentaba componer una expresión severa—. Si hubiera estado aburrida. Pero resulta que no estoy tan aburrida en estos momentos, así que deberías agradecérselo a Muriel.

Antes de que hubiera acabado de hablar, la mirada de Michael se tornó pensativa, como si estuviera considerando algo.

—A decir verdad, debería hacer algo en la parte sur de Lyndhurst...

—Ni hablar —se negó ella de inmediato, al darse cuenta de sus intenciones.

Michael la miró de nuevo con detenimiento y ladeó la cabeza mientras fruncía levemente el ceño. Parecía más intrigado que ofendido. Su expresión no tardó en relajarse. Se enderezó, le quitó el plato vacío de las manos y concluyó:

—Ya hablaremos de esto más tarde.

—No. —No iba a ejercer de anfitriona en una reunión política ni diplomática. Ni por él ni por ningún otro hombre. Nunca más. No podía negar que le gustaba poner sus talentos en práctica en su propio beneficio, pero jamás volvería a hacerlo para un hombre.

Michael se había girado para dejar los platos en una mesa auxiliar. Cuando se dio la vuelta, se quedó sorprendida al ver que su expresión era muy seria y su mirada, inusualmente hosca, aunque su voz sonó serena.

—Sí que vamos a hablar de esto, pero no será ni aquí ni ahora.

Sus miradas se entrelazaron un instante. Comprendió que tenía ante ella al hombre de verdad, no al político. No obstante, él sonrió al punto, volvió a colocarse su máscara de político para encubrir su férrea determinación y la tomó del brazo mientras alzaba la cabeza.

—Vamos. Ayúdame con la señora Harris. ¿Cuántos hijos tiene ya?

Tras recordarse que, a pesar de esos episodios ocasionales de «arrogancia masculina», en esos momentos estaba de muy buen humor con él, accedió a acompañarlo para que hablara con la señora Harris.

A la que siguió una larga ristra de damas.

Cuando, gracias a una mirada especulativa procedente de la señora Tricket, se percató de que la marcada preferencia que Michael mostraba por su compañía había hecho saltar la liebre, aprovechó la presencia de Muriel en el grupo con el que estaban conversando y, en lugar de discutir con él, pues la experiencia le había enseñado que era algo inútil tratándose de un hombre arrogante, murmuró:

—Gracias por una velada tan agradable.

Muriel, que se encontraba al otro lado de Michael mientras éste conversaba con la señora Ellingham, la miró con manifiesta sorpresa.

—¿Ya te vas?

Ella sonrió.

—Sí. Por cierto, quería comentarte... Verás, he decidido celebrar un baile la víspera de la fiesta. Hay un nutrido número de delegaciones diplomáticas en la zona y se me ocurrió que si les damos alojamiento esa noche, podrían asistir a la fiesta al día siguiente y así lograríamos todo un éxito de asistencia.

—¡Ah! —Muriel parpadeó—. Entiendo.

No pareció muy ilusionada con la idea, pero no le cupo duda de que se debía al hecho de no haber sido ella la promotora de la idea. Le dio unas palmaditas en el brazo mientras seguía hablando.

—He dejado a Edward y a Elizabeth bregando con las invitaciones; debo marcharme para echarles una mano. Gracias otra vez. Lo más probable es que la invitación te llegue mañana.

—Gracias —replicó su sobrina política mientras miraba hacia algún lugar situado a su espalda—. Si me disculpas, debo ocuparme de una cosa.

Y se alejó. Ella se giró hacia Michael, que ya había concluido su conversación con la señora Ellingham. Ensanchó su sonrisa antes de decirle:

—Me marcho.

Estaba a punto de quitarle la mano del brazo para alejarse, pero él la siguió. Hizo ademán de detenerse una vez que se alejaron del grupo, aunque Michael la instó a seguir caminando. Hacia el vestíbulo principal.

Cuando lo miró con extrañeza, él le regaló una sonrisa en absoluto sincera.

—Te llevaré a casa en mi tílburi.

Una declaración de intenciones, no un ofrecimiento. Su contundente tono de voz resultó mucho más sincero que su sonrisa.

Se detuvo en seco al imaginarse lo que estaba por suceder. Tendría que sentarse junto a él en el estrecho asiento del tílburi, rodeados por la agradable oscuridad de una noche estival mientras sentía el roce de su musculoso cuerpo...

—No, gracias. Prefiero caminar.

Michael también se detuvo. Quedaban fuera del ángulo de visión de los invitados que aún estaban en el salón.

—Por si no lo has notado, ya ha oscurecido.

—Conozco el camino como la palma de mi mano —replicó, encogiéndose de hombros.

—Hasta la verja de entrada hay una distancia de... ¿cuánto, cien metros? Y luego hay casi medio kilómetro hasta llegar a la mansión.

—Esto es Hampshire, no Londres. No hay ningún peligro.

Michael miró al lacayo que aguardaba junto a la puerta.

—Que traigan mi carruaje.

—Sí, señor.

El criado se apresuró a obedecer sus órdenes. Cuando volvió a mirar a Caro, descubrió que ésta había entrecerrado los ojos.

—No pienso...

—¿Por qué discutes?

Ella abrió la boca, pero no dijo nada, sino que alzó la barbilla.

—No te has despedido de Muriel. Para cuando lo hagas, ya habré recorrido la mitad del camino.

—Creo que está en el comedor —recordó, frunciendo el ceño.

Caro sonrió.

—Tendrás que ir a buscarla.

En ese instante escucharon algo a sus espaldas que hizo que se giraran. El señor Hedderwick, el marido de Muriel, acababa de salir de la biblioteca. A todas luces había estado bebiendo algo más fuerte que el jerez antes de regresar al salón.

—Perfecto —dijo él entre dientes antes de alzar la voz—. ¡Señor Hedderwick! Justo la persona que necesitaba. Tengo que marcharme, pero Muriel ha desaparecido. Por favor, transmítele mi más profundo agradecimiento por una velada tan exquisita, así como mis disculpas por tener que marcharme sin darle las gracias en persona.

El señor Hedderwick, un hombre alto, corpulento y calvo, alzó la mano a modo de despedida.

—Le transmitiré sus disculpas. Me ha alegrado volver a verte de nuevo —le dijo a Caro, antes de continuar hacia el salón.

—¿Se te ocurre cualquier otro obstáculo social? —preguntó, enarcando una ceja.

Ella abrió la boca para contestar mientras lo miraba echando chispas por esos ojos grises...

—¡Vaya! Aquí está, señor Hedderwick. Por favor, dígale a Muriel que me lo he pasado estupendamente, pero que tengo que regresar con Reginald. Si no vuelvo pronto, comenzará a preocuparse.

El señor Hedderwick musitó algo tranquilizador mientras se apartaba para dejar paso a la señorita Trice, que se acercó a ellos sin pérdida de tiempo. La hermana del vicario era una dama escuálida pero bonita que llevaba años a cargo de la residencia de su hermano. Era uno de los miembros más activos de la Asociación de Damas.

Sus ojos adquirieron un brillo alegre mientras se acercaba a ellos.

—Caro, gracias por hacer el primer movimiento. Es todo un detalle por parte de Muriel que organice estas cenas, pero no parece darse cuenta de que algunas tenemos otras obligaciones.

Caro sonrió. La señorita Trice lo miró con una sonrisa de oreja a oreja y se despidió sin apenas detenerse en su camino hacia la puerta.

El lacayo la abrió. Mientras la dama se alejaba, se escuchó el sonido de los cascos de los caballos y de las ruedas de un carruaje sobre la gravilla.

—Estupendo —dijo, aferrando a Caro del brazo—. Ya puedes dejar de discutir. Es de noche y yo también me marcho. No hay nada de malo en que te lleve a casa. De hecho, estoy seguro de que Geoffrey espera que lo haga.

Ella lo miró. A pesar de su serena expresión, notó la exasperación que traslucía su mirada. Acto seguido meneó la cabeza y dio media vuelta en dirección a la puerta.

—¡Muy bien!

La acompañó hasta el porche sin el menor remordimiento. El tílburi los esperaba.

—¡Maldita sea la arrogancia masculina! —refunfuñó ella mientras bajaban los escalones.

Puesto que se había salido con la suya, hizo caso omiso del comentario. La tomó de la mano y la ayudó a subir al carruaje antes de coger las riendas y seguirla. Ella se movió hacia el otro extremo del asiento y se recogió las faldas para dejarle espacio. Una vez sentado, arreó a la pareja de tordos para que enfilaran la corta avenida.

En ese instante, Caro le preguntó con gesto arrogante:

—¿Qué pasa con la señorita Trice? Ella sí vuelve a pie a su casa en plena noche.

—¿Y a cuánto está la vicaría? A cincuenta metros de aquí y la casa apenas está a unos pasos de la verja.

Creyó escuchar que ella sorbía por la nariz.

Y decidió enojarla un poco más.

—¿Tendrías la amabilidad de explicarme por qué te muestras tan reacia a que te lleve a casa?

Caro se aferró a la barra lateral del asiento cuando el tílburi dobló la curva y enfiló el camino principal. Era una noche sin luna, oscura pero agradable. Michael no podría ver la tensión de su mano. Tal y como había previsto, el giro lo acercó a ella. Sintió la presión de su musculoso muslo contra la pierna y de repente se vio engullida por una llamarada de calor que penetró hasta la médula de sus huesos. El tílburi volvió a quedar equilibrado y la presión aminoró. Aun así, la percepción de ese cuerpo duro y viril que tenía a escasos centímetros de distancia no la abandonó.

Como era de esperar, sintió los nervios a flor de piel y se quedó sin respiración. Nada la había afectado de ese modo en toda su vida.

¿Cómo podía explicárselo si no lo entendía ni ella misma?

Inspiró hondo y se aprestó a mentirle.

—Porque... —Dejó la frase en el aire mientras parpadeaba y agudizaba la vista para observar algo que sucedía frente a ellos.

Unas siluetas oscuras se movían entre las sombras que flanqueaban el camino. Entrecerró los ojos para distinguir algo más.

—¡Por el amor de Dios! —exclamó al tiempo que aferraba el brazo de Michael y notaba cómo se endurecía bajo su mano—. ¡Mira! —Señaló al frente—. ¡Es la señorita Trice!

Dos corpulentas figuras forcejeaban con la escuálida mujer. Escucharon un chillido medio sofocado.

Michael se percató en ese momento de lo que sucedía y azuzó a los caballos con las riendas.

Ella siguió agarrada con todas sus fuerzas a la barra lateral, con los ojos clavados en la escena que se desarrollaba frente a ellos. El estruendo de los cascos de los caballos, que galopaban por el camino y que surgieron de la oscuridad de la noche sin previo aviso, hizo que los dos asaltantes alzaran la vista. Apenas logró atisbar sus rostros antes de que uno de ellos gritara. Soltaron a la señorita Trice y huyeron por un estrecho sendero que discurría entre la vicaría y la casa colindante.

Un sendero que conducía al bosque.

Michael dio un fuerte tirón de las riendas y el tílburi se detuvo con unas cuantas sacudidas junto a la desplomada figura de la señorita Trice.

Ella se apeó de un salto sin esperar siquiera a que el carruaje dejara de sacudirse. Escuchó que Michael soltaba un juramento mientras ella corría por delante de los caballos. Cuando llegó junto a la mujer, lo escuchó echar el freno y atar las riendas.

Se agachó junto a la señorita Trice y la ayudó a incorporarse pasándole un brazo por los hombros.

—¿Se encuentra bien? ¿Le han hecho daño?

—No. Yo... ¡Uf! —La dama estaba intentando recobrar el aliento. Cuando se apoyó en su brazo, se vio incapaz de impedir que volviera a caerse de espaldas.

En ese instante llegó Michael. Sujetó a la señorita Trice por la cintura, le cogió una mano y tiró de ella hasta dejarla sentada.

—No pasa nada. Se han ido.

Sabían que no tenía sentido perseguir a los asaltantes. Un regimiento entero podría ocultarse por la noche en el bosque sin que nadie se percatara de su presencia.

La señorita Trice asintió con la cabeza.

—Me recuperaré en un instante. Sólo necesito recobrar el aliento.

No la atosigaron. A la postre, la mujer volvió a asentir con la cabeza.

—Muy bien. Ya puedo ponerme en pie.

Ella retrocedió y dejó que fuera Michael quien la ayudara a levantarse. La mujer se tambaleó en un primer momento, pero no tardó en recuperar el equilibrio.

—La acompañaremos hasta la puerta —le dijo él sin quitarle el brazo de la cintura.

Se percató de que la dama, una mujer ya entrada en años, agradecía el apoyo físico que le estaba prestando.

El asalto había tenido lugar apenas a unos metros de la verja de entrada de la vicaría. Una vez que la dejaron atrás y enfilaron el camino adoquinado, Michael preguntó:

—¿Tiene alguna idea de quiénes eran?

La mujer negó con la cabeza.

—No son de por aquí, de eso estoy segura. Creo que eran marineros. Apestaban a pescado y tenían los brazos muy musculosos. Además, sus voces eran muy roncas.

La distancia hasta Southampton podía cubrirse a caballo en muy poco tiempo. Aunque era poco habitual que los marineros se adentraran tanto en la bucólica campiña, esa noche dos de ellos lo habían hecho con el propósito de atacar a alguna mujer.

Al llegar a los escalones de acceso al porche de la vicaría miró a Caro, que sólo tenía ojos para la dama asaltada. Se preguntó si ya habría caído en la cuenta de que había sido su insistencia en llevarla a casa lo que la había librado de ser la primera mujer que pasara a pie por ese lugar.

En la oscuridad. Y sola.

Sin nadie en las proximidades que pudiera rescatarla.

6

Al menos Caro le había permitido llevarla a casa sin discutir. La mañana ya estaba bien avanzada cuando enfiló el camino de Bramshaw House a lomos de *Atlas* y comenzó a rememorar los acontecimientos de la noche anterior.

Habían acompañado a la señorita Trice a la vicaría y la habían dejado al solícito cuidado, aunque también estupefacto, del reverendo Trice, a quien le habían explicado lo sucedido. Se marcharon cuando estuvieron seguros de que la señorita Trice estaba ilesa y no deseaba que mandaran llamar al médico.

De forma prácticamente inconsciente, Caro había aceptado su ayuda para subirse al tílburi. Y tampoco hizo el menor comentario mientras traspasaban la verja de entrada de Bramshaw House minutos después. La serpenteante avenida estaba flanqueada por árboles vetustos que proporcionaban una agradable sombra en verano. Una vez que detuvo el tílburi delante de la puerta principal, rodeó el carruaje, la ayudó a bajar y la acompañó a la puerta.

Caro respiró hondo y se detuvo para mirarlo de frente. A la luz del farol del porche, se dio cuenta de que no estaba bajo los efectos de una fuerte impresión, tal como había supuesto. Estaba, en cambio, muy confusa, tanto como lo estaba como él.

—Qué cosa más extraña.

—Desde luego.

Catten abrió la puerta en ese momento y ambos se giraron. Caro le tendió la mano.

—Gracias por acompañarme a casa. Visto lo sucedido, ha sido cosa del destino, sobre todo para la señorita Trice.

En aquel momento, la frustración se apoderó de él. Estaba encantado de haber podido rescatar a la señorita Trice, pero... le dio un apretón en la mano para llamar su atención y esperó hasta que Caro lo miró a los ojos.

—Cuéntaselo a Geoffrey.

Ella entrecerró los ojos, pero asintió con la cabeza... si bien con cierta rigidez.

—Por supuesto.

—Prométemelo.

Llegados a ese punto, lo fulminó con la mirada.

—Por supuesto que se lo voy a contar. De inmediato, de hecho. ¡Válgame Dios! Esos hombres podrían estar escondidos en nuestras tierras. Y con Elizabeth en casa, estoy segura de que Geoffrey querrá alertar a los jardineros, los jornaleros y los leñadores.

Eso era precisamente lo que quería, que Geoffrey tuviera los ojos bien abiertos. Se mordió la lengua, aceptó sus palabras y le soltó la mano.

—Buenas noches.

Caro se despidió con un gesto altivo y él regresó a casa, consciente durante todo el trayecto de que ella no había adivinado sus verdaderas intenciones, a pesar de haber hecho algún que otro descubrimiento.

Si lo hubiera adivinado, no se habría resistido a su deseo de protegerla. En su fuero interno, protegerla se había convertido en un derecho a ejercer; ya no era una cuestión de pedirle opinión para comprobar si lo aceptaba o no.

En ese aspecto, ya no había elección alguna. Caro ya no tenía ni voz ni voto.

El canto de una alondra lo devolvió al presente. Frente a él aparecieron las primeras casas del pueblo, de modo que hizo que *Atlas* aminorara el paso.

Había tenido la intención de dejar que las cosas sucedieran a su ritmo, de dejar que Caro se percatara de su interés por ella sin ayuda de nadie... habida cuenta de que contaba con todo el verano para convertirla en su prometida. No había razón alguna para apresurarla... Sin embargo, cuando dejó la mesa del desayuno esa mañana, ya había llegado a la conclusión de que debía abandonar esa táctica.

Aparte de otras consideraciones, había descubierto que tenía mucho más en común con su cuñado de lo que había supuesto.

El hecho de que Diablo protegiera a Honoria de cualquier peligro con independencia de que ésta lo deseara o no era algo conocido por todos. A sabiendas de lo mucho que eso molestaba a su hermana, pero consciente de lo implacable que podía llegar a ser Diablo, sobre todo en ese asunto concreto, se había preguntado en muchas ocasiones por la fuente de la compulsión que parecía mover a su cuñado. En los demás asuntos cotidianos, Diablo se sometía voluntariamente a los deseos de Honoria.

Y, de buenas a primeras, él había contraído el mismo mal. Qué duda cabía de que era víctima de la misma compulsión que padecía su cuñado.

Había pasado la noche en vela y cuando terminó de desayunar había llegado a la conclusión de que el vacío que tenía en la boca del estómago no se debía al hambre.

Por suerte, Caro ya había estado casada y, por tanto, se tomaría con más calma su reacción... y su susceptibilidad.

Sin embargo, para llegar a ese punto debía reconocer y aceptar la verdadera naturaleza de su interés por ella.

Iba de camino a Bramshaw House para hablar con ella y asegurarse de que, ocurriera lo que ocurriese entre ellos, no albergaba la menor duda al respecto.

Para asegurarse de que no albergaba la menor duda de que la quería por esposa.

Tras dejar a *Atlas* al cuidado del encargado de los establos, echó a andar hacia la casa a través de los jardines. Acababa de llegar al último tramo del prado que daba a la terraza cuando escuchó el inequívoco sonido de unas tijeras de podar seguido del susurro de las hojas. Miró a su izquierda.

Caro estaba a poco menos de cincuenta metros, en mitad de la rosaleda, cortando las flores secas de los rosales en flor.

Sin soltar en ningún momento las tijeras de podar, Caro cortaba alegremente las flores marchitas de los rosales cuajados de nuevos capullos y las iba tirando al suelo empedrado. Ya se encargaría Hendricks, el jardinero de Geoffrey, de barrer más tarde y le agradecería su dedicación. Entretanto, le resultaba de lo más satisfactorio lanzarse al ataque con los rosales y cortar las flores secas para estimular la floración. Y, de un modo extraño, la actividad también le resultaba tranquilizadora, ya que la ayudaba a olvidar la frenética irritación que la asaltaba cada vez que pensaba en Michael.

Cosa que sucedía con demasiada frecuencia para su gusto.

No tenía ni idea de lo que esa sensación presagiaba, y tampoco tenía experiencias previas con las que compararla, pero el instinto le decía que estaba en arenas movedizas en lo que a él se refería, y hacía mucho tiempo que había aprendido a guiarse por el instinto.

El descubrimiento de que no podría manipularlo a su antojo, de que tal vez nunca lo hubiera hecho, había minado su habitual confianza en sí misma. Su exasperada capitulación de la noche anterior era otro motivo de preocupación, por más acertada que pareciera en retrospectiva. ¿Desde cuándo era vulnerable a la insistente persuasión de un hombre arrogante?

Era cierto que Michael había demostrado una determinación implacable, pero ¿por qué había sucumbido ella? ¿Por qué había dado su brazo a torcer? ¿Por qué se había rendido?

Con un ceño feroz, decapitó sin compasión otro manojo de flores marchitas.

Se detuvo, aligeró su expresión... y notó que una cálida y excitante sensación le erizaba la piel.

Con un nudo en la garganta, levantó la vista... y vio a su impresionante némesis recostado contra el arco de piedra de la rosaleda, observándola. Maldijo para sus adentros en portugués; el efecto que Michael tenía sobre ella, fuera lo que fuese, empeoraba por momentos. ¡A esas alturas era capaz de sentir su mirada a varios metros de distancia!

Michael sonrió mientras se apartaba del arco y echaba a andar hacia ella.

Refrenó sin piedad sus alocados sentidos y respondió con una sonrisa ensayada para dar la bienvenida a un viejo amigo y dejarle muy claro que jamás traspasarían ese límite.

—Buenos días. ¿Estás buscando a Geoffrey? Creo que ha salido para echar un vistazo a los campos del sur de la propiedad.

Michael ensanchó la sonrisa. Sus ojos siguieron clavados en ella.

—No, no estoy buscando a Geoffrey. —Llegó a su lado con unos cuantos pasos y se detuvo a escasa distancia de sus faldas.

Dejó que asomara una expresión alegre a sus ojos, si bien comenzaba a invadirla el pánico. Sin embargo, la sorprendió aún más (la aterrorizó aún más) cuando extendió los brazos, le quitó las tijeras y la cogió de la mano.

Una mano que estaba cubierta por el guante, se recordó mientras intentaba controlar su creciente nerviosismo.

Michael siguió sonriéndole.

—He venido a verte a ti.

Se llevó su mano a los labios y ella agradeció tener los guantes puestos. Enarcó una ceja y esperó a que se diera cuenta de que no podía besarle los dedos. No obstante, se percató del brillo risueño de esos ojos azules como el cielo un instante antes de que le girara la mano y sus dedos procedieran a apartar el guante de su muñeca con el fin de depositar un beso allí donde latía el pulso. Un beso perturbadoramente decidido, desconcertantemente apasionado y excesivamente calculado.

Sintió una especie de vértigo momentáneo, pero alzó la vista hasta su rostro y lo descubrió observando su reacción con su brillo satisfecho en sus ojos.

—¿De veras? —Mantener una expresión amistosa le costó un tremendo esfuerzo. Se zafó de su mano, sin necesidad de dar un tirón ya que él la soltó sin más.

—De veras. ¿Estás ocupada?

Ni siquiera miró los rosales que acababa de podar, detalle que ella apreció, aunque a regañadientes. Si una dama de su posición de visita en casa de su hermano ocupaba su tiempo cortando flores mustias... estaba claro que no tenía nada urgente que hacer.

—No. —Sonrió, decidida a aceptar su desafío, fuera cual fuese—. ¿Se te ha ocurrido algo para el baile?

Cuando sus miradas se encontraron, intentó averiguar lo que pensaba, pero le fue imposible. Michael mantuvo una expresión afable y relajada.

—En cierta forma. Pero será mejor que demos un paseo. Me gustaría discutir unos cuantos asuntos contigo —contestó, arrojando las tijeras de podar a la cesta que ella tenía a los pies y ofreciéndole el brazo.

No le quedó más remedio que aceptarlo y pasear con él... Y hacer el esfuerzo de mantener una expresión calmada. Era muy consciente de su presencia física, de su fuerza y de esa aura masculina tan perturbadora que parecía, al menos para su enfebrecida imaginación, brillar y envolverla, como si quisiera atraparla en sus redes.

Se reprendió mentalmente y levantó la vista mientras él decía:

—Sobre Elizabeth.

Sus palabras la ayudaron a recuperar el sentido común al momento.

—¿Qué pasa con Elizabeth?

Michael la miró.

—Me he dado cuenta de que tú, bueno, de que Campbell, Elizabeth y tú conocíais mis intenciones o, mejor dicho, la posibilidad de que tuviera intenciones en ese sentido. Me he estado preguntando cómo os enterasteis.

Era una pregunta de lo más razonable, si bien una que sólo le habría planteado a un amigo de confianza. Bajó la vista mientras paseaban y meditaba hasta dónde podía revelarle; a la postre, decidió que en ese caso sería más acertado decirle la verdad. Lo miró a los ojos.

—Por sorprendente que parezca, fue Geoffrey quien nos puso sobre aviso.

—¿Geoffrey? —Su incredulidad no era fingida—. ¿Cómo lo supo?

—Sé que cuesta trabajo creerlo —contestó con una sonrisa genuina—, aunque tampoco creo que estuviera al tanto de tus intenciones. Por lo que tengo entendido... Y antes de que lo preguntes, no, no he hablado del tema con él, dadas las circunstancias... Como te iba diciendo, tengo entendido que ésas eran sus intenciones. Cuando Elizabeth regresó de Londres y admitió no estar enamorada de ningún caballero de la alta sociedad, mi hermano se decidió por lo que él creía que sería un matrimonio muy ventajoso. Intentó averiguar la opinión de Elizabeth, pero... —Lo miró a la cara—. Bueno, era lógico que levantara sus sospechas por la simple razón de ponerse a cantar las alabanzas de un caballero.

Michael enarcó las cejas.

—Sobre todo, teniendo en cuenta sus sentimientos por Campbell.

—Exactamente —convino, obsequiando su inteligencia con una sonrisa.

Mientras lo observaba notó que la mirada de Michael se tornaba distante antes de volver a prestarle atención a ella.

—Pues menos mal que no tanteé la opinión de tu hermano acerca del asunto que me trajo aquí.

—Menos mal, sí... Habría aprovechado la oportunidad al vuelo y no la habría soltado.

—Algo que habría sido de lo más incómodo. —La miró a los ojos—. Parece ser que tengo que darte las gracias por evitar que hablara con él... Ése fue el motivo por el que fuiste a verme el primer día, ¿verdad?

Un revelador rubor cubrió sus mejillas.

—Sí. —Apartó la vista y se encogió de hombros—. Aunque, claro está, no pretendía hacer una aparición tan dramática.

El comentario le recordó el accidente y logró que el pánico lo aguijoneara. Logró alejarlo y, a pesar de su recién descubierta vulnerabilidad, se recordó que Caro estaba a su lado, acompañándolo con su cálida y femenina presencia.

Caminaron un tiempo en silencio antes de que murmurara:

—Pero tú... Tú sabías precisamente cuál era mi objetivo. ¿Cómo te enteraste? —Había llegado a la conclusión de que el modo más sencillo y directo de hacerle comprender y apreciar lo acertado del nuevo rumbo que se había fijado pasaba por conseguir que compartiera su opinión.

—Elizabeth nos envió un par de cartas a Edward y a mí, convocándonos con urgencia. Yo estaba con Augusta en Derbyshire. Ambos creímos que había malinterpretado la situación, de modo que pasamos por Londres de camino hacia aquí. Sin embargo, mientras estábamos allí Edward escuchó lo de tu próximo nombramiento y las órdenes del primer ministro. Yo, por mi parte, le hice una visita a tu tía Harriet y ella me habló de tus intenciones hacia Elizabeth.

—Comprendo. —Se recordó que debía hablar con su tía; pero, si leía entre líneas, parecía que Caro ya sabía todo lo que debía saber sobre su situación y sobre la razón que explicaba su más que genuina necesidad de una esposa adecuada.

De hecho, no creía que una explicación más detallada lo beneficiara. Al menos, no una explicación en palabras.

La miró. El mirador que se alzaba a la orilla del lago ornamental, el destino que había elegido, aún estaba lejos.

Caro levantó la vista, lo miró a los ojos y sonrió... Una sonrisa genuina.

—Me alegro muchísimo de que comprendieras la situación de Elizabeth, de que te dieras cuenta de que no os llevaríais bien. —Su sonrisa se ensanchó—. Me siento aliviada y te estoy muy agradecida.

Correspondió a la sonrisa con una que esperaba que no fuera demasiado explícita. No tenía el menor reparo en aprovecharse de su gratitud... Por el bien de Caro, por supuesto.

Y por el suyo propio.

Intentó buscar un tema de conversación que la mantuviera distraída hasta que llegaran a la relativa intimidad del mirador.

—Supongo que tendrás muchas esperanzas depositadas en Campbell. Tendrá que ascender mucho antes de que Geoffrey dé su consentimiento para que pueda casarse con Elizabeth.

—Desde luego. —Bajó la vista antes de añadir—: Tenía pensado hablar con ciertas personas cuando comiencen de nuevo las sesiones del Parlamento. Si va a haber una reestructuración, tal vez sea el momento apropiado.

Asintió con la cabeza y le pareció oportuno agregar:

—Si quieres, podría tantear a Hemmings del Ministerio del Interior, y también podría hablar con Curlew de Hacienda.

Caro levantó la cabeza. A sus labios asomaba esa radiante sonrisa.

—¿Lo harías?

La cogió del codo y la ayudó a subir los escalones del mirador.

—La experiencia de Campbell es incuestionable; no le quitaré ojo mientras estoy aquí para formarme mi propia opinión, pero con las referencias de Camden y las tuyas, no debería ser difícil que subiera un peldaño en el escalafón.

Caro soltó una carcajada un tanto cínica.

—Cierto, pero hacen falta contactos. —Cruzó el mirador en dirección a los arcos abiertos que daban al lago, donde se detuvo y se giró aún con la sonrisa en los labios—. Gracias.

Titubeó un instante sin dejar de mirarla antes de acercarse a ella.

Caro sintió una opresión en el pecho; con cada paso que Michael daba, la opresión aumentaba hasta que llegó un punto en el que le costó trabajo respirar. Con toda la severidad que fue capaz de reunir, se dijo para sus adentros que no debía ser tonta, que sólo tenía que seguir respirando y ocultar a toda costa esa estúpida susceptibilidad... Qué bochornoso sería que Michael se diera cuenta...

Era Michael. Un hombre que no representaba ninguna amenaza para ella.

Sus sentidos no le hicieron caso.

Para su creciente consternación, cuanto más se acercaba, mejor interpretaba la intensidad de su mirada. Se sobresaltó al comprender que acababa de quitarse su máscara de político y la miraba como si...

Siguió acercándose a ella.

Y, de repente, lo comprendió todo. Lo miró un instante con los ojos desorbitados y después se dio media vuelta. Señaló el lago con la mano.

—Es... una vista preciosa.

Las palabras estuvieron a punto de atascársele en la garganta. Esperó la respuesta, tensa y prácticamente temblando.

—Cierto. —La ronca réplica le agitó los rizos de la nuca.

Sus sentidos se expandieron. Michael era como una llama que le acariciara la espalda. Demasiado cerca. A punto de envolverla y devorarla. A punto de atraparla.

El pánico la asaltó de golpe.

—¡Caramba! —Se apartó hacia la derecha y se alejó hasta la columna más alejada del siguiente arco—. Desde aquí se puede ver todo el lago y los rododendros en flor. —No se atrevió a mirarlo a la cara—. ¡Y mira! —Señaló con la mano—. Hay una pata con patitos. Allí... —Se detuvo para contarlos—. ¡Doce chiquitines!

Con los nervios a flor de piel, esperó y se mantuvo alerta a cualquier movimiento a su izquierda. Y de repente se dio cuenta de que Michael la había rodeado por la derecha.

—Caro.

Contuvo un grito. Estaba tan tensa que la cabeza le daba vueltas. Michael estaba a su derecha, pero no a su lado, sino a su espalda, de modo que dio un paso hacia la izquierda y se giró. Con la espalda contra la columna, lo miró a la cara.

—¿Qué...? ¿Qué estás haciendo?

Dado el estado de pánico en el que se encontraba y la expresión espantada de su rostro, le fue del todo imposible componer una mueca de enfado. Además, ése era Michael...

No pudo evitar el brillo dolorido que asomó a sus ojos.

Michael se detuvo, se quedó completamente inmóvil mientras la observaba con detenimiento... A pesar de la incertidumbre que inundaba sus sentidos, Caro tuvo la impresión de que estaba tan confuso como ella.

Lo vio ladear la cabeza y entrecerrar los ojos al tiempo que cambiaba de postura para quedar frente a ella.

—¿Qué estás haciendo? —consiguió preguntarle apenas sin aliento.

Su voz dejaba bien claro lo que subyacía tras la pregunta. ¿Por qué la estaba asustando, por qué estaba destruyendo la amigable, aunque un tanto distante, camaradería de la que habían disfrutado hasta el momento? Vio cómo pestañeaba varias veces y después lo oyó suspirar.

De pronto, se dio cuenta de que estaba tan tenso como ella.

—Pues la verdad es que estaba intentando que te quedaras quietecita el tiempo suficiente para ponerte las manos encima.

La respuesta incrementó el pánico y, aun así, no pudo creerse lo que acababa de escuchar. Parpadeó y consiguió echar mano de esa gélida altivez que con tanta desesperación necesitaba.

—¿No te has enterado? Soy La Viuda Alegre. Nunca, jamás, me enzarzo en estos jueguecitos. —Escuchar esas palabras, así como la firmeza de su voz, le infundió valor. Levantó la barbilla—. Ni contigo ni con ningún otro hombre.

Michael no se movió, continuó observándola con una expresión extraña en la mirada. Pasó un buen rato antes de que añadiera:

—¿Qué te hace pensar que me interesan tales jueguecitos?

La asaltó la perturbadora sospecha de que estaban hablando de cosas distintas, aunque no estaba convencida del todo. Sus ojos brillaban de una manera, hablaban de unas intenciones que reconocía a la perfección...

Michael se aprovechó de su confusión y dio dos pasos para quedar justo delante de ella. Caro se tensó, pero antes de que pudiera escapar, la aferró por la cintura.

La aprisionó entre su cuerpo y la columna que tenía a la espalda y la miró a los ojos.

—No tengo el menor interés en jugar a nada.

Caro se echó a temblar entre sus manos; pero a pesar del evidente pánico que la embargaba, estaba claro que la situación la había sorprendido sobremanera. Había alzado las manos sin duda para apartarlo, pero en esos momentos descansaban sin más sobre su pecho.

Hizo caso omiso de la incitante caricia y se dispuso a esperar, a darle tiempo para que recobrara la tranquilidad y el aliento, lo mirara a la cara y aceptara que la había atrapado, pero que no se parecía en nada a los hombres que la habían perseguido hasta el momento. Él actuaba en una dimensión distinta, con un objetivo totalmente diferente. Vio cómo sus pensamientos se reflejaban en su mirada y fue testigo de los esfuerzos que hacía por recuperar el sentido común.

En un momento dado, se humedeció los labios mientras miraba los suyos de forma fugaz.

—Entonces, ¿qué quieres?

Esbozó una lenta sonrisa y se percató de que seguía mirándolo a los labios. Se acercó a ella e inclinó la cabeza. Distraída como estaba, no se dio cuenta de inmediato.

Pero acabó haciéndolo. Inspiró hondo y levantó la vista... para descubrir que estaban muy cerca.

Sus miradas se entrelazaron.

—Mis intenciones son muy serias.

Lo fulminó con la mirada justo antes de entornar los párpados al ver que él inclinaba la cabeza y la besaba.

Cuando sus labios se rozaron temió encontrarse con cierto grado de resistencia y estaba preparado para derribarla, para someterla. Sin embargo... aunque se quedó paralizada y no respondió al beso, tampoco se resistió.

No tuvo que enfrentarse a nada, no tuvo que derribar nada.

No hubo intento alguno de resistirse, mucho menos de apartarse.

No hubo gélida altivez. Nada. Sencillamente nada.

Su mente lo previno para que actuara con cautela y refrenó sus intenciones. Perplejo, comenzó a mover los labios muy lentamente a fin de excitarla y averiguar qué era lo que estaba sucediendo. El instinto le indicó que mantuviera las manos en su cintura, al menos hasta que la comprendiera, tanto a ella como a su inesperada y esquiva reacción.

Dicha reacción llegó a la postre, tan indecisa y titubeante que estuvo a punto de apartarse de ella para asegurarse de que la mujer con la que estaba era Caro. Caro, la mujer segura de sí misma que contaba con más de una década de experiencia como esposa de un embajador.

La mujer que tenía en los brazos... De no saber que era imposible, habría jurado que jamás la habían besado. Continuó besándola con suavidad, apenas rozándola en los labios con mucha delicadeza... Era como infundir vida a una estatua.

Tenía la piel fría, pero no helada, como si estuviera esperando entrar en calor para volver a la vida. Ese hecho despertó poderosamente su interés. Ninguna mujer había logrado llamar su atención hasta ese punto. Lo que estaba descubriendo a través de ese beso, a través de la paulatina calidez que iban adquiriendo sus labios, a través de su suavidad, a través de la sorprendente y vacilante respuesta que sintió un poco después, cuando ella comenzó a devolverle el beso, lo pilló tan desprevenido, le resultó tan inesperado —lo mismo le habría sucedido a cualquier otro hombre—, que lo desarmó por completo.

Tras esa primera y brevísima respuesta, Caro se detuvo... y esperó. Se dio cuenta de que estaba esperando que él pusiera fin al beso, que levantara la cabeza y la dejara marchar. Meditó la idea un instante antes de ladear la cabeza y besarla con más ardor. Si la soltaba demasiado pronto... como buen político que era, sabía que sería arriesgado.

De modo que la incitó y la sedujo; utilizó toda su pericia para lograr una reacción. Notó que comenzaba a mover las manos y se aferraba a las solapas de su chaqueta. En ese mismo instante respondió a sus caricias besándolo con más ímpetu. Besándolo de verdad.

«Ya te tengo.»

Aprovechó la oportunidad para alargar el momento, haciéndola partícipe de lo que era una entrega mutua de verdad. Le devolvió beso por beso y caricia por caricia. Aprovechando el momento de distracción, fue deslizando las manos poco a poco por su cintura, con sumo cuidado, hasta abrazarla. Así la quería tener, entre sus brazos y bien sujeta, antes de permitirle poner fin al beso.

Caro se sentía embriagada. No tenía ni idea de cómo había acabado atrapada en semejante situación. Ella no sabía besar, lo sabía de buena tinta, pero allí estaba, reclinada contra su pecho, con los labios pegados a los suyos... besándolo.

Debería parar. Una vocecilla aterrada le repetía sin cesar que debería parar, que se arrepentiría si no lo hacía, pero jamás la habían besado de esa manera, de una forma tan dulce, tan... fascinante. Como si estuviera aguardando su respuesta de verdad.

Era muy extraño. Muy pocos hombres de entre todos los que la habían perseguido se habían acercado lo suficiente como para robarle un beso. Los que lo habían logrado habían querido devorarla, no besarla, y su repulsión había sido inmediata e instintiva. Jamás se la había cuestionado, jamás había sentido la necesidad de hacerlo.

Sin embargo, en ese momento, con Michael y rodeada por la seguridad del entorno en el que había crecido... ¿Era la familiaridad lo que le había impedido reaccionar normalmente y, en cambio, la había invitado a...?

A proseguir con ese beso tan perturbador y desconocido.

A proseguir con ese beso tan maravilloso y fascinante.

De todos modos, no supo lo perturbador, maravilloso y fascinante que era hasta un poco después, cuando Michael levantó la cabeza muy despacio y sus labios se separaron. Apenas unos centímetros, lo justo para abrir un poco los ojos y atisbar el brillo azul de su mirada medio oculto tras sus espesas pestañas. Lo justo para tomar una rápida bocanada de aire y darse cuenta de que la había rodeado con los brazos. No la estaba aplastando ni manoseando, pero sí la tenía atrapada. Lo justo para dejarse llevar por un impulso, alocado, irrefrenable y caprichoso, que la obligó a acercarse a él, ponerse de puntillas y unir de nuevo sus bocas.

En cuanto lo hizo, sintió que lo había complacido. Sintió la satisfacción tan masculina que lo embargó por el hecho de haberla excitado hasta ese punto.

¿Qué estaba haciendo?, se preguntó de repente.

Sin embargo, antes de que pudiera apartarse, Michael la abrazó con más fuerza, la amoldó a su cuerpo mientras retomaba el control y la besó.

Un beso lento, dulce, tierno y sereno. Notó el roce de su lengua en los labios, tentándola... y respondió separándolos con cierta inseguridad, movida por la curiosidad. Ni siquiera sabía si lo hacía por su propia voluntad o por la de Michael.

La lengua que la acariciaba se introdujo entre sus labios y lamió la suave carne de su interior no con atrevimiento, pero sí con seguridad. Después siguió investigando un poco más adentro, encontró su lengua y la acarició...

Una oleada de calidez se apoderó de ella y la tranquilizó. Alejó sus dudas, sus inseguridades, sus miedos...

Michael notó que se relajaba, sintió cómo se derretían los últimos vestigios de frialdad. El deseo de apoderarse de ella por completo, de ir más allá, de reclamarla para sí lo consumió de repente y se vio obligado a contenerlo para que Caro no se percatara de su presencia. A pesar de que su mente le decía que era una mujer experimentada, sus instintos le decían que no debía asustarla, que no debía darle la menor excusa para huir en ese momento.

Fue él quien puso fin al momento. Le encantó ver que Caro estaba tan sumida en el agradable interludio que no le apetecía en absoluto regresar al mundo real, el mundo en el que ella era la virtuosa Viuda Alegre.

Se apartó un poco mientras se apartaba de sus labios y escuchaba el suave suspiro que ella exhaló. Contener la sensación de triunfo le costó un esfuerzo enorme.

Dejó que se apartara y la sostuvo hasta que recuperó el equilibrio. Parpadeó varias veces antes de mirarlo a la cara. Su expresión se fue tornando ceñuda hasta deslustrar el brillo plateado de sus ojos.

Y entonces se ruborizó, apartó la vista e hizo ademán de retroceder... hasta que recordó que estaba atrapada y se escabulló hacia un lado. La soltó en ese momento y se giró con la intención de interpretar su expresión, ansioso por saber...

Caro sintió esa mirada, se obligó a detenerse y, tras tomar aire, enfrentó su mirada. Mantuvo el ceño fruncido en señal de advertencia.

—Ya lo sabes.

Michael parpadeó, confundido.

—¿Qué es lo que sé?

Con la vista al frente y la barbilla en alto, echó a andar hacia la entrada del mirador.

—Que no sé besar.

Era imperativo que pusiera fin de inmediato a ese interludio.

Como era de esperar, Michael echó a andar a su lado con paso relajado.

—¿Y qué era lo que estábamos haciendo?

Había un deje confuso y un tanto socarrón en su voz.

—Según tu experiencia, me imagino que no hemos hecho mucho. No sé besar. —Hizo un gesto con la mano—. No se me da bien.

Bajaron los escalones y emprendieron el camino de regreso por el prado. Mantuvo la cabeza en alto y caminó tan rápido como pudo.

—Supongo que Geoffrey ya habrá regresado...

—Caro.

Su voz encerraba una promesa muy tentadora y parecía cargada de sentimiento.

El corazón le dio un vuelco y tragó saliva con decisión. Ese hombre era un político consumado, haría bien en no olvidarlo.

—Por favor, ahórrame tu compasión.

—No.

Su negativa la detuvo e hizo que se girara hacia él.

—¿Cómo dices?

Michael la miró a los ojos.

—Que no pienso ahorrarte nada. Tengo toda la intención de enseñarte. —Sonrió al tiempo que clavaba la vista en sus labios—. Déjame decirte que eres una alumna muy dispuesta.

—De eso nada, además...

—Además, ¿qué?

—No importa.

Michael se echó a reír.

—¡Caray! Sí que me importa. Y voy a enseñarte. A besar y a mucho más.

Resopló, lo fulminó con una mirada mucho más venenosa y reanudó la marcha a paso vivo. Después, musitó entre dientes:

—Qué hombre más presuntuoso.

—¿Cómo dices? —Michael caminaba pacientemente a su lado.

—Ya te he dicho que no importa.

Cuando llegaron a la casa, descubrió que su hermano acababa de regresar; con un alivio inmenso, dejó a Michael en su presencia y se marchó volando.

A su habitación. Se tumbó en la cama e intentó averiguar qué había sucedido. El hecho de que Michael la hubiera besado (que hubiera querido hacerlo y lo hubiera conseguido) ya era bastante extraño de por sí, pero ¿por qué le había devuelto el beso?

La mortificación se apoderó de ella; se levantó de la cama y fue hasta el palanganero. Vertió un poco de agua del jarro en la palangana y se refrescó la cara. Tras secarse las mejillas, recordó el deje socarrón de su voz. Había dicho que le enseñaría, pero no lo haría. Sólo lo había dicho para salvar ese momento tan incómodo.

Regresó a la cama y se sentó en el borde. Todavía tenía el pulso desbocado y los nervios de punta. Pero no sabía por qué.

Las sombras se alargaron en el suelo del dormitorio mientras ella intentaba encontrarle sentido a lo que había pasado; encontrarle sentido a lo que había sentido.

Cuando el gong del almuerzo resonó por la casa, parpadeó sorprendida y alzó la vista. Al otro lado del dormitorio vio reflejado su rostro en el espejo de la cómoda. Vio su expresión ensimismada y sus dedos, acariciándose los labios.

Maldijo entre dientes y se apartó los dedos de la boca. Una vez que se puso en pie, se sacudió las faldas y echó a andar hacia la puerta.

7

A partir de ese momento lo evitaría; era la única solución viable. Ni mucho menos pensaba pasar el tiempo elucubrando sobre cómo sería aprender a besar bajo su tutela.

Tenía un baile que organizar y un montón de invitados que alojar en casa... más que suficiente para mantenerse ocupada.

Además, esa noche tenía que asistir a una cena en Leadbetter Hall, donde la delegación portuguesa estaba pasando el verano.

Leadbetter Hall estaba cerca de Lyndhurst. La invitación no incluía a Edward; aunque, dadas las circunstancias, tampoco era de extrañar. Había ordenado que el carruaje estuviera listo para las siete y media. Pasados unos minutos de la hora señalada, salió de su habitación arreglada para la ocasión con un vestido de seda magenta que se amoldaba a la perfección a sus curvas y realzaba su más que discreto busto. Llevaba al cuello una larga sarta de perlas, salpicadas de amatistas, que tras una doble vuelta le llegaba a la cintura e iba acompañada por los pendientes a juego. Las mismas piedras preciosas, perlas y amatistas, adornaban la peineta de oro que había utilizado para recogerse los indomables rizos de su cabello.

Unos rizos abundantes y encrespados, imposibles de mantener sujetos en un recogido decente. Ésa había sido la cruz de su existencia hasta que una envaradísima aunque bienintencionada archiduquesa le aconsejó que dejara de luchar contra el destino en una batalla perdida de antemano y aceptara lo inevitable, convirtiéndolo en su sello personal.

El sarcástico consejo no la hizo recapacitar de inmediato, pero con el paso del tiempo comprendió que era a ella a quien más le molestaba su cabello y que si dejaba de mortificarse por su apariencia y se aprovechaba de su peculiaridad, si lo aceptaba tal y como le había dicho la archiduquesa, los demás lo verían, simplemente, como un rasgo más de su singularidad.

En esos momentos, y si era sincera consigo misma, debía admitir que era esa singularidad en su apariencia lo que la alentaba. Se aferraba a su individualidad con uñas y dientes. Echó a andar hacia la escalinata acompañada por el frufrú de las faldas y se echó un último vistazo para comprobar su aspecto antes de colocar una mano en la barandilla y bajar.

Echó un vistazo al vestíbulo principal, donde Catten esperaba para abrir la puerta. Bajó el último tramo de escaleras con paso sereno... y se percató de que en el pasillo paralelo a la escalinata aguardaba una cabeza de cabello castaño, perfectamente peinada y colocada sobre unos hombros anchos enfundados en una elegante chaqueta. En ese momento, Michael se giró, alzó la cabeza y la vio.

Se detuvo un instante al percatarse de su atavío y maldijo para sus adentros. Aunque no podía hacer nada. Le devolvió la sonrisa y reanudó el descenso. Michael se acercó al pie de escalinata y le ofreció la mano cuando llegó al último peldaño.

—Buenas noches —lo saludó, luciendo una sonrisa mientras colocaba los dedos en su mano—. Supongo que también te han invitado a cenar en Leadbetter Hall, ¿no?

Michael le sostuvo la mirada.

—Así es. Creí que, dadas las circunstancias, podría ir contigo.

Geoffrey salió del despacho.

—Una idea excelente, sobre todo porque los malhechores que atacaron a la señorita Trice siguen sueltos.

—Dudo mucho que ataquen un carruaje —replicó ella con las cejas enarcadas.

—¿Quién sabe? —Su hermano intercambió una mirada intrínsecamente masculina con Michael—. Además, es cuestión de lógica que Michael sea tu acompañante.

Semejante comentario, por desgracia, no admitía réplica, de modo que se resignó a lo inevitable pues, a pesar de la emoción que le crispaba los nervios, no tenía motivo alguno para estar asustada, y esbozó una sonrisa diplomática antes de asentir con la cabeza.

—Cierto. —Miró a Michael con una ceja arqueada—. ¿Estás listo?

Él sonrió cuando sus miradas se encontraron.

—Sí —contestó al tiempo que tiraba de ella para que bajara el último peldaño y, una vez a su lado, colocó la mano en su brazo—. Vamos, pongámonos en marcha.

Levantó la cabeza y tomó una honda bocanada de aire, decidida a pasar por alto la tensión que se había apoderado de ella a causa de la proximidad de Michael. Se despidió de su hermano con un gesto regio de cabeza y se dejó acompañar al carruaje.

Michael la ayudó a entrar en el carruaje y subió tras ella. Se sentó en el asiento de enfrente, observándola mientras se acomodaba las faldas y se enderezaba el chal adornado con lentejuelas plateadas. En cuanto el lacayo cerró la portezuela, el carruaje se puso en marcha. La miró a los ojos.

—¿Sabes quién más estará presente esta noche?

—Sí y no —contestó ella, arqueando las cejas.

La escuchó con atención mientras recitaba los nombres de aquellas personas que creía que estarían presentes, además de una biografía resumida de cada una de ellas con los datos que podrían serle más útiles, y después prosiguió con aquellos cuyos nombres tal vez hubieran sido incluidos entre los invitados a la cena con los portugueses.

Oculto entre las sombras del carruaje y con una sonrisa en los labios, se preguntó si sería consciente siquiera de lo que estaba haciendo... Porque ésa precisamente era la respuesta que él habría esperado de una esposa. Caro conocía a muchas personas y sabía cuál era la información que a él le resultaría útil. Mientras el carruaje traqueteaba por los caminos, siguió haciéndole preguntas, siguió animándola a interactuar con él no sólo porque así lo deseaba, sino también porque era el mejor modo para que se sintiera cómoda.

Ése era su objetivo final. Si bien la información que le estaba proporcionando le sería de gran ayuda, su objetivo principal era que se encontrara cómoda en su presencia. Que se concentrara en los tejemanejes diplomáticos a los que tan acostumbrada estaba y en los que se movía como pez en el agua.

Ya tendría tiempo más que de sobra para interactuar a un nivel mucho más íntimo en el camino de vuelta a casa.

Era consciente de que durante el regreso Caro estaría de un humor mucho más accesible, de un humor mucho más propicio para sus intenciones, siempre y cuando hubiera disfrutado de una noche agradable. Y eso era lo que se había propuesto él en la medida de sus posibilidades: asegurarse de que pasaba una noche agradable.

El carruaje se detuvo delante de los escalones de entrada a Leadbetter Hall a la hora convenida. Atravesaron juntos las puertas de entrada al vestíbulo, donde la duquesa y la condesa esperaban a los invitados.

Las damas intercambiaron los saludos de rigor, alabando sus respectivos atuendos, antes de que la duquesa se girase hacia él.

—Estamos encantadas de darle la bienvenida, señor Anstruther-Wetherby. Esperamos de todo corazón que sea la primera de muchas ocasiones en el futuro.

Le hizo una reverencia a la duquesa, muy consciente de que Caro lo observaba con atención y replicó al halago en consecuencia. Cuando se giró después de saludar a la condesa, vio que Caro lo miraba con aprobación.

Prácticamente como si fuera una especie de protegido... Contuvo la sonrisa triunfal que amenazó con asomar a sus labios. Con su habitual elegancia, la tomó del brazo y la condujo al salón.

Se detuvieron en el vano de la puerta para echar un vistazo a la concurrencia y tantear el ambiente. Hubo una brevísima pausa en el murmullo de las conversaciones cuando los presentes se giraron para ver quién había llegado, pero no tardaron en sonreír y retomar las conversaciones.

Miró a Caro de reojo. Con la espalda muy derecha, parecía vibrar de la emoción. Confianza, seguridad y serenidad, todas esas cosas se reflejaban en su rostro, en su postura. La estudió de los pies a la cabeza, admirándola con disimulo. Una vez más sintió un ramalazo de una emoción muy primitiva; simple y llanamente, un ramalazo de posesividad.

Caro era la esposa que él necesitaba, y la que pretendía conseguir.

Al recordar su plan, la condujo hacia la chimenea.

—Creo que deberíamos comenzar con el duque y el conde, ¿no te parece?

Caro asintió con la cabeza.

—Indudablemente.

Fue muy sencillo retenerla a su lado mientras hacían la ronda por el salón, deteniéndose con todos los grupos de invitados para intercambiar las cortesías de rigor y para que ella le presentara a aquellos a los que no conocía. Su memoria era casi tan buena como la de Caro. Además, sus suposiciones sobre la lista de invitados habían sido acertadas. Entre los que no había imaginado que estuvieran se encontraban dos caballeros del Ministerio de Asuntos Exteriores y otro del Ministerio de Comercio, todos ellos acompañados por sus esposas. Los tres caballeros lo reconocieron de inmediato; todos se las arreglaron para acercarse y explicarle su relación con el duque y el conde, y con el embajador, que no estaba presente.

Cuando volvió a prestar atención al grupo al que Caro y él se habían unido, descubrió que Ferdinand Leponte se había sumado y que se las había ingeniado para colocarse al otro lado de Caro.

—Leponte. —Se saludaron con un breve gesto. Un gesto que fue educado, si bien un tanto receloso, por parte del portugués. Dado que ya sabía cómo se las gastaba ese tipo, se preparó para hacer caso omiso, al menos de cara a la galería, de los intentos de Leponte por seducir —para qué buscar un eufemismo— a la que pretendía que fuera su esposa.

Crear un incidente diplomático no le granjearía la buena disposición del primer ministro. Además, la formidable reputación de Caro, que el portugués no acababa de comprender, bastaba para asegurarle que no necesitaba ayuda para librarse de sus indeseadas atenciones. Otros mucho mejores la habían asediado en vano.

Mientras conversaba con el encargado de negocios polaco, observó los avances del portugués, que estaba utilizando todo su encanto para apartar a Caro de su lado. Sin embargo, ella no le soltó el brazo. Era muy consciente de la presión de sus dedos, que no hicieron el menor movimiento y siguieron tal cual estaban en todo momento. A juzgar por lo que veía y oía, Leponte no estaba llegando a ninguna parte. Oyó retazos de la conversación que mantenían.

—Tus ojos, Caro, brillan como dos lunas plateadas en el firmamento de su rostro —decía Ferdinand.

—¿De veras? —replicó Caro con las cejas enarcadas—. Así que dos lunas. Qué extravagante.

La nota burlona de su voz era la adecuada para que el tipo olvidara cualquier pretensión amorosa. Al mirarlo, se percató de la momentánea irritación que brillaba en sus ojos oscuros, y de la tensión que asomó a su sonrisa antes de que recompusiera su encantadora fachada y arremetiera de nuevo contra las defensas de Caro.

Bien podría haberle dicho que esa táctica no le daría resultado jamás. Que tendría que pillar a Caro desprevenida para colarse bajo sus defensas. Porque una vez que las enarbolaba para salvaguardar su virtud —una virtud que, dadas sus circunstancias, no entendía por qué protegía con tanto celo— eran casi impenetrables. Al menos, en una reunión social. Se habían forjado y se habían templado en una de las arenas más exigentes.

Cuando se concentró de nuevo en la conversación con el encargado de negocios polaco, confirmó que el señor Kosminsky asistiría al baile de Caro y que estaba dispuesto a ayudar cuanto le fuera posible para que la velada no se viera empañada por ningún incidente desagradable.

El polaco, un hombre muy bajito, sacó pecho.

—Será un honor ayudar a salvaguardar la tranquilidad de la señora Sutcliffe.

Al escuchar su nombre, Caro aprovechó la oportunidad para dirigirse a Kosminsky. Le sonrió y el rostro de éste se iluminó.

—Gracias. Sé que es una imposición terrible, pero...

Gracias a su increíble locuacidad, se las arregló para convertir al polaco en su esclavo, al menos en lo tocante a evitar incidentes durante el baile.

Mientras admiraba en silencio la actuación de Caro, miró de reojo a

Leponte y atisbó de nuevo la irritación que lo embargaba. Comprendió que dado que el tipo lo veía como un rival por los favores de Caro, no se molestaba en ocultar su agravio ante la forma en la que ella lo evitaba.

Sin embargo, el portugués ponía especial cuidado en ocultar sus sentimientos frente a ella.

Ese detalle le llamó muchísimo la atención. Por el rabillo del ojo, observó cómo el hombre estudiaba a Caro detenidamente. Había algo en su forma de mirarla que no encajaba con la imagen de un diplomático extranjero de vacaciones y en busca de un poco de diversión en la bucólica dicha de la campiña inglesa.

Caro le hizo un comentario y él retomó la conversación con una sonrisa afable y la facilidad que daba la práctica.

Aun así, una parte de su mente siguió alerta, pendiente de Ferdinand.

Una vez que anunciaron que la cena estaba servida, los invitados fueron entrando por parejas en el enorme comedor. Descubrió que la anfitriona había dispuesto que se sentara muy cerca del duque y del conde. Durante siglos, Portugal había sido uno de los aliados más importantes de Inglaterra, de modo que el interés que demostraban esos dos caballeros por averiguar sus opiniones sobre ciertos temas y por hacerle ver las suyas era más que comprensible.

Menos comprensible era la posición asignada a Caro: en el otro extremo de la mesa, separada de la duquesa por Leponte, con un anciano almirante portugués al otro lado y la condesa enfrente. Pese al hecho de que un tercio de los presentes eran ingleses, no había compatriota alguno cerca de ella.

Claro que eso no supondría molestia alguna para Caro.

Para él, sí.

Caro era consciente de la peculiaridad de su emplazamiento. Si Camden hubiera estado vivo y hubiera asistido con él, la situación habría sido la correcta, ya que la habrían sentado con las esposas de los diplomáticos de más nivel. No obstante...

De repente, se preguntó si su aparición del brazo de Michael y el hecho de que hubieran permanecidos juntos en el salón habría suscitado unas suposiciones incorrectas. Sin embargo, cuando consideró la experiencia de la duquesa y de la condesa, descartó la posibilidad. Si hubieran sospechado de una supuesta relación entre ellos, alguna de las dos habría hecho discretas indagaciones. Dado que no era así, tenía que aceptar que su lugar en la mesa se debía a otro motivo. Mientras sonreía y conversaba a medida que los platos se sucedían, se preguntó cuál sería ese motivo.

Ferdinand, sentado a su derecha, hacía gala de un solícito encanto. A su izquierda dormitaba el anciano almirante Pilocet, que sólo se despertaba para echar un vistazo a los platos cuando se los ponían delante, antes de caer de nuevo en brazos de Morfeo.

—Mi querida Caro, debe probar estos mejillones.

Volvió a prestar atención a Ferdinand y dejó que le sirvieran un plato de mejillones y chalotes a las finas hierbas.

—Claro que son mejillones ingleses —puntualizó Ferdinand con un gesto del tenedor—, pero la receta es de Albufeira, mi tierra natal.

Cada vez más intrigada por su insistencia, decidió picar el anzuelo.

—¿De verdad? —Pinchó un mejillón con el tenedor, lo observó con detenimiento y miró a Ferdinand—. ¿Eso quiere decir que vive cerca de sus tíos? —Se llevó el mejillón en la boca y observó cómo los ojos de Ferdinand se clavaban en sus labios.

—Esto... —dijo, y parpadeó antes de mirarla a los ojos—. Sí. —Asintió con la cabeza y devolvió la vista a su plato—. Todos... Mis padres, mis primos y mis otros tíos vivimos en el castillo. —Le regaló su sonrisa más encantadora—. Se alza en los acantilados, sobre el mar. —La contempló con los ojos rebosantes de añoranza—. Debería visitarnos alguna vez. Portugal lleva demasiado tiempo sin su encantadora presencia.

—Mucho me temo que Portugal tendrá que soportar mi ausencia por más tiempo. No tengo intención de abandonar Inglaterra en un futuro cercano —replicó con una carcajada.

—¡Ay, no! —Ferdinand compuso una expresión muy apenada y teatral—. Es una lástima, al menos para nuestro rinconcito del mundo.

Sonrió y se comió el último de los mejillones.

Ferdinand esperó a que retiraran los platos para inclinarse hacia ella y hablarle en voz baja.

—Comprendemos a la perfección, por supuesto, que estuviera dedicada en cuerpo y alma al embajador Sutcliffe y que siga respetando su memoria. —Guardó silencio y la observó con detenimiento.

Sin perder la sonrisa, buscó la copa de vino y se la llevó a los labios antes de mirarlo a los ojos.

—Ciertamente.

No era tan tonta como para pasar por alto a Ferdinand y su excéntrico comportamiento; excéntrico, al menos, según los cánones ingleses. El hombre estaba sondeando las aguas... aunque no tenía ni idea de lo que buscaba. No obstante, aunque era bueno en el juego, ella era mejor. No le ofreció el menor indicio de sus sentimientos y esperó a ver qué dirección tomaba.

Ferdinand bajó los ojos, fingiendo... ¿timidez?

—Hace tiempo que siento una admiración rayana en la fascinación por su difunto esposo. Era el epítome del diplomático. Hay tanto que aprender de su vida, de sus éxitos y de sus estrategias...

—¿De veras? —Compuso una expresión un tanto sorprendida, ya que no era el primero que intentaba semejante acercamiento.

—¡Por supuesto! Sólo hay que ver las primeras medidas que tomó nada más asumir su cargo en Lisboa, cuando...

Les sirvieron el siguiente plato y Ferdinand continuó con su exposición sobre los mayores éxitos de la carrera de Camden. Y dado que le convenía que estuviera ocupado de esa manera, lo animó a hablar. Además, estaba muy bien informado sobre las medidas que tomó su difunto marido.

Alargó la conversación hasta abarcar todos los platos restantes con comentarios juiciosos al respecto. Ferdinand levantó la vista, algo sorprendido, cuando la duquesa se puso en pie para que las damas se retiraran al salón.

Una vez allí, la duquesa y la condesa reclamaron su atención.

—¿Suele hacer tanto calor en verano? —quiso saber la duquesa mientras se abanicaba con gesto lánguido.

—La verdad es que estamos teniendo un verano bastante fresco. ¿Es su primera visita a Inglaterra? —preguntó con una sonrisa.

La lenta cadencia del abanico se detuvo de repente antes de comenzar nuevamente.

—Sí, así es. —La duquesa la miró a los ojos y sonrió—. Hemos pasado los últimos años en distintas embajadas escandinavas.

—¡Caray! No es de extrañar que el clima le parezca caluroso.

—Desde luego —replicó la condesa, que se sumó a la conversación para preguntar—: ¿es normal que haya tantas delegaciones diplomáticas pasando el verano en esta zona?

—Siempre hay un buen número de representantes diplomáticos —respondió, asintiendo con la cabeza—. Es una zona muy agradable, cercana a Londres y también a un paso de la Isla de Wight.

—Cierto, cierto. —La condesa la miró al rostro—. Ése es el motivo por el que Ferdinand insistió en venir.

Sonrió, a pesar de la curiosidad. Tras una breve pausa, encauzó la conversación hacia otros temas. Las dos mujeres siguieron su ejemplo, pero no parecían estar dispuestas a dejarla marchar para que se mezclara con el resto de las damas. O esa sensación le dio. Los caballeros llegaron antes de que tuviera la oportunidad de comprobar esa suposición.

Ferdinand fue uno de los primeros en entrar. La vio al instante y se acercó a ella con una sonrisa.

Michael entró poco después y se detuvo junto a la puerta a fin de recorrer la estancia con la mirada. No tardó en localizarla junto a las puertas francesas, flanqueada por la duquesa y la condesa.

Por un breve instante, experimentó una sensación muy extraña. Se enfrentaba a dos hombres con una habitación de por medio. Entre Michael y ella, Ferdinand se acercaba con una sonrisa desvergonzada, representando la personificación de la belleza y el abrumador encanto latinos sin dejar de mirarla. En ese momento, Michael entró en la estancia. Su atractivo era mucho más sutil, aunque su fuerza era mucho más patente. Caminaba más despacio y con más elegancia, aunque sus largas piernas lo ayudaron a acortar las distancias con Ferdinand.

No le cabía la menor duda acerca de las intenciones de Ferdinand, si bien no era él quien le robaba el aliento. Siguió siendo mucho más consciente del lento y decidido avance de Michael, aun cuando se obligó a mirar a Ferdinand a la cara y a devolverle la sonrisa con su habitual serenidad.

Como si formara parte de una coreografía ensayada, la duquesa y la condesa le ofrecieron sus excusas con sendos roces en las manos y pasaron junto a Ferdinand, a quien saludaron con un gesto de la cabeza, antes de cerrarle el paso a Michael, que se vio obligado a detenerse para charlar con ellas.

—Mi querida Caro, estoy seguro de que me perdonará, pero debo aprovecharme de su presencia en este lugar. —Gesticuló teatralmente—. ¿Qué le parece?

—No sé de qué está hablando —replicó—. ¿Qué me parece qué?

Ferdinand la cogió del brazo.

—Verá, dada mi obsesión con Camden Sutcliffe... Su presencia es una oportunidad que no puedo desaprovechar. —La hizo girar y comenzaron a pasear por la larga estancia. Dado que había inclinado la cabeza hacia ella para hablar, presentaban la equívoca imagen de estar enzarzados en una discusión importante y, por tanto, nadie los interrumpiría—. Me gustaría preguntarle, si me lo permite, por algo que siempre me ha intrigado —prosiguió con una expresión de estudiado interés—. El hogar de Sutcliffe estaba aquí. Y debió de jugar un papel muy importante en su vida. Debió de... —Frunció el ceño mientras buscaba las palabras para expresar lo que quería decir—. Debió de haber sido el lugar donde se retirara en busca de paz y tranquilidad.

—No estoy segura de que en el caso de Camden la casa señorial, la casa de su familia, jugara un papel tan importante en su vida —respondió con las cejas enarcadas.

No tenía ni idea de adónde quería llegar Ferdinand con esa táctica, de lo más extraña para intentar seducirla, pero le pareció un tema bastante inocuo con el que pasar el tiempo. Sobre todo si así lo mantenía alejado de otros intereses mucho más peliagudos.

—Camden no pasó mucho tiempo aquí, en Sutcliffe Hall, a lo largo de su vida. O, al menos, mientras duró su carrera como diplomático.

—Pero creció aquí, ¿no es así? Y Sutcliffe Hall era suyo. Quiero decir que no sólo era la casa de su familia, sino que le pertenecía. ¿No es verdad?

—Así es —respondió, asintiendo con la cabeza.

Siguieron paseando mientras Ferdinand meditaba con el ceño fruncido.

—De modo que está diciendo que sólo lo visitó de vez en cuando durante sus años como embajador.

—Exacto. Sus visitas solían ser muy breves, un par de días o una semana a lo sumo. Salvo tras el fallecimiento de sus dos primeras esposas. En ambas ocasiones pasó varios meses en la propiedad, así que supongo que sería correcto decir que Sutcliffe Hall era su refugio del mundo. —Miró a Ferdinand—. Por su expreso deseo, está enterrado allí, en la antigua capilla.

—¡Caramba! —exclamó él, y asintió como si esa revelación fuera de vital importancia.

Un movimiento entre los invitados hizo que ambos levantaran la vista. El caballero del Ministerio de Comercio y su esposa se marchaban.

La distracción de la despedida a distancia le impidió percatarse de que Ferdinand cambiaba bruscamente de estrategia. No lo comprendió hasta que se plantó frente a ella de espaldas a la concurrencia y le murmuró al oído:

—Querida Caro, hace una noche de verano tan maravillosa... Salgamos a la terraza.

De forma instintiva, sus ojos volaron hacia la terraza, a la vista tras las puertas abiertas que estaban a pocos pasos de ellos. Para su sorpresa, vio cómo Ferdinand la llevaba con habilidad hacia ellas.

Su instinto se rebeló un instante. Tenía por costumbre no ceder terreno, ni literal ni figuradamente, en esas lides. Más por evitarles el bochorno a sus potenciales seductores que por miedo a su propia seguridad. De hecho, siempre había salido victoriosa de semejantes escaramuzas, y siempre lo haría. No obstante, Ferdinand había despertado su curiosidad.

Aceptó con un gesto regio de cabeza y permitió que la condujera a la terraza iluminada por la luz de la luna.

Desde el otro lado del salón, Michael observó cómo la esbelta figura de Caro desaparecía de su vista y maldijo para sus adentros. No perdió tiempo en sopesar qué estaba tramando Leponte. Se despidió del duque y de su ayudante, haciendo gala de la habilidad que había llamado la atención del primer ministro, con el falso pretexto de querer hablar con los caballeros del Ministerio de Asuntos Exteriores antes de que se marcharan.

Los había utilizado como excusa porque estaban en un grupo cerca de las puertas de acceso a la terraza. Mientras sorteaba con soltura los distintos grupos, fue muy consciente de que la duquesa y la condesa lo observaban con evidente preocupación. Cuando se dieran cuenta de que no pensaba detenerse a conversar con los invitados más próximos a las puertas...

Hizo caso omiso del frufrú de las faldas de las damas cuando salieron, demasiado tarde, en su persecución y salió a la terraza con su habitual aplomo.

Apenas se detuvo un instante para localizar a Caro y a Leponte; cuando lo hizo, echó a andar hacia ellos. Estaban junto a la balaustrada, medio ocultos por las sombras pero bien a la vista, ya que la luna estaba casi llena. Aprovechó su lento avance para observar sus respectivas posturas. Leponte estaba muy cerca de Caro mientras ésta admiraba, al parecer, el juego de luces y sombras sobre los jardines. No la estaba tocando, aunque tenía una mano suspendida en el aire, como si hubiera estado a punto de hacerlo pero algo lo hubiera distraído.

Caro estaba bastante tranquila, aunque no relajada. Mantenía su actitud serena de siempre. La tensión que lo había invadido al verla desaparecer por las puertas lo abandonó. Estaba claro que no necesitaba que la rescatase.

De hecho, si alguien necesitaba ayuda, era Leponte.

Cosa que quedó patente cuando el hombre desvió la mirada hacia él al escuchar que se acercaba. Su rostro estaba demudado por la estupefacción más absoluta.

Cuando se acercó lo bastante como para escuchar la conversación o, para ser más exactos, la disertación de Caro sobre los principios del diseño de jardines según dictaba Lancelot Brown y sus seguidores, lo comprendió todo. Sintió algo rayano en la compasión por el portugués.

Caro también lo escuchó llegar y lo miró sonriente.

—Le estaba explicando al señor Leponte que este jardín fue diseñado en sus tiempos por Lancelot Brown y que ha sido remodelado por Humphrey Repton. Es un ejemplo maravilloso de la combinación de sus talentos, ¿no te parece?

—Indudablemente —respondió con una sonrisa mientras la miraba a los ojos.

Caro prosiguió con su discurso. Cuando la duquesa y la condesa aparecieron por las puertas de la terraza, ella les hizo un gesto para que se unieran. Su intención era la de someterlas a una disertación sobre jardinería que habría aburrido al más entusiasta, en venganza por su participación en la estrategia de Ferdinand para quedarse a solas con ella. La condesa, que parecía muy abochornada, intentó escabullirse. Caro la tomó del brazo y procedió a ensalzar las teorías acerca de los setos al detalle.

Michael se contentó con quedarse en un segundo plano mientras Caro se vengaba. Aunque no trasgredió en ningún momento ninguna norma social, no le cupo la menor duda de que eso era lo que estaba haciendo, como también lo sabían sus víctimas. Leponte parecía arrepentido, pero agradecía la presencia de los demás, porque de ese modo Caro no estaba pendiente sólo de él. Ese hecho lo llevó a preguntarse por la firmeza con la que había rechazado los avances del portugués.

A la postre, la duquesa, que se separó un tanto, murmuró que debía regresar al salón para despedirse de los invitados. Sin dejar de charlar, Caro consintió en seguirla de vuelta al interior.

—Nos espera un largo regreso. Deberíamos despedirnos ya —le dijo él diez minutos después, interrumpiendo así su convincente discurso.

Caro enfrentó su mirada. Sus ojos habían adquirido el brillo de la plata bruñida y eran inescrutables. Parpadeó un par de veces antes de asentir con la cabeza.

—Sí, supongo que tienes razón.

Cinco minutos más tarde, se despedían de sus anfitriones. Leponte los acompañó al carruaje y le hizo una reverencia formal a Caro cuando ésta se detuvo delante de la portezuela y le tendió la mano.

—Mi querida señora Sutcliffe, estoy ansioso por asistir a su baile. —Se irguió sin dejar de mirarla a los ojos—. E igual de ansioso espero un paseo por los jardines de Sutcliffe Hall para que me explique sus maravillas.

Tuvo que reconocer que el tipo tenía agallas, ya que muy pocos se habrían atrevido a hacer semejante comentario. Aun así, si lo había hecho con la intención de poner nerviosa a Caro, se había equivocado de parte a parte.

Ella esbozó una dulce sonrisa y lo sacó de su error.

—Me temo que no ha leído correctamente su invitación. El baile se celebrará en Bramshaw House, no en Sutcliffe Hall. —Caro se percató de la sorpresa de Ferdinand y de su expresión contrariada, aunque fugaz, de modo que añadió con amabilidad—: Será un placer darles la bienvenida a su grupo y a usted.

Se giró hacia el carruaje y aceptó la mano que Michael le ofrecía para ayudarla a subir. Se sentó en el asiento que miraba hacia delante. Él la siguió al instante. Percibió su mirada, pero la penumbra le impedía interpretar su expresión.

—Échate hacia un lado —le dijo.

Ella frunció el ceño, pero Michael ya estaba a su lado, esperando a que se moviera para poder sentarse. Habida cuenta de la cercanía de Ferdinand, entablar una discusión sería una indignidad.

Contuvo una mueca de fastidio y lo obedeció. Michael se sentó demasiado cerca para su gusto y el lacayo cerró la portezuela. El carruaje emprendió la marcha al punto.

Apenas habían echado a andar por el camino cuando Michael le hizo una pregunta:

—¿Por qué le ha molestado tanto a Leponte que el baile no se celebre en Sutcliffe Hall?

—La verdad es que no lo sé. Parece estar fascinado con Camden... Está analizando todo aquello que lo llevó a convertirse en lo que fue.

—¿Leponte? —preguntó, antes de guardar silencio.

Era muy consciente de la calidez que irradiaba su cuerpo junto a ella. A pesar de que su muslo no la tocaba, percibía su calor. Como era habitual, su cercanía la hacía sentirse especialmente frágil. Delicada.

—Me cuesta creerlo —dijo Michael a la postre.

Y ella era de la misma opinión. Se encogió de hombros y clavó la mirada en las cambiantes sombras del bosque.

—Después de todo, Camden tuvo mucho éxito. Pese al puesto que ocupa en la actualidad, supongo que Ferdinand acabará por ocupar el puesto de su tío tarde o temprano. Tal vez por eso está aquí... en busca de conocimiento.

Michael resopló y clavó la vista al frente. No se fiaba de Leponte, ni en lo tocante a Caro ni en ningún otro aspecto. Había pensado que la desconfianza nacía de la fuente más evidente, de ese primitivo afán de posesión que ella le despertaba. En ese momento, sin embargo, a tenor del comportamiento de la duquesa y de la condesa y del comentario de despedida junto al carruaje, no estaba tan seguro de que parte de esa desconfianza no fuera también a nivel profesional.

Había estado preparado para aceptar y lidiar, incluso para reprimir, la desconfianza nacida de las emociones personales; después de todo, era un político consumado. La desconfianza que nacía de sus instintos profesionales, en cambio, era algo muy diferente, algo que podría tener resultados nefastos si le daba la espalda aunque sólo fuera un instante.

Miró a Caro cuando reconoció el lugar por el que estaban pasando y calculó el tiempo que aún les quedaba a solas en la oscuridad del carruaje.

—¿De qué has estado hablando con Leponte durante la cena?

Caro se reclinó en el mullido respaldo y lo contempló sumida en la penumbra.

—En un principio, de las cortesías de rigor, pero después afirmó ser un ferviente admirador de mi difunto esposo y comenzó una detallada exposición de su carrera.

—¿Dirías que se ajustaba a la realidad?

—Sin duda alguna, al menos en todo lo que dijo.

A juzgar por su tono de voz, por el modo en el que se detuvo, supo que ella también estaba confundida. Antes de que pudiera decir nada, Caro prosiguió.

—Después, cuando regresamos al salón, me preguntó por Sutcliffe

Hall y comenzó a elucubrar acerca de la importancia que debió tener en la vida de Camden.

—¿La tuvo? —le preguntó mientras observaba su expresión.

Ella negó con la cabeza.

—No lo creo... No creo que Camden le diera importancia a la propiedad. Jamás vi que le profesara un cariño especial.

—Ya veo. —Se acomodó contra el respaldo y le cogió la mano. La sorpresa le hizo tensar los dedos, aunque no tardó en relajarse. Una vez que entrelazó los dedos con los suyos, prosiguió al tiempo que se llevaba su mano a los labios—: Creo que vigilaré a Leponte en el baile y en cualquier otro sitio donde coincidamos. —Caro lo estaba observando. Lo percibía por la tensión que se iba apoderando de ella. Giró la cabeza y atrapó su mirada—. Por un buen número de razones.

Depositó un casto beso en sus nudillos.

Ella lo observó e inspiró hondo. Pasó un instante antes de que levantara la vista hasta sus ojos.

—¿Qué...?

Volvió a levantarle la mano y le rozó los nudillos con los labios antes de recorrerlos con la punta de la lengua sin apartar la mirada de sus ojos.

La respuesta de Caro fue inmediata e innegable. Se estremeció de pies a cabeza y entrecerró los ojos un instante. Antes de que volviera a abrirlos, la hizo cambiar de postura y la acercó a él al tiempo que le cogía la barbilla con la mano libre y le inclinaba la cabeza para poder besarla.

Ella ya le estaba devolviendo el beso antes de que tuviera tiempo de alejarse.

Le soltó la mano y la amoldó a él. Al igual que la vez anterior, Caro le colocó las manos en el pecho e hizo ademán de rechazarlo. Profundizó el beso y todo atisbo de resistencia se desvaneció.

En cambio... la instó de forma paulatina y sutil no sólo a que aceptara su beso, sino a que participara. Al principio, tuvo la impresión de que Caro esperaba que se detuviera tras un primer beso. De hecho, parecía estar esperando a que lo hiciera. Al ver que no era así, cuando le quedó claro que tenía toda la intención de prolongar el interludio, se unió a él con manifiesta indecisión.

Sus labios eran dulces y delicados; su boca, una tentación. Cuando se la ofreció, se sintió invadido por el triunfo y la aceptó, consciente de que una parte de Caro observaba lo que estaba ocurriendo con cierta confusión, casi con sorpresa... aunque los motivos le resultaran incomprensibles.

Era un manjar delicioso que tenía toda la intención de saborear a placer, disfrutando del momento como jamás había hecho con anterioridad.

La acarició, la reclamó y, por último, la incitó hasta provocar la respuesta que había estado buscando, una respuesta más apasionada, desinhibida y concluyente, la respuesta que sabía que ella era capaz de ofrecerle. Y no era sólo eso lo que ansiaba, quería todo lo que Caro tenía para ofrecerle, pero era lo bastante inteligente como para darse cuenta de que con ella, cada paso, cada acto, significaría una batalla que debería ganar a pulso.

La Viuda Alegre no iba a ceder ni un ápice de terreno sin luchar.

Ése, sin duda, era el motivo por el que había derrotado a tantos hombres. Habían supuesto que podían saltarse todos los preliminares y entrar en tromba, pero se habían dado de bruces con el primer obstáculo.

Besarla.

Tal parecía que, por alguna extraña razón que se le había metido entre ceja y ceja, Caro había llegado a la conclusión de que no sabía besar... Y era muy difícil seducir a una mujer que no estaba dispuesta a dejar que la besaran.

Convencido de su victoria, la estrechó con fuerza y se apoderó de sus labios. Sus pechos quedaron aplastados contra su torso. Estaba a punto de arrojarle los brazos al cuello cuando se tensó y se detuvo.

El carruaje aminoró la marcha para enfilar la avenida de Bramshaw House.

Caro se separó de él y masculló su nombre entre dientes.

—Calla. —Sin darle opción a que escapara, la estrechó con más fuerza—. No querrás escandalizar a tu cochero, ¿verdad?

Eso le hizo abrir los ojos de par en par.

—¿¡Qué...!?

Interrumpió su pregunta de la manera más efectiva. Contaban al menos con siete minutos antes de llegar a Bramshaw House y tenía la intención de disfrutar de todos y cada uno de ellos.

8

Caro se despertó a la mañana siguiente decidida a recuperar el control de su vida. Y de sus sentidos. Michael parecía haberse apoderado de ambos y, aunque no tenía ni idea de sus motivos ni de la naturaleza de los mismos, no pensaba facilitarle las cosas.

Tal y como había hecho durante la última parte de su trayecto de regreso desde Leadbetter Hall.

Contuvo un juramento por su recién descubierta susceptibilidad, por esa mezcla de curiosidad, fascinación y deseo infantil que había permitido que Michael se tomara tales libertades y la sedujera para participar como lo había hecho. Salió al pasillo, cerró la puerta tras ella y, después de enderezarse las faldas, se encaminó hacia la escalinata.

El desayuno y la esperanza de un nuevo día le darían todo lo que necesitaba para encauzar su vida por los derroteros habituales.

Continuó reprendiéndose para sus adentros mientras bajaba los escalones. Tal vez estuviera tomándose las cosas demasiado a pecho. Sólo había sido un beso... Bueno, varios besos bastante subidos de tono, pero aun así no era motivo para alarmarse. Era posible que Michael ya se hubiera saciado, de modo que no sería necesario ponerse en guardia.

—¡Vaya! Aquí estás, querida. —Geoffrey, sentado a la cabecera de la mesa, levantó la vista. Señaló con un gesto de cabeza a Elizabeth y Edward, que ya se encontraban allí, charlando y estudiando una hoja de papel—. Hemos recibido una invitación de los prusianos. Yo también estoy incluido pero preferiría no ir. Tengo otras cosas que hacer. Así que os dejaré los entretenimientos frívolos a vosotras.

Pronunció la última frase con una sonrisa afable dirigida a su hija y a ella. Si bien su hermano se complacía por la relevancia social de la familia, desde la muerte de Alice había perdido el interés por las fiestas y sólo asistía a las reuniones más informales.

Se sentó en la silla que Catten acababa de apartar en el otro extremo de la mesa y cogió la tetera mientras exigía que le dieran la invitación con un gesto imperioso de la mano libre.

Edward se la ofreció.

—Es un almuerzo informal al aire libre... Así que supongo que se referirán a un almuerzo campestre.

—Mmm. Lady Kleber es prima hermana de la gran duquesa —dijo mientras ojeaba la invitación— y es un personaje muy importante de por sí. —La dama en cuestión había redactado la invitación en persona y los exhortaba a reunirse con un grupo al que ella calificaba de «escogido».

Evidentemente, era imposible rechazar la invitación. Además de que sería una tremenda grosería, la esposa del general sólo quería corresponder a su hospitalidad. Había sido ella quien empezara la ronda de actividades con la cena que puso de manifiesto la ineptitud de Elizabeth.

Tomó un sorbo de té y reprimió el ceño que pugnaba por formarse en su frente. No tenía sentido huir de las consecuencias de sus propios planes. Sólo restaba esperar, en vano sin duda alguna, que Michael no fuera uno de los escogidos de lady Kleber.

—¿Podemos ir? —preguntó Elizabeth con los ojos brillantes y un palpable entusiasmo—. Hace un día maravilloso.

—Por supuesto que podemos ir. —Le echó otro vistazo a la invitación—. Crabtree House. Está al otro lado de los bosques de Eyeworth —le explicó a Edward—. El trayecto es de una media hora en carruaje. Deberíamos salir a las doce en punto como muy tarde.

Edward asintió con la cabeza.

—Ordenaré que preparen el cabriolé.

Le dio unos cuantos mordisquitos a su tostada y se acabó el té antes de que todos se levantaran de la mesa del desayuno. Una vez en el vestíbulo, cada cual se marchó por su lado. Geoffrey se fue a su despacho, Edward se marchó para hablar con el cochero y Elizabeth se fue a practicar con el piano. Aunque esto último, si sus sospechas eran ciertas, se trataba de una estratagema para que Edward supiera dónde encontrarla y se hiciera el remolón, y no de un afán por mejorar su técnica.

La mordaz conclusión se le ocurrió sin más. Qué duda cabía de que fuera cierta, sin embargo... Meneó la cabeza. Estaba volviéndose demasiado cínica, demasiado calculadora... cada vez se parecía más a Camden en su forma de tratar a los demás.

Desechó con pesar la desesperada idea que había nacido en su cabeza. No se le ocurría nada que garantizara la ausencia de Michael en el almuerzo. Volver a obstruir el arroyo estaba fuera de toda cuestión.

Enfilaron la avenida de acceso a Crabtree House a las doce y media pasadas. Otro carruaje los precedía. Esperaron mientras Ferdinand descendía y ayudaba a bajar a la condesa. Una vez vacío, el vehículo se alejó y ellos ocuparon su lugar delante de los escalones.

Edward le tendió la mano para ayudarla a bajar. Con una sonrisa, se acercó a su anfitriona para saludarla. Estrechó la mano de lady Kleber, respondió a sus preguntas educadas y disculpó la ausencia de Geoffrey antes de saludar a la condesa, mientras Elizabeth y Edward hacían una reverencia.

—Pasen, pasen —dijo lady Kleber, señalando con la mano hacia la casa—. Aguardaremos cómodamente en la terraza hasta que lleguen los demás.

Entró en la casa junto a la condesa, intercambiando las cortesías de rigor. Elizabeth lo hizo al lado de lady Kleber y Edward y Ferdinand cerraban filas. Al llegar a la terraza, echó la vista atrás y vio que Edward le explicaba algo a Ferdinand. Le había sorprendido que éste no buscara su compañía... Estaba claro que había caído en la cuenta de que Edward había sido el asistente de Camden.

Siguió a la condesa mientras su mente proseguía con sus cínicas reflexiones. Se habían dispuesto sillas y mesas por la terraza para que los invitados disfrutaran de la agradable vista de los jardines, enmarcados por el verde intenso de los bosques de Eyeworth.

Tomó asiento al lado de la condesa. Elizabeth y lady Kleber no tardaron en reunirse con ellas. El general salió de la casa y, tras saludar a las damas, se unió a Edward y a Ferdinand en otra mesa.

Al cabo de unos minutos estaban enzarzadas en una rápida conversación. Lady Kleber, la condesa y ella discutieron sus distintas impresiones sobre la temporada social. El abanico de temas era muy amplio: desde las sospechas diplomáticas hasta las últimas tendencias en moda. Mientras intercambiaban sus opiniones, se preguntó una vez más, tal y como había hecho durante las últimas horas, si habrían invitado a Michael.

Había pasado toda la mañana esperando verlo aparecer en Bramshaw House para reclamar un asiento en el carruaje. Sin embargo, semejante comportamiento habría sorprendido incluso a Geoffrey; después de todo, Eyeworth Manor estaba más cerca de Crabtree House que su casa. Para unirse a su excursión, Michael debería de haber cabalgado en dirección opuesta. Era evidente que se lo había pensado mejor.

Suponiendo que lo hubieran invitado.

Las pisadas que se escucharon al otro extremo de la terraza y que anunciaban la llegada de más invitados le hicieron alzar la vista en esa dirección, pero sólo se trataba del encargado de negocios polaco con su esposa y sus dos hijos. Agradeció la sensibilidad de lady Kleber al haber invitado a los jóvenes, ya que eran la compañía perfecta para Elizabeth y Edward, por mucho que esto irritara a Ferdinand. A la postre, no le quedó más remedio que disimular y, mientras saludaba a las jóvenes con una reverencia, permitir que Edward escapara.

Por su parte, ella siguió pendiente de la llegada de los invitados mientras seguía charlando. Los rusos no estaban invitados, por supuesto, pero sí el embajador sueco, Verolstadt, con su esposa y sus dos hijas, a quienes siguieron dos de los ayudas de campo del general con sus respectivas esposas.

Comenzó a impacientarse. Lady Kleber era una anfitriona diplomática de gran experiencia que se ceñía al protocolo y carecía por completo de las excentricidades que aquejaban a sus familiares más conocidos. Así que debería haber invitado a Michael. No sólo era el diputado local, también estaban los insistentes rumores...

Su preocupación aumentó a medida que pasaban los minutos. Si Michael iba a encargarse del Ministerio de Asuntos Exteriores, tenía que estar presente en ese tipo de eventos... en las reuniones informales y relajadas donde se forjaban los vínculos personales. Necesitaba estar en ese almuerzo... Debería haber recibido una invitación...

Se devanó los sesos en busca de una excusa que le permitiera preguntar...

—¡Ah! ¡Aquí está el señor Anstruther-Wetherby! —Lady Kleber se puso en pie con una alegre y genuina sonrisa en el rostro.

Cuando se giró en la silla, vio que Michael se acercaba desde los establos. No se había escuchado ningún caballo en la avenida, de modo que debía de haber llegado a través del bosque. Lo observó mientras saludaba a lady Kleber y sintió que la irritación reemplazaba su anterior preocupación. Era evidente que Michael no necesitaba un paladín en los círculos diplomáticos. Podía ser encantador cuando quería. Observó cómo sonreía a la condesa y le hacía una reverencia y resopló para sus adentros.

Ese sereno atractivo, sumado a su actitud segura y ligeramente dominante, hacía que su encanto fuera mucho más efectivo que el de Ferdinand.

Desvió la mirada hacia éste y vio cómo se acercaba a ella poco a poco a fin de colocarse en lugar preciso para reclamar su brazo cuando decidieran pasar al prado. Echó un vistazo a su alrededor en busca de una escapatoria y concluyó que no había ninguna. Ninguna salvo...

Miró a Michael. ¿Habría perdido interés por ella?

¿Michael o Ferdinand? ¿Cuál era la opción más sensata? Lady Kleber les había dicho que el almuerzo se celebraría en un pequeño claro del bosque, no muy lejos de allí. Conocía el camino. La distancia no era excesiva y difícilmente estarían a solas...

Sin embargo, Michael zanjó la cuestión. Con una maniobra digna de un maestro, ella fue la última persona a la que saludó.

—¡Estupendo! Ahora que ya estamos todos, podemos ir a disfrutar de nuestro almuerzo, *ja?* —Lady Kleber señaló el prado con una mano y después los instó a bajar los escalones de la terraza.

Ya que Michael acababa de estrecharle la mano, se negó a soltarla. La miró a los ojos y sonrió.

—¿Vamos? —La ayudó a ponerse en pie.

Sus sentidos cobraron vida y no sólo por su cercanía. El brillo decidido que asomó a esos ojos azules, la fuerza con la que le sujetaba la mano y el afán posesivo apenas disimulado que se ocultaba tras su estrategia para asegurarse su compañía... No, estaba claro que no había perdido el interés por ella.

—¡Vaya, Leponte...! Acompáñenos —lo invitó Michael al tiempo que se colocaba su mano en el brazo, sin dejar de mirar a Ferdinand a los ojos.

El aludido aceptó encantado, aunque ella fuese del brazo de Michael. Bajaron los escalones que daban al prado y echaron a andar a la zaga del resto de los invitados. Mientras se preguntaba qué estaba tramando Michael... y qué nueva táctica había decidido emplear con Ferdinand.

Se adentraron entre los árboles por un sendero bien cuidado. Justo en ese momento, se percató de que Michael miraba a Ferdinand por encima de su cabeza.

—Tengo entendido que es algo así como un discípulo de Camden Sutcliffe, ¿es cierto?

Un ataque directo. Una táctica más habitual en los juegos políticos que en los diplomáticos, aunque tal vez fuera de esperar, dadas las circunstancias. Miró a Ferdinand y se percató de que un ligero rubor le teñía las mejillas.

—Así es —respondió éste con un gesto de cabeza un tanto seco—. La carrera de Sutcliffe es un ejemplo a seguir para todos aquellos que queremos hacernos un hueco en el mundo diplomático. —Enfrentó la mirada de Michael sin flaquear—. Estoy seguro de que me dará la razón. Después de todo, Sutcliffe era un compatriota suyo.

—Cierto. —Michael esbozó una sonrisa—. Pero yo soy más un político que un diplomático. —Una advertencia más que suficiente, a su parecer. En la vida política había muchas más cuchilladas y ataques directos que en los círculos diplomáticos, donde todo dependía más de las negociaciones. Miró al frente y señaló al encargado de negocios polaco—. Si de verdad quiere saber más de Sutcliffe y de las circunstancias que lo moldearon, está de suerte: el primer destino de Sutcliffe fue Polonia. Kosminsky trabajaba de asistente en el Ministerio de Asuntos Exteriores polaco en aquella época. Su relación profesional con Sutcliffe se remonta a 1786. Y tengo entendido que siguieron en contacto.

La mirada de Leponte se clavó en el polaco bajito y vivaracho que charlaba con el general Kleber. Hubo una pausa brevísima antes de que lograra componer una expresión encantada.

—¿De veras? —Aunque el semblante del portugués se alegró, sus ojos no lo hicieron. Su mirada resultó un tanto vacía cuando lo miró.

Michael esbozó una seca sonrisa sin disimulo alguno. Nada más lejos de su intención que parecer agradable...

—De veras.

Caro se percató de lo que ocurría y le pellizcó el brazo. Él bajó la vista y se hizo el inocente.

Vio la mirada asesina que asomaba a sus ojos antes de que algo la distrajera y mirara a los árboles.

—¡Mirad! ¡Un arrendajo!

Todos se detuvieron para mirar hacia los árboles, pero, como era de esperar, nadie salvo Edward vio al esquivo pájaro. Detalle que confirmó la lealtad del secretario y su brillantez.

Claro que había tenido cinco años para aprenderse los truquitos de su jefa...

Y Caro tenía una buena cantidad de ellos, tuvo que admitir. Cuando terminó de explicarle a Leponte lo que era un arrendajo y por qué era tan extraño ver uno (cosa que él también desconocía), ya habían llegado al claro donde tomarían el almuerzo.

Comprendió al punto que la idea inglesa de un almuerzo campestre (cestas de comida y manteles en el suelo en los que sentarse) no se parecía a la prusiana. En el claro había varios grupos de sillas y, en un lateral, una larga mesa con tal profusión de bandejas de plata, copas, platos, cubiertos, vinos y licores que aquello se equiparaba a un almuerzo formal. Incluso había un centro de mesa de plata. Un mayordomo y tres criados esperaban sus órdenes para servirles.

A pesar de la relativa formalidad, los invitados consiguieron crear un ambiente bastante relajado, gracias sobre todo a los esfuerzos de lady Kleber, ayudada por la señora Kosminsky y Caro. Incluso la condesa, por sorprendente que pareciera, contribuyó.

Eso fue lo que lo puso en guardia. Estaban tramando algo, había algún tipo de conexión entre los portugueses y Camden Sutcliffe, aunque no adivinaba de qué tipo. El atípico buen humor de la condesa lo convenció de que debía redoblar los esfuerzos para no perder de vista a Leponte, a la sazón, su sobrino.

Fingió no percatarse de los dos primeros intentos de la condesa por llamar su atención. Con un plato en la mano, se quedó junto a Caro, que cada vez estaba más cómoda en su compañía, y juntos circularon entre los invitados mientras saboreaban la carne, la fruta y las exquisiteces del almuerzo organizado por lady Kleber.

El objetivo de Caro no tardó en ser evidente. En lo tocante a ella, no tenía nada en mente, sino que estaba dedicada en cuerpo y alma a ayudarlo. Estaba más que decidida a utilizar sus numerosos contactos y sus formidables habilidades para allanarle el camino, para ayudarlo a entrar en el que había sido su mundo; un mundo en el que aún ostentaba bastante poder, aunque ya no fuera la reina. Su desinteresada ayuda lo conmovió profundamente. Guardó el sentimiento para saborearlo más tarde y se concentró en aprovechar al máximo las oportunidades que ella le estaba proporcionando para crear los vínculos personales de los que, en el fondo, dependían las relaciones diplomáticas. Cosa que no habría hecho con tanto ahínco de haber estado solo.

Los invitados ya habían dado cuenta de las últimas frambuesas y los criados estaban recogiendo la vajilla cuando sintió que le tocaban el brazo. Al girarse, se topó con los ojos oscuros de la condesa.

—Mi querido señor Anstruther-Wetherby, ¿me concede unos minutos de su tiempo?

La sonrisa de la dama era de lo más confiada, ya que no podía rechazarla. Con un gesto afable, replicó:

—Soy todo oídos, condesa.

—Qué frase más extraña. —Tras colgarse de su brazo, señaló dos sillas emplazadas a un lado del claro—. Venga, por favor, tengo que transmitirle algunos mensajes de mi marido y del duque, así que debo cumplir con mi deber.

Albergaba sus dudas acerca de la importancia de dichos mensajes, pero esa mención al deber parecía ser extrañamente sincera. ¿Qué estaba pasando?

A pesar de la curiosidad, fue muy consciente de que lo estaba alejando de Caro. Estaba a punto de incluirla en la conversación aun cuando la condesa hubiera dejado claro su preferencia por la privacidad, pero cuando miró a su alrededor, se dio cuenta de que Leponte estaba conversando con Kosminsky.

El polaco estaba soltando un apasionado discurso, de modo que al portugués le quedaba para rato.

Aliviado al verse libre de esa preocupación, se alejó sin rechistar y esperó a que la condesa se sentara para hacer lo mismo.

—Verá... —comenzó la dama con los ojos clavados en él.

Caro miró a Michael, que estaba inclinado hacia la condesa, relajado pero atento a lo que su interlocutora le contaba.

—¿Seguro que no quieres venir?

Miró a Edward, que desvió la vista hacia Ferdinand un instante antes de clavarla de nuevo en su rostro y enarcar las cejas.

—Esto... No. —Clavó la vista en el grupo de jóvenes que se alejaba por el sendero que conducía a un hermoso valle.

El calor era más intenso a esa hora y el aire estaba cargado con los aromas del bosque. Los invitados de más edad mostraban signos de estar a punto de echarse una siesta después del almuerzo, todos salvo el señor Kosminsky y Ferdinand, y también Michael y la condesa, que estaban enzarzados en sus respectivas conversaciones.

—Me... Me quedaré con lady Kleber.

—¿Estás segura? —No parecía extrañado por su estrategia.

—Sí, sí... —Gesticuló con las manos para que se alejara con Elizabeth y la señorita Kosminsky, que lo estaban esperando—. Ve y disfruta del paseo. Soy perfectamente capaz de lidiar con Ferdinand.

La última mirada de su secretario dejó bien claro que no estaba seguro de que pudiera hacerlo en ese entorno, pero a Edward jamás se le habría ocurrido discutir. Dio media vuelta y se reunió con las dos jóvenes que lo esperaban. El grupito no tardó en perderse de vista entre los árboles.

Se reunió con lady Kleber, la señora Kosminsky y la señora Verolstadt, aunque la conversación no tardó en ir apagándose hasta cesar por completo. Al cabo de unos minutos, un coro de suaves ronquidos inundaba el aire.

Las tres damas tenían los ojos cerrados y las cabezas echadas hacia atrás. Miró a su alrededor. La mayoría de los invitados también había sucumbido al sueño... Sólo Michael y la condesa, así como Kosminsky y Ferdinand, seguían despiertos.

Tenía dos alternativas: fingir que también se había quedado dormida y caer presa del primero de sus pretendientes que acudiera a despertarla como si fuera la Bella Durmiente (se apostaría sus mejor sarta de perlas a que sería así), o...

Se levantó en silencio, rodeó las sillas y continuó caminando con sigilo hasta que los árboles la ocultaron a la vista del claro.

Se salió con la suya. El paseo hasta el arroyo la ayudó a recobrar la cordura.

Se sentó en una roca plana calentada por el sol y contempló el arroyo con el ceño fruncido mientras concluía que había sido la idea de verse como la Bella Durmiente, atrapada y obligada a aceptar las atenciones de cualquier apuesto príncipe que depositara un beso en sus labios —una imagen que le recordaba demasiado a su situación real—, lo que la había instado a hacer lo que cualquier mujer habría hecho (incluso la Bella Durmiente, de haber tenido la oportunidad): salir corriendo.

El problema era que no podía correr mucho; además, existía el peligro de que alguno de sus dos príncipes... no, de sus dos perseguidores, fuera en su busca. Por si fuera poco, uno de ellos conocía ese bosque muchísimo mejor que ella misma.

Si se diera el caso de que pudiera elegir entre los dos, no sabría con cuál quedarse a solas. En ese entorno, sería muy difícil manejar a Ferdinand, tal y como Edward le había advertido. A pesar de todo, Ferdinand no tenía posibilidades de hacerle perder la cabeza y seducirla. Michael, sin embargo...

Sabía cuál de los dos era el más peligroso. Por desgracia, era con él con quien se sentía inmensamente segura.

Un rompecabezas, uno para el que no estaba preparada a pesar de su dilatada experiencia.

El distante crujido de una rama la alertó. Agudizó el oído y escuchó unas pisadas. Alguien se acercaba por el sendero que ella había tomado. Se apresuró a echar un vistazo a su alrededor. El mejor escondite lo proporcionaba un frondoso saúco que crecía delante de un vetusto abedul.

Se puso en pie y se alejó de la empinada orilla a la carrera. Al rodear el saúco, se percató de que éste no crecía pegado al tronco del enorme abedul, sino que formaba una especie de empalizada que ocultaba a quien estuviera bajo él de cualquiera que se acercara hacia el arroyo. El suelo ascendía más allá del abedul, lo que hacía posible que la vieran desde la parte más alta de la orilla, pero si se pegaba al tronco...

Se internó entre las ramas, se pegó al enorme abedul y echó un vistazo hacia el arroyo. Casi de inmediato apareció un hombre en la orilla. Lo único que veía a través de las hojas del saúco eran sus hombros y una mano. Nada que le indicara su identidad.

El hombre se detuvo, a todas luces buscando a su alrededor.

Se puso de puntillas y cambió de posición para verlo mejor. Justo en ese momento, el hombre se movió, y comprendió que estaba observando la orilla y la zona en la que ella se encontraba; el movimiento la ayudó a percatarse de que la chaqueta que llevaba era de color azul oscuro. Ferdinand. La chaqueta de Michael era marrón.

Contuvo el aliento y se quedó muy quieta, con la vista clavada en él. Jamás se había sentido así cuando jugaba al escondite de pequeña.

Durante largo rato reinó el silencio, agudizado por el bochorno de la tarde. Escuchó su propia respiración, el latido de su corazón... y, de repente, experimentó una poderosa sensación.

Sus sentidos se expandieron y supo que Michael estaba allí aunque todavía no lo hubiera visto. Llegó por detrás del tronco del abedul y se colocó a su lado. Supo quién era antes de que su mano la cogiera por la cintura. No la instó a pegarse a su cuerpo (sus pies no se movieron), pero de pronto se sintió rodeada por su presencia, por la vitalidad, el calor y la fuerza que irradiaba.

Aunque hasta ese momento había estado conteniendo la respiración de forma voluntaria, descubrió que le faltaba el aliento. Sintió un extraño calor que amenazó con dejarla sin sentido.

Levantó una mano y cubrió la que la aferraba por la cintura. Sintió que él le daba un apretón en respuesta antes de inclinar la cabeza y rozarle con los labios la sensible piel que tenía detrás de la oreja.

—Quédate quieta. —Su ronco susurro, teñido de una nota levemente jocosa, le provocó un escalofrío que contuvo a duras penas—. No nos ha visto.

Giró la cabeza y se recostó contra él con la intención de replicar un «Lo sé», pero sus ojos se encontraron en ese momento. Michael bajó la cabeza y sus bocas quedaron a escasos centímetros...

Estaban tan cerca que sus alientos se mezclaban. Por extraño que fuera, pareció de lo más sensato, de lo más lógico, que se movieran y se besaran a pesar de ser plenamente conscientes de que Ferdinand Leponte la estaba buscando a escasos metros de distancia.

Ese hecho hizo que el beso fuera muy tierno, apenas un roce en los labios, ya que ambos querían agudizar el oído.

A la postre escucharon lo que habían estado esperando: un sofocado juramento en portugués, seguido de los pasos de Ferdinand mientras se alejaba.

Michael notó que Caro se relajaba, aliviada. La tensión la abandonó y bajó la guardia. Antes de que pudiera recuperar el sentido y apartarse, aprovechó la oportunidad para darle la vuelta, aprisionarla entre sus brazos y saborear la dulce miel de su boca.

La reclamó, la degustó y la sedujo... Y ella lo siguió sin rechistar. Siguió sus directrices, encantada al parecer de besarlo y, al mismo tiempo, de permitir que el vínculo íntimo que iba naciendo entre ellos con cada encuentro se fuera afianzando. Porque ese vínculo era un reflejo del creciente deseo que sentía y que, de eso estaba seguro, también sentía Caro.

Y estaba convencido de ello a pesar de lo difícil que era interpretar sus reacciones. Unas reacciones que ella estaba empecinada en negar.

Al recordar ese detalle, al recordar el verdadero motivo por el que había ido en su busca, y al aceptar que sería preferible disfrutar de un poco más de intimidad, dio por terminado el beso a regañadientes.

Levantó la cabeza y la miró a la cara. Observó las emociones que se reflejaban en las profundidades de sus ojos mientras parpadeaba e intentaba recobrar el uso de la razón.

Cuando lo consiguió, lo fulminó con la mirada, se enderezó entre sus brazos y se apartó de él.

Se lo permitió mientras se esforzaba por contener una sonrisa; pero, agarrándola por la mano, le impidió que se marchara.

Caro miró su mano con el ceño fruncido antes de volver a mirarlo a la cara con expresión asesina.

—Debería regresar al claro.

—Leponte anda al acecho por aquí cerca... ¿Estás segura de que quieres arriesgarte a encontrártelo por ahí... a solas, bajo los árboles...?

Cualquier duda que le quedase acerca de la opinión de Caro sobre el portugués (cualquier inclinación por su parte a considerarlo un rival) se evaporó al ver la contrariedad que asomó a su mirada y al comprender el motivo de su indecisión. Sus miradas siguieron entrelazadas mientras su semblante pasaba del altivo desdén a la exasperación.

Antes de que ella pudiera decidir qué hacer a continuación, le dijo:

—Iba de camino al estanque para comprobar que el arroyo sigue corriendo. Podrías acompañarme...

La vio titubear mientras sopesaba qué sería más peligroso, acompañarlo o arriesgarse a un encuentro fortuito con Leponte. Como no estaba dispuesto a prometer algo que no tenía intención alguna de cumplir, mantuvo silencio y esperó.

—De acuerdo —accedió a la postre con un mohín.

Asintió con la cabeza y se giró para que no pudiera ver su sonrisa. Abandonaron la protección del saúco tomados de la mano y echaron a andar, siguiendo el curso del arroyo.

—¿No dijiste que ya habíais despejado el arroyo? —le preguntó ella con una mirada recelosa.

—Así es, pero ya que estoy aquí —contestó, mirándola a la cara— sin nada mejor que hacer, se me ocurrió que podría asegurarme de que hemos resuelto el problema de una vez por todas.

Siguió caminando, internándose con ella en la espesura del bosque.

El estanque era muy conocido por los lugareños, pero como estaba en el corazón de los bosques de Eyeworth, dentro de los límites de su propiedad, muy pocos desconocidos sabían de su existencia. Estaba en un estrecho valle, rodeado de densa vegetación, y no había sendas abiertas ni veredas que facilitaran el acceso.

Llegaron al borde del estanque después de caminar entre la maleza durante diez minutos. Alimentado por el arroyo, el estanque era lo bastante profundo como para que su superficie pareciera clara y cristalina. El agua atraía a numerosos animales, grandes y pequeños, al amanecer y al atardecer. Todo parecía dormitar bajo el calor del mediodía, aunque era menos intenso en lo profundo del bosque. Ellos eran las únicas criaturas despiertas, las únicas que se movían.

Echaron un vistazo a su alrededor, absorbiendo la belleza que los rodeaba. Acto seguido y sin soltarla de la mano, rodeó el estanque hasta el lugar donde el arroyo proseguía su curso.

El agua borboteaba alegremente y el sonido era una agradable melodía que se fundía con el silencio del bosque.

Se detuvo junto a la boca del arroyo y señaló un lugar situado a unos diez metros de distancia.

—Había un tronco allí. Posiblemente se cayó durante el invierno. Las hojas y ramas se habían acumulado hasta formar un dique. Sacamos el tronco y limpiamos cuanto pudimos con la esperanza de que el agua hiciera el resto.

—Parece que así ha sido —replicó ella, contemplando la corriente.

Asintió con la cabeza, le cogió la mano con más fuerza y se apartó de la orilla. La obligó a acompañarlo. Sin previo aviso, la soltó, le rodeó la cintura con las manos y la alzó. Tras darle media vuelta para mirarla a la cara, la dejó en el suelo, con la espalda contra el tronco de un enorme roble, inclinó la cabeza y la besó.

A conciencia.

Percibió su jadeo de sorpresa (sabía que Caro intentaba aferrarse a la indignación) y experimentó un ramalazo de complacencia muy masculina al ver cómo fracasaba estrepitosamente. Al ver que, a pesar de su evidente intento por resistirse, su lengua lo aceptaba y, en cuestión de segundos, sus labios se fundían de forma casi audaz para ella, con ese atisbo de pasión que parecía formar parte de su naturaleza. Y no sólo lo aceptó, sino que también parecía decidida a probar mucho más.

El resultado fue un beso, o más bien una apasionada sucesión de ellos, que para su absoluta sorpresa dieron lugar a un juego sensual desconocido para él hasta ese momento. Tardó un instante en comprender qué había cambiado, ya que lograr que su mente funcionara aunque sólo fuera un poco le supuso un gran esfuerzo.

Tal vez Caro no tuviera mucha experiencia besando y creyera, erróneamente, que no sabía cómo hacerlo. Había esperado que, una vez que la sedujera hasta llegar a ese punto, estuviera ansiosa por aprender... Y, de hecho, lo estaba. Lo que no había esperado era su actitud, la forma en la que encaraba el aprendizaje; claro que, inmerso en la situación, recibiendo las caricias de esos labios y esa lengua, no tuvo más remedio que reconocer que esa actitud era, sin lugar a dudas, muy típica de ella.

Comenzaba a darse cuenta de que Caro jamás se mostraría sumisa. Si accedía a hacer algo, seguía adelante, decidida y segura. Si no, se resistiría con uñas y dientes. Sin medias tintas.

En cambio, mostrarse sumisa y aceptar algo sin comprometerse era algo impensable para ella

Obligada a enfrentarse a la situación, era evidente que había decidido aceptar su oferta de enseñarla a besar. Ciertamente, parecía decidida a que le enseñara muchas más cosas. La respuesta de sus labios era cada vez más exigente. Más dominante. Se enfrentaba a él de igual a igual, sin retroceder.

A tenor del éxito que estaba cosechando a la hora de atraparlo en su hechizo, además de la reacción física que despertaba en él, estaba claro que no necesitaba más lecciones.

De repente, se apartó de ella y separó sus labios, consciente del deseo que lo embargaba. Consciente de que ya le corría por las venas. Alzó la cabeza un par de centímetros y esperó a que Caro abriera los ojos para leer la expresión en esas profundidades plateadas.

Necesitaba saber si estaba interpretando bien sus reacciones y ella también estaba atrapada por el momento. Y lo que vio... Al principio fue sorprendente y, poco a poco, de lo más gratificante. En esos hermosos ojos brillaba el asombro, la estupefacción. Tenía los labios hinchados y enrojecidos. Su expresión se tornó pensativa, meditabunda, aunque percibía que estaba encantada.

En ese momento carraspeó y lo miró a los labios antes de alzar la vista con el ceño fruncido. Intentó apartarse, pero el tronco que tenía detrás se lo impidió.

—Yo...

Inclinó la cabeza y la interrumpió. Se pegó más a ella y, muy despacio, la aprisionó contra el árbol. Sintió que le clavaba los dedos en los hombros, aunque no tardó en relajarlos.

Había estado a punto de protestar, a punto de decir que debían poner fin a la situación para volver con los demás. Porque se creía obligada a decirlo, aunque distara mucho de ser lo que quisiera.

Estaba seguro de que la mayoría de sus aspirantes a seductores no se habían dado cuenta de ese hecho. Caro se atenía a las normas sociales; aunque era una experta en amoldarlas para alcanzar sus propósitos, se regía por ellas. Había estado casada durante nueve años, de modo que rechazar las aventuras se habría convertido en un hábito. Su reacción a esas alturas era, sin duda, instintiva. Tal y como acababa de demostrar, la única manera de traspasar sus defensas era hacer caso omiso de ellas, y de las normas, por completo.

Actuar sin más... y darle a ella la oportunidad de reaccionar. Si hubiera deseado parar de verdad, se habría debatido, se habría resistido. Sin embargo, se pegó más a su cuerpo y le echó los brazos al cuello cuando él profundizó el beso al tiempo que apoyaba un hombro en el tronco.

Decidida a hacer caso omiso de la vocecilla de su conciencia que se empeñaba en decirle que aquello estaba mal, Caro se aferró a Michael, aceptó su beso y se lo devolvió con audacia... Su conciencia no sólo le decía que estaba mal, sino que, además, era una peligrosa estupidez. En ese preciso momento, flotando en las aguas de una euforia totalmente desconocida y que jamás había soñado conocer, le daba igual.

Michael deseaba besarla de verdad. No una vez, ni dos, sino muchas veces. Más aún, parecía... desconocer la naturaleza de la creciente compulsión que lo motivaba. La única palabra que se le ocurría era «avidez».

Avidez por saborearla, por saborear sus labios y su boca, por reclamar y disfrutar de cuanto ella le permitiera. Porque él era capaz de seducirla para que se lo permitiera y, sin embargo, el mayor afrodisíaco para ella era el evidente deseo que él demostraba. Menos mal que Michael lo ignoraba, porque no tenía pensado decírselo.

Las caricias de sus labios, despiadados y exigentes, los movimientos de su lengua mientras la saboreaba a placer y la instaba a hacer lo mismo, ya no era una lección sino una compulsión. Un placer sensual que ya podía disfrutar sin tapujos, confiada y segura.

La idea de besar, al menos de besar a Michael, ya no le provocaba un pánico atroz, más bien...

Enterró los dedos en su abundante cabello y le inmovilizó la cabeza para darle un beso mucho más satisfactorio. Se sentía invadida por un extraño calor. Dejó que se incrementara, que la consumiera... y que lo consumiera a él.

La reacción de Michael no se hizo esperar. Fue un asalto voraz que resultó de lo más satisfactorio. Salió a su encuentro y lo animó a seguir... Y sintió que una deliciosa tensión se apoderaba de su cuerpo cuando le hundió la lengua en la boca.

De hecho, el calor parecía seguir aumentando. Se extendía bajo su piel como si fueran llamaradas. Sintió los pezones endurecidos y, aunque el roce del torso de Michael la calmaba en cierta forma, no era suficiente.

De pronto, la situación tomó un cariz más incendiario cuando él le dio un beso abrasador. Un beso que logró que le diera un vuelco el corazón y le provocó una palpitante sensación en algunas partes de su cuerpo que jamás habría pensado que podrían reaccionar así.

Como los pechos. En ese momento, Michael se apartó.

Hizo ademán de protestar, pero... Una de las manos que la agarraba por la cintura comenzó a subir poco a poco hasta detenerse sobre un pecho.

La protesta murió en sus labios. La desechó. Sintió una punzada de pánico...

Michael le acarició el pecho con la palma de la mano y, de repente, la razón la abandonó. El palpitante dolor que la atormentaba se alivió antes de regresar de nuevo.

Las caricias de Michael lo aliviaban.

Sufrió un instante de indecisión, pero después las llamas de la pasión la rodearon y comenzó a devolverle los besos con abandono, haciendo que sus dedos la acariciaran con más fuerza.

El pánico dejó paso a una marea de sensaciones tras la cual se escondía una profunda curiosidad. Había conseguido enseñarla a besar. Tal vez... Bueno, tal vez pudiera enseñarle más...

Michael supo el momento exacto en el que Caro capituló. Y no experimentó alegría, sólo una gratitud enorme. Necesitaba el contacto tanto como ella. Cierto que ella llevaba años sin saciar su deseo, pero el suyo era, al menos en ese instante, mucho más acuciante.

Algo que, se prometió, cambiaría. Tenía muy claro lo que quería de ella, pero todavía no podía. De momento...

Siguió besándola y distrayéndola para aumentar la intimidad del encuentro. El instinto lo apremiaba a abrirle el corpiño, a saborear su delicada piel y, sin embargo, estaban en mitad del bosque y tendrían que regresar con los demás en breve.

Ese último pensamiento lo ayudó a disminuir poco a poco la intensidad del beso hasta que, sin asustarla, pudo levantar la cabeza y observar su rostro sin dejar de acariciarle el pecho. Necesitaba averiguar lo que pensaba, lo que sentía, a fin de descubrir en qué punto debía retomar la lección en el futuro.

Cuando lograra llevársela de nuevo a un lugar apartado para abrazarla.

Atento a sus reacciones, la vio abrir los ojos. Sus iris plateados brillaban como la plata bruñida. Ninguno de los dos respiraba con normalidad. Acababan de dar el primer paso hacia la intimidad, había logrado que ella accediera a explorar hasta dónde podría llevarlos. Sus miradas se entrelazaron y sellaron el pacto.

Caro inspiró hondo y dejó que sus manos se deslizaran por el cuello y los hombros de Michael. Entretanto, bajó la vista... y observó con atención esa mano de largos y hábiles dedos que le acariciaba el pecho. Esos dedos que describían círculos alrededor de un endurecido pezón despertaban una miríada de sensaciones en su interior, tensando sus nervios hasta un punto insoportable. Su delicado vestido de gasa no representaba barrera alguna. Vio cómo cerraba los dedos en torno al pezón y lo pellizcaba.

Soltó un jadeo, cerró los ojos y echó la cabeza hacia atrás, aunque se obligó a enderezarla para mirarlo a la cara. Para contemplar ese apuesto rostro de rasgos afilados y austeros. Habría fruncido el ceño de haber podido, pero como le resultó imposible, se conformó con un semblante deliberadamente sereno.

—No te he dado permiso para que hicieras... esto.

La mano de Michael volvió a cubrirle el pecho.

—Tampoco me lo has prohibido...

A la postre consiguió fruncir el ceño y lo miró con los ojos entrecerrados.

—¿Me estás diciendo que ya no puedo confiar en ti?

Su rostro se tensó, al igual que su mirada, aunque siguió acariciándola con languidez. La observó un instante antes de replicar:

—Puedes confiar en mí... Siempre. Te lo prometo. Y no sólo eso. —Su mirada se tornó más intensa al tiempo que le daba un apretón más decidido en el pecho—. Te prometo que no voy a comportarme como tú esperas. —Bajó la vista hasta dejarla clavada en sus labios e inclinó la cabeza—. Sino como tú quieres. Como te mereces.

Habría protestado si no la hubiera besado. Y aunque en esa ocasión no hubo una pasión devoradora, el beso resultó mucho más satisfactorio. Además, hasta cierto punto la ayudó a calmar su conciencia desde el punto de vista social, ya que comprendió que no había razón alguna para rechazar lo que había sucedido entre ellos, dos personas adultas al fin y al cabo.

A pesar de su comportamiento dominante y despótico no se sentía abrumada. Sabía a ciencia cierta que jamás le haría daño, que si se resistía, la soltaría... Sin embargo, tanto sus promesas como sus acciones insinuaban que no estaba dispuesto a que le parara los pies basándose estrictamente en las convenciones sociales.

Si quería rechazarlo, tendría que convencerlo de que no estaba de acuerdo con sus planes. Muy sencillo, salvo porque...

La cabeza le daba vueltas de una manera muy agradable, el sentido común parecía haberla abandonado y sentía un agradable calor allí donde su mano la acariciaba.

De repente, Michael puso fin al beso y, tras levantar la cabeza, clavó la vista al otro lado del árbol. Caro giró la cabeza para mirar en la misma dirección, pero el tronco del árbol le obstaculizaba la visión.

Salvo los dedos que la acariciaban, el resto de su cuerpo parecía petrificado. Inspiró hondo y estaba a punto de preguntarle qué sucedía cuando él le lanzó una mirada de advertencia.

Acto seguido, con sigilo y agilidad, apoyó la espalda contra el tronco, la atrapó por la cintura, y rodeó el árbol con ella atrapada entre los brazos, de espaldas a él. Se detuvo cuando llegaron al otro lado del árbol, protegiéndola con su cuerpo del inesperado peligro.

Cuando echó un vistazo por encima del hombro, vio que él estaba mirando hacia el estanque sin separarse demasiado del tronco. Después inclinó la cabeza para poder susurrarle al oído.

—Ferdinand. Quédate quieta. No sabe que estamos aquí.

Parpadeó por la sorpresa. Sintió que Michael se enderezaba y supo que estaba vigilando. Sin embargo... Aunque estuviera pendiente de otros asuntos, sus dedos seguían acariciándola. Sentía la piel enfebrecida, los pezones endurecidos y los nervios a flor de piel.

La situación empeoró porque con aparente despreocupación, alzó la otra mano y se dispuso a hacer lo mismo con el otro pecho.

Tal y como descubrió, era muy difícil pensar.

Más aún protestar...

Pasaron varios minutos de tensión antes de que Michael se relajara. Inclinó la cabeza y susurró:

—Se marcha.

Pasó por alto la obstinación que parecía haberse apoderado de sus dedos y se asomó para ver cómo Ferdinand se adentraba en el bosque por un sendero que partía desde la otra orilla del estanque.

Michael también lo siguió con la mirada. Una vez que desapareció, la miró a los ojos, le dio un último apretón a sus pechos y deslizó las manos por sus costados antes de soltarla.

Cosa que la ayudó a respirar un poco mejor.

Michael estudió la expresión que asomaba a los ojos de Caro, inclinó la cabeza y la besó... por última vez. Era el final de su interludio y la promesa de que habría un siguiente.

—Será mejor que volvamos —le dijo, después de levantar la cabeza.

—Desde luego —convino ella.

Rodearon el estanque. Cuando llegaron al sendero que conducía de vuelta al claro, Caro se detuvo para inspeccionar el camino por el que Ferdinand había desaparecido.

—Va en la dirección equivocada.

—Ya es mayorcito —replicó con los dientes apretados.

—Sí, pero... —protestó ella, con la vista clavada en el sendero—. Ya sabes lo fácil que resulta perderse por aquí. Y si se pierde, todos tendremos que demorarnos para buscarlo.

Tenía razón. Suspiró al tiempo que señalaba el sendero de la discordia.

—Vamos, no puede estar muy lejos.

Caro le regaló una sonrisilla a cambio de su capitulación y abrió la marcha. A unos cincuenta metros, el sendero comenzaba a descender por una ladera plagada de raíces. Llegados a ese punto, la adelantó y le dio la mano para asegurarse de que no tropezaba.

Tan pendientes estaban del lugar donde ponían los pies que ni siquiera hablaban, por lo que no tardaron en escuchar voces a lo lejos. Se detuvieron y miraron al frente. Ambos sabían que un poco más adelante, a un lado del sendero, había un pequeño claro.

La miró y se llevó un dedo a los labios. Con el ceño fruncido, Caro asintió con la cabeza. Ésas eran sus tierras, pero no estaban valladas. Jamás había prohibido su uso a los lugareños. Sin embargo, los dos habían advertido la nota subrepticia de las voces. No parecía sensato interrumpir una situación en la que tal vez no fueran bien recibidos. Sobre todo con Caro. Había al menos dos hombres, quizá más.

Por suerte, era fácil salirse del estrecho sendero y continuar entre los árboles. La maleza los ocultaría. Tras andar un poco, llegaron a un lugar desde el que podían ver el claro a través de un enorme arbusto.

Leponte estaba hablando con dos hombres. Dos tipos delgados, más bien canijos, que vestían ropas raídas. Estaba claro que no eran amigos del portugués. Aunque, a juzgar por la conversación, parecían trabajar para él.

Habían llegado demasiado tarde, de modo que sólo alcanzaron a escuchar la parte en la que los dos tipejos le aseguraban que se encargarían del trabajo para el que les había pagado, y la brusca y aristocrática despedida de Leponte. Una vez despachados, dio media vuelta y salió del claro.

Siguieron observándolo en silencio y sin moverse mientras regresaba al estanque.

Caro le dio un tironcito de la manga. Cuando giró la cabeza vio que los dos desconocidos desaparecían por otro sendero, uno que conducía al camino principal. Ella abrió la boca para decir algo, pero le indicó con un gesto que guardara silencio. Esperó unos instantes y cuando estuvo convencido de que Leponte se encontraba lo bastante lejos para poder escucharlos, bajó la mano y la miró a los ojos.

—¿Qué puñetas significa esto?

—Buena pregunta. —La cogió del brazo y la llevó de vuelta al sendero.

—Al principio creí que podrían ser los hombres que atacaron a la señorita Trice, pero no se me ocurre qué tendría que ver Ferdinand con ellos. Además, ¿no eran demasiado delgados?

Asintió con la cabeza. Habían estado casi a la misma distancia de los hombres que atacaron a la señorita Trice. Los dos tipos del claro eran demasiado bajos. Cuando se lo dijo a Caro, ésta le dio la razón.

Caminaron en silencio y con rapidez unos minutos antes de que Caro volviera a hablar.

—Si Ferdinand quisiera contratar a unos hombres, ¿qué necesidad tiene de encontrarse con ellos con tanto... secretismo? Y, además, ¿por qué en este lugar? Estamos a kilómetros de Leadbetter Hall.

Eran las mismas preguntas que él se estaba haciendo.

—No tengo la menor idea.

El claro donde habían almorzado apareció ante ellos. Escucharon voces. Los jóvenes habían regresado de su excursión y los mayores habían despertado de su siesta. Se detuvo un momento y después se alejó en busca de la relativa intimidad de un enorme arbusto. Caro lo miró sorprendida cuando tiró de ella para que lo siguiera.

—Creo que podemos decir sin lugar a dudas que Leponte está tramando algo —le dijo, mirándola a los ojos—, tal vez algo de lo que los duques, al menos, no estén al tanto o no aprueben.

—Pero, ¿el qué? —le preguntó ella.

—Hasta que averigüemos más, tendremos que mantener los ojos abiertos y no bajar la guardia. —Inclinó la cabeza y la besó... Un último beso.

Su intención había sido la de recordarle lo que habían compartido, la de revivir los recuerdos un instante. Por desgracia, la respuesta de Caro le provocó el mismo efecto y acabó con una incómoda erección.

Contuvo un juramento y levantó la cabeza para mirarla a los ojos.

—Recuerda, mantén los ojos abiertos en lo referente a Leponte.

Caro observó con detenimiento sus ojos y su rostro antes de esbozar una sonrisa tranquilizadora y darle unas palmaditas en el hombro.

—Por supuesto.

Con esas palabras, regresó al sendero y abrió la marcha hacia el claro, contoneando las caderas. Maldijo para sus adentros mientras se la comía con los ojos y la seguía con toda la despreocupación que fue capaz de fingir.

9

Michael no tenía muy claro si debía compartir sus sospechas sobre Ferdinand con Geoffrey o no. Pasó la noche en vela, aunque debía admitir que dicho dilema no fue la principal causa de su desvelo. Estaba desayunando cuando le entregaron una nota de Geoffrey en la que lo invitaba a cenar con su familia esa noche. A todas luces, era una señal divina.

Cabalgó hasta Bramshaw House mientras el sol desaparecía tras las copas de los árboles y el día daba paso a un agradable crepúsculo. Aparte de todo lo demás, cuando Caro y él regresaron al claro, Ferdinand estaba interrogando a Edward. Quería saber el motivo de la curiosidad de Leponte. Estaba seguro de que ella habría interrogado a su secretario al respecto.

Una vez que llegó a la propiedad, fue directo a los establos. Dejó a *Atlas* en manos de los mozos de cuadra y entró en la mansión. Geoffrey estaba en su despacho.

En la planta alta, Caro estaba frente al tocador, ahuecándose el cabello de forma distraída. Ya estaba vestida y peinada, aunque la velada no precisaba que se arreglara demasiado, ya que sólo estaría la familia. El vestido de seda dorada que llevaba era uno de sus favoritos, aunque tuviera unos cuantos años. Se lo había puesto porque la relajaba. La tranquilizaba y la hacía sentirse segura.

Llevaba veinticuatro horas... distraída.

Michael la había sorprendido. En primer lugar porque había deseado besarla... en repetidas ocasiones. Y en segundo porque ese deseo había aumentado sobremanera. Por si fuera poco, comenzaba a sospechar que tal vez se convirtiera en algo más; que tal vez acabara siendo «deseo» en el sentido más amplio de la palabra.

El deseo era una especie de anhelo, ¿no? La idea de que fuera ese sentimiento lo que había percibido en él mientras se besaban de forma tan apasionada era una idea demasiado sorprendente y reveladora como para pasarla por alto.

¿Sería posible? ¿La deseaba en ese sentido, sin ambages y sin subterfugios?

Parte de ella resoplaba con desdén y desechaba la idea como fruto de su fantasía. Sin embargo, otra parte de sí misma, una parte mucho más vulnerable, deseaba con desesperación que fuera cierto. Encontrarse en semejante dilema ya era una novedad de por sí.

No obstante, había una cosa muy clara. Después del interludio del estanque, estaba en una disyuntiva. ¿Seguía adelante o se detenía? ¿Le decía que sí o que no? Si Michael quería más, ¿debía ella aceptar? ¿Sería capaz de hacerlo?

Semejante decisión debería haber sido fácil para una mujer de veintiocho años, viuda de un diplomático mucho mayor que ella y que no había vuelto a casarse. Por desgracia, en su caso había complicaciones, graves complicaciones, aunque por primera vez en su vida no estaba convencida de que fuese acertado rechazar sin más la oportunidad que tal vez representara Michael.

Semejante incertidumbre le resultaba desconocida. Y era la causante de que estuviera distraída.

A lo largo de la última década, prácticamente desde que se casó, innumerables caballeros le habían hecho proposiciones para que se embarcase en aventuras amorosas. Sin embargo, ésa era la primera vez que se sentía tentada. En las anteriores ocasiones... jamás la habían convencido de que el deseo que sentían por ella fuese más real que el de Camden, de que no los impulsara un motivo mucho más mundano como el aburrimiento o la simple emoción del coqueteo o, incluso, consideraciones políticas. Ninguno de esos caballeros la había besado de verdad. No como la había besado Michael.

Claro que si se paraba a pensarlo... Michael no le había pedido permiso en ningún momento. Si lo había entendido bien, a menos que ella se negara explícitamente, iba a interpretar su silencio como un «sí». Y de momento ese enfoque había funcionado para los dos. A pesar de sus reservas, Michael no había hecho nada ni la había obligado a hacer nada de lo que pudiera arrepentirse. Muy al contrario. Lo que habían hecho la instaba a considerar la idea de hacer mucho más.

¿Hasta dónde llegaría él antes de perder el interés? No tenía ni idea y, sin embargo, si la deseaba de verdad... ¿acaso no se merecía descubrirlo?

El sonido del gong reverberó por toda la casa, convocándolos al salón. Con una última mirada a su recogido, que de momento se dignaba a permanecer tal y como ella quería, se puso en pie y se encaminó hacia la puerta. Ya retomaría sus cavilaciones más tarde. No le cabía la menor duda de que sería muy acertado llegar a una conclusión sobre su futura relación con Michael antes de que éste se las arreglara de nuevo para que se quedaran a solas.

Michael escuchó el gong y abandonó su bienintencionado aunque infructuoso intento de poner sobre aviso a Geoffrey sobre el peligro potencial que suponía Ferdinand Leponte. Claro que la culpa había sido suya, no de su interlocutor, porque carecía de pruebas fehacientes que aguijonearan el adormilado instinto del hombre.

Aunque había sido el diputado local durante diez años, Geoffrey jamás se había topado con la cara más siniestra de la política. El hombre apenas se había limitado a alzar las cejas ante la descripción del ávido interés que el portugués parecía sentir por la vida personal de Camden Sutcliffe.

—Qué extraño —había dicho antes de tomar un sorbo de jerez y añadir—: tal vez George debiera acompañarlo en un recorrido por Sutcliffe Hall.

Después de eso, ni siquiera se había molestado en narrarle el encuentro de Leponte en el bosque con los dos desconocidos. Geoffrey era capaz de sugerir que se trataban de dos corredores de apuestas procedentes de Southampton. Cosa que, aunque bien podía ser cierta, no terminaba de creerse. A Leponte se le había metido algo entre ceja y ceja, si bien no tenía nada que ver con el jamelgo que ganara el derbi.

Resignado a su destino, encauzó la conversación hacia una serie de asuntos locales, cuya naturaleza no era alarmante en absoluto.

—Ah, ya sonó el gong —dijo Geoffrey, poniéndose en pie.

Imitó a su predecesor y juntos enfilaron el pasillo que llevaba al vestíbulo principal y al salón.

Caro ya estaba allí con Edward y Elizabeth. Iba ataviada con un vestido de color oro viejo. Se encontraba en mitad de la estancia, frente al diván que ocupaba su sobrina, y se giró al escucharlos llegar.

Su mirada se posó en primer lugar sobre Geoffrey y después sobre él... apenas un instante, porque parpadeó y volvió a mirar a su hermano. Aparte del parpadeo, ni su rostro ni su comportamiento evidenciaron sorpresa alguna.

Geoffrey la delató.

—¡Caray! Lo siento, Caro. Se me olvidó comentarte que había invitado a Michael a cenar esta noche con nosotros.

Ella sonrió con gesto confiado y seguro.

—Una idea estupenda. —Se adelantó para ofrecerle la mano. Le echó un vistazo a su hermano mientras preguntaba—: ¿Y la señora Judson...?

—A ella sí la he avisado.

Geoffrey se alejó para charlar con Edward y ella observó su marcha con los ojos entrecerrados. Su sonrisa adquirió un tinte misterioso.

Cuando se llevó su mano a los labios para besarla, tuvo la satisfacción de ver cómo volvía a prestarle atención de inmediato.

—Supongo que mi presencia no te incomoda, ¿verdad?

Caro lo miró a los ojos.

—Por supuesto que no.

Aunque sí le habría gustado disponer de un poco más de tiempo para tomar una decisión antes de que volvieran a encontrarse. De todos modos, estaba claro que ya no era posible. Tendría que apañárselas... Después de todo, siempre había sido muy buena en eso.

No se demoraron mucho en el salón. Se entretuvieron con una conversación sobre los preparativos de la fiesta parroquial, y aún estaban discutiendo si era acertado o no el concurso de tiro con arco propuesto por Muriel cuando ocuparon sus asientos a la mesa.

La cena transcurrió sin contratiempos. La señora Judson se superó, como siempre que ella estaba en casa. Entendía perfectamente a la mujer, ya que durante el resto del año sólo cocinaba para Geoffrey, cuyos gustos eran frugales en exceso.

Esa noche, la comida fue excepcional; la conversación, relajada y agradable. Michael charlaba con facilidad con todos ellos. Tanto para ella como para Geoffrey, era fácil tratarlo como si fuera un miembro de la familia.

Puesto que había sido su hermano quien lo invitara a cenar, le resultó extraño que los tres hombres rechazaran el oporto y decidieran acompañarlas al salón. Geoffrey sugirió que Elizabeth tocara alguna pieza al piano y ésta obedeció sin rechistar.

Ella también interpretó alguna que otra, pero se contuvo a sabiendas de que a su hermano le gustaba escuchar a Elizabeth; eso por no hablar de Edward, quien de ese modo podía ponerse a su lado para pasarle las páginas de la partitura... El único problema era que eso la dejaba a solas con Michael, y con el deber de asegurarse de que no se aburriera.

Lo miró de reojo y descubrió que la estaba observando. Con una sonrisa elocuente, él le ofreció el brazo mientras le decía:

—Vamos a pasear. Estaba deseando preguntarte qué quería sonsacarle Leponte a Edward.

El comentario le recordó lo distraída que estaba. Había olvidado por completo el extraño comportamiento de Ferdinand.

Mientras entrelazaba su brazo con el de Michael y dejaba que él la condujera hasta el extremo más alejado de la enorme estancia, hizo recuento de los hechos. Con los ojos clavados en el suelo, comenzó a hablar en voz baja mientras Elizabeth tocaba una alegre tonada.

—Quería saber un sinfín de detalles extraños, pero Edward afirma que sobre todo estaba muy interesado en descubrir si Camden había dejado documentos personales. Diarios, cartas, notas... ese tipo de cosas.

—¿Ha dejado algo de eso?

—Por supuesto. —Lo miró de soslayo—. ¿De verdad crees que un embajador de la talla de Camden no llevaría un registro detallado de sus asuntos?

—Cómo no. Pero, ¿cuál es el interés de Leponte?

—Edward está convencido de que estaba buscando el modo de sonsacarle el paradero de dichos documentos.

—Debo suponer que no lo consiguió...

—Por supuesto. —Se detuvo frente a las puertas francesas que daban a la terraza, abiertas para dejar pasar la brisa nocturna. Le quitó la mano del brazo y se giró para enfrentarlo—. Edward goza de mi total confianza. No le dijo nada relevante a Ferdinand.

Michael frunció el ceño.

—¿Qué más le preguntó? Específicamente.

Ella enarcó las cejas y recordó las palabras que Edward había pronunciado con voz seria.

—Le preguntó si le sería posible consultar los documentos privados de Camden —respondió al tiempo que enfrentaba su mirada—. Para ampliar sus conocimientos sobre la carrera de mi marido, claro.

Él apretó los labios.

—Claro.

—No lo crees, ¿verdad? —le preguntó, estudiando sus ojos azules.

—No. Y tú tampoco.

—Ferdinand conocía a Camden desde hace años... y ahora, de repente, muestra este inusitado interés —replicó, con un mohín al tiempo que se giraba para clavar la vista en el exterior.

Él le preguntó instantes después:

—¿Dónde están los documentos privados de Camden?

—En la residencia de Londres.

—¿Está cerrada?

Ella asintió y lo miró a los ojos.

—Pero no están desperdigados por su despacho ni en ningún otro lugar al que se acceda sin más, así que...

Michael entrecerró los ojos y miró hacia el otro extremo del salón.

Ella siguió la dirección de su mirada, aunque para ello tuvo que girar un poco el cuerpo. Geoffrey tenía los ojos cerrados... y parecía estar dormido. Elizabeth y Edward sólo tenían ojos el uno para el otro.

Los dedos de Michael se cerraron alrededor de su codo. Antes de que pudiera reaccionar, la sacó a la terraza.

—No estarás pensando darle a Leponte acceso a esos documentos, ¿verdad?

Lo miró mientras parpadeaba varias veces.

—No, por supuesto que no. Bueno... —Miró al frente y dejó que fuera él quien la tomara del brazo mientras comenzaban a pasear por la amplia terraza—. Al menos no hasta que sepa exactamente qué es lo que está buscando y, lo que es más importante aún, por qué.

Michael observó su rostro, vio la determinación que encerraban sus palabras y se quedó satisfecho. Estaba claro que desconfiaba del portugués.

—Tú mejor que nadie deberías intuir lo que anda buscando. ¿No se te ocurre nada?

—Nunca he leído los diarios de Camden. No creo que nadie lo haya hecho. En cuanto a los demás documentos privados, ¿quién sabe? —Se encogió de hombros y clavó los ojos en el suelo mientras descendían los escalones que llevaban al prado. Distraída como estaba por sus palabras, ni siquiera se había dado cuenta de la dirección que habían tomado.

Claro que, ¿sería posible que Caro pasara algo por alto?

Era una pregunta desconcertante, pero no quería presionarla en ese momento con la necesidad de responderla. Si estaba dispuesta a seguir sus pasos, no iba a cometer la estupidez de ponerle obstáculos en el camino.

—Sea lo que sea, estoy segura de que es del todo irrelevante en el ámbito diplomático. —Lo miró de reojo a la mortecina luz del crepúsculo—. El ministerio sometió a Edward a un exhaustivo interrogatorio en cuanto regresamos a Inglaterra y eso sin contar con las numerosas conversaciones que mantuvimos, tanto Edward como yo, con Gillingham, el sucesor de Camden. Pasamos las últimas semanas en Lisboa poniéndolo al día de todo lo que debía saber. Si hubiera surgido algo desde entonces, estoy segura de que él, o el Ministerio de Asuntos Exteriores, se habría puesto en contacto con Edward.

—Es difícil adivinar qué puede estar buscando, dado que Camden lleva dos años muerto y enterrado —replicó él, asintiendo con la cabeza.

—Cierto.

Su voz sonó un tanto desconcertada. Cuando la miró, comprendió que había adivinado por fin adónde la llevaba.

Caro tenía la vista clavada en el mirador; tras éste, se extendía la oscura superficie del lago, cuyas aguas se ondulaban y rompían en la orilla por efecto de la ligera brisa. Las nubes cruzaban el cielo del crepúsculo con rapidez, oscureciendo aún más el paisaje. Estallaría una tormenta antes del amanecer. Aún estaba lejos, pero ya se percibía con claridad su presencia en la fuerza de la brisa, un aviso de la inestabilidad que se avecinaba.

La sensación era enervante. Crispaba los nervios.

Agudizaba los sentidos.

El mirador se alzó frente a ellos, ocultando el lago.

—¿Crees que los documentos de Camden están seguros donde están?

—Sí —respondió ella, que bajó la vista cuando llegaron a los escalones del mirador—. Están seguros.

Caro hizo ademán de alzarse las faldas y él le soltó el brazo para que pudiera hacerlo. Se dispuso a subir los escalones, pero se percató de que ella se había detenido.

Se giró para mirarla. Observó su pálido rostro y la expresión velada de sus ojos. Lo estaba mirando... indecisa.

La miró a los ojos, sostuvo su mirada y extendió un brazo hacia ella.

—Ven conmigo, Caro.

Sus miradas siguieron entrelazadas a pesar de la creciente oscuridad del crepúsculo. Ella tardó un momento en decidirse, tras el cual se recogió las faldas con una mano al tiempo que aceptaba la que le tendía.

Dejó que la guiara hacia la penumbra que reinaba en el interior del mirador.

Sus ojos se adaptaron con rapidez. La delgada franja de luz que aún se veía en el horizonte se reflejaba en la superficie del lago y desde allí iluminaba parte del mirador. Se trasladaron hacia esa zona. Caro movió los dedos para zafarse de su mano y él la dejó marchar, satisfecho con seguirla mientras se acercaba a uno de los arcos bajo el cual había un banco acolchado. Un lugar tentador donde sentarse para contemplar el paisaje.

Sin embargo, no tenía ojos para el lago. Sólo para la mujer que lo acompañaba.

Caro sintió que Michael se detenía muy cerca. Inspiró hondo y se dio la vuelta para mirarlo a la cara. Era muy consciente de la tormenta que se aproximaba, del ambiente cargado, de la brisa que le azotaba el cabello. Estudió su rostro en la penumbra y se preguntó por qué era todo tan diferente con él. Por qué cuando estaban solos, en ese lugar y también en el estanque, aunque sospechaba que en cualquier otro lugar sucedería lo mismo, tenía la impresión de haber entrado en una dimensión distinta, en una donde todo era posible, aceptable e incluso adecuado, aunque en el mundo real no lo fuera.

Sin embargo, allí estaban.

Dio un paso hacia él, acortó la distancia que los separaba y le colocó las manos en los hombros. Desde allí las deslizó hasta la nuca, tiró de él mientras se ponía de puntillas y lo besó.

Lo sintió esbozar una sonrisa.

Aunque no tardó en recobrarse, en tomar el control y lograr que separara los labios. Cuando le metió la lengua en la boca y la rodeó con sus brazos, tuvo la certeza de que jamás había estado tan convencida de estar precisamente donde quería estar. Donde necesitaba estar.

Sus bocas se fundieron, ansiosas por tomar, pero también por dar. Por participar en aquello que sabían que iban a compartir. La pasión se apoderó de ellos y los besos se tornaron más exigentes, más voraces, más ardientes.

El deseo de Michael era patente, real, sincero; crecía a cada instante que pasaba y no podía disimularlo. ¿Qué cotas alcanzaría? ¿Cuánto duraría? Ésas eran las acuciantes preguntas que la atormentaban. Y sólo había un modo de averiguar las respuestas.

Se entregó a él. Lo provocó en respuesta a su excitante beso, lo retó y se enfrentó a él. Después se acercó a su cuerpo mientras luchaba por superar el estremecimiento involuntario que el contacto le produjo. Estuvo a punto de desmayarse por el alivio o, en todo caso, sintió una especie de embriaguez deliciosa al percatarse de su reacción. Una reacción instantánea, apasionada y voraz. Casi violenta.

Poderosa.

Sus brazos la estrecharon con más fuerza y la amoldaron a su cuerpo antes de que comenzara a acariciarle la espalda y la instara a apoyarse en él. Una vez que lo consiguió, sus manos comenzaron a explorar más allá de la curva de sus caderas y se posaron sobre su trasero. La acarició con suavidad antes de darle un apretón y acercarla a él de modo que pudo sentir...

Por un fugaz instante sus sentidos se paralizaron; su mente se negó a aceptar la realidad, se negó a creer que...

Michael se movió con toda deliberación y comenzó a frotarse contra ella de un modo elocuente y tentador. Sentía la rigidez de su erección contra el abdomen. La liviana seda de su vestido hacía bien poco por paliar el efecto.

La euforia se apoderó de ella. Su mente se negó a analizar el momento, atrapada en la oleada de felicidad.

Michael la amoldó por completo a su cuerpo. Encantada, se dejó llevar y decidió disfrutar a manos llenas de cada sensación, atesorarlas para

152

poder aliviar con ellas sus viejas heridas y, lo que era más importante, se permitió soñar con la promesa de lo que podía llegar a suceder.

El deseo que Michael sentía era real, eso era indiscutible. Y ella lo había incitado. Así que tal vez pudieran... ¿Sería capaz él de...?

¿Sería posible?

Sentía los pezones endurecidos y sensibles. Con la misma deliberación de la que él hacía gala, presionó los senos contra su torso y comenzó a frotarse en clara invitación.

Michael interpretó el mensaje y sintió un intenso alivio. Jamás se había visto arrastrado por un anhelo tan claro y poderoso. Caro era suya y tenía que poseerla. Sin pérdida de tiempo. Tal vez esa misma noche...

Descartó la idea a sabiendas de que no podía apresurarla. De que no debía hacerlo. Estaba jugando una partida muy larga. Una cuyo premio hablaba de un «para siempre». Y ese premio era demasiado valioso, demasiado importante, demasiado crucial para él. Para conformar su presente y su futuro. De hecho, era tan vital para su futuro que era incapaz de asumir riesgo alguno.

Sin embargo, ella le estaba dando la oportunidad de defender su causa. Y no pensaba desaprovecharla.

Descubrió que era muy difícil concentrarse lo suficiente como para sopesar las posibilidades. La imagen del banco acolchado surgió de repente en su cabeza y se decidió. Sin separarse de Caro, se fue acercando a él hasta que pudo pasar una pierna por encima con el fin de sentarse a horcajadas y, una vez que lo hizo, la instó a sentarse con él en los mullidos almohadones. Ella siguió inmersa en el beso y ni siquiera le apartó las manos del rostro.

Una vez que estuvieron sentados, comenzó a echarse hacia atrás hasta dejar la espalda apoyada contra la columna que sujetaba el arco. Arrastró a Caro con él y la movió hasta que quedó medio recostada sobre uno de sus brazos. Ella se dejó hacer sin rechistar. Se apoyó en su pecho y siguió besándolo.

La postura le permitió aferrarla por las caderas y colocarla mejor entre sus piernas sin interrumpir el beso ni un solo instante. Una vez que la tuvo donde quería, comenzó a besarla con más ardor y tomó fuerzas de la pasión que compartían mientras le acariciaba la espalda y localizaba las cintas de su vestido.

Las desató sin problemas. La instó a levantar los brazos para que le rodeara el cuello, postura que le permitía acariciarle los pechos a placer. La sintió estremecerse. Volvió a acariciarla y ella gimió. El sonido le gustó tanto que se propuso arrancarle unos cuantos gemidos más.

Claro que no le costó mucho. En cuestión de minutos, Caro temblaba de deseo y se aferraba a él con ansia... Lo aferró del pelo; después, de los hombros, y a la postre introdujo las manos bajo la chaqueta y las colocó sobre su pecho.

Una hilera de diminutos botones le cerraba el corpiño. Los desabrochó con pericia, apartó el delicado tejido y metió las manos bajo él para apoderarse de sus pechos por encima de la liviana barrera de la camisola. Notó cómo se aceleraba la respiración de Caro mientras lo aferraba con fuerza por la nuca para besarlo con un ardor casi desesperado.

El deseo que lo embargaba, prácticamente insoportable a esas alturas, alcanzó nuevas cotas. Respondió a las exigencias de esos ávidos labios y se dispuso a gratificar los ansiosos sentidos de Caro... y los suyos.

Al cabo de unos minutos, ambos estaban acalorados y excitados. Y, aun así, ansiaban más. Sin pedirle permiso, tiró de la cinta que le cerraba la camisola y deshizo la lazada. Bajó la prenda y cubrió un pecho con la palma de la mano. Piel desnuda contra piel desnuda.

La sensación fue un impacto para los dos. Sus respuestas fueron idénticas e instantáneas, como dos hebras que condujeran al mismo fin y se entrelazaran para fortalecerse en el camino con la simple certeza de que ambas lo deseaban, lo necesitaban. De que se necesitaban la una a la otra. De que necesitaban todo lo que tenían para compartir.

La capitulación de Caro era total cuando le desnudó los pechos. Los alzó un poco y acarició los pezones con los pulgares. Ya estaban enhiestos. Puso fin al beso y echó la cabeza hacia atrás para contemplarlos.

A la débil luz que los rodeaba, su piel brillaba como el nácar. Su exquisita textura se le antojó tan delicada como la seda. La seda más suntuosa enriquecida por el rubor del deseo. Observó y examinó a placer mientras la acariciaba y ella se estremecía.

Caro cerró los ojos un instante, maravillada momentáneamente por la intensidad de las sensaciones que la estaban consumiendo; unas sensaciones que él le provocaba con gran facilidad.

Ya había llegado a ese punto antes, pero en esa ocasión se sentía mucho más viva. La última vez... Desechó los viejos recuerdos y los enterró. Pasó por alto sus voces. En esa ocasión, todo era muy distinto.

Abrió los ojos y los clavó en el rostro de Michael. Se deleitó con esos rasgos austeros y afilados. Hermosos a pesar de su gravedad. Estaba pendiente de ella, de sus pechos... No eran muy grandes; más bien un tanto pequeños; pero, aun así, la intensidad de su mirada era inconfundible. Los encontraba satisfactorios y adecuados...

Como si le hubiera leído el pensamiento, él la miró a la cara, la observó un instante con detenimiento y esbozó una sonrisa... de tal índole que se sintió arrastrada por una oleada de pasión.

Sin dejar de mirarla a los ojos, se movió, apartó la mano de su pecho, la rodeó por la cintura y la instó a echarse hacia atrás.

Justo antes de inclinar la cabeza.

Ella cerró los ojos y contuvo la respiración al sentir el roce de sus labios. Mientras éstos exploraban con decisión la curva de un pecho, atormentándola antes de encaminarse hacia el pezón.

La sensual tortura se prolongó un poco más y la reacción de su cuerpo le resultó desconocida. Sus sentidos se expandieron, cobraron vida, ansiosos por experimentar nuevas sensaciones; por experimentar las sensaciones que él le provocaba mientras atormentaba su cuerpo hasta el punto de sentir un deseo palpitante y casi doloroso. Se aferró a sus hombros de forma involuntaria al sentir su aliento sobre el pezón, justo antes de que lo siguiera el roce de su lengua.

Lo lamió y humedeció mientras ella jadeaba.

—Di mi nombre.

Y ella obedeció.

En cuanto lo hizo, Michael se llevó el pezón a la boca y lo chupó con fuerza. Estuvo a punto de gritar. Cuando él se percató de que se contenía, la soltó y le dijo con voz burlona:

—Nadie puede oírte.

Cosa que agradecía. Él volvió a inclinar la cabeza y repitió la tortura con el otro pecho hasta que se descubrió suplicándole. Sólo entonces tomó lo que ella le ofrecía gustosa y, a cambio, le dio lo que deseaba.

Todo lo que le habían negado antes.

Sus caricias eran exigentes, pero delicadas. Diestras y magistrales. Pero, aunque estaba claro que disfrutaba dándole placer, eso no solapaba su objetivo final.

No le sorprendió en lo más mínimo que la mano que le acariciaba el pecho lo abandonara y descendiera hasta detenerse sobre su vientre. Allí comenzó a acariciarla de forma sugerente, pero siguió descendiendo hasta rozar con delicadeza los rizos que su vestido ocultaba. Extendió los dedos y los introdujo entre sus muslos.

Lo que le sorprendió fue su propia respuesta: el deseo que se extendió por su cuerpo; la tensión de unos músculos desconocidos hasta entonces; la intensa y palpitante sensación que se apoderó de la delicada carne de su entrepierna...

Michael alzó la cabeza. Sus caricias se tornaron más decididas y exigentes. Soltó el aire de repente y ella se percató de la tensión que lo embargaba. La besó en el cuello, dejó un húmedo reguero de besos hasta su oreja y desde allí se trasladó hasta la sien.

—¿Caro?

155

La deseaba. No le cabía la menor duda, y aun así...

—No... no estoy segura...

El momento había llegado mucho antes de lo que imaginaba. No estaba segura de lo que debía hacer.

Michael suspiró, pero no apartó la mano de su excitada entrepierna. Siguió acariciándola mientras verificaba la información que sus sentidos habían captado de forma intuitiva. Mientras confirmaba que de verdad lo deseaba, que si le preguntaba, tal vez...

—Te deseo. —No necesitó adornar la declaración. La verdad resonaba en el tono grave de su voz. Tenía una dolorosa erección. Siguió acariciándola con la yema de un dedo por encima del vestido—. Quiero estar dentro de ti, dulce Caro. No hay ningún motivo que nos impida disfrutar.

Caro lo escuchaba con avidez. Sus palabras calaron hasta lo más hondo de su mente y la envolvieron en su hechizo seductor. Sabía que eran ciertas o, al menos, que Michael era sincero. Pero él no sabía... ¿Y si accedía y después...? ¿Y si, después de todo, volvía a ser un desastre? ¿Y si se equivocaba de nuevo?

Sentía los latidos de su propio corazón bajo la piel. Por primera vez se permitió imaginar que latía fruto del deseo; un deseo ardiente y muy dulce que la inundaba y la instaba a acceder, a asentir con la cabeza y... dejar que él la hiciera suya. Que Michael le enseñara...

Pero si salía mal, ¿cómo se sentiría después? ¿Cómo iba a mirarlo a la cara?

No podría hacerlo.

Recobrar el sentido común y reunir la fuerza de voluntad suficiente para resistirse, para decir que no, fue toda una hazaña, habida cuenta de la mano que la acariciaba con una flagrante promesa y del deseo que le corría de forma compulsiva por la venas.

Michael pareció percibir su decisión y le dijo con voz apremiante y casi desesperada:

—Podemos casarnos cuando desees, pero por el amor de Dios, tesoro, deja que te haga mía.

Sus palabras cayeron sobre ella como un jarro de agua fría y ahogaron el deseo. El pánico la consumió.

Se apartó de él al instante y lo contempló, horrorizada.

—¿Qué has dicho? —le preguntó con un hilo de voz.

Sentía que su mundo giraba sin control, pero ya no era una sensación placentera.

Michael parpadeó y observó la expresión atónita de Caro mientras repasaba mentalmente sus palabras. Frunció un poco el ceño, aunque en su fuero interno se sintiera bastante frustrado.

—¡Por el amor de Dios, Caro! Sabías cuál era el propósito de todo esto. Quiero hacer el amor contigo.

A conciencia y repetidamente, pensó. No se había percatado de lo poderoso que había acabado siendo ese deseo, pero en ese instante estaba atrapado en sus garras y no tenía la menor intención de renunciar. No hasta que... La súbita indecisión de Caro no lo ayudaba mucho.

Había clavado la mirada en su rostro y lo estaba observando detenidamente. Se tensó un poco más.

—No, no quieres hacerlo. ¡Lo que quieres es casarte conmigo!

La acusación lo golpeó como si de una bofetada se tratara. Una bofetada que lo dejó desorientado. La miró de hito en hito antes de recomponer su expresión.

—Quiero... y tengo la intención de hacer ambas cosas. —Entrecerró los ojos—. Una de ellas, una sola vez; la otra, frecuentemente.

Los ojos grises que lo observaban también se entrecerraron.

—No conmigo. —Alzó la barbilla mientras se colocaba la camisola de un tirón—. No tengo intención de volver a casarme.

Michael observó cómo desaparecían las gloriosas curvas de sus pechos bajo la ligera barrera. Claro que el efecto fue el mismo que si hubiera sido de acero... Contuvo un juramento y se obligó a reflexionar mientras se pasaba una mano por el pelo.

—Pero, ¿qué? ¡Esto es ridículo! Es increíble que me creyeras capaz de seducirte... ¡de seducir a la hermana de mi vecino, que casualmente fue mi antecesor en el Parlamento, sin que tuviera el matrimonio en la cabeza!

Caro estaba anudándose las cintas de la camisola con ademanes bruscos y airados. Sabía que estaba molesta, pero era difícil adivinar exactamente por qué. Alzó la vista y sus ojos se encontraron.

—Búscate otra excusa. —Su voz tenía un deje contundente—. Tengo más de siete años. —Volvió a bajar la vista para colocarse bien el vestido—. Soy viuda. ¡Creí que querías seducirme, no casarte conmigo!

Su voz tenía un matiz acusatorio, al igual que su mirada.

Aún se sentía perdido.

—Pero... ¿qué tiene de malo que nos casemos? ¡Válgame Dios! Sabes que necesito una esposa y sabes por qué la necesito. Y aquí estás tú, que eres la candidata perfecta.

Caro retrocedió como si la hubiera abofeteado. Sin embargo, no tardó en recomponer su expresión y bajar la vista.

—Salvo por el hecho de que no pienso volver a casarme... Jamás. —Se puso en pie de un brinco y se giró para darle la espalda—. Tú has desatado las cintas. Haz el favor de volver a anudarlas. —Le temblaba la voz.

Contempló esa esbelta espalda con los ojos entrecerrados. Tenía los brazos en jarras y sintió el irrefrenable impulso de agarrarla sin más y mandar al infierno las consecuencias... pero de repente la figura de Caro se le antojó muy frágil.

Pasó la pierna por encima del banco y se puso en pie. Se colocó tras ella y tiró de las cintas con más fuerza de la necesaria. Se sentía embargado por la exasperación y por una horrible frustración.

—Dime una cosa nada más. —No alzó la mirada de las cintas mientras acababa de anudarlas—. Si la mención del matrimonio ha sido tan sorprendente para ti, ¿adónde pensabas que nos llevaría esta relación? ¿Cómo pensabas que acabaría todo esto?

Caro siguió mirando al frente con la cabeza erguida y la espalda muy recta.

—Ya te lo he dicho. Soy viuda. Las viudas no necesitan casarse para... —Dejó la frase en el aire e hizo un gesto con las manos.

—¿Darse un gusto?

Asintió con la mandíbula apretada.

—Ciertamente. Creí que de eso se trataba.

Michael aún no había acabado con las cintas y lo único que ella deseaba era salir corriendo del mirador y retirarse con la dignidad aún intacta antes de que las emociones que se agitaban en su interior acabaran con su autocontrol. Le daba tantas vueltas la cabeza que tenía ganas de vomitar. Una desagradable frialdad se extendía por su cuerpo.

—Pero eres La Viuda Alegre. Tú no tienes aventuras.

La pulla dolió de un modo que él no podría haber imaginado. Jadeó y alzó la barbilla mientras se obligaba a hablar con voz serena.

—Me limito a ser muy escrupulosa a la hora de elegir a los caballeros con los que tengo aventuras. —Las manos de Michael se detuvieron. Ella se preparó para alejarse—. Pero puesto que ése no es tu verdadero objetivo...

—Espera.

No le quedaba más remedio que hacerlo; él aún la tenía sujeta por las cintas, ¡maldito fuera! Soltó el aire entre dientes, dando así rienda suelta a la frustración.

—El único objetivo que tengo en mente es hacerte mía... —afirmó muy despacio y sin ninguna inflexión en la voz.

No podía ver su rostro, pero tuvo la sensación de que él estaba pensando y reajustando su estrategia con rapidez. Se humedeció los labios antes de hablar.

—¿Qué quieres decir?

Pasó todo un minuto durante el cual fue muy consciente de los latidos de su corazón, de la creciente tensión que flotaba en el aire y que precedía a la tormenta. Sin embargo, la amenaza que se presentía en el exterior no consiguió distraerla de la tempestad que se agitaba en su interior ni de la poderosa presencia que aguardaba tras ella, entre las sombras. Michael no se había movido y aún la tenía sujeta por las cintas.

Y entonces notó que se acercaba. Inclinó la cabeza de modo que sus palabras le acariciaran la oreja y el aliento le rozara la mejilla.

—Si pudieras elegir, ¿cómo preferirías que... culminara esto que está pasando entre nosotros?

Un exquisito escalofrío le recorrió la espalda. «Si pudieras elegir...» Inspiró hondo a pesar del nudo que sentía en la garganta. Dio un paso decidido al frente, destinado a obligarlo a soltarla. Él lo hizo... a regañadientes.

—Soy viuda. —Se detuvo a unos pasos, entrelazó las manos y se giró para enfrentarlo. Clavó los ojos en los suyos y alzó la barbilla—. Es perfectamente factible que tengamos una aventura. No hay nada de malo en ello.

Michael la observó un buen rato antes de replicar:

—Para que me quede claro; tú, La Viuda Alegre, accedes a que te seduzca. —Hizo una pausa antes de preguntar—: ¿Lo he entendido bien?

Ella sostuvo su mirada mientras deseaba no tener que responder a la pregunta. A la postre, asintió con la cabeza y dijo:

—Sí.

Michael siguió observándola en silencio. Su expresión era insondable y en la penumbra no podía interpretar su mirada. Lo sintió moverse de forma casi imperceptible y tuvo la impresión de que acaba de suspirar para sus adentros.

Cuando habló, lo hizo con voz seria, carente de todo matiz seductor o engañoso:

—No quiero una aventura, Caro. Quiero casarme contigo.

Le resultó imposible disimular su reacción. El pánico instintivo que surgía desde lo más hondo de su alma. El respingo que la alejaba de las mismas palabras. De la amenaza que encerraban. Sentía una opresión en el pecho, pero alzó la cabeza, irguió la espalda y lo miró a los ojos.

Michael se percató de su terror a pesar de la penumbra. Vio cómo el pánico deslustraba esos ojos grises. Contuvo el impulso de agarrarla, encerrarla en un abrazo y tranquilizarla diciéndole... ¿A qué se debía semejante reacción?

—No quiero casarme. Jamás volveré a hacerlo. Ni contigo ni con otro. —Su voz temblaba por la emoción y resultaba tajante. Tomó una entrecortada bocanada de aire—. Ahora, si me disculpas, debo volver a casa.

Dio media vuelta.

—Caro...

—¡No! —Alzó una mano de forma instintiva y su cabeza se irguió un poco más—. Por favor, olvídalo. Olvida todo esto. No funcionará. —Meneó la cabeza al tiempo que se recogía las faldas y después atravesó sin pérdida de tiempo el mirador en dirección a los escalones. Una vez en el prado, se alejó... prácticamente a la carrera.

Siguió un buen rato al abrigo de las sombras del mirador mientras la tormenta se acercaba y se preguntaba qué demonios había pasado para que la noche se malograra de ese modo.

Un poco más tarde y ya de vuelta en casa, se plantó delante de la ventana de la biblioteca con una copa de brandi en la mano y se dispuso a reflexionar mientras el aullido del viento azotaba las copas de los árboles en el exterior. A reflexionar sobre Caro.

No comprendía, ni siquiera podía adivinar el motivo de su aversión. De su negativa tajante y clara a otro matrimonio. Tenía grabada en la memoria la expresión de su rostro cuando le reiteró su deseo de casarse con ella.

Un deseo que no había variado a pesar de la reacción que había suscitado. Se casaría con ella. La idea de no tenerla como esposa le resultaba inaceptable. Un concepto que tampoco entendía a pesar de saber a ciencia cierta que era eso lo que sentía. De algún modo extraño, los acontecimientos de la noche sólo habían servido para consolidar su decisión.

Tomó un trago de brandi y clavó la mirada en el exterior mientras decidía qué rumbo tomaría a partir de ese momento. Jamás había sido de los que retrocedían ante un desafío. Ni siquiera de un desafío que, hasta entonces, le habría resultado inconcebible.

Tal y como estaban las cosas, su objetivo no era seducir a Caro en el sentido acostumbrado; al parecer, ya lo había logrado o podría lograrlo cuando se le antojara. Su verdadero objetivo (su Santo Grial) era, en cambio, seducirla para que se casara con él.

Esbozó una sonrisa irónica y apuró la copa. Cuando puso rumbo al sur, hacia Somersham, decidido a conseguir la novia ideal, no imaginaba que tendría que librar semejante batalla. Que la dama que resultaría su consorte ideal no tenía la menor intención de aceptar su propuesta de matrimonio.

Eso le pasaba por dejarse cegar por la arrogancia.

Se apartó de la ventana y se acercó a un sillón. Se dejó caer en él, dejó la copa vacía en la mesita auxiliar y unió las manos por las yemas de los dedos. Apoyó la barbilla en los pulgares y clavó la vista en el otro extremo de la habitación.

Caro era obstinada y su decisión era firme.

Claro que él era más obstinado aún y estaba decidido a mostrarse inclemente.

El único modo de menoscabar su resistencia, aunque fuese formidable, pasaba por atacar su raíz. Fuera cual fuese.

Necesitaba descubrir a qué se debía, y la única que lo sabía era la misma Caro.

Por tanto, el mejor acercamiento era obvio. Directo, así de simple.

Se la llevaría la cama, donde descubriría lo que necesitaba saber, y haría todo lo posible para que no saliera de ella.

10

A primeras hora de la tarde, Caro estaba bordando en el alféizar acolchado de la ventana de la salita mientras Edward y Elizabeth jugaban al ajedrez en el otro extremo de la estancia. No estaba de humor para nadie. Había pasado toda la mañana intentando distraerse con los preparativos de la fiesta parroquial, para la que sólo faltaban tres días, pero seguía molesta y enfadada.

Enfadada consigo misma y también con Michael.

Debería haber previsto sus intenciones. Había hecho un deliberado despliegue de sus habilidades como anfitriona con la intención de dejar patente la inexperiencia de Elizabeth y conseguir así que él mirara hacia otro lugar... ¡Y sólo había conseguido que se fijara en ella!

¡Malditos fueran los hombres arrogantes! ¿Por qué no podía limitarse a... a... a tener una aventura y todo lo que eso conllevaba? ¿Acaso ella no era...?

Cortó de raíz el rumbo de sus pensamientos. Sabía de buena tinta que no era el tipo de mujer que inspirara un deseo ardiente en los hombres. Al menos, no el tipo de deseo más básico, atávico y arrollador, sino uno muy distinto que nacía de otros motivos y otras necesidades. Como la de tener al lado una anfitriona consumada o... ¡una esposa con amplia experiencia en protocolo diplomático!

Al parecer, su destino era el de ser elegida, jamás el de ser deseada. Jamás el de ser deseada en el sentido más básico de la palabra.

Y por eso, porque por primera vez en su vida Michael la había hecho creer algo muy distinto, no se lo perdonaría nunca.

Clavó la aguja en la tela e hizo un esfuerzo por calmar sus nervios.

El temor se abría paso en ella poco a poco. Si Michael no abandonaba sus pretensiones de casarse con ella, estaba en peligro. Mucho más de lo que lo había estado Elizabeth.

Había salvado a su sobrina de una unión sin amor basada en fines políticos, pero nadie la salvaría a ella. Si Michael le hacía una petición formal, le resultaría muy difícil rechazarlo, y por los mismos motivos que se habrían aplicado en el caso de Elizabeth. Dada su condición de viuda, era ella quien llevaba las riendas de su vida... en teoría. Sin embargo, conocía demasiado bien la vida de la alta sociedad como para no saber que, en la práctica, no era así. Si lo aceptaba, todos sonreirían y la felicitarían. Si se le ocurría rechazarlo...

Las consecuencias que podrían derivarse de semejante comportamiento no la ayudaban a calmar sus nervios en absoluto.

Estaba rebuscando entre los hilos de seda cuando se escucharon unos pasos a lo largo del pasillo. Alguien que llevaba botas se acercaba. No eran los pasos tranquilos de Geoffrey, sino de alguien que caminaba con decisión... Sus sentidos cobraron vida de repente. Alzó la vista justo cuando Michael, ataviado con un traje de montar, aparecía en el vano de la puerta.

La miró antes de echar un vistazo en dirección a Elizabeth y Edward, que acababan de alzar las cabezas del tablero y parecían muy sorprendidos. Sin detenerse, los saludó con un breve gesto y se dispuso a cruzar la salita. Hacia ella.

Aunque recogió la costura al punto, apenas la había soltado cuando él la cogió de la mano y la instó a ponerse en pie.

La miró a los ojos.

—Tenemos que hablar.

Le bastó un vistazo a esos ojos azules y a su expresión decidida para comprender que sería inútil discutir. La forma en la que dio media vuelta y echó a andar hacia la puerta sin darle opción a que se zafara de su mano confirmó su conclusión.

Ni siquiera miró a Elizabeth y Edward mientras se excusaba:

—Disculpadnos, pero tenemos que tratar varios asuntos.

En un abrir y cerrar de ojos, habían salido de la salita y se encontraban en el pasillo. Como Michael caminaba demasiado rápido, se vio obligada a darle un tirón de la mano. La miró de soslayo y aminoró el paso... un poco, si bien su actitud decidida no varió ni un ápice. Cuando llegaron a la puerta del jardín, se hizo a un lado para dejarla pasar. Y siguieron caminado por el sendero.

—¿Adónde vamos? —preguntó ella mientras echaba un vistazo hacia la casa por encima del hombro.

—A donde no nos molesten.

Lo miró.

—¿Y dónde es eso?

Ni siquiera le contestó, pero en ese instante llegaron al final del sendero y él siguió por el prado, respondiendo de ese modo a su pregunta. Iban al mirador.

Le dio un tirón en la mano.

—Elizabeth y Edward nos verán si miran por la ventana.

—¿Podrán vernos cuando estemos dentro?

—No, pero...

—Entonces, ¿por qué discutes? —le preguntó, mirándola de reojo con expresión hosca—. Tenemos un asunto pendiente y el mirador es el lugar idóneo para concluirlo. Sin embargo, si prefieres que prosigamos nuestra... «discusión» aquí en mitad del prado...

Lo miró con los ojos entrecerrados. Clavó la vista en el cada vez más próximo mirador y musitó con un hilo de voz:

—¡Malditos sean los hombres arrogantes!

—¿Qué has dicho?

—¡Nada! —respondió al tiempo que señalaba el mirador—. Si estás tan decidido, el mirador es el lugar ideal.

Una vez que llegaron a las escaleras, se alzó las faldas y subió. Si Michael estaba molesto, como era obvio, más enfadada estaba ella. Jamás había sido dada a las riñas, pero en ese caso haría una excepción.

Sus zapatos resonaban de forma imperiosa sobre el suelo de madera a medida que atravesaban el mirador, en dirección al lugar donde estuvieron la noche anterior.

Michael se detuvo a unos pasos del banco, se giró para enfrentarla, le soltó la mano para cogerle la cara... y la besó.

Con pasión.

Fue todo un asalto, pero uno que sus ávidos sentidos recibieron con alegría. Se aferró a su chaqueta para guardar el equilibro en mitad de la embriagadora vorágine de deseo (un deseo voraz, insaciable y ardiente) que él había conjurado y desatado. Y que amenazaba con arrastrarlos a ambos.

Se dejó llevar por las sensaciones mientras en su interior surgía un anhelo tan poderoso como el de Michael.

Él profundizó el beso y ella lo siguió sin demora. Sus labios se fundieron y sus lenguas se encontraron, movidas por la desesperada necesidad de tocarse, de tomar... de reunirse en esa dimensión ajena al mundo.

Michael supo que la había atrapado. Su respuesta, al menos, era algo que no podía negar. Extendió los dedos de una mano y los enterró en sus increíbles rizos para inmovilizarle la cabeza mientras le devoraba la boca.

Entretanto, deslizó la otra mano hasta la base de su espalda y comenzó a acercarla hasta que la tuvo pegada al cuerpo.

El roce de sus cuerpos, de sus senos y de sus caderas contra su torso y sus muslos, alivió una faceta de su deseo, pero avivó otra. La contuvo con decisión, prometiéndose que no sería por mucho tiempo.

Tuvo que hacer un gran esfuerzo para apartarse y poner fin al beso.

—En cuanto al asunto pendiente... —dijo una vez que alzó la cabeza.

Caro parpadeó un par de veces antes de abrir los ojos del todo. Pasó un instante, un instante que a él le supo a gloria, antes de que la comprensión asomara a su mirada. Esos ojos grises lo observaron con detenimiento antes de que ella replicara:

—¿Sobre qué querías discutir?

La miró a los ojos. Tenía que aclarar las cosas, aunque sabía que estaba en la cuerda floja y cualquier tropiezo sería letal.

—Según dijiste, si pudieras elegir, elegirías una aventura. —Hizo una pausa antes de proseguir con un tono mucho más firme—: Si eso es lo único que puedes ofrecerme, lo acepto.

Caro entrecerró los ojos un instante. Estaba claro que era toda una experta a la hora de ocultar sus emociones, por lo que le resultó imposible adivinar lo que se escondía detrás de esos ojos grises.

—Quieres decir que te olvidarás de todo el asunto del matrimonio y nos limitaremos a...

—Ser amantes. Si eso es lo que deseas, que así sea. —Se encogió de hombros como si nada. Volvió a percibir cierto recelo en ella, pero no se delató.

—¿Necesitas casarte pero vas a aceptarme aun cuando me niegue a convertirme en tu esposa? ¿No vas a presionarme, ni a hacerme una nueva proposición, ni a hablar con Geoffrey?

Negó con la cabeza.

—Nada de proposiciones ni de estratagemas. Sin embargo —prosiguió, y alcanzó a ver cómo brillaba la ironía y la desconfianza en sus ojos, claro que ya había decidido cómo hacerles frente—, y para que no haya ningún malentendido entre nosotros, si cambias de opinión en algún momento, quiero que sepas que estaré dispuesto a casarme contigo.

La vio fruncir el ceño. Sin apartar la mirada de esos ojos grises, continuó:

—Mi proposición sigue en pie; sigue estando en el tapete, entre nosotros, pero sólo entre nosotros. Si en algún momento decides aceptar, bastará con que me lo hagas saber. La decisión es tuya, depende única y exclusivamente de ti, sin presiones externas.

Caro comprendió lo que le estaba diciendo; comprendió no sólo el significado de las palabras, sino también la decisión que las respaldaba. Se sintió perdida de repente. La tierra había vuelto a temblar bajo sus pies. Jamás se le habría pasado por la cabeza algo así. Nunca. Apenas daba crédito. Y aun así...

—¿Por qué? —Tenía que preguntarlo, tenía que saberlo.

Michael enfrentó su mirada sin flaquear. Su semblante era adusto, decidido y parecía empeorar por momentos.

—Si ése es el único modo de llevarte a la cama ya que te niegas a casarte conmigo, lo haré. Llegaré hasta ese extremo.

Supo que decía la verdad. Sus palabras eran sinceras. Michael sabía lo que estaba diciendo y lo decía con total sinceridad.

Le dio un vuelco el corazón y la inundó la felicidad. Lo imposible volvía a parecer posible. Emocionada por la posibilidad, por la repentina oleada de esperanza, guardó silencio.

—¿Y bien? —preguntó Michael al tiempo que enarcaba una ceja con impaciencia.

Lo miró a los ojos mientras él le preguntaba sin ambages:

—¿Vas a tener una aventura conmigo?

Atrapada en el azul de sus ojos, volvió a sentir que todo su mundo se había puesto patas arriba. La oportunidad llamaba a su puerta... El destino la tentaba no sólo con su sueño más preciado, sino también con sus temores más arraigados... y con la posibilidad de enfrentarlos y erradicarlos para siempre. Unos temores cuyas frías y mortales garras se habían hundido en ella once años atrás. Unos temores a los que nunca creyó poder desafiar... hasta hacía apenas unos días.

Hasta que Michael entró en su vida y la hizo sentirse viva. Deseada.

Sentía una emoción embriagadora y un ligero zumbido en los oídos. Por encima de él, se escuchó decir con voz tajante:

—Sí.

Pasaron unos instantes antes de que echara a andar hacia él. Michael la recibió con los brazos abiertos. La estrechó por la cintura y ella le colocó las manos en los hombros. Él inclinó la cabeza, ella se puso de puntillas...

—¡Caro!

La voz de Edward. Ambos se quedaron paralizados.

—¿Caro? —Estaba en el prado y se acercaba al mirador.

Michael soltó el aire entre dientes.

—¡Maldita sea! Será mejor que tenga una buena razón para interrumpirnos...

—No me cabe duda —replicó ella.

Se apartaron y echaron a andar hacia la entrada. Aún no habían salido del mirador cuando Michael, que la seguía de cerca, se inclinó hacia delante y le susurró al oído:

—Una cosa más. —Le rodeó la cintura con las manos para que aminorara el paso, recordándole al mismo tiempo que podía detenerla si así se le antojaba—. Ahora tenemos una aventura, de modo que cuando yo diga «Ven conmigo», me obedecerás sin rechistar. ¿De acuerdo?

Si quería seguir adelante y descubrir hasta dónde podía llegar lo que existía entre ellos, no le quedaba más remedio que aceptar.

—De acuerdo —accedió.

La soltó para que siguiera caminando delante de él.

—¿Caro? —Edward estaba ya al pie del mirador cuando ellos llegaron al arco de entrada—. ¡Vaya! Ahí estás.

—¿Qué ha pasado? —Se alzó las faldas y se apresuró a bajar.

Edward miró a Michael un instante y torció el gesto antes de concentrarse de nuevo en ella.

—George Sutcliffe y Muriel Hedderwick están aquí. Preguntan por ti... Al parecer, alguien entró anoche en Sutcliffe Hall.

Regresaron a toda prisa al salón. George, el hermano pequeño de Camden, estaba sentado en un sillón. Aunque su marido había sido un hombre muy guapo hasta la hora de su muerte, jamás había podido decirse lo mismo de su hermano, y eso que era mucho más joven que él (rondaría los sesenta en esos momentos). Tampoco era tan inteligente. Las diferencias se habían ido acentuando con el paso de los años. Había un ligero parecido físico entre ellos, pero en cualquier otro aspecto resultaba difícil imaginarse a dos hombres más opuestos. George era un viudo serio, solitario y malhumorado, cuyo único interés radicaba en sus propiedades, en sus dos hijos y en sus nietos.

Camden había muerto sin herederos, de modo que Sutcliffe Hall había pasado a manos de su hermano. El primogénito de éste, David, vivía allí con su esposa y sus hijos. Era una enorme mansión de diseño clásico, pero poco acogedora. A pesar de que ya no residía allí, Muriel, la hija de George, seguía considerándola su hogar, de modo que su presencia no era sorprendente.

Su cuñado la miró en cuanto entró. La saludó con un breve gesto de cabeza.

—Caro. —Hizo ademán de ponerse en pie, pero ella le sonrió con cariño a modo de bienvenida y le hizo un gesto para que no se molestara.

—George. —Le dio un afectuoso apretón en la mano cuando estuvo a su lado y después saludó a Muriel, que estaba sentada en el diván—. Muriel...

Mientras padre e hija intercambiaban saludos con Michael, ella tomó asiento en el diván. Edward se retiró hasta un extremo de la estancia. Mientras Michael acercaba una silla de respaldo alto, ella le preguntó a George:

—Edward me ha dicho que alguien entró anoche en Sutcliffe Hall. ¿Qué ha pasado?

—Alguien entró en la salita del ala oeste aprovechando la tormenta.

En vida de Camden, las habitaciones del ala oeste habían sido de su uso privado. Nadie las tocaba durante su ausencia y siempre estaban preparadas para las escasas semanas que pasaba en la propiedad.

Caro se las compuso para no fruncir el ceño y se limitó a escuchar a su cuñado mientras éste le relataba cómo sus nietos habían descubierto una ventana con el pestillo forzado, además de otras señales que sugerían que quienquiera que hubiera entrado había hecho un registro exhaustivo de la estancia. No obstante, sólo podían confirmar el robo de unos cuantos adornos de escaso valor.

Muriel intervino en ese momento.

—Debían de estar interesados en algo de Camden. Algo que todavía esté allí.

George resopló antes de replicar:

—Es más probable que hayan sido unos vagabundos que estuvieran de paso. Entraron en busca de cobijo y registraron la salita en busca de algo que pudieran llevarse ya que estaban en ello. Un incidente sin importancia, pero se me pasó por la cabeza que tal vez fueran los dos hombres que asaltaron a la señorita Trice. —Miró a Geoffrey—. Creí que debía ponerte sobre aviso.

Ella miró a Michael de reojo.

Muriel no pudo evitar que su voz adquiriera un deje desdeñoso cuando replicó:

—Pues yo creo que es más probable que buscasen algo de Camden. Por eso insistí en venir. —La miró a ella, en busca de su apoyo—. ¿Hay algo que pueda tener interés para alguien entre las cosas que dejó allí?

Caro, que se demoró un instante mientras contemplaba los ojos un tanto saltones de su sobrina política, se preguntó si a ésta le habría llegado algún rumor acerca del interés de Ferdinand.

—No —contestó con rotundidad, de modo que no quedara lugar a dudas—. No queda nada de Camden en Sutcliffe Hall, al menos, nada valioso.

Echó un vistazo en dirección a Edward, advirtiéndole en silencio que no interviniera en la conversación, ni para elaborar su explicación ni para apoyarla. Su difunto marido jamás había sentido especial cariño por la propiedad, ya que estaba perdida en mitad de la campiña de Hampshire. Tanto ella como Edward sabían que sus palabras eran ciertas, pero había pocas personas más que lo supieran o pudieran adivinarlo. Estaba claro que Muriel no tenía ni idea; y no sería de extrañar que Ferdinand creyera que los documentos privados de su difunto marido seguían en Sutcliffe Hall, el hogar ancestral de la familia.

Muriel frunció el ceño, contrariada por la respuesta, aunque no le quedó más remedio que aceptarla a regañadientes.

Caro ordenó a Edward que tocara la campanilla para que sirvieran el té. Una vez que tuvieron las tazas en las manos, los hombres se enzarzaron en una conversación sobre los cultivos, el tiempo y las rentas mientras que ella reconducía con determinación los pensamientos de Muriel hacia la fiesta parroquial, preguntándole por los numerosos puestecillos, los refrigerios y los entretenimientos varios que estaban bajo su férrea supervisión.

Cuando acabaron el té, George se marchó, acompañado por su hija. Geoffrey se retiró a su despacho. Y ella, seguida por Michael y Edward, echó a andar hacia la salita familiar.

Elizabeth estaba tomando el té. Al verlos entrar, soltó la taza y la novela que estaba leyendo.

—He oído la voz de Muriel —dijo, haciendo un mohín—. Supuse que me llamarías si me necesitabas.

La tranquilizó con un gesto de la mano.

—Por supuesto. —Tomó asiento en el diván y clavó la vista en Michael, que estaba haciendo lo propio en el sillón situado justo enfrente de ella. Edward se acomodó en el reposabrazos del sillón compañero—. ¿Crees que los dos rufianes con los que estuvo hablando Ferdinand en el bosque...?

Edward frunció el ceño.

—¿A quiénes te refieres?

Michael se lo explicó. Su secretario la miró con evidente preocupación.

—¿Crees que Ferdinand los contrató para que se colaran en Sutcliffe Hall?

—Lo que yo creo —intervino Michael con firmeza— es que nos estamos precipitando. Si bien estoy de acuerdo en que parece un tanto sospechoso que alguien entre en Sutcliffe Hall justo cuando Ferdinand parece mostrar un interés repentino en los documentos privados de Camden y después de que presenciáramos su encuentro clandestino con dos desconocidos con aspecto de maleantes, no tenemos pruebas que demuestren que él esté detrás de todo este asunto. A decir verdad, es muy posible que fueran unos vagabundos en busca de cobijo durante la tormenta, tal y como George ha sugerido. —La miró llegado a ese punto—. Ese extremo del ala oeste es la parte más aislada de la mansión, ¿verdad?

Ella asintió con la cabeza al tiempo que decía:

—A Camden le gustaba precisamente por eso; allí no lo molestaba nadie.

—Exacto. Y el bosque llega prácticamente a la mansión por ese lado, por lo que si algún vagabundo buscara cobijo, sería lógico que entrara por ahí.

Caro frunció los labios.

—¿Estás insinuando que el hecho de que se produjera este incidente y la curiosidad de Ferdinand no es más que una coincidencia?

—Leponte no es santo de mi devoción precisamente —contestó él, al tiempo que hacía un gesto afirmativo con la cabeza—, pero no tenemos pruebas fehacientes que lo culpen del allanamiento.

—Pero podemos mantenerlo vigilado —sugirió Edward, con voz decidida.

Michael lo miró a los ojos.

—Cierto. Aunque no tengamos pruebas en su contra en este caso, creo que eso sería lo más acertado.

Michael y Edward pasaron la siguiente media hora discutiendo posibilidades y decidieron alertar a la servidumbre de Bramshaw House de modo que se mantuvieran ojo avizor ante la presencia de desconocidos, utilizando como excusa el allanamiento de Sutcliffe Hall.

—Leadbetter Hall está demasiado lejos como para someter a Leponte a una vigilancia efectiva —declaró Michael al tiempo que torcía el gesto—. Además, entre el baile y la fiesta parroquial tiene motivos de sobra para estar rondando Bramshaw House. Aparte de poner en alerta a medio condado, no se me ocurre ninguna otra cosa.

Edward asintió con la cabeza.

—El baile le proporcionará una ocasión estupenda para registrar la mansión, ¿no os parece?

—Sí. Tendremos que asegurarnos de que alguien lo vigila en todo momento.

Caro los escuchaba y asintió siempre que le pidieron opinión; pero, salvo en esas contadas ocasiones, se mantuvo en silencio. Ya tenía bastante con los preparativos del baile como para preocuparse por Ferdinand. Además, estaba claro que podía dejar el asunto en manos de Michael y Edward.

El sol comenzaba a desaparecer tras las copas de los árboles cuando Michael se puso en pie. Ella también lo hizo y lo observó mientras se despedía de Edward y de Elizabeth; cuando se giró para despedirse de ella, le ofreció la mano con una sonrisa afable.

—Adiós.

La mención del baile le había recordado todo lo que le quedaba por hacer, por organizar y por decidir. A pesar de la decisión de embarcarse en una aventura con él, no podía permitirse ninguna distracción en ese preciso momento.

Él le retuvo la mano un instante y la miró a los ojos mientras se la llevaba a los labios y le besaba los nudillos.

—Vendré a verte mañana por la tarde.

Se giró con él hacia la puerta. Todavía no la había soltado.

—Mañana voy a estar muy ocupada. —Bajó la voz de modo que sólo él pudiera oírla—. Entre los preparativos del baile y los de la fiesta parroquial, tengo muchas cosas que hacer.

Al llegar al vano de la puerta se detuvieron y él la miró.

—De todos modos, vendré a media tarde. —Las palabras encerraban una promesa, acentuada por su elocuente mirada. Volvió a llevarse su mano a los labios y depositó otro beso en sus nudillos sin apartar la mirada de sus ojos. Después, le soltó la mano—. Espero que estés preparada. —Y se marchó con una breve inclinación de cabeza y otra mirada penetrante.

Ella siguió un rato en el vano de la puerta, escuchando cómo se desvanecían sus pisadas mientras se preguntaba en qué se había metido, además de en una aventura...

Todavía seguía preguntándoselo al día siguiente, mientras miraba a Michael echando chispas por los ojos y con los brazos en jarras. Estaban en la terraza.

Abrió la boca...

Y él la apuntó con el dedo índice en gesto acusador.

—Sin rechistar. ¿Lo recuerdas?

Soltó el aire entre dientes, presa de la exasperación.

—Tengo...

—Cinco minutos para ponerte el traje de montar y ni uno más. Te espero en la puerta principal con los caballos.

Y con eso dio media vuelta, bajó los escalones de la terraza y echó a andar hacia los establos... dejándola con la boca abierta y con la sospecha de que no le quedaba más remedio que ceñirse a sus planes.

¡Jamás la habían mangoneado tanto en su vida!

Dio media vuelta mientras echaba pestes sobre los hombres arrogantes en particular y el sexo masculino en general, se quitó el delantal y, después de atravesar la cocina para darles unas cuantas instrucciones al ama de llaves y a la cocinera, voló escaleras arriba. Diez minutos después —se había demorado para dar una serie de instrucciones a los criados, cosa que estaba a punto de hacer cuando la interrumpió la aparición de Michael— atravesaba con presteza el vestíbulo principal.

Estaba colocándose los guantes cuando se dio de bruces con un muro de sólido músculo masculino que a sus sentidos no les costó el menor esfuerzo reconocer.

—¡Ya voy, ya voy! —protestó mientras trastabillaba por el encontronazo.

Él la agarró para estabilizarla antes de tomarla de la mano.

—Ya era hora.

Parpadeó al escuchar el deje gruñón de su voz, pero no pudo verle las facciones porque ya se había dado la vuelta y caminaba delante de ella sin soltarla de la mano. No le quedó más remedio que apresurar el paso para no quedarse atrás mientras se agarraba las faldas del traje de montar a fin de no pisárselas al bajar los escalones tras él.

—¡Esto es ridículo! —refunfuñó mientras Michael tiraba de ella.

—Y que lo digas.

Se detuvo al llegar al lado de *Calista* y se giró para ayudarla a montar. Le rodeó la cintura con las manos, pero no la alzó hasta la silla.

Ella alzó la vista y enfrentó su mirada. Como siempre, sus sentidos cobraron vida ante su proximidad; sin embargo, parecía estar acostumbrándose al efecto embriagador que ejercía sobre ella.

—¿Has tenido una aventura alguna vez?

La pregunta hizo que lo mirara de hito en hito.

—¡No! Por supuesto que no —contestó sin pararse a pensar.

No obstante, él se limitó a asentir con la cabeza con expresión un tanto seria.

—Eso creía.

Y, con ese comentario, la alzó hasta la silla y le sostuvo el estribo mientras ella colocaba el pie. Lo vio alejarse para montar en su caballo y siguió sus movimientos con el ceño fruncido al tiempo que se acomodaba las faldas.

—¿Qué importancia tiene eso?

Michael la miró mientras cogía las riendas y le contestó:

—No lo estás poniendo fácil que digamos.

—Ya te lo dije —replicó con los ojos entrecerrados. Azuzó a *Calista* para que avanzara hasta quedar a la altura de *Atlas* y juntos avanzaron por la avenida—. Tengo cosas que hacer para la fiesta, el baile... Estoy muy ocupada.

—No es cierto. Estás asustada y te aferras a cualquier excusa para no dar el paso decisivo.

Ella clavó la vista al frente. Ni siquiera miró de reojo para ver si la estaba observando, pero de todos modos percibió su mirada sobre el rostro.

—Eres el epítome de la eficiencia, Caro. No esperarás que me trague el cuento de que no puedes tomarte dos horas de descanso la víspera de un baile que eres capaz de organizar con los ojos cerrados.

Tenía razón, al menos en eso. Frunció ligeramente el ceño, si bien el gesto apenas dejó traslucir su verdadera irritación. ¿Tendría razón en todo lo demás? Era muy consciente de sus temores. ¿Estarían tan arraigados, sería el miedo tan profundo como para evitar de forma inconsciente e instintiva cualquier situación que supusiera un desafío tal y como él acababa de sugerir?

Lo miró de reojo. La estaba observando; pero, cuando sus miradas se encontraron, comprendió que no lo hacía con la intención de presionarla. Lo que quería era comprenderla, aunque de momento no lo hubiera logrado.

Le dio un vuelco el corazón mientras devolvía la mirada al frente. Tanto el hecho de que la comprendiera como su deseo de hacerlo le provocaban una sensación extraña que no acababa de identificar. Cabalgaron en silencio bastante rato y a buen ritmo antes de que carraspeara, inspirara hondo y alzara la barbilla para comentar:

—A decir verdad, es posible que parezca que estoy poniendo obstáculos, pero te aseguro que no lo hago de forma intencionada. —Lo miró de soslayo—. Estoy tan segura como tú con respecto a la decisión que hemos tomado.

Michael sonrió de un modo muy masculino.

—En ese caso, no te preocupes —replicó, mirándola a los ojos—. Haré caso omiso de tus obstáculos.

Ella resopló mientras miraba al frente, no muy convencida de que eso le gustara, aunque... debía reconocer que la reconfortaba en cierta medida, concluyó mientras seguían cabalgando a la luz dorada de la tarde. A pesar de los absurdos titubeos que sus temores pudieran provocar, Michael no iba a permitir que lo evitara ni que se resistiera a sus avances... ni tampoco que retrocediera. Tal parecía que había encontrado un aliado en la batalla contra sus temores.

No se percató de que habían vuelto a tomar la ruta hacia el monumento a Guillermo el Rojo hasta que estuvieron a punto de entrar en el claro. Cuando se internaron en el extenso prado cuyo suelo parecía una mullida alfombra verde y dorada, se preguntó por qué habría elegido Michael ese lugar y qué estaría planeando.

Se detuvieron. Él desmontó en primer lugar, ató los caballos y la ayudó a desmontar. La bajó hasta el suelo muy despacio, aunque no la soltó de inmediato.

Ella alzó la vista y sus miradas se entrelazaron. Percibió que la atracción mutua que sentían se incrementaba, que el deseo se avivaba, mientras él inclinaba la cabeza y la acercaba hasta su cuerpo.

La besó en la sien y, después, trazó la curva de su oreja antes de demorarse unos instantes en el sensible hueco que había bajo ella. Aspiró su perfume y dejó que lo inundara poco a poco, en espera de la reacción física que siempre le provocaba.

—Debería admitir que... —Dejó la frase en el aire a la par que tiraba de ella para amoldarla a su cuerpo.

Las manos de Caro se posaron sobre sus hombros al tiempo que parpadeaba, un tanto confusa.

—¿Qué?

Esbozó una sonrisa y bajó la cabeza.

—Que de todos modos habría hecho caso omiso de tus obstáculos.

Se apoderó de sus labios y percibió que se entregaba gustosa cuando se apoyó en él. Durante un buen rato se limitó a saborearla, a disfrutar de la capitulación que llevaba implícita en el gesto. Sin embargo, aunque no había elegido el claro por su aislamiento, debía reconocer que no era una mala idea capturar sus sentidos y hacerle vislumbrar un retazo de lo que iban a compartir, de la intimidad tan absoluta que en un futuro muy cercano existiría entre ellos, antes de sacar el tema que lo había llevado hasta allí.

Cuando por fin interrumpió el beso, ella abrió los ojos y observó su rostro un instante.

—¿Por qué has elegido este lugar?

Tal vez fuera capaz de hechizar sus sentidos, pero estaba claro que su capacidad de raciocinio era mucho más resistente. La soltó, la cogió de la mano y echó a andar con ella hacia la piedra.

—La última vez que estuvimos aquí... —comenzó, pero hizo una breve pausa para que ella lo mirara a los ojos y así poder ver su expresión—. Dije algo para picarte cuando entramos en el claro. —Su semblante le indicó que se acordaba perfectamente del momento—. Buscaba una reacción por tu parte, pero la que conseguí me resultó todo un misterio, y todavía sigue siéndolo.

Caro se detuvo y miró al frente. Él la imitó, pero no le soltó la mano. Al contrario, la apretó aún más.

—Me advertiste que todo embajador necesita una compañera adecuada... y yo repliqué que lo mismo puede decirse de un ministro. —Continuó sin darle tregua—. Después, señalé que Camden había sido un embajador de primera.

Sintió cómo los dedos de Caro intentaban zafarse de su apretón, pero se negó a mirarlo a los ojos. Tenía una expresión pétrea y había alzado la barbilla, lo que no presagiaba nada bueno...

—Te he traído aquí para preguntarte qué fue lo que te molestó. Y por qué.

Ella siguió en silencio un buen rato, tan inmóvil como una estatua salvo por el pulso que latía desaforado en la base de su garganta. Estaba molesta de nuevo, pero de un modo distinto... o tal vez del mismo modo, si bien había algo más.

A la postre, inspiró hondo, le lanzó una mirada fugaz, aunque evitó sus ojos, y dijo:

—Yo... —Volvió a inspirar al tiempo que alzaba un poco más la barbilla y clavaba la vista en los árboles.

—Camden ya se había labrado una carrera en el ámbito diplomático cuando se casó contigo —dijo él, para animarla a hablar—. Era astuto y contaba con una amplia experiencia. —Hizo una pausa antes de añadir—: Eligió bien.

—Lo sé —replicó ella con voz trémula por la tensión. Ni siquiera lo miró.

—Caro... —le dijo, dándole un nuevo apretón en la mano. Al ver que no decía nada, añadió en voz queda—: No podré entenderlo si no me lo explicas.

—¡Es que no quiero que entiendas nada! —Intentó gesticular, pero descubrió que todavía tenía la mano sujeta por la suya y tironeó para soltarse—. ¡Por el amor de Dios! Suéltame. No creerás que voy a salir huyendo, ¿verdad?

El hecho de que reconociera que eso era imposible lo tranquilizó, de modo que la soltó. Caro se abrazó la cintura y comenzó a caminar, cabizbaja, alrededor de la piedra. Su expresión, o al menos lo que alcanzó a ver de ésta, sugería que estaba debatiéndose en una lucha interior, pero no tenía ni la menor idea del porqué.

Pasó largo rato antes de que comenzara a hablar nuevamente, sin dejar de caminar.

—¿Por qué quieres saberlo?

—Porque no quiero volver a hacerte daño. —Ni siquiera tuvo que meditar la respuesta.

Sus palabras hicieron que se detuviera. Lo miró un instante antes de empezar a caminar otra vez, aunque no rodeó la piedra, sino que la utilizó de pantalla entre ellos mientras se paseaba de un lado a otro.

Tras otra breve pausa, volvió a hablar con voz queda pero sin titubear.

—Yo era joven... muy joven. Sólo tenía diecisiete años. Camden tenía cincuenta y ocho. Párate a pensar un momento. —Siguió caminando—. Piensa cómo puede convencer un hombre experimentado de cincuenta y ocho años, que aún conserva todo su atractivo y hace gala de un encanto arrollador, y de una voluntad de hierro, a una jovencita de diecisiete que ni siquiera ha disfrutado de una temporada social para que se case con él. Fue un juego de niños que me hiciera creer en la existencia de algo que en realidad no existía.

Su confesión lo hirió. No con la fuerza de un puñetazo, sino con la precisión de una daga. De pronto, descubrió que sangraba por un lugar que hasta entonces no había creído en peligro.

—¡Caro!

—¡No! —exclamó ella de repente, mientras sus ojos grises lo fulminaban—. ¡Ni se te ocurra compadecerme! Yo no sabía... —Se detuvo de golpe y alzó las manos mientras le daba la espalda. Respiró hondo y enderezó la espalda al tiempo que erguía la cabeza—. De todos modos, es agua pasada.

Quiso decirle que las heridas ya cerradas no se ponían a sangrar a la menor oportunidad. Pero no fue capaz de encontrar las palabras, al menos no se le ocurrió nada que ella pudiera aceptar.

—No suelo ser tan susceptible al respecto, pero todo este asunto de Elizabeth y tu necesidad de casarte... —Su voz se desvaneció. Tomó una honda bocanada de aire, pero no lo miró. Sus ojos siguieron clavados en los árboles—. Ya lo sabes. ¿Estás contento?

—No —contestó mientras rodeaba la piedra para ponerse a su lado—. Pero, al menos, ahora te comprendo.

Le rodeó la cintura con los brazos y ella lo miró por encima del hombro. Su semblante era ceñudo.

—No entiendo por qué tienes que comprenderme.

La obligó a dar media vuelta, la abrazó de nuevo e inclinó la cabeza.

—Pero yo sí.

«Y tú acabarás entendiéndolo también», dijo para sus adentros mientras la besaba en los labios. No con ardor, pero sí de un modo excitante y tentador. Caro tardó un poco en responder con su habitual pasión, pero a la postre lo hizo. En esta ocasión, se arrojaron a las llamas de un modo más lento, más deliberado y considerado. La llevó hasta la hoguera paso a paso y ella lo siguió.

Hasta que el fuego los consumió. Hasta que anhelaron algo más que los besos y el roce de sus cuerpos.

Atrapada en el momento y emocionada por la promesa que encerraba, la promesa de que desterraría el frío del pasado, a Caro incluso le molestó que él se separara para quitarse la chaqueta y echarla en el suelo, a la sombra de un enorme roble. Cuando le tendió la mano y la ayudó a sentarse, ni siquiera dudó. Necesitaba el contacto, lo anhelaba. Necesitaba la confianza que le daban sus besos y sus atrevidas caricias.

Como era habitual en él, ni siquiera le pidió permiso para desabrocharle el corpiño, quitarle la camisola y desnudarle los senos. Lo hizo sin más. Y después se dio un festín, abrumándola con un sinfín de caricias hasta que comenzó a jadear; hasta que se le endurecieron los pezones y sintió que le ardía la piel por el deseo.

Le levantó la falda sin pedirle permiso tampoco e introdujo la mano bajo ella. Esos indagadores dedos encontraron su rodilla y la rodearon para seguir ascendiendo muy despacio por la cara interna de sus muslos hasta que sintió un hormigueante placer que la hizo removerse, acercarse a su mano, exigirle sin palabras...

Sabía lo que quería, pero cuando la tocó ahí estuvo a punto de morirse. No sólo por el placer, sino también por la emoción. Michael le separó los muslos sin muchos miramientos y comenzó a acariciarla, a recorrer esa parte tan delicada de su cuerpo que no tardó en estar mojada, acalorada y palpitante. Sus caricias se tornaron más decididas a partir de ese momento.

Se apartó del pezón que había estado chupando y la miró con los párpados entornados mientras la penetraba con un dedo.

Una extraña pero intensa sensación se apoderó de ella. Se quedó sin aliento y la razón la abandonó. Todos sus sentidos se concentraron en ese lugar, en esa invasión que cada vez era más profunda, en ese dedo que se hundía en ella sin remisión.

Antes de que pudiera recobrar el aliento, Michael comenzó a acariciarla de forma deliberada. Después, inclinó la cabeza y la besó en los labios como si fuera una hurí y él, su amo y señor.

Correspondió al beso como si en realidad fuera su esclava. Con avidez, pero también exigiéndole a cambio y atormentándolo tanto como le fue posible. Y él respondió en consecuencia. Sus bocas se fundieron y sus lenguas se unieron mientras seguía acariciándola con la mano hasta robarle la razón.

Le clavó los dedos en los hombros para que no dejara de besarla, presa de una súbita desesperación. Estaba desesperada porque siguiera besándola, para que no pudiera observar lo que hacía su mano; para que no descubriera lo increíblemente placenteras, excitantes y gloriosas que le resultaban sus caricias, lo cual podía revelar su inocencia en esas lides.

Estaba desesperada por el hecho de que no parara.

Estaba desesperada por alcanzar una especie de cumbre sensual que acabara con la tensión que iba creciendo en su interior.

Tenía ganas de gritar.

Aunque no apartó los labios de los suyos, lo sintió soltar un juramento justo antes de que moviera la mano que la acariciaba entre los muslos.

Intentó alejarse de él para protestar, pero Michael se lo impidió, siguió sus movimientos y la mantuvo atrapada en el beso. En ese momento, un segundo dedo se unió al primero y las sensaciones se incrementaron de forma sorprendente. La tensión escaló hasta apoderarse de todo su cuerpo.

Michael la mantuvo inmovilizada mientras retomaba el movimiento de su mano. La tocó con el pulgar, la acarició, buscó el punto preciso y cuando lo encontró... presionó sobre él al ritmo que marcaban sus dedos.

Caro sintió que se fracturaba como una copa de cristal a la luz del sol; se sintió atravesada por una increíble miríada de fragmentos de placer que se clavaron en ella sin compasión hasta liberarla de la tensión y dejarla flotando en un estanque dorado. Un estanque resplandeciente y pulsante cuyo calor fue calando en ella hasta que lo sintió bajo la piel, en las yemas de los dedos y en el corazón.

La deliciosa experiencia la arropó en su seno, la acunó y la arrancó del mundo por primera vez. Porque ésa era la primera vez que había flotado en ese éxtasis sensual.

Volvió poco a poco a la realidad, al mundo físico, a la conciencia de lo que la rodeaba. A la comprensión de lo que era el placer físico, de lo que se había perdido durante años y que ese día apenas había empezado a vislumbrar. A la certeza de lo que había estado esperando y de lo que él le había proporcionado.

Michael la había estado observando todo el rato.

Lo miró mientras esbozaba una lenta sonrisa y se desperezaba, saciada por primera vez en su vida en el plano sexual. Encantada con la experiencia.

Esa sonrisa se lo dijo todo y a él le supo a gloria. Decidió que era mucho más satisfactoria que la que le regaló al asegurarle que no pediría la mano de Elizabeth en matrimonio.

Era una sonrisa que bien valía todos los esfuerzos que pensaba llevar a cabo, una sonrisa que lo llevó a renovar el voto que se hiciera en su fuero interno. Volvió a jurar que la haría sonreír todas las mañanas y todas las noches. Porque ella se lo merecía tanto como él.

Sacó los dedos que aún la penetraban. Su cuerpo era muy estrecho; claro que Camden llevaba muerto dos años y para entonces ya era bastante mayor. Sin embargo, mientras le bajaba las faldas, se percató de que ella lo observaba extrañada. Algo empañaba el brillo plateado de esos gloriosos ojos grises. Alzó una ceja en gesto interrogante.

Su semblante se tornó ceñudo.

—¿Y tú? —Se giró hacia él y su mano encontró lo que buscaba, rígido y tan duro como el granito. Su delicada caricia lo habría postrado de rodillas de haber estado de pie.

Le apartó la mano y se vio obligado a recobrar el aliento antes de decir:

—Esta vez no.

—¿Por qué no?

Había un matiz contrariado en su pregunta, aparte de la obvia decepción. Una decepción lo bastante clara como para que la observara con más detenimiento.

—Porque tengo planes.

Y, de hecho, así era. Aunque no pensaba compartirlos con ella. Dada su tendencia a ponerle obstáculos en el camino, cuanto menos supiera, mejor.

Caro adoptó una expresión recelosa.

—¿Qué planes?

Se tumbó de espaldas mientras le pasaba un brazo por los hombros y tiraba de ella para que se tendiera sobre su cuerpo.

—No necesitas conocerlos. —Le inclinó la cabeza y atrapó su carnoso labio inferior entre los dientes. Le dio un suave tirón antes de susurrar—: Pero te invito a que los descubras.

Ella rio entre dientes y el sonido le hizo recordar que no era una mujer dada a la risa. En ese instante y sin alejarse de sus labios ya que Caro había decidido persuadirlo para que confesara, resolvió que conseguiría hacerla reír a menudo. Que alejaría esas nubes que, ocultas bajo todo el oropel de la vida que había llevado, parecían haber oscurecido sus días durante demasiado tiempo.

En ese instante, Caro se movió hasta que estuvo totalmente tumbada sobre él y se entregó al beso en cuerpo y alma, haciéndole olvidar todo lo demás e instándolo a besarla sin más.

A pesar de sus esfuerzos, Caro no descubrió los planes de Michael. Cuando regresaron a Bramshaw House, sus desatendidos deberes la reclamaron. No tuvo la menor oportunidad para analizar lo que había sucedido en el claro hasta que apoyó la cabeza en la almohada esa noche. Para analizar el afán de Michael por entenderla, así como su confesión y las sensaciones que había experimentado a su lado.

Eso hizo que su sexo comenzara a palpitar ante el mero recuerdo de lo sucedido. Aún sentía los rescoldos de ese maravilloso placer. Bien era cierto que Camden la había tocado de un modo similar; los velos con los que su memoria intentaba ocultar los recuerdos de las escasas noches que su marido había ido a su cama oscurecían los detalles, pero nunca había percibido en Camden lo que había percibido en Michael; y jamás había reaccionado del mismo modo, con su marido nunca había sentido ni un ápice de la pasión, mucho menos del deleite, que había experimentado en brazos de Michael.

A pesar de la secreta preocupación que aún la atormentaba (el temor de que algo saliera mal; de que al final, cuando llegara el momento, eso que tanto deseaba no se produjera), sentía una avidez, una emoción, una compulsión que la instaba a continuar, a explorar y a experimentar tanto como le fuera posible. Tanto como él quisiera enseñarle.

Fueran cuales fuesen sus planes, los acataría.

Porque, a pesar de todo, había algo crucial que necesitaba saber.

11

Michael se levantó temprano al día siguiente. Intentó distraerse poniéndose al día con las noticias procedentes de la capital, leyendo los periódicos y algunas cartas cómodamente sentado en su sillón, pero se sorprendía una y otra vez con la mirada perdida al frente, pensando... en ella.

Caro había confesado que le ponía obstáculos en el camino de modo involuntario y después había hecho una revelación, ya fuera consciente o inconscientemente, dejando frente a él una sima abismal que tendría que sortear fuera como fuese.

Camden se había casado con ella por su capacidad y sus innegables talentos. Algo en absoluto sorprendente sabiendo lo que sabía del antiguo embajador. Si había algún hombre que conociera al dedillo los talentos innatos necesarios para crear una anfitriona de primera categoría y que fuera capaz de descubrirlos a primera vista en una jovencita inexperta de diecisiete años, ése era Camden Sutcliffe. Cuando se casó con Caro ya había enterrado a dos esposas muy competentes.

Sin embargo, ése no era el problema. El problema era que Caro no lo había sabido en aquel entonces y que creyó que se casaba con ella por otros motivos; presumiblemente por los típicos motivos de índole romántica con los que soñaban las muchachas a esa edad. Mientras que Camden...

Apretó los dientes, aunque no le costó trabajo imaginarse al Camden que él había conocido y del que tanto había oído hablar desplegando todos sus encantos y su carismática personalidad con la intención de deslumbrar a la jovencita que pretendía hacer suya. Sí. Camden Sutcliffe habría sido capaz de eso, habría sido capaz de llevarla por un camino de rosas, de hacerle creer lo que ella quisiera... cualquier cosa con tal de salirse con la suya.

Había puesto sus ojos en Caro y la había conseguido.

Pero con falsos pretextos en lo que a ella se refería.

Eso era lo que la había herido. De ahí sus cicatrices. Unas cicatrices que no habían sanado del todo a pesar de los años transcurridos.

Y él había sido testigo de la magnitud de las heridas. Nunca más volvería a meter el dedo en la llaga a propósito. Aunque no se arrepentía de haberlo hecho. Porque, de no ser así, en esos momentos no sabría a lo que se enfrentaba.

Puesto que Caro era consciente de que él necesitaba con urgencia el mismo tipo de esposa que Camden había buscado, precisamente el tipo de esposa de la que ella era el máximo exponente, le costaría la misma vida conseguir que accediera a casarse con él.

Y ahí era donde se abría la sima abismal delante de él; no tanto en el hecho de llevársela a la cama, como en su objetivo final: casarse con ella.

Meditó al respecto y llegó a la conclusión de que ese momento aún estaba muy lejos. ¿Quién podía predecir lo que iba a suceder? Tal vez para entonces se hubiera abierto ante él una senda más despejada hacia el matrimonio, de modo que no fuera necesario cruzar esa sima.

Sus planes eran sensatos: ir paso a paso. Tenía que conseguir un objetivo antes de lanzarse al siguiente.

Aparcó el tema e intentó prestar atención a la última carta de su tía Harriet. Leyó un párrafo más antes de que su mente tomara otros derroteros... que lo llevaron de vuelta a Caro.

Contuvo un juramento mientras plegaba la carta y la arrojaba sobre el montón de papeles que había en el escritorio. Cinco minutos después estaba a lomos de *Atlas*, cabalgando en dirección a Bramshaw House.

El sentido común le decía que el mismo día de un baile no era el mejor momento para hacerle una visita a una dama y mucho menos cuando, a pesar de lo que le había dicho a Caro, la Verbena Estival no era un acontecimiento fácil de organizar, en especial porque muchos invitados eran personalidades del ámbito diplomático. Si tuviera dos dedos de frente, estaría siguiendo el plan previsto y jugaría de forma más discreta. Sin embargo, ahí estaba...

Decidió que, con independencia de las demás consideraciones, sería injusto dejarle a Edward la tarea de vigilarla sin la ayuda de nadie. No le cabía duda de que Geoffrey habría buscado refugio en su despacho, de donde no saldría hasta la hora de la cena, así que debía haber alguien presente que tuviera la menor oportunidad de refrenar a Caro en caso de que fuera necesario.

La encontró en la terraza, organizando la disposición de las mesas y las sillas en el prado. Puesto que estaba absorta indicando a dos criados que movieran una mesa hacia la derecha, no se dio cuenta de su presencia hasta que le colocó las manos en la cintura y le dio un leve apretón.

—¡Vaya! ¡Hola! —Lo miró por encima del hombro de forma distraída. Parecía estar sin aliento.

Le ofreció una sonrisa mientras la soltaba, y no perdió la oportunidad de acariciarle las caderas en el proceso. El pequeño regimiento que trajinaba más abajo no podía verlos.

Ella frunció el ceño... a modo de severa amonestación.

—¿Has venido a ayudar?

—¿Qué quieres que haga? —preguntó a su vez, no sin antes exhalar un suspiro resignado.

Una pregunta fatal, según descubrió poco después, porque Caro tenía una lista de tareas tan larga como su brazo. La primera implicaba el traslado de los muebles de los salones de recepción. Algunos de ellos se verían alojados de modo temporal en otras estancias. Mientras que los criados bregaban con los aparadores y los muebles más grandes, Elizabeth, Edward y él se encargaron de las lámparas, los espejos y cualquier otro objeto voluminoso, pero de cierta fragilidad o cierto valor. Hubo que llevar algunos a otras habitaciones, si bien otros sólo precisaron un nuevo emplazamiento. Pasó una hora en un santiamén.

Una vez que se quedó satisfecha con el trabajo realizado de puertas para adentro, Caro se concentró nuevamente en el exterior. Había que alzar una carpa en uno de los laterales del prado. Michael intercambió una mirada con Edward y ambos se presentaron voluntarios para la tarea. Mejor eso que arrastrar pesados maceteros por la terraza y los senderos del jardín.

Elizabeth les ofreció su ayuda. La lona de la carpa estaba plegada en el borde del prado, junto con los postes, las cuerdas y las estacas. Entre los tres consiguieron desplegarla —Caro estaba ocupada supervisando alguna otra cosa—, aunque les costó bastante más trabajo y sudor colocar los postes en su sitio y alzarla. Sobre todo porque la carpa era hexagonal, no cuadrada tal y como supusieron en un principio y, por tanto, mucho más difícil de montar.

A la postre, Michael consiguió alzar uno de los extremos de la lona. Mientras la aseguraba al poste, le hizo un gesto a Edward con la cabeza.

—Intenta alzar el poste central.

Edward, que a esas alturas ya estaba en mangas de camisa, asintió escuetamente con la cabeza y se metió bajo la lona a regañadientes. Tuvo que abrirse camino entre los pliegues del material y no tardó mucho en quedarse enredado. Acto seguido, se escucharon varios juramentos entre dientes. Elizabeth, incapaz de contener la risa, le dijo:

—¡Espera! ¡Yo te ayudo!

Y no tardó en seguirlo bajo la tela.

Entretanto, él observó con indulgencia los divertidos esfuerzos de la pareja, apoyado en el poste.

—¿Por qué estáis tardando tanto con esto? —preguntó Caro, que apareció como una exhalación por detrás de la lona que él sostenía.

Al ver que estaba aferrando el poste con la mano para que no se cayera, se giró en dirección a la lona que aún estaba desparramada por el suelo y de la cual surgían unos sonidos sofocados pero bastante elocuentes.

Puso los brazos en jarras y, echando chispas por los ojos, musitó entre dientes:

—No tenemos tiempo para estas tonterías.

Él extendió un brazo y la aferró por la cintura; antes de que pudiera protestar, le dio un tirón. Acabó pegada a él y con las manos apoyadas sobre su torso. El poste que sostenía se tambaleó, pero se las arregló para mantenerlo derecho.

Caro contuvo el aliento y lo miró a los ojos, dándole la oportunidad de vislumbrar en sus ojos grises la batalla que libraban su mente y sus sentidos en su fuero interno. Sin embargo, acabó parpadeando varias veces y a él no le cupo la menor duda de que estaba mordiéndose la lengua para no soltar la protesta que su mente le ordenaba que gritase.

Sonrió y se percató de que Caro le miraba los labios.

—Déjalos disfrutar del momento; esto no va a retrasar tus preparativos.

Estaba a punto de añadir: «¿Acaso no te acuerdas de lo que era ser joven?», refiriéndose al primer amor, cuando su mente le recordó justo a tiempo que no podría hacerlo por la sencilla razón de que nunca lo había experimentado.

Inclinó la cabeza y la besó. En un principio con delicadeza, hasta que sus labios se fundieron y la pasión se fue incrementando de forma paulatina. El suyo no era un amor juvenil, sino un compromiso mucho más maduro. El beso lo reflejaba y no tardó en alcanzar nuevas cotas.

La lona los resguardaba de las miradas del ejército de criados que trabajaba en los jardines y en la terraza. Edward y Elizabeth seguían bregando con el poste central, bajo la tela.

Alzó la cabeza en el mismo instante en el que Elizabeth salía de debajo de la lona, sacudiéndose las faldas y conteniendo a duras penas la risa tonta. Soltó a Caro tan pronto como estuvo seguro de que ésta era capaz de sostenerse por su propio pie. Elizabeth se percató de que estaba apartando el brazo de la cintura de su tía y los miró con los ojos desorbitados mientras la comprensión se abría paso en su mente y se reflejaba en su expresión.

Caro se dio cuenta. Presa de un inusual azoramiento, comenzó a gesticular en dirección a su sobrina. Edward seguía bajo la lona.

—¡Date prisa! Tenemos que montar esto ya.

Elizabeth sonrió.

—Edward ya ha colocado el poste central en su sitio y está preparado para levantarlo.

—Estupendo —replicó ella, que retrocedió un paso, hacia la casa, al tiempo que asentía con la cabeza—. ¡Seguid!

Y con esa orden se marchó, con más prisas que cuando llegó. Michael la observó con una mirada risueña antes de desviar la vista hacia Elizabeth. Pasó por alto la expresión curiosa de la muchacha y le señaló uno de los palos.

—Si puedes colocar aquel de la esquina, podremos alzar la carpa.

Se las arreglaron, entre improperios disimulados y muchas carcajadas. Una vez que la carpa estuvo alzada y asegurada, regresaron junto a Caro, que los recibió con una de sus miradas más severas.

—La señora Judson necesita ayuda para preparar la vajilla, la cristalería y la cubertería para la cena y el ágape que se servirá bajo la carpa. —Fulminó a Edward y a Elizabeth con esa mirada severa que aún no había desechado—. Vosotros dos podéis ayudarla.

La pareja sonrió sin dejarse amedrentar antes de echar a andar hacia el comedor. La hosca mirada se posó en él.

—Tú te vienes conmigo.

—Con mucho gusto —replicó con una sonrisa.

Ella resopló y pasó a su lado con la barbilla en alto. La siguió, pisándole los talones. El vaivén de sus caderas era de lo más excitante. Un rápido vistazo a su alrededor le bastó para asegurarse de que el pasillo estaba desierto. Extendió el brazo en un gesto atrevido y acarició esas incitantes curvas. Notó que ella se tensaba y contenía el aliento. Estuvo a punto de trastabillar, pero no tardó en recuperar la compostura y el paso.

Él, sin embargo, no apartó la mano.

Caro aminoró el paso al acercarse a una puerta abierta. Lo miró por encima del hombro e hizo un esfuerzo supremo para componer una expresión ceñuda.

—Ya está bien.

Él la miró con los ojos como platos.

—¿Por qué?

—Porque...

Volvió a acariciarla y el brillo decidido de esos ojos grises se esfumó. Caro se humedeció los labios antes de detenerse en el vano de la puerta para respirar hondo.

—Porque necesitarás las dos manos para llevar esto —contestó, abarcando con la mano la estancia a la que lo había conducido.

Cuando miró, tuvo que contener un gemido. «Esto» no era otra cosa que un sinfín de maceteros gigantescos y de jarrones cargados de arreglos florales. Había dos doncellas dándoles los últimos retoques.

Caro le sonrió con un brillo muy sospechoso en la mirada.

—Esos dos van en el salón de baile y los otros hay que repartirlos por la casa. Dora te irá indicando dónde colocarlos. Cuando acabes, estoy segura de que encontraré otra cosa para mantener tus manos ocupadas.

Él le sonrió de forma deliberada.

—Y si no, se me ocurren un par de sugerencias...

Caro volvió a resoplar mientras daba media vuelta. La observó a medida que se alejaba por el pasillo, contoneando las caderas de ese modo tan sugerente, y esbozó una sonrisa antes de ponerse manos a la obra con los maceteros.

Mientras los llevaba de un lado a otro, aprovechó para pensar y hacer planes. Tal y como Caro le había dicho, había arreglos florales que colocar en todos los rincones de la planta baja, además de en las estancias adyacentes a las habitaciones que se habían preparado para alojar a los invitados. La mayoría llegaría a última hora de la tarde, lo que explicaba el frenesí de actividad. Todo tenía que estar perfecto antes de que los invitados cruzaran el umbral.

La tarea de acarrear los arreglos florales le sirvió para volver a familiarizarse con la mansión. Ya la conocía de antes, pero nunca había tenido la necesidad de estudiar su distribución con detenimiento. Descubrió cuáles eran las habitaciones que se habían preparado para los invitados, así como las que ocupaban la familia y Edward, y las que se quedarían sin ocupar. Estas últimas eran unas cuantas. Después de que Dora lo liberase de la tarea, decidió desaparecer escaleras arriba.

Bajó veinte minutos después para buscar a Caro. La encontró en la terraza con un plato de sándwiches en una mano. Los hambrientos criados estaban diseminados por el prado y la terraza, sentados a las mesas o en los escalones, mientras daban buena cuenta de la comida y la bebida.

Caro también estaba comiendo. Se detuvo a su lado y, sin necesidad de que lo invitara, cogió un sándwich de su plato.

—Vaya, estás aquí —dijo ella, mirándolo de reojo—. Suponía que te habías marchado.

Michael enfrentó su mirada.

—No sin darte la oportunidad de que sacies mi apetito.

Ella captó el doble sentido del comentario, pero clavó la vista al frente y señaló las bandejas y las jarras de limonada que se habían dispuesto a lo largo de la balaustrada.

—Sírvete tú mismo.

Él sonrió mientras lo hacía. Cuando volvió a su lado con un plato a rebosar de sándwiches, musitó:

—Te recordaré la invitación.

Caro lo miró con expresión perpleja.

—Más tarde —le aseguró él con una sonrisa.

Michael se quedó una hora más y fue de gran ayuda, admitió Caro. No hizo nada más para distraerla. Claro que después del comentario de la terraza, tampoco tuvo necesidad. Se pasó el resto de la tarde dándole vueltas a sus palabras. Ese hombre era un experto en ambigüedades; un político de los pies a la cabeza, qué duda cabía. «Más tarde.» ¿Habría querido decir que se lo explicaría más tarde o que le recordaría más tarde que lo había invitado a servirse él mismo?

No paraba de darle vueltas en la cabeza a la segunda posibilidad, unida a la frase «No sin darte la oportunidad de que sacies mi apetito». Y sus pensamientos deberían haber estado pendientes de los desafíos de índole menos personal que presentaría la velada. Mientras se daba un último retoque a la diadema de filigrana que llevaba en el pelo, tuvo que reconocer que, además de estar consumida por la emoción, sentía un millar de mariposas revoloteándole en el estómago.

Echó un último vistazo a su vestido de noche de resplandeciente seda color beige y notó con aprobación lo bien que se amoldaba a sus curvas y resaltaba los matices dorados y cobrizos de su cabello. Se colocó en el sitio preciso el colgante que había elegido, un enorme topacio, y tras asegurarse de que tenía bien puestos los anillos, se encaminó hacia la puerta, satisfecha de que su apariencia fuera inmejorable.

Cuando llegó a la escalinata, descubrió que Catten aguardaba en el vestíbulo principal. Mientras bajaba, el mayordomo se dio un tironcito del chaleco e irguió la cabeza.

—¿Hago sonar el gong, señora?

Le respondió al llegar al pie de la escalinata:

—Sí. Que comience la Verbena Estival.

Acababa de pronunciar la última palabra cuando entró en el salón con una sonrisa en los labios.

Michael estaba junto a la chimenea, con Geoffrey. Su mirada la atravesó en cuanto entró. Se detuvo un instante en el vano de la puerta antes de acercarse a ellos, que se giraron para mirarla de frente.

—¡Caramba, querida, estás fantástica! Muy elegante —le dijo su hermano, observándola con cariño mientras le daba unas palmaditas en el hombro.

Aunque lo oyó, no le prestó demasiada atención. Esbozó una sonrisa distraída en respuesta al cumplido, pero sólo tenía ojos para Michael.

Era cierto que había algo especial en un caballero ataviado con el traje de gala. Y, aunque no era la primera vez que lo veía vestido de ese modo, había algo nuevo en su forma de mirarla, como si se la estuviera comiendo con los ojos sin el menor disimulo mientras ella hacía lo mismo; se deleitó con la anchura de sus hombros y de su pecho, con su altura y también con la longitud de sus piernas. Vestido de riguroso negro que resaltaba sobremanera el prístino blanco de la camisa y la corbata, parecía cernirse sobre ella más de lo habitual, y eso hizo que se sintiera especialmente delicada, femenina y vulnerable.

Geoffrey carraspeó, musitó algo y los dejó. Sus miradas siguieron entrelazadas, renuentes a separarse para despedirse de él.

—¿Vas a decirme que estoy fantástica y elegante? —le preguntó a Michael al tiempo que esbozaba una lenta sonrisa.

Él sonrió en respuesta, aunque su mirada siguió siendo mortalmente seria e intensa.

—No. Para mí estás... magnífica.

Su voz confirió a la palabra un significado que traspasaba el literal. Y, de repente, se sintió magnífica... tan resplandeciente, cautivadora y deseable como su inflexión había insinuado. Respiró hondo y se sintió inundada por una dosis de confianza que nada tenía que ver con la sensación que solía embargarla en semejantes circunstancias.

—Gracias —replicó con una inclinación de cabeza al tiempo que se giraba para mirar hacia la puerta—. Debo recibir a los invitados.

Él le ofreció el brazo.

—Puedes presentarme a los que aún no conozco.

Titubeó un momento mientras alzaba la vista para mirarlo a los ojos. Recordó su determinación de no volver a interpretar el papel de anfitriona para un hombre. Escuchó unas voces procedentes de la escalinata. Los invitados estaban a punto de llegar.

¿Y si la veían ahí plantada con él?

¿Y si lo veían a su lado mientras los recibían?

Cualquiera de las dos opciones les daría la impresión de que Michael ocupaba un lugar a su lado que ningún otro hombre había logrado ocupar.

Cosa que era cierta. Michael ocupaba un lugar a su lado. Significaba algo para ella; era mucho más que un simple conocido. Mucho más, incluso, que un amigo.

Asintió con la cabeza mientras aceptaba el brazo que le ofrecía y le permitió que la acompañara hasta la puerta, donde se colocó a su lado. Le había prometido que no intentaría manipularla para que se casara con él, y confiaba en su palabra. Además, si era justa con él, los invitados a la cena eran en su mayor parte extranjeros carentes de influencia en la alta sociedad.

En cuanto al riesgo de que lo creyeran su amante... La posibilidad no la inquietaba en lo más mínimo; todo lo contrario, le provocaba una emoción muy parecida a la felicidad.

Sin embargo, Ferdinand fue uno de los primeros en aparecer. Un simple vistazo a Michael bastó para que su expresión se crispara. Por fortuna, tuvo que hacerse a un lado para dejar paso a los restantes invitados y no tardó en ser engullido por la conversación que se entabló a medida que fueron llegando tanto aquellos que pasarían la noche en Bramshaw House como el selecto grupo de personas escogidas para asistir a la cena previa al baile.

A partir de ese instante, no tuvo ni un momento de respiro; ni un solo instante para pensar en algo que fuera de índole personal. Descubrió que la presencia de Michael a su lado le resultaba muy útil. Se sentía mucho más a gusto que Geoffrey en semejante ambiente y podía confiar en él para reconocer a tiempo ciertas situaciones potencialmente espinosas y para encargarse de ellas con un tacto admirable.

Formaban un equipo excelente. Y ambos lo sabían. No obstante, en lugar de sentirse incómoda por las miradas elogiosas que lanzaban en su dirección, cada una de ellas la llenaba de una especie de entusiasmo, de satisfacción.

De algo parecido a la tensión.

No le dio tiempo a meditar al respecto. La cena reclamó toda su atención, ya que debía asegurarse de que todo marchaba sobre ruedas a la par que se encargaba de que la conversación no decayera. Fue todo un éxito y no hubo ni un solo contratiempo. Lo había programado todo al minuto. Una vez finalizada la cena y antes de que la música comenzara a sonar y los instara a trasladarse al salón de baile, los invitados presentes tuvieron el tiempo justo para admirar los arreglos florales y tomar nota de la terraza engalanada, del prado y los senderos iluminados por los farolillos, y de la carpa con las sillas y las mesas donde tomarían asiento para el ágape que se serviría durante el baile.

Todo estaba saliendo a las mil maravillas cuando el resto de invitados hizo su aparición.

Michael volvió a colocarse al lado de Caro cuando Geoffrey y ella se acercaron a la puerta del salón de baile para recibir a los recién llegados. Notó que lo miraba de soslayo, sin decir nada; se limitó a enviar a los invitados hacia él para que los saludara, asegurándose de ese modo de que intercambiaba unas palabras con todos ellos. Puesto que los recién llegados eran vecinos de los alrededores, no les extrañó verlo en el grupo de recepción. Geoffrey había sido su antecesor en el Parlamento y Caro era su hermana. Su presencia no causaba comentario alguno; al contrario, les parecía lógica.

Cuando la afluencia de invitados disminuyó, le hizo saber a Caro con mucha sutileza que la delegación rusa se encontraba bajo la custodia de Gerhardt Kosminsky. Le dio un apretón a modo de despedida y se separó de ella para internarse en la multitud. Se demoró con unos y otros para intercambiar saludos y cumplidos hasta llegar al lado de los rusos para relevar a Kosminsky. Había acordado con el hombre que uno de los dos se encargaría de mantener vigilados a los rusos todo el tiempo, al menos hasta que se instaurara entre la concurrencia el ambiente distendido propio de un baile.

Saludó al jefe de la delegación rusa, Orlov, con una inclinación de cabeza y se resignó a cumplir con su deber. Además de por las razones obvias, su desinteresada ayuda le granjearía las simpatías de Caro. Dados los planes que tenía para últimas horas de la noche, le vendría de perlas.

Entretanto, la Verbena Estival había atraído a tantos diplomáticos de primer orden que a Caro no le faltaron parejas de baile. La observó gracias a su altura, que le permitía ver por encima de la multitud, de modo que mientras charlaba primero con los rusos y después con los prusianos, los austrohúngaros y los suecos por separado, no le quitó ojo a la diadema que adornaba su peinado. Caro bailó todas las piezas.

Se percató de que Ferdinand la observaba apoyado en una pared. Le deseó suerte mentalmente; en semejantes circunstancias, metida de lleno en su papel de anfitriona, sería imposible que la distrajera; eso sin contar con que se negaría en redondo a que nadie interrumpiera su labor. Absolutamente nadie. Incluido él mismo. Sabía muy bien dónde estaba esa línea y que no debía cruzarla. Volvió a ver al portugués un poco más tarde. Parecía malhumorado y dedujo que el apuesto galán acababa de aprender la lección.

Cada cosa tenía su momento y su lugar. El único punto peliagudo de su estrategia consistía en asegurarse de estar al lado de Caro para bailar el vals previo al ágape. Durante uno de los descansos de la orquesta, se acercó al estrado y, tras un breve intercambio de palabras y unas cuantas guineas, se aseguró de encontrarse en el lugar adecuado en el momento preciso. Cuando sonaron los primeros acordes del vals, ya estaba al lado de Caro, la había invitado a bailar y le había informado con discreción de que, de momento, habían evitado que los rusos y los prusianos acabaran a puñetazos.

Caro sonreía, aliviada y contenta cuando la música comenzó a sonar. La miró a los ojos mientras decía:

—Mi turno, creo.

No podría rechazarlo. Ella asintió con una sonrisa y una carcajada y dejó que la acompañara a la pista de baile. Cuando la tuvo encerrada entre sus brazos y estuvo girando con ella por la estancia, se percató de que Caro no tenía ni la más remota idea de que era él quien llevaba la batuta en más de un sentido.

La miró a la cara, le sonrió y se descubrió hechizado por esos ojos grises. Al principio, ella le sonrió en respuesta, tan convencida como él; pero, a medida que giraban, sus sonrisas se fueron desvaneciendo al mismo tiempo que lo hacía la presencia de los restantes invitados.

Le bastó esa mirada para saber qué estaba pasando por la cabeza de Caro; había caído en la cuenta de que, a pesar de que se conocían desde siempre y de que frecuentaban los mismos círculos sociales, ésa era la primera vez que bailaban un vals.

La vio parpadear y hacer memoria.

—La última vez fue una contradanza —apuntó, para ayudarla.

Ella lo miró mientras asentía con la cabeza.

—En el salón de baile de lady Arbuthnot.

Su memoria no llegaba a tanto. Lo único que sabía era que ese vals era muy diferente a aquella contradanza. Pero no era sólo el vals, ni el hecho de que los dos fueran consumados bailarines y sus cuerpos ejecutaran sin dificultad alguna los giros al compás de la música. Había algo más, algo más profundo que los unía y los hacía más conscientes de la presencia del otro, más receptivos.

Que les hacía olvidar la presencia de todos los demás a pesar de la experiencia con la que contaban.

Caro sintió la atracción y, al percatarse de que era mutua, la atravesó un ramalazo de alegría. Jamás le había sucedido nada que atrapara sus sentidos de ese modo, que la dejara ciega y sorda a todo lo que la rodeaba salvo a una cosa. Era una cautiva, pero una cautiva feliz. Sentía los nervios a flor de piel y su cuerpo parecía haber cobrado vida ante la proximidad de Michael, ante el aura de fuerza que emanaba de su cuerpo hasta rodearla. Un aura que no la asfixiaba, sino que prometía un sinfín de deleites sensuales que estaba deseando experimentar.

Sus sentidos guiaban su cuerpo y la mente los seguía.

Estaba relajada, pero excitada. Tenía los nervios crispados, pero se sentía segura.

Volvió a la realidad cuando dejaron de moverse, momento en el que se percató de que la música había cesado. Al igual que le sucedió a él. Le bastó una mirada a sus ojos para saberlo. La renuencia que vio en ellos era un reflejo de la que ella sentía.

El escudo que los rodeaba se disolvió y las conversaciones los rodearon, si bien por un momento creyó estar en mitad de la torre de Babel, porque todas las voces le resultaban incomprensibles. Después, escuchó por encima de todas ellas la voz estentórea de Catten, que invitaba a la concurrencia a salir al jardín para tomar un ágape bajo la carpa, a sentarse en los bancos de la terraza o a dar un paseo por los senderos iluminados mientras disfrutaban de la belleza de la noche estival.

Como si fuera una sola persona, la multitud echó a andar hacia las puertas francesas, que estaban abiertas de par en par. Los invitados salieron a la terraza encantados y felices, dispuestos a disfrutar de la cálida noche.

Michael y ella se encontraban en el extremo opuesto de la estancia, no muy lejos de la puerta del salón de baile. Se habían quedado rezagados a propósito con la intención de asegurarse de que todos los invitados iban en la dirección correcta. Satisfecha porque nadie hubiera errado el camino, lo miró sin soltarse de su brazo.

Él le sonrió y le cubrió la mano con la suya.

—Ven conmigo.

Parpadeó y tardó un instante en entender lo que le había dicho.

—¿¡Ahora!? —Lo miró de hito en hito—. No puedo... —Echó un vistazo hacia los últimos invitados que ya desaparecían por la terraza. Parpadeó de nuevo antes de mirarlo a los ojos—. No podemos... —Observó su mirada con detenimiento, consciente de que se le había disparado el pulso. Se humedeció los labios—. ¿Podemos?

La sonrisa de Michael se ensanchó.

—No lo sabrás a menos que vengas conmigo.

La llevó escaleras arriba, agarrándola con fuerza de la mano. No vieron a nadie y nadie los vio. Tanto los invitados como los miembros del servicio estaban en el jardín. Por no mencionar a los encargados de servir el ágape, que estarían corriendo de la carpa a la cocina y viceversa.

Nadie los escuchó mientras caminaban por el pasillo de la planta alta en dirección al pequeño gabinete que se emplazaba en uno de sus extremos. Michael abrió la puerta y la invitó a pasar. Entró en la estancia esperando encontrarse con sillas, divanes y aparadores cubiertos por sábanas de hilo. La pequeña estancia llevaba años sin utilizarse. Desde ella se podían ver la avenida lateral y la huerta.

En cambio... descubrió que alguien había quitado todas las sábanas y había limpiado, barrido y sacudido el polvo. El ramo de lilas que había en la mesita auxiliar bajo la ventana abierta fue lo único que necesitó para saber la identidad de ese «alguien» y averiguar cuándo lo había hecho.

No recordaba que hubiera una otomana en ese gabinete. Un mueble amplio y cómodo, que en esos momentos estaba prácticamente oculto por un montón de cojines. Se detuvo al llegar junto a ella y se dio la vuelta. Descubrió que Michael estaba a su lado, listo para abrazarla.

Con una seguridad pasmosa, la abrazó, la besó, le separó los labios y se hundió en su boca para reclamar sus profundidades. Ella se dejó hacer y aceptó el abrazo y las caricias. Las devolvió una por una y exigió más a cambio.

Michael ladeó un poco la cabeza y ella aprovechó para enterrarle los dedos en el pelo e inmovilizarlo mientras seguía el ritmo provocativo que su lengua había impuesto. Un ritmo que volvió a ponerle los nervios a flor de piel e hizo que el deseo corriera por sus venas. Sabía que él estaba sintiendo lo mismo. Se preguntó hasta qué punto podía ser revelador un beso, hasta dónde podía llegar la intimidad que se compartía con labios y lengua.

Los descubrimientos resultaron embriagadores. El deseo, el anhelo, la necesidad más básica del ser humano. Los dos los experimentaron. Entre ellos no parecían existir subterfugios, no había velos impuestos por el decoro que disimularan la naturaleza primitiva del deseo que los consumía.

Un deseo mutuo. Un deseo que había sido su objetivo durante más de diez años y que sólo había conocido en brazos de Michael. Lo sentía, lo reconocía y lo aceptaba. Jadeó cuando él abandonó sus labios y la pegó a su cuerpo mientras dejaba una lluvia de besos ardientes desde la sien hasta el lóbulo de su oreja. Sus manos, entretanto, estaban ocupadas desatándole las cintas del vestido.

—¡Oh! —Tal vez le costara trabajo pensar con claridad, pero recordaba perfectamente que tenía un nutrido grupo de invitados en la planta baja.

—Tranquila —musitó él—. A tenor del centenar de ojos perspicaces que hay abajo, volver con un vestido arrugado no sería sensato.

Por supuesto, pero...

Esas manos ya habían trazado sus curvas con anterioridad, pero en esos momentos creyó que las llamas le abrasaban la piel a medida que iban descendiendo por su espalda. Esa sensación de calor que ya comenzaba a asociar con sus atrevidas caricias se extendía por su cuerpo hasta llegar a sus zonas más sensibles.

Cuando notó que le había desatado todas las cintas, comprendió cuáles eran las intenciones de Michael. Parpadeó e intentó recobrar el sentido común mientras él se alejaba y se quitaba sus brazos del cuello. Le bajó los delicados tirantes del vestido por los hombros y se los deslizó por los brazos hasta sacárselos. Una vez hecho eso, la cogió por las muñecas, se volvió a colocar sus brazos alrededor del cuello... y, en lugar de abrazarla, siguió bajándole el vestido por las caderas.

Tomó aire para protestar, pero la expresión que asomó al rostro de Michael cuando el vestido cayó al suelo con el frufrú de la seda, le hizo olvidar cualquier protesta; una protesta que a todas luces era instintiva, otro de sus obstáculos involuntarios. El deseo que brillaba en esos ojos azules que la observaban a través de la reveladora tela de la camisola acrecentó la deliciosa tensión que la embargaba.

La camisola le cubría los senos y llegaba hasta medio muslo, justo sobre las ligas de seda fruncida. La diáfana prenda hacía bien poco por ocultar las curvas y recovecos de su cuerpo, así como el vello púbico.

Los ojos de Michael la recorrieron con una mirada atrevida, directa y apreciativa. Cuando llegaron a las ligas, invirtieron el recorrido hasta regresar a su rostro.

A todas luces, era deseo lo que ardía en esas profundidades azules. Y lo que asomó a la sonrisa que esbozaban sus labios.

—Supongo que no te compadecerás de mí si te digo que te la quites... —Sus ojos le señalaron la camisola antes de volver a su rostro.

De forma desvergonzada, ella enfrentó su mirada y arqueó una ceja con gesto interrogante.

—Me temo que si la toco —contestó él a la muda pregunta mientras su mirada descendía hasta posarse sobre sus senos—, la desgarraré.

Por un instante, se impuso la realidad, la prudencia y el decoro. Sin embargo, se desentendió de ella con determinación. Acababa de comprender que Michael la creía mucho más experimentada de lo que lo era en realidad. Aceptar una aventura con él, emprender ese camino que tanto deseaba para lograr el objetivo que se había marcado, conllevaba seguir su guía.

Aunque no había supuesto que fuera tan sencillo.

Tan sencillo que, de buenas a primeras, alzó la mano y, sin dejar de mirarlo a los ojos, tiró de la delgada cinta que ataba la camisola. Hasta que la lazada se deshizo.

Estaban a escasos centímetros de distancia. Percibía la tensión que lo embargaba; una tensión que aumentó cuando alzó ambas manos y apartó los extremos de la camisola... lo suficiente para que los tirantes se deslizaran por sus brazos y la prenda resbalara hasta sus caderas. Un ligero vaivén, y se reunió con el vestido.

Una oleada de calor la rodeó... instantes antes de que Michael intentara hacer lo mismo. Sin embargo, lo detuvo poniéndole una mano en el pecho.

—Espera.

Se quedó paralizado.

Y ella se sintió embriagada por la sensación de poder que la inundó. Ser capaz de detener ese musculoso cuerpo masculino con una sola mano y lograr que contuviera su fuerza a duras penas en espera de sus órdenes la dejó perpleja.

En espera de que ella diera su visto bueno.

La pasión comenzó a correr por sus venas. Se inclinó sin más, recogió el vestido y la camisola y los dejó en una silla cercana. Hizo ademán de quitarse las ligas...

—No. Déjatelas.

La implacable autoridad de su voz la impresionó más que las palabras en sí. Estaba dándose la vuelta para mirarlo cuando esas manos acariciaron su piel desnuda.

Se deslizaron por su cuerpo hasta dejarla pegada a él. Hasta que quedó encerrada entre sus brazos. Justo entonces inclinó la cabeza y la besó hasta hacerle perder la razón.

En un momento dado, Michael aflojó el abrazo y esas manos comenzaron a vagar por su cuerpo.

Un sinfín de emociones cobró vida en su interior. Un sinfín de percepciones, de revelaciones. Si antes lo había creído excitado, en esos instantes se mostraba insaciable. Aun así, no perdió el control en ningún momento. Sus caricias eran desesperadas, ávidas y apremiantes, pero aceptaba todo lo que ella le ofrecía con maestría y casi con adoración.

Y se estaba ofreciendo. Su anhelo, el deseo que la embargaba, se equiparaba al que Michael le profesaba. De repente, se sorprendió a sí misma acercándose aún más a él de forma provocativa e incitante. Hasta ese momento no se sabía capaz de un comportamiento tan audaz, abandonado y, tal vez, un poquito desenfrenado.

Quería más; quería frotarse contra su piel. Lo sentía caliente y muy duro. El deseo de acariciar su piel se incrementó hasta convertirse en una dolorosa necesidad. Movida por un impulso, le apartó las manos de la nuca, se las colocó sobre los hombros e intentó apartarlo.

Él interrumpió el beso.

—Ahora te toca a ti —le dijo entre resuellos mientras le aferraba las solapas de la chaqueta.

—Sólo la chaqueta —le advirtió al tiempo que se ponía manos a la obra y la arrojaba a la silla sobre la que descansaba su vestido—. Tienes invitados, ¿recuerdas?

Ella parpadeó.

—Pero yo estoy desnuda...

Michael esbozó una sonrisa. Una de sus grandes manos le acarició el trasero, se cerró sobre él y la acercó de nuevo a su cuerpo. Cuando la tuvo cerca, inclinó la cabeza para murmurar contra sus labios:

—No del todo. Llevas las medias.

—Pero...

Le dio un beso lánguido.

—Esta noche no, dulce Caro.

Sus palabras la confundieron.

—Pero...

—Imagina que esta noche es el segundo plato en nuestro banquete sensual.

Un banquete sensual... La idea era tentadora. Volvió a aferrarlo por los hombros, consciente de los fuertes músculos que se movían bajo el chaleco y la camisa. Sintió sus manos en la espalda justo antes de que comenzaran a explorar con delicadeza. Justo antes de que volvieran a vagar por su cuerpo.

Mientras esos labios se apoderaban de su boca, sus manos se deslizaron por sus costados.

—Eres mi anfitriona, ¿recuerdas? Te dije que no me iría hasta que saciaras mi apetito... y tú me invitaste a hacerlo.

En ese momento, notó que le acariciaba los pezones con los pulgares hasta que estuvieron enhiestos. Al igual que lo estaba su miembro.

—Así que quédate calladita aquí, tumbada en la otomana, y disfruta como yo pienso disfrutar.

No le quedó más remedio; fuera cual fuese la ruta que había decidido tomar esa noche, trascendía toda su experiencia y estaba dispuesta a seguirlo, a comprobar hasta dónde los llevaba. No había duda alguna en su mente y tampoco en sus reacciones. Respondió a sus caricias con entera libertad, sin ponerle obstáculos y sin sentir la necesidad de imponer restricciones.

Michael percibió la capitulación de Caro cuando permitió que la tendiera en la otomana. Cuando la vio relajarse contra los cojines, pese a su desnudez, y lo dejó explorar su cuerpo a placer.

Siguió el movimiento de sus manos con avidez y se dejó llevar. Semejante reacción le provocó una sensación de triunfo, acompañada de algo parecido al agradecimiento. Sujetaba con firmeza las riendas de su autocontrol; controlaba la pasión y el deseo que lo invadían a pasos agigantados, pero si Caro traspasaba los límites... Estaba convencido de que no sería capaz de resistirse en caso de que ella decidiera tentarlo.

Por tanto, la seguridad radicaba en reducirla a un estado de impotencia. De modo que se entregó a la labor con una devoción que sobrepasaba cualquier otra experiencia pasada. Esa mujer hechizaba sus sentidos como ninguna otra lo había hecho jamás. Mientras dejaba de besarla para acercar los labios a un pecho, intentó recordar alguna ocasión en la que hubiera estado tan pendiente de una compañera de cama, tan pendiente de su sabor y del tacto de su piel; le resultó imposible.

Una vez que estuvo jadeante y retorciéndose de deseo bajo él, reemplazó los labios y la lengua por los dedos, al tiempo que trazaba un sendero de besos hasta su ombligo. Se demoró un instante en él, hasta que escuchó que su respiración se convertía en una serie de resuellos rápidos y superficiales. En ese instante, le separó los muslos y se colocó entre ellos.

El roce de sus labios sobre esa piel tan sensible la sobresaltó, la dejó sin aliento e hizo que le enterrara los dedos en el pelo. Sonrió para sus adentros y se dispuso a darse un festín para saciar su apetito... con ella.

Con el aroma de su cuerpo y el agridulce sabor de su deseo.

Caro cerró los ojos con fuerza, pero con eso sólo logró que las sensaciones crecieran en intensidad. No podía creer... Jamás habría imaginado... Sin embargo, las protestas, junto con el sentido común, quedaron ahogadas a medida que el fuego la consumía, a medida que comprendía que la intimidad de lo que estaban compartiendo resultaba más sorprendente que el acto en sí.

No obstante, cada caricia era deliberada, calibrada y ejecutada con un objetivo primordial: darle placer. Un placer enloquecedor, glorioso y arrollador. A medida que pasaban los minutos, tenía más claro que ésa era su intención. El goce se incrementó... hasta que no le quedó más remedio que dejarse arrastrar por él.

Se dejó llevar por el torbellino y comenzó a ascender a medida que él lamía, chupaba y exploraba, orquestando un esplendoroso cúmulo de sensaciones que la invadía poco a poco.

El fuego se avivó y las llamas comenzaron a rugir, aumentando la tensión que se había apoderado de su cuerpo. No podía respirar, sentía los pezones duros, excitados y sensibles, y se retorcía por el deseo. Sin embargo, Michael no se apiadó de ella y siguió dándole más y más...

Hasta que se hizo añicos.

En esa ocasión, el éxtasis fue mucho más profundo, más prolongado y más intenso. Los estremecimientos que dejó a su paso se prolongaron e hicieron que el momento resultara mucho más íntimo, que la entrega mutua fuera mucho más generosa.

Cuando por fin abrió los ojos, Michael seguía entre sus muslos, observando su rostro. Sonrió de forma muy elocuente, inclinó la cabeza y le dio un beso sobre los empapados rizos antes de ascender por su abdomen.

—Ahora te toca a ti —dijo al tiempo que, pese a la debilidad que parecía haberse apoderado de ella, extendía los brazos y lo agarraba por los hombros para tirar de él.

Michael la miró a los ojos e intentó sonreír, si bien le salió una mueca.

—Esta noche no, dulce Caro.

Ella lo miró de hito en hito.

—¿Cómo que no? Pero...

—Llevamos ausentes mucho rato. —Se apartó de ella, puso los pies en el suelo y se levantó.

Aún atónita, lánguida por el placer y sin haber recobrado la capacidad de raciocinio, sólo atinó a parpadear mientras lo miraba a los ojos.

Michael sonrió, se inclinó para cogerla de las manos y la puso en pie.

—Tienes que vestirte y después tenemos que regresar con los invitados.

Sí, posiblemente tuviera razón, pero... se sentía un poco decepcionada. Intentó pensar mientras aceptaba la camisola que él le tendía y se la ponía. La ayudó a ponerse el vestido y, después, le ató los lazos con consumada maestría.

—Espera —le dijo cuando la vio llevarse una mano al pelo.

Le dio la vuelta y, tras unos retoques, le colocó la diadema en su sitio antes de alejarse para observar su imagen al completo. Aunque su mirada se demoró en sus pechos. Le colocó el topacio donde debía estar.

Sus miradas se encontraron de nuevo.

—¿Estás seguro? —le preguntó ella.

Michael no necesitó pedirle ninguna explicación para saber a lo que se refería. Se limitó a esbozar una sonrisa antes de inclinar la cabeza y darle un fugaz beso en los labios.

—Sí. —Se enderezó para mirarla a los ojos—. Cuando por fin te tenga desnuda y a mi merced, quiero disponer de al menos dos horas para jugar.

12

Michael decidió regresar al salón de baile por las escaleras de servicio, situadas al fondo de esa ala de la mansión. Puesto que aún estaba un poco aturdida, Caro le dejó hacer a su antojo. Estaban en el descansillo que había a mitad de las escaleras cuando se quedaron petrificados al escuchar que alguien cerraba una puerta.

Instantes después, Ferdinand apareció en el pasillo que unía la biblioteca y el despacho de Geoffrey con el vestíbulo principal. Caminaba con actitud confiada. En un momento dado, echó un vistazo a su alrededor, pero no se le ocurrió mirar hacia las escaleras.

Aguardaron, inmóviles y en silencio, a que desapareciera, atentos al sonido cada vez más distante de sus pisadas sobre el suelo del vestíbulo. Intercambiaron una mirada antes de descender el último tramo. Debía de haber salido de la biblioteca. Cuando llegaron al último escalón, dicha puerta volvió a abrirse y apareció Edward. Cerró la puerta, echó a andar y, en ese momento, los vio.

Esbozó una torva sonrisa.

—¿Lo habéis visto?

Caro asintió.

—Supongo que lo habrá registrado todo, ¿no? —preguntó Michael.

—Meticulosamente y con sumo cuidado. Durante media hora. Lo he estado observando desde fuera.

Caro frunció el ceño.

—Sé que no hay nada, pero ¿se ha llevado algo? ¿Se ha fijado en algo en concreto que pueda darnos alguna pista sobre lo que anda buscando?

—No, aunque tampoco le prestó demasiada atención a los libros. Si tuviera que dar mi opinión, diría que estaba buscando documentos. Documentos encuadernados que puedan tener apariencia de libros, pero que en realidad sean notas personales, cartas, diarios...

—Los documentos privados de Camden —concluyó él, torciendo el gesto.

Caro resopló.

—En fin, al menos ya sabe que aquí no hay nada.

—Ni tampoco en Sutcliffe Hall. —La agarró por el codo y la condujo al salón de baile, donde ya se escuchaban las voces de los invitados que habían regresado del jardín.

Edward los siguió. Cuando llegaron al salón, la soltó. Caro se encaminó a la terraza, sin duda con la intención de comprobar que el ágape a la luz de la luna hubiera salido según lo planeado, y él le permitió que se alejara mientras se demoraba en el vano de la puerta y escudriñaba la estancia hasta dar con la cabeza de Ferdinand.

Edward se colocó a su lado y le preguntó en voz queda:

—¿Qué lugar se le ocurrirá registrar ahora?

—Eso mismo me pregunto yo —contestó, mirándolo de reojo—. Y será mejor que nos esforcemos por encontrar la respuesta.

El secretario asintió con la cabeza.

—Ya ha registrado el despacho, pero seguiré vigilándolo de todas formas, por si acaso.

Tras hacerle saber que contaba con su aprobación, Michael se alejó. Cuando tuviera la oportunidad, intentaría ponerse en el lugar del portugués para adivinar sus intenciones; pero el cónsul ruso se encontraba (posiblemente de forma fortuita) al lado de la esposa del embajador prusiano... el deber lo reclamaba.

Dos horas, había dicho Michael. Tal y como ella lo veía, eso significaba que tendría que esperar, como poco, hasta el día posterior a la fiesta parroquial para conocer la respuesta a su apremiante pregunta. Le daban ganas de preparar la calesa e ir a Eyeworth Manor, agarrar a Michael por la corbata y sacarlo a rastras para llevarlo...

¿Adónde?, se preguntó. Ése era el problema. A decir verdad, cuanto más lo pensaba, más le costaba adivinar cómo resolvería Michael esa dificultad cuando llegara el momento. Por desgracia, no podía pararse a pensar una solución al problema. Tenía que ayudar a poner en marcha una fiesta y también tenía una pequeña horda de invitados a la que acompañar.

El tiempo seguía siendo estupendo. Había amanecido un día maravilloso y el cielo sólo se veía empañado por algunas nubecillas. Soplaba una ligera brisa que agitaba las hojas de los árboles y que también juguetearía con las cintas de las damas en su momento.

El desayuno se sirvió tarde, ya que todos habían trasnochado debido al baile. Tan pronto como acabaron de comer y los invitados estuvieron listos y acicalados, Elizabeth, Edward, Geoffrey y ella los acompañaron hasta el pueblo caminando por la sombreada avenida de la propiedad.

Durante años, la fiesta parroquial se había celebrado en el prado situado detrás de la iglesia. Era un lugar espacioso que quedaba delimitado por el bosque por dos de sus lados. Además, contaba con un segundo claro a la izquierda, perfecto para dejar los caballos y los carruajes al cuidado del mozo de cuadras de Muriel. Había numerosos puestecillos donde se servían mermeladas, pasteles y vinos caseros, y que exhibían, además, un sinfín de productos locales. Se podían encontrar figurillas de madera tallada, pinturas, herraduras y objetos decorativos de latón. Estos últimos tuvieron un gran éxito entre los invitados extranjeros, al igual que las acuarelas de la señorita Trice.

Las aportaciones de la Asociación de Damas (tapetes, bufandas de ganchillo, almohadillas perfumadas y ribeteadas, cubrebandejas bordados, antimacasares y muchas otras cosas) ocupaban dos largas mesas. Caro se detuvo para conversar con la señora Henry y con la señorita Ellerton, que en esos momentos eran las encargadas de mostrar los artículos.

En ningún momento les quitó ojo a los invitados, aunque todos parecían encantados con esa muestra del estilo de vida inglés más popular, tan desconocido para ellos. Lady Kleber y su esposo parecían estar en su salsa charlando con el carpintero.

Estaba dándose la vuelta cuanto vio que llegaba un nutrido grupo de personas procedente del claro que hacía las veces de establo. Michael acababa de hacer su aparición con los suecos y los finlandeses, que se habían alojado en su casa. No dejaba de señalar tal o cual puestecillo. Se percató de su sonrisa y del encanto que irradiaba frente a las señoritas Verolstadt, pero cuando las muchachas se marcharon a la zaga de sus padres, agitando alegremente sus sombrillas, él se quedó donde estaba.

En ese instante, giró la cabeza, la miró y sonrió.

La invadió una cálida sensación. Michael la había localizado nada más poner un pie en el claro. No sólo eso, su sonrisa (esa sonrisa que parecía tener en exclusiva para ella) parecía muy diferente. Más real en cierto sentido. Echó a andar hacia ella al tiempo que ella hacía lo propio, hasta encontrarse a medio camino. La cogió de la mano, se la llevó a los labios y la besó.

La penetrante mirada que se clavó en sus ojos despertó unos recuerdos demasiado inapropiados como para recrearse con ellos en público. Sintió que el rubor le cubría las mejillas e intentó fruncir el ceño.

—Ni se te ocurra.

La sonrisa de Michael se ensanchó.

—¿Por qué no? —Se colocó su mano en el brazo y echó a andar hacia los puestecillos que exponían los vinos caseros—. Estás deliciosa cuando te ruborizas.

«Deliciosa.» Típico de él utilizar esa palabra.

Se vengó asegurándose de que comprara dos botellas del vino de saúco de la señora Crabthorpe. Después, lo acompañó de un puestecillo a otro y acabó cargado de compras, entre las que se incluían dos tapetes confeccionados por la señorita Ellerton, que se ruborizó con más profusión que ella.

Su mirada le recordaba continuamente que se estaba riendo de ella. Michael soportaba sus maquinaciones con buen talante; tanto era así que acabó por sospechar de él. Cuando se encontraron con la señora Entwhistle, ésta se llevó las manos a la cabeza e insistió en librarlo de semejante carga. Los paquetes desaparecieron en su enorme cesta mientras restaba importancia a sus protestas.

—No es ninguna molestia, señor. Hardacre está aquí; él me llevará a casa.

—¡Estupendo! —La expresión de Michael se relajó—. Puesto que nuestros invitados no regresarán a casa, reitero lo que dije esta mañana: podéis pasar aquí todo el tiempo que gustéis. Todos. Yo me quedaré hasta última hora. Después de todo vuestro esfuerzo, sin duda os merecéis un poco de diversión.

La señora Entwhistle sonrió de oreja a oreja.

—Gracias, señor. Se lo diré a los demás. Ésta es una de esas ocasiones en las que podemos ponernos al día con la familia y hablar los unos con los otros. Es una bendición poder charlar sin tener que preocuparse por el trabajo. Sé que a Carter le encantará pasar el día con su madre.

—Si lo veo, se lo diré. Pero corre la voz.

Con ese comentario se separaron. Caro notó que sus instintos le estaban advirtiendo de algo, pero no supo identificar de qué se trataba. En ese instante, Muriel los vio y se acercó a ellos sin pérdida de tiempo.

—¡Excelente! Justo a tiempo para la inauguración oficial —dijo al tiempo que sus ojos recorrían a Michael de arriba abajo, como si esperara encontrar algo fuera de lugar.

Al ver que su sobrina política fruncía el ceño con actitud derrotada, contuvo una sonrisa. Michael estaba impecablemente vestido para la ocasión, y para el papel que iba a desempeñar en ella, con una chaqueta de montar de *tweed* marrón y verde que le quedaba como un guante, una corbata blanca anudada con sencillez, un chaleco marrón de terciopelo y unos pantalones de ante muy ajustados que desaparecían bajo la caña de sus resplandecientes botas. Su apariencia era perfecta para el papel que representaba, para la imagen que quería mostrar a la concurrencia: la de un caballero acostumbrado a moverse en las más altas esferas, pero que también formaba parte del pueblo llano y era accesible; un hombre al que no se le caían los anillos por mezclarse con la gente sencilla y que apreciaba los placeres de la campiña en la misma medida que sus habitantes.

¿Acaso se le había pasado por la cabeza a Muriel que no daría la talla?

Más aún, ¿acaso pensaba que, de haber sido ése el caso, ella no habría corregido lo que fuese que estuviera mal?

Lo tomó del brazo con más fuerza al tiempo que señalaba con la cabeza una carreta emplazada frente a los puestecillos.

—¿Ése es el estrado?

Muriel echó un vistazo.

—¡Exacto! Vamos.

Su sobrina política abrió la marcha mientras instaba al resto de la concurrencia a que se agrupara en torno a ellos. En cuanto vio al reverendo Trice, le hizo un imperioso gesto para que se acercara a la carreta.

Michael la miró de reojo. Le bastó esa mirada fugaz para saber que ambos veían la situación del mismo modo y que a él también le estaba costando mucho trabajo contener la risa. Una vez que llegaron a la carreta, le soltó el brazo para que subiera al estrado y después ayudara al reverendo a hacer lo mismo.

Cuando estuvo arriba, Michael echó un vistazo a su alrededor y saludó con un gesto de la cabeza a aquellos con los que todavía no había tenido la oportunidad de hablar. Muriel llegó a la carreta. Una desabrida orden hizo que un nutrido número de manos se ofreciera a ayudarla a subir.

En cuanto estuvo arriba, se sacudió las faldas. Era una mujer corpulenta, más alta que ella y bastante más gruesa. El vestido verde oscuro que llevaba le otorgaba una apariencia severa y formidable. Con un poderoso chorro de voz, ordenó a la concurrencia que guardara silencio. Hizo una breve mención a la larga tradición de la fiesta, a su objetivo de reunir fondos para las reparaciones de la iglesia y con elegancia, pero no sin cierto aire de superioridad, pronunció unas palabras de agradecimiento a todos los que habían ayudado a la preparación del evento.

Tras eso, retrocedió para invitar al reverendo Trice a que les dirigiera unas palabras a los asistentes. Con una voz que dejaba bien clara la autoridad que su cargo le confería, el hombre agradeció en nombre de la Iglesia y del Todopoderoso el apoyo de la comunidad y la asistencia de todos los congregados.

Michael fue el último en hablar. Quedó claro desde un principio que era el orador más capacitado de los tres. Su actitud era relajada; su mensaje, sucinto, y tanto su tono de voz como su inflexión resultaron de lo más naturales y seguros mientras aplaudía el espíritu de la comunidad, hacía mención a su fuerza y afirmaba que era un logro que sólo se había conseguido con el esfuerzo de todos y cada uno de ellos. Con apenas unas cuantas palabras logró ensalzar el sentimiento de comunidad y hacer que cada uno de ellos, como individuo, se sintiera incluido. Después, los hizo reír con una serie de alusiones locales (demostrando así que él también formaba parte de la comunidad) y, acto seguido, alzó la voz para hacerse escuchar por encima de las carcajadas y declaró inaugurada la fiesta oficialmente.

El énfasis que confirió a la palabra «oficialmente» hizo que todos sonrieran. Fieles a la tradición rural, nadie había esperado una inauguración «oficial».

Aunque había escuchado muchos discursos, jamás había escuchado uno de boca de Michael. Sin embargo, sabía reconocer el talento cuando lo tenía delante. Por fin comprendía el afán del primer ministro porque Michael formara parte del Consejo de Ministros, donde podría dar un buen uso a su elocuencia.

Lo observó mientras estrechaba la mano del reverendo e intercambiaba unas palabras con Muriel y presintió que, aunque ya había alcanzado un éxito considerable como político, todavía le quedaba mucho camino que recorrer. Poseía el talento necesario para llegar a ser una figura muy relevante, pero aún debía desarrollar todo su potencial. Cosa que supo con una claridad meridiana.

Michael bajó de la carreta de un salto y regresó junto a Caro. La tomó del brazo con una sonrisa.

—Se te da muy bien, ¿sabes?

La miró, se percató de la sinceridad de sus palabras y se encogió de hombros.

—Lo llevo en la sangre.

Caro ensanchó la sonrisa mientras apartaba la mirada y él aprovechó el momento para saborear el cumplido y atesorarlo. Semejante halago por su parte habría sido muy valioso bajo cualquier circunstancia, pero en esos momentos lo era aún más.

La concurrencia había regresado a los puestecillos, dispuesta a tomar parte en las diversas actividades programadas. Había lanzamiento de herraduras, concursos de tiro con arco y de leñadores, y otras muchas actividades más. A pesar de sus largas ausencias, Caro era muy popular. Mientras caminaban, la gente se acercó para saludarla. Y para saludarlo a él. El vestido veraniego de Caro, de rayas blancas y doradas, la hacía destacar entre la multitud. Ni siquiera se había molestado en ponerse sombrero, sino que se había decantado por un echarpe de gasa dorada para protegerse la delicada piel del cuello.

Muchas de las damas de la Asociación los detuvieron para felicitarla por la idea de celebrar un baile la noche anterior, ya que quedaba patente que el evento había contribuido en gran medida al éxito de la fiesta. Una vez más le sorprendió el hecho de que Caro conociera tantos detalles sobre la vida de tantas personas aun cuando no residiera habitualmente en Bramshaw. Memorizaba retazos de las vidas de unos y otros, y siempre parecía recordarlos cuando se encontraba con esa persona en concreto.

De modo que comprendió que tenía más de un motivo para permanecer a su lado. Esa mujer conseguía llamar su atención en más de un sentido. Por suerte, la anfitriona de la fiesta era Muriel, y la propia Caro confirmó sus sospechas cuando se lo preguntó: una vez cumplida la labor de acompañar a los huéspedes que se habían alojado en su casa, ya no tenía nada que hacer.

Estaba libre de obligaciones.

Eso le dejaba a él con todo el tiempo del mundo, y se lo tomó para elegir unos cuantos platos entre la amplia selección de exquisiteces y también compró dos copas de vino de pera de la señora Hennessy para aliviar el hambre canina y la sed que tenían.

Por regla general, casi todo el mundo pasaba el día completo en ese tipo de acontecimientos. Los invitados al baile de Caro, quienes habían acudido a la fiesta sin excepción, ya habían hecho los arreglos precisos con sus respectivos cocheros, que los aguardaban en el claro para marcharse a la hora convenida. Por tanto, no tenían ningún motivo para volver a casa antes de que cayera la tarde.

De todos modos, no le hizo saber que tenía planes. Tomados del brazo, se abrieron camino entre la considerable multitud, saludando a unos y a otros mientras intercambiaban incidentes divertidos, comentarios chistosos y anécdotas que, como era lógico, estaban teñidas por la enorme experiencia que ambos llevaban a sus espaldas y por la historia en común que habían compartido desde niños.

A medida que pasaba el día, Caro era más consciente de ese detalle, de lo a gusto que se sentía en compañía de Michael. Lo miró de reojo cuando se separaron de la señora Carter, que le había dado profusamente las gracias por haberle ofrecido un empleo a su hijo. Un agradecimiento al que él había restado importancia al comentar el buen hacer del muchacho para zanjar (porque estaba convencida de que ésa había sido su intención) de ese modo cualquier duda que el despido de Muriel pudiera haber ocasionado. Michael la miró y enarcó una ceja. En respuesta, ella sonrió y desvió la vista al frente.

Era imposible explicarle lo placentero que le resultaba estar con alguien que compartía su modo de ver las cosas, que actuaba tal y como ella actuaría en las mismas circunstancias y que cuidaba hasta el menor detalle. Era un placer no sólo desde el punto de vista intelectual, sino también desde el emocional. Algo que despertaba en su interior una cálida sensación, una especie de satisfacción compartida.

A esas alturas, ya se había acostumbrado a esa fuerza que él irradiaba y que la rodeaba cada vez que estaba a su lado. Sin embargo, en esos momentos era mucho más consciente de la sutil atención que le prestaba. Sin alardear de ello, parecía estar consagrado a complacerla, a lograr que se sintiera a gusto, a encontrar temas de conversación que le agradaran, que la entretuvieran, que la hicieran reír.

De haberse tratado de Ferdinand, éste esperaría que se lo agradeciera en consecuencia. Michael, en cambio, parecía actuar de forma inconsciente. De repente, cayó en la cuenta de que la estaba cuidando... porque precisamente era así como la veía, a su cuidado. Pero no como una pesada carga, sino como un reflejo instintivo, como una demostración del hombre que era.

Y lo supo porque ella solía asumir ese papel protector a menudo. Aunque era una toda novedad descubrirse en el lado opuesto; descubrirse siendo la receptora de toda esa atención instintiva y discreta.

En ese momento, se detuvieron y aprovechó para mirarlo de reojo. Michael estaba escudriñando la multitud con rostro impasible. Siguió la dirección de su mirada y se encontró con Ferdinand, que estaba hablando con su cuñado, George Sutcliffe.

—Me preguntó qué estará tramando Leponte ahora —dijo.

—Sea lo que sea —replicó ella—, y conociendo la reticencia de mi cuñado a hablar con la gente, sobre todo con los extranjeros, estoy segura de que Ferdinand no encontrará la conversación de su agrado.

Michael enarcó las cejas.

—Cierto. —La miró—. ¿Crees que deberíamos ir a rescatarlo?

Ella se echó a reír.

—¿A Ferdinand o a George? Da igual, será mejor que los dejemos tranquilos. —No tenía ganas de que Ferdinand le aguara el día con su presencia y con sus intentos de sonsacarle más detalles sobre los documentos privados de Camden. Sabía que se enfadaría al ver que no conseguía nada, lo conocía demasiado bien.

Michael estaba mirando su reloj.

—¿Qué hora es? —le preguntó.

—Faltan unos minutos para la una. —Volvió a guardárselo en el bolsillo y echó un vistazo por encima de la multitud, en dirección al bosque—. Va a comenzar el concurso de tiro con arco —dijo, mirándola—. ¿Te apetece que vayamos a echar un vistazo?

Ella sonrió y lo tomó del brazo.

—Vamos.

Muchos hombres habían intentado seducirla. No obstante, ese hombre tan atento que la acompañaba en una fiesta tan sencilla la desarmaba como ningún otro lo había hecho hasta entonces.

El concurso de tiro con arco ya debería haber comenzado; sin embargo, los participantes, que eran muy numerosos y se mostraban muy ansiosos por probar su suerte, todavía no se habían puesto de acuerdo acerca de las reglas que regirían el concurso. Les pidieron opinión, pero ambos tenían demasiada experiencia como para dejarse liar; les aseguraron entre carcajadas que no entendían nada del tema y tras intercambiar una mirada, huyeron despavoridos.

Michael la tomó de la mano antes de internarse de nuevo en la multitud. Rodearon el anillo central de puestecillos y conversaron con las personas que habían sustituido a aquellas que estuvieron atendiéndolos a primeras horas de la mañana. El prado estaba muy concurrido y el sol apretaba. Caro se abanicó la cara con la mano mientras se arrepentía de no haber llevado un abanico y le dio un tirón a Michael en el brazo.

—¡Para! Salgamos de aquí un momento para recobrar el aliento.

Él la sacó del bullicio de inmediato. Justo en la linde del bosque se alzaba un abedul de tronco liso en el que se apoyó con los ojos entrecerrados para descansar. Alzó el rostro hacia el sol y le preguntó:

—Hace un día perfecto para la fiesta, ¿verdad?

Michael estaba frente a ella, dándole la espalda a la concurrencia. Sus ojos se demoraron en el rubor que el sol y la precipitada huida le habían dejado en las mejillas. Al percatarse de que no le contestaba de inmediato, Caro bajó la cabeza y lo miró.

—Eso es precisamente lo que estaba pensando —respondió él con una lenta sonrisa. La cogió de la mano sin dejar de sonreír.

—No me digas...

Tiró de ella para apartarla del tronco del abedul y la dejó a escasos centímetros de su cuerpo. Se inclinó hacia delante y le murmuró al oído:

—Tal y como iba diciendo...

¡Zas!

El sonido los sobresaltó y ambos se quedaron paralizados mientras contemplaban la flecha que acababa de clavarse en el tronco del árbol, justo en el lugar donde Caro estaba momentos antes.

La aferró con fuerza por las manos y la miró a los ojos. Ella seguía mirando la flecha, pero no tardó en desviar la vista hacia él. Lo hizo muy despacio. Por un instante, la máscara que ocultaba su verdadera personalidad desapareció. El susto, el aturdimiento y los primeros indicios del miedo asomaban a esos ojos grises. Y las manos comenzaron a temblarle.

Soltó un juramento y la acercó a su cuerpo para protegerla. Le bastó un vistazo para comprobar que, debido al bullicio, nadie se había percatado de nada. Ni habían oído lo que había sucedido, ni mucho menos lo habían visto.

Bajó la vista hacia ella.

—Vamos.

Sin alejarla de su cuerpo, regresó con ella a la seguridad que proporcionaba la multitud. Intentaron disimular la fuerte impresión que el incidente les había causado mientras caminaban tomados de la mano. En un momento dado, ella lo instó a detenerse poniéndole una mano en el brazo. Cuando la miró, se percató de que estaba muy pálida, pero serena.

—Debe de haber sido un accidente.

Tensó la mandíbula con tanta fuerza que creyó que se le romperían los dientes.

—Ya veremos.

Se detuvo allí donde la multitud era menos densa, detalle que permitía observar las dianas del concurso de tiro, colocadas en su sitio, ya que éste por fin había dado comienzo. Ferdinand estaba soltando un arco y reía a carcajadas. Parecía estar de muy buen humor mientras intercambiaba comentarios con dos hombres de la localidad.

—No armes un alboroto —le dijo ella, agarrándolo del brazo.

La miró al tiempo que fruncía los labios.

—Nada más lejos de mi intención hacerlo. —Tal vez sus instintos de protección hubieran saltado al ver al portugués con un arco en la mano, pero el sentido común no lo había abandonado. Además, conocía a los dos hombres encargados de organizar el concurso. Ninguno era tan estúpido como para permitir que los concursantes apuntaran hacia la gente.

Por si fuera poco, tal y como había sospechado y había querido corroborar, las dianas se habían dispuesto en la linde del bosque. Era absolutamente imposible que una flecha procedente de un tiro errado acabara clavada donde ellos habían estado. Estaba justo en dirección opuesta.

Más aún, las plumas de la flecha que habían dejado clavada en el tronco del abedul tenían rayas negras. Las del concurso eran totalmente blancas. Echó un vistazo a las aljabas, llenas de flechas listas para ser usadas; ni una sola flecha tenía plumas con rayas negras.

—Vamos —le dijo para instarla a regresar al centro de la multitud.

Caro tomó una entrecortada bocanada de aire sin separarse de su lado. Habían dado unos cuantos pasos cuando le preguntó:

—Así que estás de acuerdo conmigo. Debe de haber sido un accidente.

A tenor de su tono de voz, estaba intentando convencerse a sí misma.

—No.

Su negativa le hizo alzar la cabeza para mirarlo a los ojos.

—No ha sido ningún accidente; pero estoy de acuerdo en que no tiene sentido armar un alboroto. Quienquiera que disparara esa flecha no lo hizo desde el claro. Lo hizo desde el bosque y ya se habrá ido sin dejar el menor rastro —concluyó.

A medida que atravesaban la multitud, Caro sintió que se le subía el corazón a la garganta y que no podía respirar con normalidad. No obstante, habían llegado más personas con las que tenían que detenerse para conversar. Tanto Michael como ella se colocaron sus respectivas máscaras sociales; nadie pareció sospechar que tras ellas estaban conmocionados y molestos. Claro que cuanto más hablaban, más obligados se sentían a contestar con absoluta normalidad a sus interlocutores, a charlar de las serenas vicisitudes de la vida rural, de modo que fueron olvidando el incidente y el susto que éste les había ocasionado.

A la postre, llegó a la conclusión de que debía de haber sido un accidente; tal vez algunos muchachos que estuvieran jugando en la linde del bosque, como era normal a esas edades, y que no hubieran tenido la intención de dispararle a nadie. Era inconcebible que alguien quisiera hacerle daño. No había motivos.

Estaba claro que no podía ser Ferdinand. Hasta Michael parecía haberlo aceptado.

No obstante, cuando llegaron al extremo más alejado del claro y él continuó caminando, se dio cuenta de que en realidad no tenía la menor idea de lo que Michael estaba pensando.

—¿Adónde vamos?

Siguieron caminando, tomados de la mano, en dirección al claro donde pastaban los caballos y los carruajes aguardaban.

La miró de reojo.

—Ya lo verás.

El mozo de cuadras de Muriel estaba al cargo de todo. Michael lo saludó y prosiguió su camino hacia la hilera de caballos atados a una soga. De repente se detuvo.

—Hemos llegado.

La soltó mientras ella contemplaba los cuartos traseros de un bayo que le resultaba familiar y que Michael estaba desatando. Era *Atlas*, su enorme castrado.

Sus instintos cobraron vida de inmediato.

—¿Qué...?

—Tal y como estaba a punto de decir antes de que esa flecha me interrumpiera de forma tan maleducada... —Alzó la cabeza y la miró a los ojos al mismo tiempo que le rodeaba la cintura con las manos—. Ven conmigo.

La sorpresa hizo que lo mirara con los ojos desorbitados.

—¿Cómo? ¿¡Ahora!?

—Ahora. —Con las riendas enrolladas en una mano, la alzó hasta dejarla sentada en la silla.

—¿Qué? Pero... —Se vio obligada a agarrarse al pomo para guardar el equilibrio.

Antes de que pudiera hacer otra cosa, Michael colocó un pie en el estribo y se subió tras ella. Le pasó un brazo por la cintura, la alzó, se la colocó sobre las piernas y la abrazó.

Ella echó un vistazo hacia el claro donde se celebraba la fiesta mientras él hacía que el enorme caballo diera media vuelta.

—¡No podemos marcharnos sin más!

Michael clavó los talones en los flancos de *Atlas* y el animal salió al trote.

—Sí que podemos.

Había planeado esa tarde al milímetro para poder disfrutar de ella. Era la oportunidad perfecta para disponer de toda la casa sin que los molestaran. No habría nadie, puesto que todos estaban en la fiesta y tardarían horas en volver, encantados como estaban de poder disfrutar del día libre.

Entretanto, Caro y él aprovecharían la oportunidad de estar a solas.

Mientras enfilaba el camino que conducía al pueblo y hacía girar a Atlas para que tomara la dirección contraria a Bramshaw House, era muy consciente del atronador sonido de los cascos del caballo así como de los latidos de su propio corazón.

No sabía muy bien si el incidente de la flecha era el único responsable de la tensión que le había agarrotado los músculos y de la decisión de ceñirse al plan y al objetivo fijado, aprovechando las horas que se había propuesto compartir con ella; en ese momento, ni siquiera era capaz de reflexionar al respecto. En parte, se debía a la absoluta convicción de que debía hacerla suya sin más tardanza; hacerla suya y asegurarse de ese modo de que tenía todo el derecho a protegerla. Sin embargo, no había sido la flecha lo que había acicateado el deseo de culminar su cortejo de modo satisfactorio.

Había sido Caro.

Porque no paraba de retorcerse frente a él. No cejaba en su empeño de mirarlo por encima del hombro o de echar un vistazo hacia el claro donde se celebraba la fiesta, lo que empeoraba las cosas.

—¿Y si alguien me echa de menos? Tal vez Edward...

—Sabe que estás conmigo.

Lo miró a la cara.

—¿Y Geoffrey?

—Como es habitual en él, no se ha percatado de nada, pero nos ha visto. —Clavó la vista en el camino para doblar el recodo que llevaba a Eyeworth Manor. Mientras *Atlas* aumentaba la velocidad, miró a Caro y enarcó las cejas—. En el improbable caso de que se percate de tu ausencia, supondrá que estás conmigo.

Y eso zanjaba la cuestión.

Caro clavó la vista al frente. Se le había acelerado el pulso, pero en esa ocasión con un ritmo mucho más desenfrenado. Michael parecía un caballero medieval salido de la epopeya de un trovador, que acabara de arrojar a la doncella que deseaba a su montura para llevársela a su solitario torreón.

Donde se aprovecharía de ella.

Era una idea inquietante.

Parpadeó para regresar a la realidad, una realidad que surgía frente a ella, cuando los cascos de *Atlas* repiquetearon sobre los adoquines del patio del establo de Eyeworth Manor. Michael tiró de las riendas, desmontó y la ayudó a bajar. Sin pérdida de tiempo, desensilló a la enorme bestia...

Dos horas. Eso había dicho.

Intentó imaginárselo. Y le resultó imposible.

—Vamos. —La cogió de la mano y la condujo a la mansión a través del patio del establo y de la huerta.

En realidad debería protestar, ¿no? Se aclaró la garganta...

Y él la miró por encima del hombro.

—No malgastes aliento.

Frunció el ceño mientras contemplaba su espalda.

—¿Por qué?

Michael ni siquiera aminoró el paso.

—Porque dentro de poco vas a necesitarlo.

Su perplejidad aumentó mientras intentaba ponerse a su lado para mirarlo a la cara. Tenía la mandíbula tensa y su rostro parecía tallado en granito. Le dio un tirón de la mano y se detuvo en seco.

—¿Por qué? Además, no puedes sacarme a rastras de la fiesta como si nada, como si fueras... —Hizo un gesto con la mano libre—. Como si fueras un troglodita.

Michael se detuvo, dio media vuelta y le dio un tirón de la mano que sujetaba, cosa que la llevó directamente hasta sus brazos.

La atrapó entre ellos y la miró a los ojos.

—Sí que puedo. Y eso es lo que estoy haciendo.

La besó. Y las palabras que habían quedado flotando en el aire le pasaron por la cabeza: «Porque voy a hacerte el amor.»

El beso dejó más que claras sus intenciones. Fue un torbellino que le alborotó los sentidos y la dejó desorientada.

Que acalló cualquier protesta por su parte.

Separó los labios y cedió al devastador asalto. Michael devoró su boca, la exploró con la lengua y la oleada de pasión estuvo a punto de derretirla mientras corría por sus venas, tan ardiente como la lava. Las manos que la aferraban por la espalda, que la amoldaban a ese cuerpo masculino dejando patente tanto su deseo como sus intenciones, le recordaron la fuerza física que él poseía y su relativa debilidad ante ella.

Se aferró a él y le devolvió los besos con un anhelo tan repentino y acuciante como el que Michael demostraba. Era consciente de que eso era lo que necesitaba. Ésa era la respuesta a su pregunta; la respuesta que ansiaba conocer desde hacía tanto tiempo. Michael la deseba. La deseaba más allá de toda duda. Ojalá...

Como si se hubiera percatado de su anhelo, de ese deseo que desafiaba su imaginación, él puso fin al beso y se inclinó para alzarla en brazos.

Atravesó con dos zancadas la distancia que los separaba de la puerta trasera y la abrió como pudo, sin soltarla. Sus botas resonaron sobre las baldosas a medida que recorría el pasillo en dirección al vestíbulo principal. Cuando llegaron a la escalinata, subió los peldaños de dos en dos.

Aferrada a sus hombros, aguardó a que la soltara, pero él ni siquiera se detuvo. Cuando lo miró a la cara descubrió que tenía el rostro crispado y que parecía absolutamente decidido. Se detuvo frente a la puerta que había al fondo del pasillo y con un rápido giro de muñeca la abrió para después entrar.

La cerró con el pie y el portazo resonó por toda la estancia.

Era una habitación grande y luminosa. Eso fue lo único que llegó a ver mientras Michael cruzaba la estancia con ella en brazos. En dirección a una cama enorme.

Volvió a esperar que la dejara en el suelo... en vano. Con aparente facilidad, la alzó un poco más y la arrojó sobre el colchón. Jadeó por la sorpresa... y volvió a jadear cuando se reunió con ella, le colocó una de sus enormes manos en la cadera y la pegó a su cuerpo sin más. Entretanto, su otra mano le tomó el rostro y la inmovilizó para besarla.

Fuego. El fuego que Michael irradiaba la prendió e incendió sus ávidos sentidos. Sus labios se fundieron mientras la presionaba sobre el colchón y le metía la lengua en la boca. En esa ocasión no hubo languidez, sino un anhelo apremiante y frenético que la instó a abrazarlo con todas sus fuerzas para pegarse a él. Le clavó los dedos en los hombros y se aferró a su ropa, ansiosa por acariciar su piel.

Michael lo comprendió de inmediato. Se apartó lo justo para quitarse la chaqueta, pero siguió besándola. Entretanto, ella buscó los botones del chaleco y los desabrochó con movimientos frenéticos. Le separó los extremos y deslizó las manos bajo la prenda, encantada de sentir el contorno de sus músculos bajo la liviana tela de la camisa.

Las caricias de Caro, el ardor con el que se movían sus dedos y el deseo que los impulsaba, lo distrajeron. Aunque siguió saboreando las maravillas de su boca y no abrió los ojos, se detuvo un instante...

Y ella se quedó paralizada. Dejó de acariciarlo, repentinamente indecisa.

—¡Por el amor de Dios, no te pares! —masculló después de separarse de ella. No tardó en apoderarse de nuevo de esos dulces labios... y Caro respondió acariciándolo a su vez.

Se percató de que lo deseaba con ansia.

En un momento dado, ella descubrió que se le había salido la camisa de los pantalones e introdujo las manos bajo ella.

Y lo tocó. Extendió sus ávidos dedos sobre su espalda y lo devoró con ellos. Apenas podía dar crédito a la pasión, a la intensidad del deseo que cada una de las excitantes caricias de Caro le provocaba.

Porque cada una de ellas dejaba patente que lo estaba reclamando.

No estaba muy seguro de que Caro lo entendiera, pero él sí se había percatado. En el rinconcito de su mente que todavía funcionaba, supo que acababa de rendirse ante ella. Que acababa de entregarse y que le daría lo que necesitara para satisfacer su anhelo. La apremió con un gruñido para que continuara.

Porque ese anhelo era mucho más profundo de lo que él pensaba. Lo percibía. Se lo decían sus caricias, su apasionada respuesta y los besos que le devolvía. Porque seguían besándose con avidez. Sus bocas se convirtieron en el ancla que los unía a un mundo cuyos confines se habían reducido hasta abarcar sólo lo que sus sentidos percibían.

Se obligó a refrenarse al ver que no era capaz de dominar el estallido de pasión y dejó que fuera ella la primera en degustar el banquete, al menos lo suficiente para paliar su ávido apetito. Se las arregló como pudo para quitarse el chaleco y la corbata, que arrojó al suelo sin muchos miramientos. Tanteó hasta dar con el borde de la camisa y se apartó de los labios de Caro para poder sacársela por la cabeza.

213

Ella se incorporó y lo obligó a tenderse en la cama. La camisa cayó a un lado mientras él jadeaba y cerraba los ojos con la intención de saborear mejor las apremiantes y enfebrecidas caricias de esas manos que exploraban su pecho... como si fuera su dueña y tuviera la intención de poseerlo por completo.

No pensaba ponerle la menor objeción.

Abrió los ojos para observar su expresión y, además del placer, vio que a su rostro asomaba algo parecido al asombro. La imagen le caló hasta lo más hondo. En ese momento, ella alzó la vista y sus miradas se encontraron. Sus ojos resplandecieron como la plata bruñida antes de entornar los párpados y clavar la vista en sus labios.

La colocó mejor sobre él y Caro se dejó hacer. Sin más aliciente, ella inclinó la cabeza y lo besó en los labios.

Había caído en su trampa. Aguardó hasta que la tuvo inmersa en el beso y atrapada en el ardiente torbellino que su mutuo deseo provocaba para tantear su espalda en busca de las cintas del vestido. La dejó apartarse lo justo para quitarse el echarpe, que acabó en el suelo, sobre la camisa. Una vez que estuvo libre de la prenda, la aferró por la cabeza y volvió a acercarla a sus labios. Le hundió la lengua en la boca con descaro y la hechizó con sus besos mientras le quitaba el vestido en un santiamén.

Cuando el vestido estuvo por fin en el suelo, descubrió que ya no había nada que se interpusiera entre esa piel y su deseo de acariciarla, de explorar esas delicadas curvas, de trazar los contornos de ese cuerpo con las palmas de las manos. Hasta saciarse de ella. Quería explorar cada centímetro de su cuerpo del mismo modo que Caro quería conocer el suyo. Ansiaba poseerla en la misma medida que ella quería poseerlo a él.

La escuchó murmurar algo contra sus labios. Sintió que contenía el aliento cuando le colocó las manos en los pechos y los apretó con suavidad. En respuesta, Caro lo besó con más ardor y se frotó contra sus manos en clara invitación. Le tomó la palabra sin pérdida de tiempo y capturó sus pezones para pellizcarlos hasta que se vio obligada a apartarse de sus labios para jadear. Renuente a que dejara de besarlo, apartó las manos de sus pechos, se apoderó de sus labios y se dispuso a explorar aún más. Deslizó las manos con afán posesivo hasta sus caderas, y desde allí siguió descendiendo en busca del dobladillo de la camisola. Una vez que lo encontró, deslizó las manos por debajo y acarició ese redondeado trasero. En respuesta, ella comenzó a besarlo con un frenesí que le supo a gloria.

Se movió sobre él de forma provocativa y se frotó con total premeditación sobre su palpitante erección. No con la intención de enardecerlo, sino para saciar su propia curiosidad.

En ese momento estuvo a punto de dejarse llevar, pero logró refre-

214

narse a tiempo y se recordó que tenían horas por delante. Algunas más que las dos que le había prometido. Había tiempo para jugar, para saborear el momento. Y sólo tendrían una primera vez.

Volvió a enterrar la mano en esa gloriosa mata de pelo y la inmovilizó para besarla. Con un ansia similar a la que ella demostraba, se dejó llevar por el impetuoso y visceral anhelo que los consumía.

Pero no se precipitó.

Se tomó su tiempo para volver a saborear esos labios, para alimentarse de su sabor, para enardecer la pasión a medida que sus manos la exploraban lentamente. Descubrió cada curva y cada recoveco, los acarició y los memorizó; buscó los lugares que más la excitaban, allí donde la caricia más liviana la dejaba sin aliento. Y encontró un punto especialmente sensible en la parte posterior de los muslos. Así como en la parte inferior de los pechos. Centímetro a centímetro fue subiendo la camisola hasta que por fin interrumpió el beso para pasársela por la cabeza.

Arrojó la prenda al suelo sin muchos miramientos. Atrapó a Caro entre sus brazos y la hizo girar sobre el colchón hasta que la tuvo de espaldas. La inmovilizó poniéndole una mano en la cintura y se inclinó para besarla. Se hundió de nuevo en su boca, pero sólo por un instante.

Porque quería contemplar el tesoro que había descubierto.

Porque quería contemplar la belleza femenina de esas delicadas y esbeltas curvas, de esa piel marfileña tan delicada como la seda, aunque en esos momentos estuviera sonrosada por el deseo.

Aturdida y sin aliento, Caro observó el rostro de ese hombre que examinaba su cuerpo. Contempló las líneas austeras de su rostro, demudado por la pasión, mientras la acariciaba con un fervor casi reverente. La emoción de lo que estaba por suceder le puso los nervios a flor de piel. Mucho más de lo que habría imaginado. Estaba a punto de echarse a temblar, aunque no tenía frío.

Era una gloriosa tarde de verano. La ventana estaba abierta y por ella se colaba una suave brisa cuya calidez se sumaba a la hoguera que la consumía por dentro. Y que también lo consumía a él.

Porque Michael estaba ardiendo. Por ella.

Alzó una mano para acariciar ese rostro que parecía demasiado serio. Sus miradas se encontraron un instante y él giró la cabeza para depositar un beso en la palma de su mano. El deseo brillaba en sus ojos, intensificando su color azul. Era la pasión la que le crispaba el rostro, la que endurecía sus rasgos mientras la contemplaba, mientras la acariciaba.

Mientras avivaba el fuego que le quemaba la piel y la arrastraba sin remedio hacia la vorágine de deseo con cada caricia. Mientras enervaba el anhelo que la consumía; un anhelo que sólo había conocido a su lado. Lo observó con detenimiento, decidida a contemplar cómo la amaba; decidida a aferrarse con uñas y dientes a esa expresión que delataba lo entregado que estaba a su mutuo objetivo. La tensión que lo embargaba, que había convertido sus músculos en puro acero y que ella percibía en sus hombros, se le antojaba reconfortante en cierto sentido. En ese instante, Michael inclinó la cabeza y se llevó un enhiesto pezón a la boca... para chuparlo con fuerza.

Soltó un gemido al tiempo que lo aferraba del pelo y arqueaba el cuerpo sin necesidad de palabras. Él murmuró algo en señal de aprobación y trasladó sus atenciones al otro pecho mientras sus dedos ocupaban el lugar que acababan de abandonar sus labios.

Semejantes caricias no le resultaban desconocidas. Ya la había acariciado así, de forma casi reverente. Se entregó al momento e intentó contener los gritos que pugnaban por salir de su garganta hasta que escuchó que Michael le decía con voz ronca:

—Grita todo lo que quieras. Nadie va a escucharte... salvo yo.

Las últimas palabras le dejaron muy claro que le complacería escuchar los gritos que sus caricias le arrancaran. Menos mal, porque le estaba resultando cada vez más difícil guardar silencio. Ni tenía fuerzas para hacerlo ni contaba con la claridad mental necesaria para ello.

Toda su atención, todos sus sentidos estaban atrapados en las llamaradas, en la rugiente hoguera que él estaba encendiendo en su interior.

Sin embargo, cuando le separó los muslos y sus manos acariciaron los húmedos e hinchados pliegues de su sexo, sintió una súbita inseguridad. Abrió los ojos, extendió un brazo y colocó la mano sobre su erección.

Michael se quedó petrificado. Inspiró hondo de repente, como si el roce de su mano le resultara doloroso. Aunque, a esas alturas, ella ya sabía que no acababa de cerrar los ojos y de tensar la mandíbula por el dolor precisamente... Cuando abrió los ojos y la miró, lo hizo con una expresión ardiente y apasionada. Decidió seguir acariciándolo por encima de los pantalones y, en un momento dado, cerró los dedos en torno a su miembro. Sus miradas siguieron entrelazadas mientras ella se lamía los labios y se obligaba a tomar aliento para decir:

—Te deseo. Esta vez...

Michael se estremeció y comenzó a cerrar los ojos, aunque se contuvo para mirarla con un deseo abrasador.

—Sí. Definitivamente. Esta vez...

Percibió que él maldecía para sus adentros, aunque no dijo nada en voz alta. Se limitó a aguardar hasta que él recuperó el control. Después, la aferró por la muñeca y apartó la mano que lo acariciaba.

—Espera —le dijo justo antes de sentarse y pasar las piernas por el borde de la cama.

Ella se colocó de costado y se apoyó en un codo. Lo observó, dispuesta a protestar en caso de que fuera necesario, pero escuchó, aliviada, cómo una de sus botas caía al suelo. La invadió una abrumadora oleada de emoción. Escuchó el ruido que hacía la segunda bota. Él la miró por encima del hombro mientras se desabrochaba los pantalones. Después, se puso en pie, se los bajó y, una vez que se los quitó, se dio media vuelta y volvió a la cama.

Sintió que le daba un vuelco el corazón y que la invadía la felicidad. Michael era la estampa perfecta de un hombre excitado en el sentido más básico del término. Se le secó la boca. No podía apartar los ojos de él, de la evidencia de que el deseo que sentía por ella no había menguado. Extendió el brazo para tocarlo con cuidado. Recorrió con los dedos esa piel delicada y caliente antes de cerrarlos a su alrededor y sentir su peso en la palma.

Michael soltó un gemido que parecía haberle salido del alma.

—¡Maldición! Vas a matarme como sigas así. —Le apartó la mano y se colocó sobre ella, aplastándola contra el colchón. Al mismo tiempo, le separó los muslos con las piernas y se colocó entre ellos. Sin más demora, presionó para penetrarla—. La próxima vez lo haremos con más calma.

Ella se quedó sin aliento y creyó que se le saldría el corazón por la boca. Por fin había llegado el momento. La pregunta que llevaba años rondándole la mente se cernía sobre ellos, a punto de ser contestada. De forma tajante.

Todos sus sentidos se pusieron en alerta, pendientes del palpitante deseo que se concentraba en su entrepierna mientras él la acariciaba con los dedos, que se hundieron un poco en ella antes de separarla.

La gruesa punta de su miembro la rozó y se frotó contra su sexo antes de penetrarla apenas un milímetro.

Estuvo a punto de gritar. Alzó las caderas a modo de muda súplica, cerró los ojos y se mordió los labios mientras rezaba para que la penetrara. Su cuerpo entero se tensó. Estaba al borde de un abismo emocional mucho más insondable que cualquier otro al que se hubiera enfrentado. Era muy consciente de la caída que se abría bajo sus pies, de la profunda decepción que sufriría si él no...

Le colocó las manos en la espalda y lo acercó a ella al tiempo que lo instaba a proseguir, alzando las caderas. Notó cómo se le contraían los músculos bajo las palmas de sus manos. Y, entonces, sin previo aviso, se hundió en ella con una embestida lenta y poderosa.

Michael fue consciente de la abrasadora estrechez del cuerpo de Caro mientras éste lo rodeaba centímetro a centímetro. Con los ojos cerrados, notó que traspasaba una barrera, aunque fue el sofocado jadeo que se le escapó a ella, acompañado de la delatora tensión que se apoderó de su cuerpo, lo que lo alertó, ya que estaba atrapado en la marea de deseo.

Atónito y aturdido, abrió los ojos y la miró. Observó esos ojos del color de la plata bruñida que lo estaban mirando. Y en ese momento entendió lo que le había ocultado, lo que jamás le había dicho; ni a él ni a ninguna otra persona.

Por fin entendió la verdad de su pasado. La realidad de su matrimonio.

Caro estaba esperando sin aliento, tensa, nerviosa... Y de repente entendió qué era lo que aguardaba.

Con mucha lentitud y deliberación, salió un poco de ella antes de volver a hundirse en su interior.

Vio que esos ojos grises resplandecían con una dicha tan inmensa que el corazón le dio un vuelco. Sin embargo, ése no era momento para palabras ni para explicaciones. Inclinó la cabeza, se apoderó de sus labios y la arrastró con él de cabeza a la hoguera.

Dispuesto a compartir la danza que ambos ansiaban.

No fue delicado, porque comprendió con una claridad meridiana que no era eso lo que Caro quería. Que no era eso lo que necesitaba. Se hundió en ella hasta el fondo y se retiró hasta que estuvo a punto de salir de su cuerpo. Aguardó a que le clavara las uñas en la espalda, desesperada por retenerlo en su interior, para volver a penetrarla con un movimiento lento e inexorable que le haría sentir cada centímetro de su palpitante erección a medida que se enterraba en ella.

Caro se apartó de su boca para respirar. El sonido que brotó de sus labios, a caballo entre un alborozado sollozo y un suspiro aliviado, lo instó a ir más allá.

Volvió a besarla y la estrechó con fuerza. La atrapó en el beso y apoyó su peso sobre ella al mismo tiempo que bajaba una mano para agarrarla por el trasero. En cuanto la colocó en el ángulo preciso, la inmovilizó y comenzó a moverse como ambos deseaban. Dejó que el enloquecedor ritmo se apoderara de ellos y uniera sus enfebrecidos cuerpos en una orgía de deseo elemental, arrastrados por la pasión que se arremolinaba a su alrededor; una pasión tan intensa que casi resultaba tangible.

Ella respondió en la misma medida y salió al encuentro de cada una de sus embestidas. Dejó bien claro lo que deseaba. Y también que lo deseaba en la misma medida que él.

Tal vez fuera su primera vez, pero no era una virgen timorata. Más bien lo contrario. Era una estudiante avezada. Tardó apenas unos minutos en descubrir el modo más placentero de responder a sus movimientos, de colocar sus caderas, de apresarlo en su interior y volverlo loco mientras sus lenguas seguían enzarzadas en su particular combate. Él, en cambio, tardó un poco más en comprender que Caro había ansiado ese momento desde hacía años. Que por fin se liberaría de todo lo que llevaba guardado en su interior. Que por fin experimentaría todo lo que le habían negado durante demasiado tiempo.

Era una catarsis de pasión, de deseo, del sencillo anhelo de ser partícipe de una entrega mutua con otro ser humano.

Y le dio lo que ansiaba mientras tomaba todo lo que ella le ofrecía a cambio y sin medida.

Evidentemente, para él no era la primera vez —había estado con más mujeres de las que podía recordar; todas ellas damas experimentadas, que no cortesanas—, pero a medida que se hundía en el cuerpo de Caro, en su boca, y se deleitaba con su generosa entrega, descubrió que había algo nuevo, algo diferente en el acto en sí.

Tal vez fuera la sencillez; ambos se conocían tan profundamente en otros aspectos, en otros niveles, que descubrirse en el plano físico y compartir besos y caricias de sus manos, de sus lenguas y de sus sexos, parecía lo más natural.

Como si estuviera escrito. Sin velos y sin disfraces que lo enmascararan.

El poder, enardecido por la pasión compartida, fluyó y se expandió por sus cuerpos, atrapándolos en sus garras. Los capturó y los arrojó a una vorágine de deseo embriagador que de repente se cristalizó a su alrededor.

Con los nervios a flor de piel y los músculos en tensión, ambos se dejaron llevar por el frenesí. Caro se apartó de sus labios con los ojos cerrados y la respiración alterada.

Él la llevó más allá, la penetró con más fuerza y ella se arqueó con un grito y tocó el sol. Se aferró con fuerza a su espalda mientras se estremecía y se derretía entre continuos espasmos de placer.

Verla estallar de ese modo aceleró su clímax y no tardó en seguirla. Con una profunda embestida, se derramó en su interior y se desplomó sobre ella mientras dejaba escapar un largo gemido, saciado hasta la médula de los huesos.

13

Caro yacía bajo Michael, feliz y contenta. El peso de ese cuerpo fuerte y musculoso la aplastaba contra el colchón, pero no creía recordar haberse sentido jamás tan cómoda, tan... feliz.

Tan unida, y no sólo en el plano físico, a otra persona.

Todavía la estremecía algún que otro espasmo de placer. Reminiscencias del éxtasis que aún corría por sus venas y que había dejado una profunda dicha tras de sí.

Así que... eso era la intimidad. Y había resultado mucho más profunda de lo que se había imaginado. Y también mucho más... «primitiva». Sí, ése era el calificativo que acudía a su mente.

Sonrió. No pensaba quejarse.

Pasaron un buen rato acostados sin más, abrazados, conscientes de que ninguno de los dos dormía, y también de que ambos necesitaban recobrar el aliento en más de un sentido. De repente, cayó en la cuenta de que Michael había descubierto su secreto. Lo sabía y lo entendía.

Se devanó los sesos en busca de una explicación mientras contemplaba el techo; pero, a la postre, decidió que era mejor explicar lo que sentía.

La cabeza de Michael descansaba sobre su hombro. Le enterró los dedos en el pelo con cuidado, con cierta inseguridad, puesto que ese tipo de caricias era nuevo para ella.

—Gracias.

Cuando Michael tomó aire, su torso le oprimió el pecho. Alzó un poco la cabeza y depositó un beso en su hombro.

—¿Por qué? ¿Por haber disfrutado de los mejores momentos de mi vida?

De modo que era un político hasta en la cama... Sus palabras le arrancaron una sonrisa irónica.

—No es necesario que finjas. Ya sé que no soy especialmente... —Como no encontró las palabras adecuadas, las suplió con un gesto vago.

Él se incorporó un poco, capturó su mano y se echó hacia atrás para poder mirarla a los ojos. La atravesó con la mirada mientras se llevaba la mano a los labios y le daba la vuelta para plantar un beso abrasador en la palma. Sin dejar de mirarla, mordisqueó la base del dedo gordo.

Y ella dio un respingo, aunque su sorpresa fue mucho mayor al caer en la cuenta de que su miembro aún estaba enterrado en ella, duro y excitado... No. De que su miembro había vuelto a endurecerse sin haber salido de ella. Eso la dejó perpleja e insegura.

La sonrisa de Michael no era en absoluto alegre, sino más bien indulgente.

—No sé qué problema tendría Camden; pero, tal y como estás comprobando por ti misma, yo no lo sufro.

Cuanto más reflexionaba al respecto, más obvio le parecía.

Como si quisiera convencerla, Michael movió un poco las caderas. Las zonas sensibles que hasta ese momento había creído exhaustas, resucitaron de inmediato.

Él se apoyó en los codos para mirarla.

—¿Recuerdas que te dije que me tomaría dos horas por lo menos? —le preguntó sin detener el delicioso movimiento de sus caderas.

Se lamió los labios. Se le había vuelto a quedar la boca seca y estaba atónita ante la obvia respuesta de su cuerpo, una respuesta ardiente e inmediata, a la promesa que encerraba el continuo movimiento y la erección de Michael en su interior.

—Sí —contestó.

Él esbozó una sonrisa e inclinó la cabeza para besarla.

—Creo que deberías saber... que tengo toda la intención de que sean tres.

Y así fue. Durante tres maravillosas horas la mantuvo cautiva en su cama, hasta que las otrora impecables sábanas quedaron reducidas a un arrugado campo de batalla de seda y lino.

Durante la primera media hora, Michael estuvo convenciéndola de que una vez no era suficiente ni mucho menos; ni para él, ni para ella. Mientras que en el exterior reinaba el bochornoso calor de una tarde estival que silenciaba hasta el zumbido de los insectos, ellos yacían en la cama entre los gemidos y los gritos de pasión que Michael le arrancaba, envueltos por un calor de una naturaleza muy distinta.

Hasta que volvió a experimentar ese glorioso olvido, al que Michael se unió sin demora.

A él no le interesaba que se mostrara sumisa y pasiva. La tercera vez, la experiencia se convirtió en un largo viaje de exploración y descubrimientos íntimos. Para ambos. Michael no sólo la animó a que se dejara llevar por la pasión e hiciera cuanto el deseo le reclamase, sino que también la provocó para que fuera más allá, logrando que respondiera con el mismo abandono que él demostraba.

No intentó disimular el deseo que sentía por ella en ningún momento. Le dejó bien claro el ímpetu de su anhelo, la intensidad de ese deseo, el irrefrenable impulso de saciarlo uniéndose físicamente a ella.

Cuando por fin se estremeció entre sus brazos por tercera vez, a horcajadas sobre sus caderas, Michael la estrechó con fuerza y se hundió en ella hasta el fondo. Por fin comprendía lo que significaba la unión física entre dos personas. Era una entrega mutua de pasión compartida; una unión que trascendía el plano físico y afectaba a otros niveles mucho más profundos.

Una lección para la que había estado esperando más de una década.

Cuando Caro se desplomó entre sus brazos, Michael soltó las riendas y se dejó llevar, dispuesto a alcanzar la arrolladora culminación que prometía cada uno de los espasmos que lo aprisionaban en el interior de su cuerpo. Y fue precisamente su cuerpo el que lo arrastró, el que lo empujó por el borde del precipicio y lo arrojó al dulce olvido.

Sin embargo, no dejó que las doradas olas lo tentaran demasiado tiempo. No podía permitirlo. Aunque, de todos modos, se demoró un poco, entusiasmado por la sensación de tenerla entre los brazos, por la ardiente humedad que lo aprisionaba. Aspiró el olor de su cuerpo y dejó que sus manos vagaran por esa piel sedosa. Estaba sonrojada y empapada de sudor, pero seguía siendo tan suave y delicada como siempre. Mordisqueó la delicada curva de un hombro, allí donde éste se unía al cuello, y fue ascendiendo hasta sentir el roce de sus indomables rizos contra la mejilla.

Las cosas ya no eran como antes entre ellos, habían cambiado en cierta forma, se habían desarrollado de un modo que no había previsto. No obstante, esos cambios aumentaban el atractivo de su objetivo final, lo hacían aún más valioso.

Una vez que dejó de darle vueltas la cabeza, apartó a Caro y la dejó sobre la cama, apoyada en los almohadones. Ella se lo permitió, exhausta y sin abrir los ojos siquiera. Sintiéndose profundamente satisfecho, la cubrió con la colcha de seda y salió de la cama despacio y a regañadientes.

Caro fue levemente consciente de que en esa ocasión Michael no estaba a su lado. De que ese cuerpo grande, viril y cálido no se acurrucaba contra ella. A juzgar por los ruidos que le llegaban, sabía que seguía en la habitación. Sin embargo, pasaron unos cuantos minutos hasta que reunió las fuerzas suficientes para abrir los ojos y ver qué estaba haciendo.

El sol aún brillaba con fuerza. Todavía no se había hundido tras las copas de los árboles, pero faltaba poco para que lo hiciera. Debían de ser más de las cuatro de la tarde. Michael estaba frente a la ventana, con la mirada perdida en el horizonte. Se había puesto los pantalones, pero seguía con el torso desnudo. Mientras ella lo contemplaba, se llevó una copa a los labios y tomó un sorbo de licor.

Tenía la mandíbula tensa. Su postura, la tensión de sus hombros, le indicó que algo iba mal.

La aprensión la asaltó de repente. Cerró los ojos... y recordó el roce de sus manos, el modo en el que esos dedos se habían clavado en sus caderas mientras hacían el amor. Abrió los ojos y aplastó sin miramientos sus miedos.

Si algo le había enseñado la vida, era a enfrentarse a las dificultades de cara. Andarse por las ramas sólo empeoraba las cosas. Se incorporó y el movimiento hizo que le diera vueltas la cabeza. Cuando se le pasó el mareo, agarró la colcha, que estaba a punto de caer al suelo.

Michael oyó el frufrú de la seda y la miró.

—¿Qué pasa? —le preguntó ella, mirándolo a los ojos.

Él titubeó. El temor regresó de nuevo; pero, cuando Michael se acercó, su expresión le dijo que verla desnuda en su cama no tenía nada que ver con aquello que lo preocupaba.

Se detuvo a los pies de la cama y tomó otro sorbo de licor. A esa distancia, el color le indicó que era brandi. Mientras bajaba la copa, la estudió abiertamente, con expresión pensativa.

—Alguien está intentando matarte —le dijo. Había estado especulando acerca de la reacción de Caro al decírselo.

Descubrió que había supuesto correctamente al ver que sus palabras le arrancaban una sonrisa con la que pretendía tranquilizarlo. Sin embargo, la sonrisa aún no había llegado a sus ojos grises cuando se congeló. Y se desvaneció del todo al darse cuenta de que estaba hablando en serio.

A la postre, acabó por fruncir el ceño.

—¿Qué te hace pensar eso? —fue su réplica.

Dio las gracias en su fuero interno por haberse fijado en una mujer inteligente.

—Consideremos los hechos detenidamente. El día que tu caballo, *Henry*, se desbocó y la calesa estuvo a punto de volcar, Hardacre descubrió que alguien le había disparado unos cuantos perdigones, casi con toda seguridad disparados con un tirachinas.

—¿¡Cómo!? —exclamó. La sorpresa la dejó boquiabierta.

—Como lo oyes. En aquel momento, no me pareció necesario preocuparte con el descubrimiento... Hardacre y yo llegamos a la conclusión de que debió de tratarse de la travesura de algunos de los niños que veranean en el condado. Era poco probable que volviera a sucederte algo. —Asintió con la cabeza—. Y, de hecho, no te sucedió nada, pero por los pelos. Le sucedió a otra persona.

Caro parpadeó mientras hacía memoria.

Él la observó un instante antes de decir:

—Los hombres que atacaron a la señorita Trice.

—¿Crees que en realidad iban a por mí? —le preguntó.

—Recuerda lo que pasó aquella noche. Fuiste la primera en abandonar el salón. De no haber sido por mí, que te retuve en el vestíbulo hasta que la señorita Trice se marchó y te obligué a subirte a mi tílburi, habrías sido la primera mujer que bajara sola y a pie al paseo. Y, en circunstancias normales, no habría habido nadie en los alrededores que pudiera ayudarte.

Las palabras de Michael fueron calando poco a poco hasta que comprendió, con un escalofrío, que era cierto. Se arrebujó con la colcha.

—Pero si estaban intentando atacarme, y no entiendo qué motivo podrían tener para hacerlo —replicó sin dejar de mirarlo—, ¿cómo sabían que estaba a punto de marcharme de casa de Muriel y que, además, pensaba hacerlo a pie?

—Fuiste de esa manera. Era lógico pensar que regresarías a casa del mismo modo, tal y como era tu intención. Y no te olvides de que la verja del jardín trasero de Muriel estaba abierta, así que habría sido un juego de niños que cualquiera entrara y montara guardia, oculto en algún lugar. —Sostuvo su mirada sin flaquear—. Te despediste de Muriel y saliste al vestíbulo. Tus acciones dejaron bien claro que estabas a punto de marcharte.

Frunció los labios, pero él siguió:

—Y, además, está el asunto de esa flecha que fue a clavarse en un árbol, justo en el lugar donde habías estado recostada apenas un momento antes.

Estudió su expresión y tuvo que reconocer que todo lo que decía era cierto.

—Pero sigo sin poder creerlo. No sé qué motivo podría haber. No lo entiendo.

—Sea como sea y aunque desconozcamos el motivo, creo que no nos queda más remedio que llegar a la conclusión de que alguien está decidido, cuando menos, a hacer daño... Si no a asesinarte.

Quiso rebatir su conclusión con una carcajada. Sin embargo, su tono de voz, por no mencionar su semblante, lo hizo imposible.

Al ver que no decía nada, Michael hizo un gesto afirmativo con la cabeza como si aceptara su conformidad y apuró la copa.

—Tenemos que hacer algo al respecto.

Una vocecilla le dijo que debería irritarla el uso del plural. No estaba muy convencida, pero la certeza de que él estaría a su lado mientras se enfrentaba a lo que fuera que estuviera sucediendo, la tranquilizó en lugar de molestarla. No obstante... su mente repasó toda la información. Después, alzó la vista hacia él.

—Lo primero que tenemos que hacer es regresar a la fiesta.

Se vistieron al punto. Para su sorpresa, retomar sus respectivos papeles de dama y caballero intachables no disminuyó la recién descubierta sensación de proximidad que los unía, tanto físicamente como en otro sentido mucho más profundo. Lo supo porque fue consciente no sólo del cuerpo de Michael, sino también de sus pensamientos y de sus reacciones. Lo percibió en sus ojos azules cada vez que la miraba; en el sutil roce de la mano que la tomó del brazo al salir de la habitación; en la fuerza de esos dedos que se cerraron con afán posesivo en torno a su mano mientras atravesaban la huerta.

Al parecer, tres horas de juegos sensuales al desnudo hacían imposible retomar la distancia que las buenas costumbres tildaban de decorosa. Aunque no le importaba en absoluto. La familiaridad que había entre ellos era mucho más incitante, más sugerente. Y, además, no había nadie que pudiera sentirse escandalizado al verlos.

Ante su insistencia, Michael enganchó un caballo a su calesa y regresaron a la fiesta de un modo más convencional. Una vez que dejaron el vehículo en el claro más pequeño, volvieron a internarse en la multitud que todavía deambulaba entre los puestecillos y que, en su gran mayoría, se afanaba con las compras de última hora; otros, en cambio, se habían demorado para despedirse de sus conocidos.

Tal parecía que nadie los había echado en falta. O, si se habían percatado, nadie hizo la menor alusión a su ausencia. A ella le pareció estupendo. Bastante tenía con aparentar normalidad y contener la sonrisa tonta y delatora que pugnaba por aparecer en su rostro. Y le supuso un esfuerzo enorme, ya que aparecía a la menor oportunidad cada vez que se descuidaba. Por si eso fuera poco, aunque podía caminar sin problemas, estaba exhausta, como si todos los músculos de su cuerpo estuvieran agotados.

Por primera vez en su vida, la idea de desmayarse delicadamente o, al menos, de fingir un desmayo, se le antojó de lo más apetecible. En cambio, decidió utilizar su enorme fuerza de voluntad para proseguir con la farsa, sonriendo a unos y a otros, como si Michael y ella hubieran estado presentes toda la tarde.

Él no se apartó ni un instante de su lado. Tomados del brazo, charlaron con aquellos con los que se fueron encontrando y, aunque Michael se mostró atento a la conversación, le llamó la atención que su actitud fuera más protectora, como si vigilara de cerca a todos aquellos que los rodeaban.

Sus sospechas se confirmaron cuando se alejaron del puestecillo del carpintero y él murmuró:

—Los portugueses se han marchado.

—¿Y los otros? —le preguntó, enarcando las cejas.

—No veo ni a los prusianos ni a los rusos, pero los Verolstadt se están despidiendo. —Le señaló con la cabeza al alegre grupo y echaron a andar hacia ellos para despedirse.

El embajador sueco y su familia habían disfrutado de lo lindo. Tras un efusivo despliegue de agradecimientos y despedidas, se marcharon con la promesa de volver a verse en Londres a finales de año.

Michael volvió a escudriñar la multitud.

—No quedan extranjeros, todas las delegaciones diplomáticas se han marchado.

Eran casi las cinco de la tarde, la hora designada para poner punto y final al día. Exhaló un suspiro de felicidad, contenta porque todo hubiera salido tan bien... y no sólo en lo que a la fiesta se refería.

—Debería ayudar a recoger el puestecillo de la Asociación de Damas —le dijo, mirándolo—. Tu ayuda nos vendría muy bien.

Él enarcó las cejas, pero la siguió sin rechistar.

Muriel llegó al puestecillo al mismo tiempo que lo hacían ellos. Los miró con el ceño fruncido.

—Aquí estáis. Llevo un buen rato buscándoos.

El comentario la hizo abrir los ojos de par en par, pero Michael se limitó a encogerse de hombros mientras replicaba:

—Nos hemos mezclado con la multitud, despidiéndonos de las delegaciones extranjeras y demás.

—Por lo que he visto, han venido todas —admitió su sobrina política, no sin cierta acritud.

—Cierto, y se lo han pasado en grande —añadió ella, demasiado alegre para sentirse ofendida por Muriel y decidida a compartir su alegría con los demás—. Todos me han dicho que os transmita sus más sinceras felicitaciones. —Sonrió a las restantes damas, que estaban guardando los artículos expuestos en sus respectivas cestas.

—Además —intervino la señora Humphreys—, no se les han caído los anillos por comprar cosas. Las dos jovencitas suecas han comprado un sinfín de recuerdos para llevárselos a sus amigas cuando vuelvan a casa. ¡Imaginaos! ¡Nuestros bordados van a estar cubriendo tocadores suecos!

A partir de ese momento, se enzarzaron en una conversación sobre las beneficiosas repercusiones que su idea había tenido. Mientras ayudaba a guardar cubrebandejas y tapetes, accedió a considerar la posibilidad de organizar algún evento semejante el año siguiente, también coincidiendo con la fiesta parroquial, siempre y cuando estuviera en Bramshaw House para esas fechas.

Michael, que se había quedado un tanto rezagado, estaba escudriñando la menguante multitud. Cuando por fin localizó a Edward, le hizo un gesto para que se acercara. Se apartó de las damas para hablar con el joven en voz baja.

—Alguien le ha disparado una flecha a Caro.

Su respeto por la capacidad de Edward se acrecentó al ver que se limitaba a parpadear y a replicar también en voz baja:

—¿No ha sido un accidente por el concurso de tiro? —Cuando se percató de que lo de la flecha iba en serio, su expresión se tornó pensativa—. No, por supuesto. —Parpadeó varias veces—. ¿Ha podido ser Ferdinand?

—No en persona. Dudo mucho que sea tan bueno y, de todas formas, habría contratado a alguien que lo hiciera. Aunque la flecha partió desde donde estaban colocadas las dianas, fue disparada desde el bosque.

Edward asintió con la cabeza mientras miraba a Caro.

—Esto está empezando a adquirir un tinte extraño.

—Cierto. Pero hay más. Iré mañana por la mañana a Bramshaw House y lo discutiremos largo y tendido antes de decidir lo que debemos hacer.

—¿Ella lo sabe? —le preguntó Edward, enfrentando su mirada.

—Sí. Pero tendremos que someterla a una estrecha vigilancia. Desde este mismo momento. Y será mejor que tengas los ojos bien abiertos durante el regreso a Bramshaw House.

Él no podía llevarla a casa. Habría parecido extraño, habida cuenta de la presencia de Geoffrey, Edward y Elizabeth, además de todo el personal de servicio, y de la proximidad de la avenida de acceso a la mansión, que estaba al otro lado de la calle principal del pueblo. De todas formas, la observó con disimulo desde la calesa mientras ella se alejaba hacia Bramshaw House rodeada por un nutrido grupo de personas. Al ver que no sucedía nada fuera de lugar, se marchó a su casa.

Por un lado estaba muy satisfecho; por otro, todo lo contrario.

Salió hacia Bramshaw House tan pronto como hubo desayunado a la mañana siguiente. Edward, que lo había visto llegar por el prado, dejó a Elizabeth para que siguiera practicando con el piano y se acercó para saludarlo. Entraron juntos en la salita familiar.

—Caro aún está durmiendo —le dijo, frunciendo levemente el ceño—. La fiesta debió de dejarla agotada... tal vez por el calor.

El comentario lo obligó a reprimir una sonrisa satisfecha mientras tomaba asiento.

—Es probable. De todas formas, eso nos da tiempo para repasar los hechos antes de que ella esté presente.

Edward tomó asiento frente a él en el diván, y se inclinó hacia delante, todo oídos. A su vez, él se acomodó en el sillón y comenzó a enumerar los hechos que conocía, tal y como había hecho con Caro el día anterior.

Cuando Caro bajó después de desayunar, ataviada para el caluroso día estival con un vaporoso vestido de muselina verde manzana, no se sorprendió al escuchar la voz grave de Michael procedente de la salita familiar.

Se detuvo en el vano de la puerta para observar la escena. Michael y Edward lucían sendas expresiones meditabundas y ambos tenían el ceño fruncido. Se pusieron en pie cuando la vieron. Entró y esbozó una sonrisa afable para su secretario y otra, de índole mucho más íntima, para Michael.

Cuando sus miradas se encontraron, descubrió la pasión que se escondía en sus ojos. Se acercó al diván para, con actitud serena, tomar asiento y aguardó a que ellos también lo hicieran.

—¿De qué estabais hablando?

—De las probabilidades de que Ferdinand ande detrás de algo por motivos egoístas o de que una tercera persona lo haya enviado a por ese algo —respondió Michael.

Lo miró a los ojos mientras replicaba:

—Me resulta muy difícil creer que sea lo que sea lo que busque Ferdinand esté relacionado con su propia persona. Bien es cierto que conocía a Camden; pero, desde el punto de vista diplomático, Ferdinand es un don nadie. —Desvió la mirada hacia su secretario—. ¿No estás de acuerdo?

Edward asintió con la cabeza.

—Teniendo en cuenta sus antecedentes, supongo que algún día conseguirá un puesto de relevancia, pero hoy por hoy... —Miró a Michael—. No es más que el chico de los recados.

—Muy bien —dijo él—. Si es el chico de los recados, ¿para quién trabaja?

Miró a su secretario y compuso un mohín antes de responder:

—Sólo se me ocurre que lo haga para su propia familia, sobre todo teniendo en cuenta la naturaleza de sus actos: ha intentado seducirme, me ha interrogado sobre los documentos privados de mi difunto esposo, ha organizado un allanamiento de morada en Sutcliffe Hall y ha registrado el despacho de Geoffrey aquí mismo. —Hizo una pausa mientras enfrentaba la mirada de Michael—. Sin importar lo mezquino que pueda ser Ferdinand, forma parte de una familia aristocrática de rancio abolengo y, para los portugueses, el honor familiar es incluso más importante que para nosotros. Jamás se arriesgaría a mancillarlo de ese modo si no fuera por algo de suma importancia.

—No a menos que lo que esté en juego sea precisamente el honor de la familia y su intención sea protegerlo —convino Michael—. Eso es lo que yo pensaba. ¿Qué sabes de la familia de Ferdinand?

—Sus tíos, los condes, son los únicos miembros de su familia a los que conocí en Lisboa —contestó Edward, mirándola a ella—. Los duques forman parte de la delegación diplomática en Noruega, si no estoy equivocado.

Caro hizo un gesto afirmativo.

—He conocido a unos cuantos familiares que ocupan puestos de poca relevancia, pero los condes son los que gozan del favor de la Corte en estos momentos. Mantienen una estrecha relación con el rey. —Hizo una pausa antes de añadir—: Pensándolo bien, su relevancia ha ido aumentando durante la última década, desde que yo llegué a Lisboa. En aquel entonces eran simples funcionarios.

—Así que tal vez se trate de algo que pueda poner en peligro su posición, ¿no? —preguntó Michael.

Edward asintió con la cabeza.

—Es lo más probable.

Sin embargo, Caro prosiguió sumida en sus pensamientos. Al ver que seguía con la vista clavada en el suelo, Michael intentó llamar su atención.

—¿Caro? —la llamó.

Ella alzó la vista y parpadeó.

—Estaba pensando... Tal vez sea posible que la posición de los condes corra peligro, pero de ser así me habría llegado algún rumor. —Lo miró a los ojos—. Aunque fuera de sus propios labios.

—No si se trata de algo peliagudo para su reputación —señaló Edward.

—Cierto, pero, de todos modos, se me acaba de ocurrir que el conde no es el cabeza de familia. Y esa posición es muy importante.

—¿Te refieres a los duques? —le preguntó él.

—Ésa es la impresión que me ha transmitido la actitud de Ferdinand —contestó Caro—. Y la de la condesa. Conocí a los duques en Londres, durante la pasada temporada y sólo de pasada, pero... —Miró a su secretario antes de clavar los ojos en él—. Debería haberlos conocido en Lisboa, en algún evento social. Pero no fue así, estoy segurísima.

Edward, cuya expresión se había tornado muy seria, parpadeó varias veces.

—Ni siquiera recuerdo que se pronunciaran sus nombres.

—Ni yo tampoco —añadió ella—. Pero si el duque es el cabeza de familia, y esa familia mantiene una estrecha relación con el rey... En fin, algo va mal. ¿Es posible que los hayan desterrado con suma discreción?

La pregunta fue seguida de un silencio sepulcral mientras meditaban al respecto y aceptaban esa posibilidad, sin necesidad de hacer comentario alguno.

Miró a Caro y después a Edward.

—Y, en caso de que eso fuera cierto, ya tendríamos un motivo. ¿Podría estar relacionado de algún modo con la obsesión que Ferdinand demuestra por los documentos privados de Camden?

—La idea tiene su mérito —contestó Edward.

—Cierto —convino Caro—. Camden tenía relación con casi todo el mundo. Sin embargo, no habría anotado nada tan delicado en los documentos oficiales, que están en poder del Ministerio de Asuntos Exteriores y del nuevo embajador.

—Pero Ferdinand no tiene por qué saberlo —añadió él.

—Lo más probable es que no lo sepa. Eso podría explicar su búsqueda —replicó ella.

Edward frunció el ceño.

—Aunque no explica por qué quiere hacerte daño.

Caro parpadeó, sorprendida.

—¿No estarás pensado que...? —Sus ojos se clavaron en él antes de regresar a su secretario—. Aun cuando lo que me ha pasado últimamente pueda indicar que alguien quiere hacerme daño, no tiene relación alguna con este problema diplomático. Y mucho menos con el secreto de la familia de Ferdinand; porque estoy convencida de que sea lo que sea, sucedió antes de que me casara con Camden.

La observó con expresión seria antes de replicar en voz queda pero contundente:

—No puedes estar segura. Porque no sabes que posees esa información, porque nunca la has poseído o porque no recuerdas tenerla en tu poder. Pero es muy posible que ellos crean que sí estás al tanto.

Pasado un instante, Edward asintió con la cabeza.

—Sí. Tal vez sea eso. En lugar de recuperar el documento, o lo que sea, que está oculto entre los papeles de Camden, alguien, tal vez el duque, si no erramos en nuestras suposiciones, ha decidido silenciarte, dada la posibilidad de que tú conozcas el secreto. —Hizo una pausa como si estuviera repasando sus palabras mentalmente—. Tiene sentido —concluyó, asintiendo con la cabeza.

—Para mí no —objetó Caro, con firmeza.

—Caro... —dijo él.

—¡No! —lo interrumpió, alzando una mano—. Escuchadme un momento. —Guardó silencio un instante para escuchar la música que sonaba a lo lejos—. Y tendrá que ser rápido porque Elizabeth está a punto de terminar ese estudio y vendrá en cuanto acabe. —Lo miró a los ojos—. Así que no me interrumpas.

Apretó los labios.

—Habéis llegado a la conclusión de que los tres incidentes tenían como fin hacerme daño. Pero, ¿es cierto? ¿No han podido ser accidentes fortuitos? Sólo estuve involucrada directamente en el primero y en el último. Que yo fuera el verdadero objetivo del segundo es una mera conjetura. Esos desconocidos asaltaron a la señorita Trice, no a mí. Si los enviaron para secuestrarme a mí, ¿por qué la asaltaron a ella?

Se tuvo que morder la lengua. La engañosa luz del crepúsculo, sumada a una descripción poco detallada, explicaría el error. Intercambió una dilatada mirada con Edward.

—En cuanto al tercer incidente —prosiguió Caro—, fue una flecha disparada desde el bosque y no podemos olvidar que había una enorme multitud cerca. Para acertar a un blanco concreto entre semejante gentío, el arquero debía ser mejor que Robin Hood. Fue fruto de la casualidad que yo me encontrara allí en aquel momento, nada más. No me estaban apuntando a mí específicamente.

Tanto él como Edward guardaron silencio. Caro no estaba dispuesta a dejarlos ganar esa discusión. No tenía sentido prolongarla, aunque estuvieran convencidos de que llevaban la razón. Tendrían que vigilarla sin más, a pesar de lo que ella pensara.

—Hardacre y tú estuvisteis de acuerdo en que el incidente de los perdigones fue la travesura de algún niño. —Hizo un gesto con las manos—. Así que tenemos dos posibles accidentes y un ataque. Y, aunque acepto que el ataque sufrido por la señorita Trice no fue un accidente, no hay ninguna prueba que indique que era a mí a quien buscaban. De hecho, no hay motivos para pensar que alguien quiera hacerme daño —concluyó con voz tajante.

Los miró de forma alternativa, pero ninguno de los dos dijo nada. Frunció el ceño, abrió la boca... y tuvo que morderse la lengua para no decir: «Bueno, ¿qué os parece?», al ver a Elizabeth entrar en la estancia.

Michael se puso en pie y le estrechó la mano.

Su sobrina los observó con una mirada radiante.

—¿Habéis estado comentado la fiesta o... habéis hablado de trabajo?

—Las dos cosas —respondió, al tiempo que se ponía en pie. No quería que los hombres preocuparan a Elizabeth con sus especulaciones—. Pero ya hemos agotado ambos temas y Edward ya está libre. Voy a pasear por los jardines.

Michael cruzó la distancia que los separaba y se apoderó de su mano.

—Una idea espléndida. Después de todas las horas que pasamos ayer entre la multitud, estoy seguro de que estarás deseando disfrutar de un poco de paz y tranquilidad —dijo, poniéndose su mano en el brazo—. Vamos, te acompaño.

Se giró hacia la puerta y ella lo miró con los ojos entrecerrados. Se había aprovechado de mala manera de sus palabras para salirse con la suya.

—Muy bien —accedió mientras salían de la salita—. Pero —continuó, bajando la voz—, no pienso acercarme al mirador.

La sonrisa que él esbozó en respuesta y el modo en el que la penumbra del corredor velaba su expresión hicieron bien poco por tranquilizarla.

Sin embargo, según paseaban por los senderos flanqueados por los exuberantes parterres en plena floración estival, la tranquilidad la rodeó y pareció alejarlos del mundo. Recobró la serenidad y, con ella, cierto grado de resignación.

Lo miró de reojo, pero Michael estaba contemplando los alrededores.

—No acabo de creerme que alguien quiera hacerme daño.

—Lo sé —replicó, clavando los ojos en ella—. Sin embargo, Edward y yo somos de esa opinión.

Ella hizo un mohín antes de mirar al frente. Un momento después, la tomó de la mano y le dijo con voz queda, pero firme:

—Los dos nos preocupamos por ti, Caro. Piénsalo un instante. Si resulta que estamos en lo cierto, pero no tomamos precauciones y nos quedamos cruzados de brazos... Bueno, es posible que puedas sufrir algún daño... o que acabes muerta.

Ella frunció el ceño, pero siguió caminando.

—Te vigilaremos. Ni siquiera te darás cuenta.

Eso pensaba él... Sin embargo, sería consciente de que la observaba cada minuto. ¿Tan malo sería eso?

Un tanto molesta consigo misma, aunque no dio muestras de ello, agradeció el silencio para poder lidiar con una situación totalmente nueva para ella. Nadie la había «vigilado» nunca por los motivos que Michael había aducido. Camden se había mostrado atento con ella, pero porque la había considerado una de sus más preciadas posesiones. Y cuando usaba la palabra «posesión» no lo hacía a la ligera. Eso era, ni más ni menos, lo que había sido para él.

Edward la apreciaba. Durante los años que habían pasado junto a Camden, habían forjado una amistad y tenían en común el respeto por su difunto marido. Edward no sólo trabajaba para ella, sino que además eran amigos. Así que no le sorprendía que estuviera preocupado por su seguridad.

Pero Michael... Su queda voz no había logrado ocultar el torrente de emociones subyacentes, aunque lo había intentado. No había ocultado la necesidad de vigilarla, de protegerla y de cuidarla, por motivos muy distintos a los de su difunto marido. En parte, esa necesidad también surgía de un afán posesivo, pero no estaba teñida por la urgencia de proteger sus talentos y habilidades, sino por la urgencia de protegerla a ella como mujer, como persona.

—De acuerdo. —Dio su visto bueno antes de que pudiera llegar al fondo de la cuestión, ya que de repente se vio acicateada por el deseo, por el irrefrenable deseo, de ahondar más en esa necesidad y descubrir la verdadera naturaleza de aquello que lo impulsaba a protegerla. Se detuvo y se giró para enfrentarlo—. ¿Quieres pasar el día conmigo?

Michael parpadeó y estudió por un instante su expresión, como si lo necesitara para confirmar sus palabras. Después, se inclinó hacia ella mientras decía:

—Con mucho gusto. No se me ocurre otro lugar mejor donde estar.

Se habían detenido en un sendero bastante alejado, oculto además por unos frondosos setos. Le arrojó los brazos al cuello y permitió que la besara. Separó los labios a modo de ardiente bienvenida para excitarlo aún más.

Lo tentó abiertamente.

Sabía lo que quería, al igual que él.

Al cabo de unos minutos, se impuso la realidad; el deseo corría por sus venas y hormigueaba bajo la piel. Sus bocas se fundieron con avidez para compartir la pasión y avivar la hoguera a la que estaban dispuestos a arrojarse.

Se acercó más a él y se pegó a su cuerpo. Michael se estremeció y la estrechó con fuerza. Cuando se separó de sus labios, dejó un ardiente reguero de besos desde la sien hasta el lóbulo de la oreja y siguió descendiendo a lo largo del cuello.

—El mirador está demasiado expuesto —dijo casi sin aliento y de forma apresurada. Aunque muy persuasiva—. Ven conmigo a Eyeworth Manor. Los criados se escandalizarán un poco, pero serán discretos. No cotillearán, no de nosotros.

Desde su punto de vista, la cuestión carecía de importancia. Tenía toda la intención de casarse con ella y, además, pronto. Lo más importante y apremiante era la necesidad de encontrar un lugar íntimo.

Caro abrió los ojos y lo miró. Se humedeció los labios.

—Sé de un lugar adonde podemos ir —le dijo, tras aclararse la garganta.

Se obligó a pensar, aunque no adivinó el lugar al que se refería. Y ella se dio cuenta, porque esbozó una sonrisa de lo más femenina.

—Confía en mí —le pidió con un brillo travieso en la mirada. Se apartó de sus brazos y lo tomó de la mano—. Ven conmigo.

Tardó un instante en comprender la sugerente naturaleza de la invitación y en recordar que ésa era la misma frase que él había utilizado el día anterior. Sin embargo, su magnetismo sensual quedó multiplicado por la expresión de sus ojos, tan mágica como la de un hada, mientras lo instaba a continuar por el sendero.

Ni se le pasó por la cabeza emitir una protesta.

Era una ninfa de los bosques que guiaba a un mero mortal por el camino de la perdición. Así se lo dijo, y ella se echó a reír. Su risa argentina flotó en la brisa, recordándole su voto de arrancar ese maravilloso sonido de su garganta más a menudo.

Atravesaron los jardines tomados de la mano y, a la postre, se internaron en una zona agreste, separada de la anterior por un alto seto. Tras él se extendía un prado y un bosquecillo que la mano del hombre no había tocado. El sendero proseguía entre los árboles y algún que otro claro, donde la hierba era tan densa que casi lo ocultaba.

Al parecer, Caro conocía el camino como la palma de su mano. No necesitaba buscar marcas ni prestar atención al suelo. Caminaba contemplando los pájaros que volaban entre los árboles y de vez en cuando alzaba el rostro hacia el sol.

Estaban en mitad de uno de esos claros cuando se detuvo y la encerró entre sus brazos. La mansión estaba bastante alejada, de modo que inclinó la cabeza y le dio un beso largo y apasionado, sin molestarse en refrenar el deseo que lo embargaba. Un deseo que, tal y como comprendía día tras día, era mucho más profundo y amplio de lo que jamás habría podido imaginar.

Cuando alzó la cabeza bastante después, observó cómo ella abría los ojos muy despacio. En sus profundidades se atisbaba un brillo especial.

—¿Adónde me llevas? —le preguntó, sonriendo. Alzó una de sus manos y se la llevó a los labios para darle un beso en la punta de los dedos—. ¿Dónde está tu gruta de mágicos placeres?

Ella se echó a reír con alegría, pero meneó la cabeza.

—No conoces el lugar. Es un sitio especial. —Siguieron caminando. Poco después, añadió con voz queda y tan mágica como su risa—: Bueno, podría decirse que es una especie de gruta. —Alzó la vista y lo miró de reojo—. Un lugar que no pertenece a este mundo. —Clavó los ojos al frente con una sonrisa.

No insistió más. Estaba claro que quería sorprenderlo, enseñarle ese sitio especial. Se sintió invadido por la emoción a medida que ella se internaba en el bosque que marcaba el límite de la propiedad. Caro había pasado su infancia en ese lugar; lo conocía tan bien como él conocía los terrenos de Eyeworth Manor. Sin embargo, era incapaz de adivinar su destino. No estaba perdido, exactamente, pero...

—Nunca he estado aquí.

Ella lo miró con una sonrisa antes de volver a clavar la vista al frente.

—Pocas personas conocen esta parte de la propiedad. Es un secreto familiar.

Unos veinte minutos después, coronaron una pequeña loma. Tras ella, un frondoso prado se extendía hasta la orilla de un arroyo que corría con fuerza en ese tramo. Escuchó el borboteo del agua, que salpicaba la orilla con una lluvia de gotitas.

Caro se detuvo y abarcó la extensión de terreno con un gesto del brazo.

—Aquí es. —Lo miró de soslayo—. Éste es el lugar que quería enseñarte.

El prado estaba protegido por los árboles, que llegaban a la orilla del arroyo. En el centro de éste había una isla en la cual habían construido una casita. Un estrecho puente de madera la unía a la orilla por encima del agua. Era una construcción antigua, de piedra, pero parecía estar en excelentes condiciones.

—Vamos —lo instó, dándole un tirón de la mano.

Él la obedeció y siguió caminando con la vista clavada en la pintoresca casita.

—¿De quién es?

—Era de mi madre. —Sus miradas se encontraron—. Era pintora, ¿recuerdas? Le encantaba la luz que había en este lugar y el sonido del agua que corre hacia la presa.

—¿Qué presa?

Caro señaló hacia la derecha. Mientras descendían la loma en dirección al prado, apareció una enorme extensión de agua a la derecha.

Por fin supo dónde estaban exactamente.

—La presa de Geoffrey.

Ella asintió con la cabeza.

Sabía que existía, pero nunca había tenido motivos para ir hasta ese lugar concreto. El agua borboteaba entre las piedras del lecho del arroyo antes de llegar a la presa. Aunque era verano y, por tanto, su caudal era más bajo que en invierno, la isla que se alzaba justo en el centro obligaba al arroyo a bifurcarse y de ahí el agradable sonido.

Echó un vistazo a su alrededor a medida que se acercaban al puente. Aunque el lecho del río era profundo y en ese momento el caudal era bajo, la isla donde habían construido la casita se alzaba por encima de las orillas y del mismo prado, imposibilitando el riesgo de quedar inundada en época de crecida. Gran parte del prado quedaría bajo las aguas antes de que los cimientos de la casa se mojaran siquiera.

El puente era bastante más estrecho de lo que parecía de lejos. Tenía el ancho justo para que pasara una persona. Trazaba un arco hasta la isla y sólo tenía una barandilla.

Sin embargo, era la casita lo que lo había impresionado. Desde fuera se apreciaba una sola estancia con numerosas ventanas. La puerta, las ventanas y las contraventanas parecían recién pintadas. Las flores se agitaban en los arriates que bordeaban la zona embaldosada que se extendía frente a la puerta.

La casita estaba en perfecto estado y, lo que era más, a todas luces se veía que solían utilizarla con asiduidad.

—En un principio se construyó como elemento decorativo y pintoresco —le explicó Caro. Se soltó de su mano al llegar al puente—. Pero es más sólida que cualquiera de las construcciones de ese tipo. A mi madre le encantaba venir porque es un lugar muy tranquilo y, en fin... —Señaló la presa con la mano—. Imagínate cómo cambia la luz sobre el agua a lo largo del día. El amanecer, el crepúsculo, durante una tormenta...

—¿Venía al amanecer? —le preguntó mientras la seguía por el puente, receloso en un principio, si bien descubrió que era bastante seguro.

Ella lo miró por encima del hombro.

—Sí. —Devolvió la vista al frente—. Éste era su escondite. Su refugio especial. —Extendió los brazos en cruz cuando llegó a la isla, y giró hasta quedar frente a él, alzando el rostro hacia el cielo—. Y ahora es mío.

Sonrió y cuando llegó frente a ella, la encerró entre sus brazos y la instó a seguir caminando de espaldas.

—¿Y cuidas las flores?

—No. Es la señora Judson quien lo hace —le contestó con una sonrisa—. Era la doncella de mi madre cuando se trasladó a vivir a Bramshaw

House. Solía encargarse de que la casita y los arriates estuvieran en perfecto estado. —Echó un vistazo a su alrededor antes de girarse entre sus brazos para asir el tirador de la puerta—. Cuando mi madre murió, los demás ya se habían ido, salvo Geoffrey. Él no necesitaba la casita para nada, así que le dije que la quería para mí.

Caro abrió la puerta, entró y se giró para mirarlo. La alta silueta de Michael parecía llenar el vano de la puerta, enmarcada por la luz del sol como si de un halo se tratase. Convertido en una sombra por un efecto de luz, parecía una figura masculina atemporal, pagana y muy viril. Un delicioso escalofrío la recorrió de pies a cabeza, provocado por la emoción y por la certeza de lo que estaba a punto de ocurrir. Alzó la barbilla y lo miró a los ojos.

—Aparte de la señora Judson, que suele venir los viernes por la tarde, nadie la utiliza, salvo yo.

No era viernes.

Michael esbozó una sonrisa y se demoró contemplándola. Sin que sus ojos la abandonaran, traspasó el umbral y cerró la puerta sin girarse.

14

Cuando se detuvo frente a ella, ya lo estaba esperando. En cuanto le colocó las manos en la cintura, le echó los brazos al cuello, se pegó a él, lo instó a bajar la cabeza y lo besó.

De forma sugerente, tentadora y de lo más excitante.

Comenzó a frotarse contra él con abandono, dejando que su cuerpo lo acariciara; el más potente y antiguo de los afrodisíacos.

Una invitación explícita. Una flagrante declaración de intenciones que no dejaba lugar a dudas.

Michael la estrechó con más fuerza y le hundió la lengua en la boca a modo de respuesta. La pegó a él, la aferró por las caderas y comenzó a frotarse contra ella del modo más insinuante.

Suspiró mientras se besaban y se dejó llevar. Su cuerpo se rindió y lo invitó a que tomara lo que quisiera, a que le enseñara hasta qué punto la deseaba, hasta dónde podía llevarla su propio deseo.

El sol entraba por las ventanas, bañando el interior de la casita con una suave luz dorada. Mientras sus bocas se fundían a la luz del sol, conscientes de que aquello no era más que un preludio, de que no necesitaban apresurarse, de que disponían de todo el día para aprovecharlo como se les antojara, recordó aquellos días de su infancia en los que jugaba en la casita cuando su madre pintaba. Otra época de exploración y descubrimientos que le mostró las maravillas que se ocultaban en las miles de flores del jardín, en la multitud de hojas, en los distintos matices y efectos logrados por los pinceles y las brochas. Y llegó a la conclusión de que todo encajaba.

Porque en ese instante también estaba explorando un nuevo paisaje en el mismo lugar donde pasó gran parte de su infancia.

Arqueó el cuerpo y sintió que las manos de Michael subían por sus costados hasta rozarle los senos. Era su turno para tentarla, para excitarla con esas expertas caricias que prometían y enardecían, que avivaban el deseo en lugar de apaciguarlo.

La satisfacción llegaría más tarde. Mucho más tarde. A medida que esas manos la exploraban por encima de la liviana muselina del vestido como si estuviera redescubriéndola, sintió... no que volvieran a comenzar desde cero exactamente, pero sí que repasaban en cierto sentido los pasos que ya habían dado. Y comprendió que podría demorarse a placer en algunos lugares del camino que el día anterior habían pasado de largo a causa de la precipitación.

No protestó, ya que la impaciencia quedó ahogada por la curiosidad. Por la decisión de descubrir todo lo que Michael sentía por ella. Todo lo que la expresión física de su deseo podía revelarle. Sobre ella, sobre lo que los unía y sobre el futuro de ese vínculo.

Porque lo sucedido el día anterior le había revelado algo: el poder que ambos creaban cuando estaban juntos, esa mezcla de deseo, anhelo y pasión, requería de su mutua presencia. Juntos eran capaces de crear un maravilloso torbellino de sensaciones, unidos por un vínculo emocional profundo e inmensamente satisfactorio.

Ambos lo deseaban. Ambos compartían el mismo objetivo. El mismo deseo. Y lo supo con claridad meridiana mientras se besaban bañados por la luz del sol, como si sus rayos fueran una bendición que calara en ellos poco a poco, a medida que el beso tomaba otro cariz más apasionado.

Se separaron para recobrar el aliento. Las manos de Michael se trasladaron a su espalda para desatarle las cintas del vestido. Saboreó el momento con los ojos cerrados, decidida a disfrutar de todas y cada una de las sensaciones. Del roce de su cuerpo, duro y excitado contra ella. De los musculosos brazos que la rodeaban mientras le soltaba las lazadas. De la fuerza que lo rodeaba como si fuera un aura, mucho más real que cualquier otra cosa, que iba calando en ella y que aumentaba la sensación de seguridad que él le transmitía.

¿Y si...?, pensó. La idea la tentó. ¿Y si hubieran ido a la casita años antes, cuando ella tenía dieciséis años...? ¿Qué habría pasado si la hubiera abrazado entonces y la hubiera besado con la abrasadora pasión que la estaba besando en esos momentos?

Preguntas sin sentido y también sin respuesta. Ya no eran las mismas personas que fueron en aquel entonces. Ella se había convertido, a sus veintiocho años, en una mujer segura de sí misma, y esa seguridad ya formaba parte de su carácter. La ayudaba a diluir su relativa inocencia en el plano sexual y le permitía explorar su recién descubierta sensualidad;

ahondar en los placeres sexuales sin remordimiento ni sensación de culpa. En cuanto a Michael... Era el hombre al que abrazaba. No era un caballerete ni un jovenzuelo, sino un hombre hecho y derecho. Un hombre fuerte que la deseaba desde la madurez y cuya pasión abarcaba un sinfín de ángulos y facetas. Una vez que le desató las cintas y le aflojó el vestido, volvió a abrazarla.

Para besarla otra vez. Y ella se dejó arrastrar por la marea. Descubrió que la idea de dejarse llevar y permitirle tomarla como quisiera era muy tentadora, pero aun así... Había sido ella quien lo llevara hasta la casita y ya había decidido cuáles serían los pasos a seguir. El día anterior había tenido que bailar al son que él tocara porque no le había quedado más remedio. Pero en esos momentos... le tocaba a ella llevar la batuta.

Las manos de Michael la abandonaron unos instantes para apartarle el vestido de los hombros y tuvieron que interrumpir el beso para que pudiera quitárselo. Una vez que estuvo libre de él, se lo quitó a Michael de las manos, lo sacudió y se alejó para dejarlo en una silla.

La casita, si bien parecía pequeña desde el exterior, consistía en una sola estancia muy amplia. Junto a la pared contigua a la puerta había una cómoda y un palanganero de hierro, con una palangana y un jarro. A lo largo de las restantes paredes se habían dispuesto baúles, bancos y un gran atril. La chimenea estaba emplazada frente a la puerta y ocupaba gran parte de esa pared. El centro de la estancia siempre había estado despejado, reservado para que su madre colocara el caballete, que en esos momentos estaba plegado en un rincón. Lo único que había era una preciosa otomana, dos sillas y dos mesitas auxiliares dispuestas de modo estratégico.

Gracias a la señora Judson, que se había consagrado a ella como antes lo hiciera con su madre, todo estaba limpio y reluciente. La casita se mantenía siempre lista para que la utilizara, al igual que sus aposentos en Bramshaw House.

Una vez que dejó el vestido en el respaldo de la silla, se giró y se encontró con la mirada de Michael, que seguía en el otro extremo de la estancia. De forma deliberada y muy lentamente, lo miró de arriba abajo. Cuando regresó a su rostro, enarcó una ceja y le ordenó:

—Quítate la chaqueta.

Michael esbozó un asomo de sonrisa. No una sonrisa de verdad, porque estaba demasiado tenso para eso. Se quitó la chaqueta, dispuesto a seguirle el juego. Hasta donde le fuera posible, claro estaba.

Una mirada radiante asomó a esos ojos grises al ver que lo obedecía. Se acercó a él contoneándose y aprovechó el momento para comerse con los ojos esas curvas tan sugerentes que la camisola no llegaba a ocultar. Consciente de que la estaba contemplando, Caro dejó de caminar hasta que volvió a mirarla a los ojos. Una vez que lo hizo, le quitó la chaqueta de las manos.

—El chaleco también.

La obedeció. Mientras le ofrecía la prenda, le preguntó:

—¿Se me permite preguntar cuáles son tus intenciones?

Ella se limitó a arquear las cejas antes de dar la vuelta para dejar la chaqueta y el chaleco sobre su vestido. Cuando volvió a mirarlo, le sonrió.

—Puedes preguntar, pero me temo que no voy a decírtelo. —Su sonrisa se ensanchó a medida que se acercaba—. Todavía.

Caro alzó los brazos, lo aferró por la nuca y tiró de él para darle un beso lento y apasionado; un beso que tenía la intención de avivar la hoguera que ya habían encendido antes, pero que habían dejado momentáneamente abandonada. La rodeó con los brazos y acarició esa piel cubierta sólo por la diáfana camisola de seda.

En un momento dado, ella le colocó las manos en el pecho y lo apartó, poniendo fin al beso.

—Todavía llevas demasiada ropa —le dijo, mirándolo a los ojos y con expresión ceñuda—. ¿Por qué lleváis más prendas que las mujeres? No es justo, al menos en este terreno.

Tuvo que esforzarse para contestarle con un tono de voz que sonara despreocupado:

—Cierto, pero se le puede sacar partido a las circunstancias.

Tal y como había sido su intención, el comentario picó su curiosidad.

—¿A qué te refieres? ¿Cómo?

—Si se me permite una sugerencia... —contestó, mientras se esforzaba por mantener una expresión inocente.

Caro sonrió, tan decidida como lo estaba él.

—Sugiere lo que quieras. —El tono seductor de su voz le dejó bien claro que se había dado cuenta de que andaba tramando algo, pero que estaba dispuesta a seguirle el juego de todos modos. Así se lo hizo saber también el brillo plateado que descubrió en sus ojos. Se vio obligado a detenerse un instante para asegurarse de que seguía manteniendo las riendas de su autocontrol a pesar de haberse embarcado en ese jueguecito sexual con Caro. Sobre todo porque era ella. La emoción le provocó una especie de opresión en el pecho, una sensación que no había experimentado desde que dejara atrás la adolescencia. La tensión que ya sentía se acrecentó.

—Una vez que nos desnudemos, no será necesario que volvamos a vestirnos hasta que nos marchemos, porque dudo mucho que ninguno queramos malgastar energía de ese modo. ¿No te parece? —le preguntó al tiempo que enarcaba una ceja.

Con expresión perpleja, Caro asintió con la cabeza.

—Por tanto, si vamos a sacar partido de las circunstancias... —Extendió el brazo hacia ella y la rodeó por la cintura antes de darle la vuelta muy despacio. Cuando la tuvo de espaldas, se acercó y la amoldó a su cuerpo, aferrándola por la cintura. Inclinó la cabeza y frotó la nariz contra el lóbulo de una oreja—. Será mejor que lo hagamos ahora, ¿no?

Caro se apoyó contra él y cerró los ojos, encantada de nuevo de sentirse rodeada por su fuerza. Su aliento le agitaba los rizos que le caían sobre la oreja y se vio obligada a contener un delicioso escalofrío. Echó la cabeza hacia atrás para apoyarla sobre su hombro y, consciente de que se estaba embarcando en algún juego sexual, musitó:

—Creo que... deberíamos aprovechar cualquier oportunidad que se nos presente. ¿Tú qué opinas?

La ronca carcajada que siguió a su pregunta rebosaba un sinfín de promesas.

—No podría estar más de acuerdo —contestó mientras le dejaba un reguero de besos en el cuello—. ¿No crees que deberíamos adoptarlo como política a seguir a partir de ahora? —le preguntó con voz queda.

Las manos que le rodeaban la cintura fueron ascendiendo hasta cubrirle los senos. Le costó un enorme esfuerzo reunir el aliento suficiente para contestar:

—Me parece una... idea muy acertada. —Sus manos habían seguido a las de Michael y en esos momentos estaban sobre ellas. Con los ojos cerrados, disfrutó de los movimientos de esos dedos mientras la acariciaban con suma delicadeza—. Así que... ¿qué tengo que hacer ahora? —preguntó con un hilo de voz.

La respuesta de Michael fue un susurro ronco y excitante:

—Por el momento, limítate a sentir.

Una tarea demasiado fácil, porque sus sentidos ya estaban hechizados; ya estaban atrapados por los expertos movimientos de esos dedos que se habían apoderado de sus senos y que la atormentaron un rato hasta que se trasladaron a los pezones, los pellizcaron... y le arrancaron un jadeo. Pero aún les quedaba mucho por explorar. Tras abandonar los pechos, las manos de Michael se deslizaron por la cintura, las caderas, la parte delantera de los muslos... y, una vez allí, cambiaron de sentido para posarse sobre su trasero.

—Espera.

Su voz la sobresaltó, así como su repentina ausencia. Cuando miró por encima del hombro, vio que estaba cogiendo la silla libre para acercarla a ella. Sin pérdida de tiempo, volvió a estrecharla con fuerza, en la misma posición que antes. De repente, sus manos parecieron tocarla en todos sitios a la vez, avivando la pasión que corría por sus venas. Al mismo tiempo, inclinó la cabeza y la besó en el cuello antes de ascender hasta el mentón.

Cuando se vio incapaz de resistirlo por más tiempo, ladeó la cabeza para buscar esos ávidos labios, a los que besó con ardor. Por un instante, el beso y todo lo que éste conllevaba los atrapó. Sin embargo, Michael alzó la cabeza y esperó a que ella abriera los ojos para decir:

—Las sandalias... quítatelas.

De modo que para eso quería la silla. Mientras la miraba, ella alzó una pierna, colocó el pie en la silla y dejó a la vista la preciosa sandalia de estilo griego que calzaba. Estaba sujeta por unas tiras enrolladas en torno al tobillo que subían hasta media pantorrilla, por lo que tuvo que inclinarse para desatarlas.

El movimiento hizo que su trasero, escasamente cubierto por la camisola, se pegara aún más al cuerpo de Michael... Una invitación involuntaria, que no inesperada para él, ya que estaba aguardando ese momento para aprovecharse de las circunstancias. Su reacción le hizo esbozar una sonrisa en cuanto notó que una de sus grandes manos le acariciaba las nalgas. En ese instante se dio cuenta de que tenía la piel enfebrecida y de que la tensión estaba haciendo estragos con sus nervios.

Y no era para menos. Mientras ella bregaba con las tiras de cuero de las sandalias, los dedos de Michael descendieron poco a poco hasta llegar a su entrepierna. La atrevida exploración la dejó sin aliento. Se apoyó sobre el muslo que tenía alzado, mareada de repente, mientras él se daba un festín de caricias gracias a la posición.

Cuando se enderezó, respiró hondo y se quitó la sandalia, que quedó colgando de su mano por las tiras, mientras Michael proseguía con las caricias. Dejó caer la sandalia y, sin necesidad de que él se lo dijera, bajó la pierna para subir la otra. Sin más demora, procedió a desatarse las tiras tan rápido como pudo.

Sintió que él se movía a su espalda. Sus dedos se hundieron entre los pliegues de su sexo y comenzaron a moverse de un modo muy incitante mientras le alzaba el bajo de la camisola con la otra mano, dejando al aire su trasero y su espalda. Sin pérdida de tiempo, se inclinó hacia delante y trazó un ardiente reguero de besos húmedos a lo largo de la espalda. Desde el cuello hacia abajo.

De pronto, se dio cuenta de que le faltaba el aire y de que apenas podía respirar. Los labios de Michael llegaron a la base de su espalda, donde se detuvieron. Entretanto, sus dedos la penetraron un poco, aunque la otra mano la abandonó. Al instante, lo notó pegarse a ella y esa mano que acababa de dejarla regresó para aferrarla por la cadera... al mismo tiempo que la gruesa punta de su miembro reemplazaba los dedos y la penetraba apenas unos centímetros.

Soltó un jadeo, ansiosa porque se hundiera hasta el fondo en ella. Pero no sabía muy bien cómo debía moverse para lograrlo.

Michael volvió a inclinarse sobre su espalda, pero la posición no le dio lo que ella deseaba. Al contrario, lo único que logró fue torturarla aún más, porque él se limitaba a moverse con embestidas cortas que no la llenaban por completo. Cerró los ojos, escuchó los jadeos que brotaban de sus propios labios y decidió disfrutar del momento, del arrollador ímpetu; del irrefrenable deseo que amenazaba con desbordarla.

Él seguía besándole la espalda y en un momento dado se percató de que estaba esbozando una sonrisa contra su piel. Perdida en las sensaciones, había olvidado la sandalia por completo. Tuvo que hacer un enorme esfuerzo para proseguir con la tarea. Abrió los ojos y desató las tiras.

Titubeó un instante, ya que no tenía muy claro si quería moverse o no. El momento de incertidumbre hizo que Michael riera entre dientes, lo que le provocó un escalofrío.

La mano que la aferraba por la cadera se alejó y él salió de su interior antes de enderezarse, permitiendo de ese modo que ella hiciera lo mismo.

En cuanto soltó la sandalia, lo escuchó murmurar:

—Quítate la camisola.

Le rozó las caderas con la punta de los dedos, indicándole de ese modo que no cambiara de posición. Una posición que la hacía ser extremadamente consciente de su presencia y, además, de que él aún llevaba la camisa, la corbata, los pantalones y las botas.

Lo miró por encima del hombro. No pudo verle la cara, pero el atisbo de un hombro y de un brazo musculoso le bastó para confirmar su proximidad y su decisión de poseerla. El deseo le provocó un nuevo escalofrío.

Se inclinó hacia delante para aferrar el bajo de la camisola y se la quitó muy despacio, demorándose un poco mientras se la pasaba por la cabeza y los brazos con suma elegancia.

Él se la arrancó de las manos y la arrojó a saber dónde.

—Y ahora... —Esas palabras, pronunciadas con un susurro junto a su oreja, encerraban un sinfín de promesas ilícitas y sensuales.

Sonrió para sus adentros, encantada de comprobar que estaba dispuesto a complacer sus deseos, a adiestrarla y a satisfacerla.

—Date la vuelta.

Lo obedeció al punto. Sus ojos volaron de inmediato hacia su erecto miembro, que surgía con orgullo de la bragueta abierta de los pantalones. Soltó un suspiro aliviado, encantada con la imagen que tenía delante, e hizo ademán de acariciarlo, pero él la detuvo, aferrándole las manos.

—Esta vez no.

Sin soltarla, la instó a retroceder un poco y a apartarse de la silla, donde él se sentó con los muslos separados. Entrelazó los dedos con los suyos y la acercó a él.

—Esta vez vas a ser tú la que lleve la voz cantante.

Sus palabras hicieron que lo mirara a los ojos. Unos ojos que la sedujeron de inmediato.

—Tómame.

¿Un ruego o una orden? No, una mezcla de ambas cosas, decidió. Le fue imposible contener una sonrisa, embargada como estaba por el deseo y la pasión. Así pues, se colocó a horcajadas sobre sus piernas mientras se apoyaba en sus manos para guardar el equilibrio y fue descendiendo poco a poco. Cuando notó su miembro debajo, ajustó la postura, lo miró a los ojos y lo tomó en su interior muy despacio.

El placer de sentir cómo la penetraba centímetro a centímetro fue indescriptible. El acto en sí, la unión que conllevaba, embriagó sus sentidos.

Michael se limitó a observarla. Ni siquiera intentó besarla cuando tuvo su miembro hundido en ella hasta el fondo y soltó un trémulo suspiro. Quería que fuera ella quien descubriese todo lo que la experiencia podía dar de sí.

Que hiciera lo que quisiera y satisficiera sus deseos como se le antojase.

Caro era demasiado madura para ahondar poco a poco en los placeres del sexo, para conformarse con la mera satisfacción del acto en sí. Su confianza en sí misma era demasiado acusada como para sentirse satisfecha con un punto de vista limitado; su naturaleza la instaría a probarlo todo, a descubrir todo lo que la experiencia pudiera enseñarle. Dado el objetivo final que él tenía en mente, complacerla en ese sentido, satisfacer esa necesidad, le iba como anillo al dedo.

Nada lo complacería más que enseñarle todas las posturas posibles con el fin de convencerla de que pasara el resto de la vida disfrutándolas con él.

Sin perder ese objetivo de vista, la instó a que se moviera sobre él a su propio ritmo para que descubriera la satisfacción que su cuerpo podía ofrecerles a ambos. En cuanto se acostumbró al movimiento básico, la dejó experimentar a su antojo. Le soltó las manos y retomó la tarea de explorar su cuerpo, ansioso por calmar sus ávidos sentidos que paso a paso iban haciéndose con el control de la situación.

Se percató del momento exacto en el que ella caía en la cuenta de lo que implicaba realmente que ella estuviera desnuda y él vestido por completo. Enfebrecida y en las garras de la pasión, abrió los ojos, cuyas profundidades se asemejaban a la plata fundida. Jadeó y ralentizó los movimientos.

La idea de estar haciendo aquello a pleno día, a la luz del sol, desnuda y a horcajadas sobre él, satisfaciéndolo con total abandono debió de parecerle chocante. Una hurí con su amo. Una esclava con su señor.

Cuando Caro lo miró a los ojos, leyó lo que pasaba por su cabeza al igual que lo hizo ella. Sin embargo, aguardó, imperturbable... hasta que Caro cerró los ojos, se estremeció y se tensó en torno a su miembro.

A partir de ese momento, fue él quien se hizo con el control de la situación. Le clavó los dedos en las caderas, la alzó un poco y le mostró el nuevo ritmo a seguir. Ella jadeó, acomodó la postura al nuevo ángulo de su penetración y se aferró a sus hombros para inclinarse hacia delante.

La posición lo ayudó a apoderarse de sus labios. Le hundió la lengua en la boca, imitando las profundas embestidas de su miembro. Al cabo de unos minutos, Caro estaba al borde de la conflagración y se movía con abandono, intentando sentirlo más adentro mientras lo besaba con ardor.

Y en ese instante el éxtasis los alzó hacia el cielo.

Juntos, remontaron el vuelo...

Ni siquiera se había dado cuenta de que la seguiría de inmediato; pero estaba tan entregado al momento que, cuando los primeros espasmos de su orgasmo lo aprisionaron en su interior, respondió de modo instintivo embistiendo con todas sus fuerzas.

Y tocó el sol con ella.

Murió a su lado y resucitó, impulsado por el glorioso estallido de placer.

Se convirtieron en un solo ser mientras regresaban flotando a la tierra.

Sería imposible experimentar un orgasmo más intenso.

Claro que estaba dispuesto a intentarlo...

Cuando Caro consiguió moverse al cabo de un buen rato, dijo con su tono de voz más práctico:

—Debería haber traído una cesta con comida.

El comentario le arrancó una carcajada. Al escucharlo, ella apartó la cabeza de su hombro con gran esfuerzo, se apoyó en su pecho y lo miró.

—¿No tienes hambre? —le preguntó.

—Estoy famélico —contestó con una sonrisa al tiempo que le colocaba un rizo tras la oreja—. Pero contigo me basta y me sobra...

Su respuesta la complació, pero también pareció dejarla un tanto desconcertada.

—Te gusta estar conmigo... de verdad —concluyó mientras lo observaba con detenimiento.

Sintió que le daba un vuelco el corazón. Caro no estaba buscando ningún cumplido. Intentaba comprender la situación.

—Caro, me encanta estar contigo —le aseguró, acariciándole la mejilla con la yema de los dedos.

Escuchar sus propias palabras lo ayudó a entender la verdad que encerraban. Prefería estar con ella antes que con cualquier otra persona en el mundo. En ese instante y en el futuro.

Caro ladeó la cabeza y él descubrió que no podía interpretar su expresión. No porque estuviera escondiendo sus sentimientos, sino porque parecía estar indecisa sobre lo que sentía de verdad. Algo bueno para su objetivo final, ya que necesitaba que cambiase de opinión y el primer paso hacia ese cambio era que reconsiderara su postura.

Dejó de acariciarle la mejilla para aferrarla con firmeza por el mentón y acercarla a su boca.

Caro titubeó un instante, pero justo antes de que la besara en los labios musitó:

—A mí también me encanta estar así contigo.

Sonrió y la besó, encantado y aliviado por la nota sorprendida que captó en su voz. Por la insinuación de que estaba reconsiderando las cosas por propia iniciativa. El beso fue lánguido, dulce y reconfortante. Se prolongó y no vio motivo alguno para interrumpirlo. Entretanto, la alzó para salir de ella y se preguntó cuál sería su siguiente paso. Sin dejar de besarla, aguardó a que sus cuerpos se recobraran y sus sentidos despertaran de nuevo, muy pendiente de las reacciones de Caro para comprobar si sus suposiciones eran acertadas o no.

Se apartó de Michael cuando recobró las fuerzas. Lo agarró por los hombros y lo echó hacia atrás, dispuesta a echar un vistazo a la palpable y rígida evidencia de que estaba más que dispuesto a complacerla de nuevo.

Esbozó una sonrisa mientras se le desbocaba la imaginación y sopesaba distintas opciones. Por un instante, se preguntó si no sería más acertado mostrarse recatada. Lo meditó, pero desechó la idea. Todavía le quedaba mucho por aprender, por experimentar, por saber. Había perdido tantos años que no podía permitirse el lujo de ceñirse a las normas del decoro.

Se apoyó en sus hombros para ponerse en pie y le alegró comprobar que le respondían las piernas, aunque seguían un tanto débiles y doloridas. Se apartó de él, sostuvo su mirada y alzó una ceja con un gesto deliberadamente altivo.

—Creo que ahora me toca a mí.

—Como desees —replicó él con el asomo de una sonrisa en los labios.

Lo observó un instante antes de ordenar:

—Quítate las botas.

Logró vislumbrar su sonrisa antes de que se agachara para obedecerla. Tan pronto como las dos botas estuvieron en el suelo, acompañadas por los calcetines, le cogió una mano y atrapó su mirada. Le dio un tirón para que se pusiera en pie y lo condujo hasta la otomana. Cuando lo soltó, se giró para enfrentarlo.

—Quiero verte desnudo.

Sin dejar de mirarla a los ojos, Michael se llevó las manos a la corbata.

—No. —Le apartó las manos y se las dejó a los costados—. Déjame a mí.

Nada de ruegos. Una orden... que él obedeció sin rechistar.

Se acercó para deshacerle el nudo de la corbata, la cual le quitó del cuello muy despacio. Después, le desabrochó la camisa y lo ayudó a pasársela por la cabeza, aunque fue Michael quien arrojó la prenda al suelo. En ese momento, hizo una pausa, hechizada por la anchura de ese pecho desnudo y musculoso, ligeramente cubierto de vello. Aunque ya lo había visto el día anterior, no había tenido tiempo de observarlo a placer. No de ese modo, expuesto ante ella para que se recreara a su antojo.

Esbozó una sonrisa, lo miró a los ojos y aferró la pretina de sus pantalones, ya desabrochados. Se agachó poco a poco para bajárselos por las piernas y apoyó una rodilla en el suelo mientras desabrochaba los botones que los aseguraban a la pantorrilla. En cuanto lo hizo, soltó la prenda, que acabó arrugada en torno a sus pies. Le colocó las manos en los muslos y comenzó a levantarse, acariciándolo entretanto. Recorrió sus caderas, su cintura, su pecho y, por fin, le aferró la cara y lo instó a inclinarse al tiempo que ella se ponía de puntillas para besarlo.

Lo sorprendió metiéndole la lengua en la boca y haciéndose con el control antes de apartarse de sus labios. Le dio un beso abrasador en el hueco de la garganta y se tomó su tiempo para contemplarlo, para comerse con los ojos ese despliegue de virilidad antes de colocarle las manos en el pecho. Tras explorar su relieve a voluntad, comenzó a descender hasta que llegó al abdomen. Notó cómo se le contraían los músculos ante sus caricias. Abrió los ojos de par en par y alzó la mirada un instante a fin de observar su expresión antes de abrazarlo por la cintura y darle un beso en un pezón. Cerró los ojos mientras lo capturaba entre los labios y lo lamía. Siguió excitándolo con los labios, la lengua y las manos, disfrutando de las sensaciones, saboreando el regusto salado de su piel.

Disfrutando de él. De la realidad física de su cuerpo. De esa forma masculina tan sólida como una escultura que le provocaba un incontenible deseo de acariciarla. Siguió la dirección de sus manos con los labios y volvió a descender hasta ponerse de nuevo de rodillas mientras exploraba la línea de vello oscuro que le cubría el vientre por debajo del ombligo y que descendía hasta el lugar donde su miembro la aguardaba, reclamando su atención.

Lo tomó entre las manos y, a pesar de que esperaba que la apartara de inmediato, no sucedió nada. Al contrario, Michael le enterró los dedos en el pelo, animándola a continuar, aunque estaba tan ensimismada en su tarea que apenas fue consciente del gesto.

Sin embargo, sí que era muy consciente de la pasión que le corría por las venas mientras contemplaba la delicada piel, las venas y la gruesa punta de tacto suave. Y se percató de que a Michael le sucedía lo mismo porque, caricia a caricia, el apremio los embargó. Hasta arrastrarlos al torbellino de deseo con el que ya empezaba a familiarizarse. Aunque antes tenía algo que hacer...

Michael no esperaba que lo acariciara con la boca. Ni siquiera esperaba que supiera de esa práctica en concreto...

Se quedó sin aliento mientras la aferraba con fuerza por la cabeza.

Cuando Caro comenzó a chuparlo, se le nubló la vista de repente.

Todos sus sentidos se trasladaron a ese lugar que ella investigaba con tanta minuciosidad. Que ella saboreaba. Que acababa de hacer suyo. Lo lamió y lo mordisqueó con suavidad. Él gimió y cerró los ojos. Sentía una especie de mareo provocado por la euforia. Y la excitación... Estaba tan excitado que rayaba en el dolor.

El impulso de hundirse en la cálida humedad de esa boca era abrumador. Lo refrenó la certeza de saber que Caro no necesitaba que la alentara, sobre todo en ese ámbito. Y esa certeza le dio la fuerza necesaria para soportar sus caricias en los testículos, doloridos por el deseo.

Desde allí, esos provocativos dedos se trasladaron hacia su trasero. Se clavaron en sus nalgas al tiempo que lo empujaban hacia delante y el movimiento hizo que se hundiera aún más en su boca.

Por un instante, creyó estar aferrado al borde de un precipicio por las puntas de los dedos. De modo que respiró hondo y le dijo:

—Ya es suficiente. —Apenas reconoció su propia voz.

La apartó de su miembro y ella lo obedeció al punto. Se sentó un momento sobre los talones antes de ponerse en pie. Mientras lo hacía, lo miró a los ojos y esbozó una sonrisa maliciosa.

El brillo plateado de sus ojos prometía incontables horas de tortura sensual.

Antes de poder recuperar las fuerzas con una nueva bocanada de aire, Caro le colocó las manos en el pecho.

—Túmbate.

Se refería a la otomana. Se sentó sin dejar de mirarla a los ojos. Un nuevo empujón en sus hombros le dejó bien claras sus intenciones:

—De espaldas.

Contuvo un gemido mientras la obedecía y se recostaba. Ella se arrodilló a su lado antes de sentarse a horcajadas sobre sus caderas. La otomana era de diseño clásico; uno de los extremos hacía las veces de cabecero, pero no tenía respaldo. Era bastante más ancha que un diván. Perfecta para las actividades que los ocupaban, porque había espacio suficiente para que ella le hiciera el amor en esa postura, tal y como estaba seguro que pretendía.

Caro se acomodó sobre él, lo que conllevó algún que otro incitante movimiento de trasero, se inclinó hacia delante, le tomó la cara con las manos y lo besó.

Hasta que estuvo a punto de perder la razón. No imaginaba que ella fuera capaz de lograrlo. En realidad, jamás se le había pasado por la cabeza que una mujer tuviera el poder de hechizar sus sentidos, su voluntad y su mente. Caro lo intentó y lo logró. Hasta tal punto que lo abandonó todo pensamiento racional y lo único que dejó fue el palpitante deseo de fundirse con ella.

Sentía el ardiente calor de su sexo en la cintura. Tentador, pero fuera de su alcance. En ese momento, sus manos yacían a ambos lados del cuerpo, a sabiendas de que eso era lo que Caro deseaba. Sin embargo, las alzó para acariciarle la espalda. La aferró por las caderas con cuidado y la instó a proseguir sin mediar palabra.

En respuesta, ella no movió las caderas ni un milímetro, sino que se dispuso a acariciarle el torso con los pechos. El roce de sus endurecidos pezones lo excitó sobremanera.

Se apartó de sus labios con un jadeo.

—¡Por el amor de Dios, Caro, ten piedad de mí!

Ella lo miró a los ojos mientras le acariciaba una mejilla con la punta de los dedos. Unos dedos que lo agarraron con más firmeza para inmovilizarle la cabeza y apoderarse de sus labios con ardor... al mismo tiempo que se movía hacia abajo.

El alivio fue instantáneo, pero volvió a quedarse sin aliento cuando notó el ardiente roce de su sexo en la punta de su miembro.

Hizo ademán de bajar las manos para colocarla en la postura adecuada, pero antes de poder hacer nada, Caro se movió un poco hasta adoptar el ángulo correcto.

Aunque lo descubrió un poco tarde, ya que, sin previo aviso, ella se incorporó, tomándolo por entero.

Y se encontró rodeado por la humedad más abrasadora que había conocido jamás.

Caro cerró los ojos para disfrutar de cada segundo del movimiento que hundía el miembro de Michael en su cuerpo. Una penetración que era ella quien controlaba.

¡Por el amor de Dios!, pensó. ¡Lo que se había estado perdiendo durante todos esos años!

La idea le cruzó la mente un instante; pero, en cuanto tensó los músculos a su alrededor, todo pensamiento se esfumó de su cabeza. Tal y como había sospechado, todavía le quedaba mucho que aprender, que sentir, que saber. La nueva posición le permitía experimentar nuevas sensaciones al tiempo que disfrutaba del hecho de llevar las riendas de la situación.

Comenzó haciendo lo obvio: moviéndose hacia arriba y hacia abajo. Sin embargo, no tardó en experimentar. Rotó un poco las caderas, se tensó en torno a su miembro mientras descendía y se frotó de forma provocativa contra él.

Sus experimentos hicieron que el poder surgiera poco a poco, que cobrara fuerza y que los embargara.

Abrió los ojos y contempló el poderoso cuerpo de Michael bajo ella. Tenía todos los músculos en tensión mientras disfrutaba de sus sinuosos movimientos y del placer que éstos conllevaban.

Porque sus ojos, que la observaban con los párpados entornados, le decían que estaba disfrutando. Además, había dejado las manos sobre sus muslos, indicándole de ese modo que estaba a su merced, que podía tomarlo como quisiera.

Cosa que le agradeció con toda el alma.

Como si le hubiera leído el pensamiento, alzó las manos, la aferró por la nuca y la instó a bajar la cabeza al tiempo que se incorporaba para besarla y abrasarla con el fuego de su pasión. La atrapó en una maraña de deseo que se hacía más y más ardiente con cada roce de su lengua. La pasión se acrecentó y con ella el apremio de moverse más rápido, de dejarse consumir.

Michael se alzó un poco más y apoyó el codo sobre la otomana para pegarla a su torso, de modo que sentía el roce de su vello con cada movimiento. Su otra mano la aferraba por la cadera y la instaba a frotarse contra él cada vez que embestía hacia arriba como contrapunto al ritmo que ella había impuesto.

Un ritmo frenético al que él respondió embistiendo más fuerte y más hondo.

Hasta que todo comenzó a dar vueltas a su alrededor y el mundo con el que sus sentidos estaban familiarizados se hizo añicos. Las esquirlas de placer la atravesaron, dejando a su paso un éxtasis glorioso que corrió como la lava por sus venas hasta que el placer la consumió.

Y sólo existió el deleite más sublime.

Michael la aferró por la cintura y rodó sobre la otomana para atraparla bajo su cuerpo. Le separó los muslos, le alzó las piernas para que le rodeara la cintura y se hundió en ella.

Esa posición la dejaba mucho más expuesta que la anterior. Mucho más vulnerable. Le permitía hacerla suya por completo.

Y se aprovechó de ello. Sus poderosos envites prosiguieron, prolongando los estremecimientos de placer que la sacudían. Las rítmicas embestidas volvieron a excitarla, tal y como había esperado. El deseo volvió a convertir sus ojos en plata fundida justo antes de que su expresión se tornara indiscutiblemente sorprendida y alzara los brazos para tomarle la cara entre las manos.

A partir de ese momento, Caro lo acompañó. Mientras lo besaba, luchó con él por hacerse de nuevo con el control de la situación. Aunque delgada, era fuerte y ágil. Y se aprovechó de ello, no para retarlo, sino para enloquecerlo. Para instarlo a que siguiera, a que le hiciera el amor con más desenfreno, con más ardor, sin reserva.

Y así lo hizo. El resultado fue algo que trascendía su experiencia, como sin duda era también el caso de Caro. Una ascensión desesperada, frenética, jadeante y agotadora que los llevó hasta una cumbre mucho más alta que cualquier otra que hubiesen conocido jamás. Una cumbre cuya gloriosa caída fue mucho más profunda y satisfactoria de lo que habían imaginado, aunque no lo comprendieran hasta que se miraron a los ojos en el último momento, antes de que la vorágine los arrancara del mundo.

El devastador orgasmo fundió sus cuerpos y sus almas. Los unió con un vínculo tan poderoso que nada ni nadie podría destruir jamás.

Cuando todo acabó, se desplomaron agotados. Volvieron poco a poco a la normalidad. Sus sentidos sufrieron un duro golpe al enfrentarse de nuevo a la realidad. Durante un buen rato, se limitaron a seguir acostados el uno en brazos del otro.

Con la respiración acelerada y el corazón aún desbocado, alzó una de las manos de Caro, le dio un beso en la palma y se la colocó en el pecho. Sin abrir los ojos.

Jamás se había dejado llevar de un modo tan completo. Jamás se había entregado a una mujer en cuerpo y alma, como acababa de hacer con ella. Mientras caía en el olvido del sueño, sólo supo que necesitaba desesperadamente volver a hacerlo.

Que necesitaba asegurarse de que tendría la oportunidad de volver a hacerlo.

Que necesitaba asegurarse de que Caro seguía a su lado.

Para siempre.

Cuando despertó, el sol había ascendido y las sombras moteaban el interior de la casita. El día era caluroso, de modo que la falta de ropa no suponía ningún problema. Además, el ambiente se había tornado bochornoso en el interior. Caro yacía dormida de costado, dándole la espalda y con el trasero pegado a sus muslos. Sonrió mientras saboreaba la sensación y la guardaba en su memoria antes de alejarse de ella y abandonar la otomana.

Atravesó la estancia descalzo, ya que el sol había calentado las baldosas, y se acercó a una ventana para abrirla de par en par. El burbujeante sonido del arroyo penetró en la casita de inmediato. Los trinos de los pájaros se sumaron a la bucólica melodía.

Respiró hondo antes de regresar a la otomana, acompañado por una brisa cálida y agradable. Se demoró un instante allí de pie, para contemplar a Caro. Para contemplar esas torneadas piernas, relajadas por el sueño; las generosas curvas de sus caderas y sus pechos; los delicados rasgos de su rostro, ligeramente sonrosado mientras dormía. La brisa le alborotó algunos rizos, pero ella no se despertó.

Había derramado su semilla en ella cinco veces en los dos últimos días. No había tomado ninguna precaución, ni siquiera había tratado de evitarlo. Y ella tampoco.

Claro que, hasta entonces, a Caro ni se le había pasado por la cabeza disfrutar de tales interludios con nadie que no fuera Camden, su difunto marido. Un instinto de naturaleza muy primitiva lo instó a olvidar la cuestión. A no remover esas aguas en particular. De todos modos...

¿Acaso era justo que dejara la cuestión en manos del destino sin contar con la opinión de Caro? ¿Sin que ella fuera consciente de las posibles consecuencias y sin que diera su consentimiento?

Sin embargo, si lo mencionaba... la magia podría disiparse y, además, no tenía la menor idea de cuál sería su reacción. Ni siquiera sabía qué opinaba sobre la idea de tener hijos.

De la nada, su mente conjuró una vívida imagen de Caro con un bebé en brazos y dos niñas agarradas a sus faldas.

La visión lo dejó aturdido y hechizado durante un buen rato. Volvió a la realidad, atónito, inquieto. Y repentinamente receloso.

Jamás había experimentado algo así con anterioridad. Jamás había sentido que se le detenía el corazón mientras imaginaba algo. Y así estaría su corazón, detenido, hasta que lograra hacer realidad la imagen que se había convertido de repente en su anhelo más desesperado.

Esa imagen era crucial para él. Para su existencia. Para su futuro.

Tardó un instante en recobrar el aliento.

Volvió a mirar a Caro. La decisión estaba tomada. Pero no había sido él quien la tomara, al menos no de forma consciente. No mencionaría el riesgo de un posible embarazo.

En cambio, haría todo lo que estuviese en su mano, se entregaría en cuerpo y alma, para que la imagen se hiciera realidad.

Caro se despertó al sentir que Michael la acariciaba con suavidad. Permaneció tumbada con los ojos entreabiertos mientras se percataba del brillo del sol, de las sombras que jugueteaban sobre el suelo y del delicado roce de la brisa que entraba por una ventana que él debía de haber abierto.

Estaba tumbada de costado, de frente a la chimenea. Michael estaba tendido tras ella y le acariciaba perezosamente la cadera. Sonrió y cerró los ojos, dispuesta a disfrutar de la placentera sensación que aún la embargaba y de sus livianas y rítmicas caricias.

El cambio de su respiración, o tal vez algún movimiento inconsciente, debió delatarla. Al instante, Michael se movió, se incorporó sobre un codo y se pegó más a ella.

Su sonrisa se ensanchó. Él inclinó la cabeza y le frotó la base del cuello con la nariz. Después, le plantó un beso húmedo, apasionado y muy excitante allí donde latía el pulso, justo antes de murmurar con una voz ronca y de lo más peligrosa:

—Quiero que te quedes quietecita, con los ojos cerrados y que me dejes hacerte el amor.

Se le endurecieron los pezones antes incluso de que la mano de Michael le apartara el brazo para poder capturar un pecho. Lo acarició despacio y con mucha languidez. Como si estuviera haciéndolo por primera vez.

La pasión se fue apoderando de ella de forma paulatina, no con la fuerza arrolladora con la que lo hiciera poco antes.

Él siguió acariciándola con determinación, pero sin apresurarse, sin dejarse arrastrar por el frenesí. Ésa, concluyó, iba a ser una experiencia pausada en la que cada momento se eternizaría antes de dar paso al siguiente. En la que cada sensación alcanzaría el máximo y Michael se demoraría antes de permitirle experimentar algo diferente. Antes de proseguir.

Por un paisaje que ella conocería a través del tacto. A través de la más delicada y continua estimulación táctil.

Las caricias se trasladaron a su trasero hasta que el deseo se hizo insoportable y movió las caderas con un gemido.

Comenzó a darse la vuelta para ponerse de espaldas, esperando que él se colocara encima y le separara los muslos. En cambio, descubrió que su hombro se topaba con el torso de Michael y que su cadera le rozaba la entrepierna.

—De otra forma —musitó con voz ronca y seductora que transformó su sangre en lava ardiente, al tiempo que la volvía a poner de costado.

Le alzó la pierna, ajustó la postura y en ese instante sintió el ardiente roce de su miembro, que comenzaba a hundirse en ella.

Muy despacio.

Cerró los ojos con fuerza y se entregó al momento. Cuando lo tuvo dentro por completo, soltó el aire que había retenido.

Y Michael comenzó a moverse. Un ritmo lento e incitante, que la abrasó como la luz del sol y la sedujo con la misma delicadeza de la brisa. Una cadencia que no varió a pesar de sus gemidos, a pesar de la tensión que fue creciendo en su interior y que la instó a clavarle los dedos en un muslo.

Michael siguió penetrándola suavemente, pero sin pausa hasta que no pudo soportarlo más; hasta que alcanzó el clímax con un grito y el placer la inundó y la arrastró hasta una playa lejana.

Aun así, él siguió moviéndose, con envites lentos y poderosos. Apenas fue consciente del momento en el que llegó al orgasmo y el sublime torbellino lo arrastró hasta dejarlo en la misma playa donde ella descansaba.

15

Regresaron a la casa por el sendero, rodeados por la maravillosa luz de la tarde. Intercambiaron un sinfín de miradas y caricias, aunque apenas un par de palabras; en ese momento, en ese lapso de tiempo, no hacía falta ninguna.

Caro era incapaz de pensar, era incapaz de formarse opinión alguna de lo que había sucedido. Ni siquiera era capaz de comparar esos gloriosos momentos con algo de lo que tuviera conocimiento. Lo que había pasado... había pasado; sólo tenía que aceptarlo tal cual.

A su lado, Michael caminaba con paso seguro y apartaba las ramas para que ella pudiera pasar; estaba preparado para agarrarla del brazo si resbalaba, pero no la tocaba. Caminaba a su lado con total libertad, aunque en su cabeza no fuera libre en absoluto, porque jamás la dejaría marchar. Mientras atravesaban el bosque y el prado, intentó comprender qué había pasado, ya que era muy consciente de que se había producido un cambio, de que sus sentimientos se habían reestructurado y de que su vida había tomado un rumbo mucho más definido.

Pasaron bajo el arco del seto y se internaron en los jardines. Nada más poner un pie en el prado que conducía a la terraza, escucharon voces.

Cuando levantaron la vista, vieron a Muriel hablando con Edward, que parecía un tanto atosigado.

Edward los vio y Muriel, que siguió la dirección de su mirada, enderezó la espalda y aguardó a que subieran los escalones de la terraza.

Tanto Caro como él esbozaron sendas sonrisas afables mientras se acercaban. Adoptaron su fachada social sin ninguna dificultad, pero se percató de que Muriel clavaba los ojos en Caro, cuyo rostro estaba ligeramente ruborizado, bien por las actividades de las que habían disfrutado o bien por la caminata bajo el sol. Tampoco sabía muy bien qué conclusiones sacó Muriel de lo que estaba viendo. Sin embargo, antes de que pudiera hacer comentario alguno, extendió la mano hacia ella.

—Buenas tardes, Muriel. Debo felicitarte de nuevo por la fiesta. Fue un día maravilloso y un éxito tremendo. Debes sentirte muy orgullosa.

Muriel le tendió la mano y permitió que le diera un apretón.

—Bueno, pues sí. Estoy muy contenta con el resultado. —Su tono era altivo, con un deje de superioridad. Intercambió saludos con Caro antes de continuar hablando—: He venido para saber si ha habido algún problema con las delegaciones diplomáticas. Fue tan inusitado animarlos a asistir... Tenemos que calibrar el éxito de la estrategia por si decidimos utilizarla de nuevo en el futuro. —Clavó la mirada en el rostro de Caro—. Debo admitir que me resulta muy difícil creer que las delegaciones diplomáticas, y sobre todo el personal extranjero, hayan disfrutado en un evento semejante. Dado el apellido que llevamos, tenemos una reputación que mantener... Debemos evitar que en los círculos diplomáticos nos acusen de organizar eventos aburridos.

Michael se vio obligado a refrenarse, aunque no dio muestras de ello. Edward, que no tenía tanta práctica en ocultar sus sentimientos, se tensó. La acusación de Muriel, porque de eso se trataba, era indignante.

Aun así, Caro se limitó a soltar una alegre carcajada de lo más candorosa. Bien podrían aprender Edward y él de su aplomo.

—No tienes por qué preocuparte, Muriel, de verdad. —Le dio una palmadita en el brazo para tranquilizarla—. Las delegaciones diplomáticas, sobre todo el personal extranjero, quedaron encantadas.

Muriel frunció el ceño.

—¿No estaban siendo amables?

Caro negó con la cabeza.

—Están hartos de los bailes y fiestas de alto copete. Son los placeres sencillos y los entretenimientos de la vida rural lo que más aprecian.

Sonrió al tiempo que señalaba hacia el otro extremo de la terraza. Aún con el ceño fruncido, Muriel dio media vuelta para pasear a su lado.

—Desde el punto de visto diplomático, y estoy segura de que tanto Edward como Michael me darán la razón —dijo Caro al tiempo que hacía un gesto con la mano para incluirlos, ya que caminaban detrás de ellas—, todo salió a la perfección, no hubo ningún traspiés.

Muriel clavó la vista en las baldosas de la terraza. Pasado un momento, preguntó con aparente desinterés:

—¿Eso quiere decir que no tienes ninguna sugerencia para mejorar la fiesta?

Caro se detuvo con expresión pensativa antes de negar con la cabeza.

—No sé cómo se podría mejorar la perfección —contestó con cierta sequedad. Miró a Muriel a los ojos y esbozó una sonrisa afable—. ¿Quieres quedarte a tomar el té?

Muriel le devolvió la mirada, pero negó con la cabeza.

—No, gracias. Quiero ir a ver a la señorita Trice. Es horrible que la hayan atacado esos dos hombres. Tengo la sensación de que estoy obligada a apoyarla en la medida de lo posible para superar esa penosa experiencia.

Dado que habían visitado a la señorita Trice unas cuantas veces después del ataque, y tanto la dama como el buen humor del que hacía gala les habían dejado bien claro que su «penosa experiencia» no había dejado huellas imborrables, no se les ocurrió nada que decir.

Se despidieron de Muriel con manifiesto alivio.

—Te acompaño a la puerta. —Ambas transpusieron las puertas abiertas del salón de camino al vestíbulo principal.

Tras una breve mirada, Edward las siguió a cierta distancia, rodeado por esa aura de invisibilidad que sólo los mejores asistentes políticos eran capaces de conseguir.

Él aguardó en la terraza. Caro y Edward regresaron al cabo de unos minutos.

—Es cierto, ¡te tiene envidia! —exclamó, ceñudo, el secretario—. Tendrías que haber escuchado todas las preguntas que me hizo antes de que llegaseis.

Caro lo miró con una sonrisa tranquilizadora.

—Lo sé, pero no debes tomártelo a pecho. —Al ver que su expresión beligerante no desaparecía, continuó—: A ver, piensa un momento. Por regla general, Muriel es la anfitriona más... supongo que «preeminente» es la descripción más adecuada. Muriel es la anfitriona más preeminente de la zona, pero cuando estoy en casa, aunque sólo sea un par de semanas, le arrebato ese lugar sin ningún esfuerzo. Eso tiene que irritarla.

—Sobre todo —puntualizó él— si tenemos en cuenta su carácter. Siempre tiene que estar en el meollo del asunto.

Caro asintió con la cabeza.

—Desea la relevancia y la posición, pero tenéis que admitir que trabaja duro para conseguirlo.

Edward resopló.

—De todas formas, aunque Muriel haya despreciado el té —dijo ella—, a mí me apetece una taza. —Lo miró a la cara—. Estoy famélica.

Le ofreció el brazo.

—Las largas caminatas por el campo suelen tener ese efecto.

No supieron si Edward se tragó el cuento o no. Ambos tenían demasiada experiencia como para mirarlo a la cara para comprobarlo.

Descubrieron a Elizabeth en la salita. Tras dar buena cuenta de una ingente cantidad de bizcochos y mermelada, se puso en pie a regañadientes para marcharse. Caro lo miró a los ojos. Se percató de que ella estaba sopesando la idea de invitarlo a cenar, pero decidió —muy sabiamente a su parecer— no hacerlo. Habían pasado todo el día juntos. Necesitaban pasar un rato a solas; al menos, él lo necesitaba. Y sospechaba que ella también. Ambos sabían lo importante que era analizar las cosas en perspectiva.

Lo acompañó a la puerta de la salita y le ofreció la mano.

—Gracias por un día tan... divertido.

Sin dejar de mirarla a los ojos, se llevó su mano a los labios y la besó.

—Ha sido un placer.

Tras darle un apretón en los dedos, la soltó.

Caro se percató de la mirada que Michael intercambió con Edward antes de salir de la estancia. Un cambio de guardia; no podría haber quedado más claro. Michael la había vigilado durante el día y a Edward le tocaba el turno de noche.

Contuvo una sonrisa y guardó silencio, aceptando (o, más bien, permitiendo) su protección sin rechistar. Les tenía cariño a los dos, aunque de diferente forma. Si protegerla los hacía felices, y lograban hacerlo sin molestarla, no veía motivos para quejarse.

A la mañana siguiente, una hora después del desayuno, Caro se sentó en la terraza mientras escuchaba a Elizabeth practicar una sonata especialmente difícil. Edward se había quedado en el salón para pasar las hojas de la partitura. Los había dejado a solas con una sonrisa y había salido a la terraza para disfrutar de la frescura del aire matutino... y pensar.

En Michael. Y en ella.

De forma deliberada y desde que se separaran el día anterior, no había pensado en él, ni en ellos, ya que quería y necesitaba cierta distancia para ver con claridad, para ser capaz de examinar, analizar y comprender lo que estaba sucediendo.

A pesar de todo, el día anterior había sido muy tranquilo. Las horas que había pasado con Michael habían sido muy reconfortantes y no se habían visto interrumpidas por ningún altibajo emocional. Ambos se habían limitado a disfrutar del momento y a aceptar lo que sucediera. La noche había pasado de un modo bastante similar; una cena tranquila con Geoffrey, Edward y Elizabeth, seguida por su habitual interludio musical en el salón y un paseo para disfrutar de la agradable oscuridad de la noche acompañada de Edward y Elizabeth antes de irse a la cama.

Para su sorpresa, había dormido muy bien. Largas caminatas por el campo... Largas horas entre los brazos de Michael.

Esa mañana se había despertado revigorizada y ansiosa por comenzar el día. Después del desayuno, había discutido con la señora Judson los pormenores domésticos y en ese momento, libre de toda ocupación, estaba impaciente por analizar lo que comenzaba a ser una obsesión en su vida.

Michael... sí, pero no sólo él. Contaba con la edad, la experiencia y el carácter necesarios para no caer rendida a los pies de un hombre, para no dejarse embaucar por sus encantos o su personalidad. Tras pasar tantos años en los círculos diplomáticos, donde esos atributos se daban por sentados y se esgrimían cada vez que fuera necesario, sabía lo inconsistentes que eran, lo poco que valían en realidad.

Su obsesión no se centraba en la figura de Michael, sino en lo que los dos habían creado.

Ahí radicaba el poder que creaban cuando estaban juntos. Y en ocasiones lo percibía como si fuera real, como si fuera tangible; y procedía del vínculo que estaba naciendo entre ellos.

Frunció el ceño, se puso en pie y se colocó el chal alrededor de los hombros antes de bajar al prado.

Era muy difícil ver lo que estaba sucediendo... Era imposible reducir las emociones, las sensaciones, la sencilla y devastadora certeza que la consumía cada vez que se encontraba entre sus brazos, a una descripción lógica de la que extraer una conclusión; reducirlas a una situación concreta, a un plan de acción...

Se detuvo y levantó la vista al cielo.

—¡Que Dios me ayude! ¡He acabado pareciéndome muchísimo a Camden!

Meneó la cabeza, clavó la vista en el suelo y reanudó la marcha con la mirada perdida. Si quería comprender lo que se estaba forjando entre Michael y ella... la lógica no le iba a servir de mucha ayuda. Se enfrentaba a algo que trascendía la lógica, estaba convencida de ello.

En ese caso tendría que recurrir a los sentimientos. Sí, ésa parecía ser la clave. Necesitaba, por comodidad al menos, saber hacia dónde se dirigían, hacia dónde apuntaba su extraña relación. Necesitaba saber adónde los llevaría, tanto a él como a ella. Si iba a dejarse guiar por los sentimientos...

Hizo un mohín y continuó caminando.

Eso tampoco la iba a ayudar. No sabía, no atinaba a explicar, lo que sentía. Y no porque no estuviera segura de sus sentimientos, sino porque no conocía las palabras que pudieran describirlos. No tenía nada con lo que compararlos, no reconocía esa emoción que crecía y se fortalecía cada vez que se encontraba con Michael. Y no tenía ni la menor idea de lo que significaba.

Jamás se había sentido así. Ni por Camden ni por ningún otro hombre. Además, también tenía la certeza de que fuera lo que fuese lo que sentía, Michael compartía ese sentimiento. Era algo mutuo, algo que lo afectaba a él en la misma medida que la estaba afectando a ella.

Y sospechaba que la reacción de Michael era muy parecida a la suya. Ambos eran adultos, ambos tenían mundo y se sentían cómodos con lo que eran y con el puesto que ocupaban en la sociedad. Aun así, lo que estaba sucediendo entre ellos era una experiencia del todo novedosa, una con la que ninguno estaba familiarizado, una que abría ante ellos horizontes aún sin explorar.

Sus respectivos temperamentos los instaban a aceptar un desafío adentrándose en territorio desconocido después de haber analizado con detenimiento lo que esa nueva oportunidad podría depararles. Era consciente de que sentía un ávido interés, algo mucho más poderoso que la mera obsesión, una necesidad más que una inclinación a adentrarse en ese territorio desconocido para ampliar sus conocimientos. Para ampliar su comprensión. Y, tal vez, para por fin...

Salió de su ensimismamiento de golpe y parpadeó sorprendida al darse cuenta de que había llegado al límite de los jardines. Masculló un improperio y echó la vista atrás; no había tenido intención de alejarse tanto ni había sido consciente de hacerlo. Había estado sumida en sus pensamientos y sus pies la habían llevado hasta allí.

El lugar al que se dirigía instintivamente estaba claro, aunque sabía que Edward saldría a buscarla en cuanto Elizabeth concluyera la sonata. Su secretario sabía dónde se encontraba la casita, y sabía que solía frecuentarla. Cuando descubriera que no se encontraba en los alrededores, supondría que...

Miró al frente, hacia el sendero que atravesaba el prado y se internaba en el primer bosquecillo. Había varios de ellos a lo largo del camino, aunque ninguno era sombrío ni demasiado denso; a la luz del sol era difícil imaginarse a alguien apostado al borde del camino para dispararle o atacarla.

Además, ¿qué motivo podían tener? Siguió contemplando el sendero, incapaz de sentir temor por más que lo intentara. Los perdigones que habían herido a *Henry* y la flecha no habían sido más que accidentes; claro que debía reconocer que el hecho de que la flecha se clavara tan cerca le había dado un susto de muerte. Recordaba perfectamente el golpe seco que hizo al clavarse en el árbol y también el pánico que la invadió cuando *Henry* se desbocó. Pero Michael la salvó... y la cuestión era que no le había pasado nada. En cuanto al ataque que sufrió la señorita Trice, había sido algo horrible y bastante sorprendente, pero no tenía nada que ver con ella; no había motivos para pensar que hubiera sido ella la víctima intencional.

Abrió la verja y la transpuso. Sus instintos habían estado en lo cierto, quería ir a la casita. Tal vez necesitara estar entre sus cuatro paredes para revivir lo que sintió el día anterior y así poder ahondar hasta descubrir qué se escondía debajo de la superficie. Además, estaba segura de que Michael aparecería pronto... Y él sabría dónde encontrarla.

Con la mirada en el suelo, ajena por primera vez a la belleza que la rodeaba, caminó con paso firme. Y retomó sus pensamientos allí donde los había dejado. Retomó el que tal vez fuera el punto crucial. ¿Adónde la llevaba su relación con Michael y los sentimientos que la acompañaban? ¿Estaba preparada para llegar a ese lugar, una vez consideradas todas las opciones y todos los sentimientos implicados?

Michael dejó a *Atlas* en los establos de Geoffrey y cruzó el prado hacia la casa. Lo normal era que Caro apareciera por la terraza para darle la bienvenida. En cambio, fue Elizabeth quien salió del salón y echó un vistazo a su alrededor. Lo vio, lo saludó con la mano y, acto seguido, clavó la vista a su izquierda.

Cuando siguió la dirección de su mirada, vio que Edward se acercaba desde el mirador. El joven lo saludó con la mano y apretó el paso; un presentimiento, débil pero real, le provocó un escalofrío.

Edward comenzó a hablar tan pronto como estuvo lo bastante cerca como para que lo escuchara.

—Caro ha ido a algún sitio. Estaba aquí en la terraza, pero...

Miró a Elizabeth, que acababa de bajar los escalones para reunirse con ellos.

—No está en la casa. La señora Judson dice que probablemente haya ido a la presa.

Edward lo miró.

—Hay una casita... Es un refugio al que suele ir. Es posible que esté allí.

—O de camino —apuntó Elizabeth—. No puede llevar mucho tiempo lejos de la casa, y se tarda al menos veinte minutos en llegar a la casita.

Asintió con la cabeza al escucharla.

—Conozco el lugar. —Miró a Edward—. Iré a buscarla. Si no está allí, volveré a la casa.

Edward frunció los labios.

—Si la encontramos por aquí, me quedaré con ella.

Hizo un gesto de despedida con la cabeza y cruzó nuevamente el prado para enfilar el sendero que atravesaba los setos y que Caro y él tomaron el día anterior. Cuando llegó a la verja, se percató de que no estaba cerrada. Pero él mismo la había cerrado el día anterior cuando regresaron.

Transpuso la verja y echó a andar con rapidez por el sendero. No era de extrañar que Caro tuviera la costumbre de pasear sola por el campo. Al igual que él, había pasado casi toda la vida de salón en salón; la sensación de paz que experimentaba cuando regresaba a casa, el maravilloso contraste con su vida habitual, la necesidad de disfrutar de la calma mientras ésta duraba... sabía que Caro también lo sentía.

Aun así, preferiría que no estuviera deambulando sola. Y no sólo en esos momentos, cuando estaba convencido de que alguien intentaba matarla. Algo que no comprendía y que no podía permitir que sucediera.

No se cuestionaba de dónde procedía la férrea determinación que se escondía tras ese «no podía permitir». Los motivos eran irrelevantes. La necesidad de protegerla de cualquier peligro nacía de lo más profundo de su ser, como si brotara de su alma, como si fuera una parte inmutable de sí mismo.

No siempre había sido así, pero en ese momento lo era.

De nuevo volvió a tener el terrible presentimiento de que algo iba mal y apretó el paso. Tras coronar una loma, la vio, con absoluta claridad gracias a su vestido de muselina clara. Su mata de rizos castaños brillaba al sol mientras atravesaba un prado. Estaba demasiado lejos para gritarle. Además, caminaba con rapidez y la cabeza gacha.

Lo normal habría sido experimentar cierto alivio; sin embargo, esa sensación funesta se intensificó, instándolo a darse prisa. A pesar de que no entendía el motivo, siguió los dictados de su instinto.

Un poco más adelante, aceleró el paso todavía más.

Ni siquiera se le había ocurrido que volvieran a atacarla, a pesar de su insistencia en protegerla. Al menos no había esperado un ataque en la propiedad de Geoffrey. En ese caso, ¿por qué sentía esa opresión en el pecho y por qué el miedo se había apoderado de él?

Estaba corriendo cuando llegó al último prado... y la vio en mitad del estrecho puente. Seguía caminando con paso firme y la vista clavada en el suelo. Aminoró el paso, esbozó una sonrisa e hizo caso omiso del molesto presentimiento.

—¡Caro!

Ella lo escuchó. Dio media vuelta al tiempo que erguía la cabeza y se apartaba las faldas con una mano mientras que con la otra se agarraba a la barandilla. Esbozó una deslumbrante sonrisa de bienvenida. En ese instante se soltó las faldas, alzó la mano para saludarlo y al apoyar todo su peso en la barandilla...

La madera se rompió. Se partió en cuanto se apoyó en ella.

Caro intentó recuperar el equilibrio, pero no tenía nada a lo que aferrarse.

Con un grito desmayado, cayó por el borde y desapareció en la turbulenta corriente del arroyo. En ese punto el agua corría con fuerza antes de desembocar en la profunda presa.

Con el corazón en la garganta, Michael echó a correr por el prado. Comenzó a buscarla al llegar a la orilla mientras se quitaba las botas. Se estaba quitando la chaqueta cuando la vio emerger rodeada por las faldas de su vestido blanco a la entrada de la presa. El chal, que se le había enrollado en los brazos, le dificultaba la tarea de nadar o simplemente de flotar.

La fuerte corriente volvió a sumergirla.

No era una buena nadadora; la corriente, alimentada por los dos brazos del arroyo que confluían en ese punto tras rodear la isla, la arrastraba hacia la presa.

Se lanzó al agua. Unas cuantas brazadas lo llevaron hasta el lugar donde la había visto. Comenzó a nadar en círculos, intentando encontrarla, intentando descubrir hacia dónde la habría arrastrado la corriente. Una corriente fortísima.

Caro salió de nuevo a la superficie unos metros más adelante. Se dispuso a llegar hasta ella sin pérdida de tiempo, aprovechando la corriente para sumar velocidad a sus brazadas. Vislumbró algo blanco por delante, se lanzó hacia allí.

Sus dedos se enredaron en el vestido. Aferró a la tela y recordó a tiempo que no debía tirar de ella. La muselina mojada podría romperse con mucha facilidad. Desesperado, buscó con la otra mano y encontró uno de sus brazos. Lo agarró con fuerza.

Mientras luchaba contra la corriente que se empeñaba en arrastrarlos hasta las profundidades, intentó no dejarse arrastrar por la convergencia de los dos arroyos. La corriente era tan fuerte en ese lugar que podría arrastrarlo al fondo, y no quería ni pensar lo que podría hacerle a Caro.

Estaba exhausta y resollaba en busca de aire. La acercó poco a poco, hasta que ella logró sujetarse a sus hombros y por fin pudo abrazarla por la cintura.

—Tranquila, no luches.

Obedeció su orden y dejó de debatirse, aunque se aferró a él con más fuerza.

—No sé nadar muy bien —confesó sin poder disimular lo aterrada que estaba.

—No lo intentes, agárrate a mí y ya está. Yo nadaré por los dos.

Echó un vistazo a su alrededor y comprobó que el único modo seguro de salir de allí era nadando hacia uno de los dos brazos del arroyo, lejos de la confluencia en la que se encontraban. Una vez en aguas más tranquilas, podría arrastrarla hacia la isla.

Tiró de ella hasta colocarla a su izquierda; después, poco a poco y luchando contra la corriente que amenazaba con arrastrarlos, fue acercándose a la margen izquierda. La fuerza de las aguas fue disminuyendo de forma paulatina.

Una vez que estuvieron en aguas más mansas, la acercó a su cuerpo y le apartó el pelo del rostro para mirarla a los ojos, que en ese momento parecían más azules que grises y estaban empañados por el miedo. La besó en la punta de la nariz.

—Aguanta un poco más. Voy a nadar hasta la isla.

Y eso hizo, con sumo cuidado para no dejarse arrastrar de nuevo por la poderosa corriente lateral y, después, conforme se fueron acercando a la isla, con sumo cuidado para no golpearse contra las rocas que había bajo la superficie.

Caro levantó la cabeza con evidente esfuerzo y le dijo entre resuellos:

—Hay un pequeño dique a la izquierda. Es el único lugar por donde podremos subir.

Echó un vistazo y descubrió a lo que ella se refería. Había un dique de apenas un metro cuadrado en la isla al que se accedía gracias a unos cuantos peldaños de madera de aspecto recio. Y menos mal, porque el agua había pulido las paredes rocosas de la isla (las cuales por fin veía con claridad) y éstas se elevaban casi en vertical sin asidero alguno, por no mencionar el pequeño saliente de la parte superior que sería insalvable.

Un estrecho sendero conducía desde el dique a la casita. Sujetó a Caro con más fuerza y comenzó a nadar.

Cuando por fin la dejó en el suelo, estaba exhausta y temblaba de pies a cabeza. Se quedaron tumbados uno junto al otro, resollando y a la espera de recuperar un mínimo de fuerza.

Tendido de espaldas, clavó la vista en el cielo sin ver nada. Tenía la cabeza de Caro apoyada en el brazo. Pasados unos minutos, se giró hacia él y le colocó una temblorosa mano en la mejilla.

—Gracias.

No replicó, le fue imposible. Le aferró los dedos y entrelazó sus manos antes de de cerrar los ojos. Comenzaba a reaccionar al temor de lo que podría haber pasado y el miedo fue tan atroz que le sobrecogió el alma.

Sin embargo, lo invadió el alivio al sentir el peso de Caro contra él, la tibieza que irradiaba su ropa mojada, la dulce presión de sus pechos contra el costado mientras respiraba.

Se dio cuenta de que le estaba apretando los dedos con demasiada fuerza, así que remedió la situación mientras se llevaba la mano a los labios. Bajó la vista y ella la alzó. Sus miradas se entrelazaron. La preocupación ensombrecía los ojos de Caro.

—¿Sabes? —musitó ella, intentando contener los temblores—. Creo que tienes razón. Alguien intenta matarme.

A la postre se encaminaron a la casita. Aunque se negó a que la llevara en brazos, se vio obligada a apoyarse en él para caminar.

Una vez dentro, se quitaron la ropa. Había agua limpia para librarse del fango y toallas con las que secarse. Michael escurrió la ropa y la puso a secar en el alféizar de las ventanas, donde no tardarían en secarse gracias a la brisa y al sol.

Se desenredó el cabello con los dedos lo mejor que pudo después de secárselo con una toalla. Acto seguido, envuelta en los chales que su madre solía utilizar en invierno, se colocó entre las piernas de Michael, que se había sentado en la otomana, con la espalda contra el cabecero, y dejó que la abrazara.

La estrechó con fuerza. La pegó a él y colocó la mejilla sobre su cabello húmedo. A su vez, Caro se agarró a los brazos que le rodeaban la cintura.

Con todas sus fuerzas.

Aunque no llegó a mecerla, se sintió igual de querida, de cuidada, de protegida que si lo estuviera haciendo. No hablaron. Se preguntó si Michael guardaba silencio por la misma razón que ella: porque las emociones estaban tan a flor de piel que temía que, de abrir los labios, saldrían a borbotones de su boca sin ton ni son, sin importar lo que pudieran revelar y adónde pudieran conducirlos. Sin importar a lo que pudieran comprometerla.

Poco a poco, los temblores que la sacudían, una mezcla de miedo y frío, fueron remitiendo gracias al calor del cuerpo de Michael, a ese calor que fue calando por su cuerpo hasta llegar a la médula de los huesos.

Aun así, fue él quien se movió primero, quien suspiró y apartó los brazos.

—Vamos. —Le dio un beso fugaz en la sien—. Vistámonos y regresemos a la casa. —Sus miradas se encontraron cuando se giró. Michael prosiguió con el mismo tono de voz, decidido y tranquilo—: Tenemos que hablar de muchas cosas, pero antes deberías darte un baño caliente.

No discutió. Se vistieron a pesar de que las ropas seguían un tanto húmedas y salieron de la casita. Cruzar el puente no supuso ningún problema; aunque era estrecho, lo había cruzado en innumerables ocasiones y no le hacía falta la barandilla.

Michael se detuvo justo antes de cruzar el puente tras ella. Se puso en cuclillas y examinó los restos del poste que había sujetado la barandilla en ese extremo. Había visto los trozos de madera mientras corría hacia la orilla para zambullirse. Lo que vio en ese momento confirmó sus sospechas. El poste estaba serrado casi por completo; apenas habían dejado unos milímetros de madera intactos. Los tres postes que sujetaban la barandilla habían recibido el mismo tratamiento. Prácticamente, colgaban de un hilo.

No había sido un accidente, sino un acto totalmente deliberado.

Se puso en pie, inspiró hondo y bajó a la orilla.

Caro lo miró a los ojos.

—No suelo utilizar la barandilla cuando cruzo el puente. ¿Tú lo hiciste ayer?

Rememoró el día anterior... y recordó haber apoyado la mano en el poste antes de pisar el puente, no muy lejos del lugar donde Caro había sufrido el percance.

—Sí. —Volvió a mirarla a los ojos y la cogió del brazo—. Estaba bien.

¿Habría sabido el culpable que sólo Caro y la señora Judson utilizaban el puente y que, al ser martes, era probable que Caro lo utilizara antes que el ama de llaves?

Apretó los labios con fuerza y la condujo por el prado. Regresaron a la casa tan rápido como a ella le fue posible. Entraron por el vestíbulo del jardín y se separaron en el pasillo con el firme recordatorio de que debía darse un baño caliente.

Caro le dirigió una mirada irritada y, dejando entrever un atisbo de su habitual temperamento, replicó:

—No me gustaría que nadie me viera en este estado. —Se señaló el cabello. Secado al sol, sus rizos parecían mucho más voluminosos e indomables que de costumbre—. Subiré por las escaleras de servicio.

La miró a los ojos.

—Yo volveré después de cambiarme de ropa. Nos veremos en la salita.

Caro asintió con la cabeza y se marchó. La observó mientras se alejaba y después echó a andar hacia la salita. Tal y como había esperado, la puerta estaba abierta. Elizabeth estaba bordando, sentada en el alféizar de la ventana mientras Edward examinaba varios papeles desperdigados por una mesita auxiliar. Se ocultó entre las sombras del pasillo, de modo que Elizabeth no pudiera verlo, y llamó a Edward. Éste levantó la vista.

—Si tienes un momento... —le dijo.

—Claro, por supuesto. —Edward se puso en pie y fue hasta la puerta. Al percatarse de su estado abrió los ojos de par en par y cerró la puerta tras de sí—. ¿Qué demonios ha pasado?

Le explicó lo sucedido en pocas palabras. Edward le juró con una expresión muy seria que Caro iría directamente a la salita después del baño y se quedaría allí, a salvo con Elizabeth y con él, hasta que regresara.

Satisfecho tras haber hecho todo lo que estaba en su mano por el momento, se marchó a casa para cambiarse de ropa.

Regresó dos horas más tarde, totalmente decidido.

Había estado pensando durante el trayecto hasta su casa, durante el baño, después de tranquilizar a la señora Entwhistle y a Carter, durante el rápido almuerzo y durante el trayecto de regreso a Bramshaw House, libre de la distracción que suponía la presencia de Caro. Había tenido tiempo de sobra no sólo para darle vueltas a lo que podía haber pasado, sino también para sacar algunas conclusiones lo bastante definitivas con respecto al objetivo que debían perseguir a partir de ese momento. Había decidido lo que debían hacer para desenmascarar a quienquiera que estuviese detrás de los cuatro intentos de asesinato que había sufrido Caro, porque ya no albergaba la menor duda al respecto.

Entró en la salita. Caro, que lo había reconocido por sus pasos, ya había levantado la vista y se estaba poniendo en pie. Edward también se levantó.

Elizabeth, que seguía junto a la ventana, lo recibió con una sonrisa deslumbrante. Recogió la costura y se puso en pie.

—Os dejaré para que discutáis de vuestras cosas. —Y se marchó tan alegre y confiada como siempre.

Él cerró la puerta tras ella y se giró para mirar a Caro. Para mirarla sin más.

Ella hizo un gesto con la mano y volvió a sentarse.

—No quiero que se entere y se preocupe, y mucho menos que se involucre, algo que sucederá si se entera; de modo que le he dicho que teníamos que discutir algunos asuntos políticos y que, dadas las expectativas que tenemos para Edward, él debería quedarse.

El susodicho lo miró con resignación y volvió a tomar asiento.

Él eligió el sillón emplazado frente a Caro. Quería verle la cara. Por regla general era difícil interpretar su expresión, pero dados los asuntos que tenían que tratar, quería vislumbrar cualquier cosa que se le escapara.

—Creo —comenzó, mirando a Edward— que todos tenemos claros algunos hechos muy relevantes.

El secretario asintió con la cabeza.

—Ya somos dos.

Desvió la vista hacia Caro.

—Supongo que por fin aceptas la idea de que alguien está intentando hacerte daño, ¿no?

Ella enfrentó su mirada y titubeó un momento antes de contestar:

—Sí.

—Muy bien. A todas luces, la pregunta para la que tenemos que encontrar una respuesta es: ¿quién querría verte muerta?

Caro alzó las manos, con las palmas hacia arriba.

—No tengo enemigos.

—Daré por sentado que no tienes conocimiento de ningún enemigo, pero no debemos olvidar a aquellos que no estén motivados por una relación personal.

Ella frunció el ceño.

—¿Te refieres a alguien relacionado con Camden?

Asintió con la cabeza.

—Ya sabemos que el duque de Oporto tiene un interés bastante peculiar por los documentos privados de Camden. —Desvió la vista a Edward antes de volver a clavarla en el rostro de Caro—. ¿Estamos de acuerdo en la posibilidad de que haya algo en dichos documentos que nosotros desconocemos pero que el duque crea que tú sabes y que le lleve a pensar que necesita deshacerse de ti?

Edward meditó un instante antes de asentir con gesto firme.

—Es una posibilidad, desde luego. —Miró a Caro—. Tienes que darnos la razón, Caro. Sabes tan bien como yo lo que se cuece en la corte portuguesa. Ha habido asesinatos por cosas mucho menos importantes.

Caro hizo un mohín y lo miró, pero acabó por asentir con la cabeza.

—Muy bien. El duque es uno de los sospechosos... O, al menos, sus agentes.

—O, tal vez, los agentes de Ferdinand —la corrigió con voz queda, arrancándole un suspiro y un renuente gesto de capitulación.

—Cierto. Por tanto, ahí tenemos un posible nido de víboras —dijo Caro.

—¿Tienes conocimiento de que haya alguno más? —le preguntó, con una sonrisa fugaz.

Ella lo miró a los ojos antes de intercambiar una mirada significativa con Edward. Fue éste quien acabó por responder a la pregunta:

—La verdad es que no se me ocurre ninguno. —El cuidadoso tono con el que respondió dejó claro que ésa era la verdad, hasta donde él sabía.

Contempló con detenimiento el rostro de Caro cuando ésta se giró para enfrentarlo. Ella se dio cuenta, lo miró a los ojos y sonrió; una sonrisa sincera. Se había percatado de sus temores.

—Yo tampoco. —Titubeó un instante antes de añadir—: De verdad.

La sinceridad de su mirada lo convenció de que decía la verdad. Fue un alivio deshacerse de la preocupación de que se sintiera obligada a ocultarle algo que considerase un secreto diplomático, aunque ese algo pudiera suponer una amenaza para su seguridad.

—Muy bien. Así que no tenemos ningún enemigo personal y hay un solo sospechoso en el frente diplomático. Lo que nos deja con la vida personal de Camden. —Se reclinó en el respaldo y buscó los ojos de Caro—. El testamento de Camden... ¿Qué te dejó en herencia?

Ella arqueó las cejas.

—La mansión de Half Moon Street y una fortuna bastante respetable en acciones.

—¿La mansión tiene algo especial? ¿Podría alguien desearla por algún motivo?

Edward resopló.

—La mansión es valiosa de por sí, pero es lo que contiene lo que debe importarte. —Se inclinó hacia delante con los codos sobre las rodillas—. Camden la llenó de antigüedades y de muebles valiosísimos. La colección es impresionante, incluso entre los entendidos.

Miró a Caro con las cejas enarcadas y los dientes apretados.

—¿Se establecía en el testamento que podrías disponer de la casa y de lo que contuviera a tu antojo o que a tu muerte volvería a manos de la familia o de otro heredero de Camden?

Caro parpadeó sorprendida. Miró a Edward.

—Pues no lo recuerdo. ¿Y tú?

Edward negó con la cabeza.

—Sólo recuerdo que te la dejó a ti. No me enteré de más detalles.

—¿Tienes una copia del testamento?

Caro asintió con la cabeza.

—Está en la mansión de Half Moon Street.

—¿Con el resto de los documentos privados de Camden?

—No están en el mismo sitio, pero sí, sus documentos también están en la casa.

Tras considerar un momento las alternativas, declaró con voz firme:

—En ese caso, creo que debemos volver a Londres. De inmediato.

16

A la postre, el problema no estuvo tanto en convencer a Caro de que fuera, sino en convencer a Edward de que se quedara.

—Si no lo haces —le advirtió Caro—, Elizabeth vendrá también; aunque no se aloje conmigo, se inventará alguna excusa para quedarse en casa de Ángela o de Augusta. Las dos la han invitado en caso de que necesite ir de compras, y ahora tiene bastantes amistades en Londres como para convencer a mi hermano de que la deje ir, sin importar lo que digamos nosotros cuando nos marchemos. ¡Así pues, Edward...! —exclamó e hizo una pausa para tomar aire. Cruzó los brazos por delante del pecho, dejó de pasear de un lado a otro y lo miró con expresión severa. Edward seguía sentado en el sillón—. Debes quedarte aquí.

—Se supone que soy tu puñetero secretario —replicó él con la mandíbula apretada. El joven lo miró fugazmente, algo que hasta ese momento había logrado evitar—. Supongo que tú entiendes que mi deber es estar a su lado; sería mejor que fuera a la ciudad y te ayudara a vigilarla.

Haciendo un alarde de obstinación, se negó a mirar a Caro; se negó a enfrentar esos ojos entrecerrados que lo miraban con expresión asesina.

Esa actitud lo hizo suspirar.

—Por desgracia, estoy de acuerdo con ella. —Fingió no ver la expresión perpleja que asomó al rostro de Caro—. Dado el peligro potencial que existe, no podemos involucrar a Elizabeth. Todo el mundo sabe que es su sobrina y es obvio que se quieren mucho. —Hizo una pausa, sin apartar los ojos de Edward—. Como su secretario, es tu deber ayudarla. Y, en este caso y por extraño que parezca, la mejor forma de ayudarla es manteniendo a Elizabeth alejada de Londres.

La determinación de Edward flaqueó.

—Dado que la pista crucial se encuentra en Londres —prosiguió con voz queda—, ya sea en los documentos privados de Camden o en su testamento, no podemos cometer el error de darle a quienquiera que esté persiguiendo a Caro un modo de chantajearla. No podemos ofrecerle en bandeja a un rehén al que luego debamos rescatar.

La idea de que Elizabeth acabara como rehén del malhechor inclinó la balanza a su favor. Tal y como había supuesto. No sólo comprendía el dilema al que se enfrentaba Edward, sino también la decisión que debía tomar.

—Muy bien —accedió el hombre con expresión seria—. Me quedaré. —Esbozó una sonrisa cínica—. Y me las arreglaré para distraer a Elizabeth...

Caro comenzó a hacer el equipaje sin demora. Él se quedó a cenar con la intención de echarle una mano a la hora de explicarle a Geoffrey su repentino viaje sin Edward.

Como era de esperar, Geoffrey aceptó la explicación y los planes sin rechistar en cuanto le dijeron que él la acompañaría, ya que tenía asuntos que atender en la capital.

Se marchó de Bramshaw House en cuanto todo estuvo arreglado. Tenía que hacer el equipaje y asegurarse de que ciertos asuntos que había esperado tratar en persona serían resueltos según sus instrucciones. Caro lo despidió en el vestíbulo principal. Le ofreció la mano.

—Hasta mañana por la mañana.

El roce de sus dedos fue de lo más delicioso. Se llevó la mano a los labios y la besó antes de soltarla.

—A las ocho. No te retrases.

Ella esbozó una sonrisa misteriosa antes de darse la vuelta hacia la escalinata.

La observó mientras subía y después salió en dirección a los establos.

Tres horas más tarde, volvió a Bramshaw House.

Sigilosamente. Faltaba poco para la medianoche. La mansión estaba a oscuras y en silencio, envuelta en las caprichosas sombras que arrojaban los enormes robles de la avenida. Rodeó la zona de gravilla situada frente a la puerta principal y siguió caminando por la hierba en dirección al ala oeste. En concreto, hacia la habitación emplazada en el extremo.

Hacia la habitación de Caro. Descubrió su emplazamiento el día del baile, cuando estuvo correteando por toda la casa llevando floreros de un lado para otro.

Había acabado de hacer el equipaje una hora antes. Su intención era la de meterse en la cama para dormir; en cambio, ahí estaba, deslizándose entre las sombras como Romeo y ni siquiera estaba seguro del porqué. No era un jovenzuelo inexperto en las garras del primer amor y, sin embargo, en lo que a Caro se refería, las emociones que lo embargaban lo dejaban... si no desorientado hasta el punto de arriesgarse a hacer locuras, sí dispuesto a emprender acciones que su mente racional y su experiencia tildaban de temerarias... y de reveladoras en exceso.

Y el hecho de ser consciente de eso y aun así ser incapaz de refrenarse era, de por sí, otro tipo de revelación. El riesgo de revelar demasiado, de acabar expuesto y, por tanto, en una posición vulnerable, quedaba minimizado por su necesidad de comprobar en persona que ella estaba a salvo. No le bastaba saberlo.

Después de haberla rescatado de la presa y de descubrir que alguien había serrado los postes de la barandilla, no pegaría ojo a menos que la tuviera durmiendo a su lado.

La agradable oscuridad de la noche envolvía la mansión y le confería al paisaje una atmósfera tranquila y reconfortante. Aparte del crujido de las hojas provocado por algún animalillo que corría entre los arbustos, nada perturbaba el silencio. Había dejado a *Atlas* en el prado más cercano, con la silla de montar apoyada en la cerca, bajo un árbol.

Se detuvo una vez que rodeó el ala oeste. Al abrigo de las sombras, estudió el estrecho balcón al que daban las puertas francesas de la habitación de Caro. Estaba situado sobre el ventanal de la salita familiar y no había modo de acceder a él... salvo que trepara por la fachada.

Con los ojos entrecerrados, observó la parte izquierda de la casa. La memoria no le había fallado. Había una glicinia muy frondosa que trepaba por ese lado del muro. Iluminada por la luz del sol, el arbusto había crecido a lo largo de los años hasta alcanzar el tejado... pasando justo al lado del balcón.

Abandonó las densas sombras de los árboles y cruzó con sigilo el camino que rodeaba la mansión. Tras sortear las plantas que crecían en el parterre, llegó hasta la base de la glicinia. Tenía un tronco bastante grueso, retorcido y sólido. Miró hacia el balcón y suspiró mientras colocaba un pie en una horqueta... rezando para que la planta fuera lo bastante fuerte como para soportar su peso.

Caro estaba a punto de dormirse cuando escuchó un improperio. No era uno que ella soliera usar, de modo que se espabiló de repente mientras se preguntaba...

Escuchó un crujido y un nuevo improperio.

Se sentó en la cama y clavó la vista en las puertas francesas que había dejado abiertas para que entrara la huidiza brisa estival. Las cortinas de encaje flotaban suavemente, nada parecía fuera de lugar... hasta que escuchó un chasquido. El sonido de una rama al romperse, seguido de un murmullo que no acabó de entender.

El corazón se le subió a la garganta.

Salió de la cama. En su tocador había un pesado candelabro de plata de casi medio metro de altura. Lo cogió y, cuando lo tuvo firmemente agarrado, se acercó con sigilo al balcón. Se detuvo en la puerta antes de salir al exterior.

Quienquiera que estuviera trepando por la glicinia se iba a llevar una buena sorpresa.

Una mano apareció de repente en la balaustrada y ella dio un respingo. Era una mano masculina. La mano derecha de un hombre que intentaba aferrarse a algo para subir al balcón. El esfuerzo hizo que los tendones y los músculos se tensaran. El intruso se alzó...

Y ella levantó el candelabro con férrea determinación. Se acercó a la balaustrada con la intención de aplastar esa mano...

Y a la débil luz de la luna vio que llevaba un sello de oro.

Parpadeó, entrecerró los ojos y se acercó un poco para ver los detalles...

De repente, pasó por su cabeza la imagen de esa mano, con ese sello de oro en el dedo meñique, mientras le acariciaba un pecho desnudo.

—¿Michael? —Bajó el candelabro, se enderezó y se asomó. Distinguió su cabeza entre las juguetonas sombras, así como la conocida silueta de sus hombros—. ¿Qué narices estás haciendo?

Él murmuró algo ininteligible antes de decir con claridad:

—Échate a un lado.

Retrocedió para dejarle espacio y observó cómo se aferraba con las dos manos a la balaustrada antes de tomar impulso y pasar una pierna por encima. Se quedó en esa postura, a horcajadas en el barandal, un instante. Mientras recobraba el aliento, la miró. A su vez, ella siguió observándolo con sorna. En un momento dado, Michael se percató del candelabro.

—¿Qué ibas a hacer con eso?

—Darle una desagradable sorpresa a quien intentaba entrar a hurtadillas en mi habitación.

—No se me había ocurrido —replicó, con una sonrisa torcida. Pasó la otra pierna sobre el barandal y se puso en pie. Se apoyó en la balaustrada mientras ella se acercaba para echar un vistazo hacia abajo.

—Tu plan no ha sido muy brillante... Las glicinas no son muy resistentes.

Michael torció el gesto al tiempo que le quitaba el candelabro de la mano.

—No hace falta que me lo digas. Me temo que está un poco dañada...

—¿Cómo se supone que voy a explicárselo a Hendricks? Ya sabes, el jardinero de mi hermano —le preguntó mientras lo miraba y descubría que se la estaba comiendo con los ojos.

—No estarás aquí para que pueda preguntarte nada. —Sus palabras sonaron un tanto distraídas, ya que seguía observándola con detenimiento. Acababa de llegar a sus pies. Titubeó un instante antes volver hacia arriba.

—¿Y qué habría pasado si te hubieran pillado? El diputado del distrito trepando hasta la ventana de una mujer... —Dejó la frase en el aire, intrigada y con fingida paciencia, en espera de que volviera a mirarla a la cara. Cuando lo hizo, arqueó una ceja.

Michael esbozó una sonrisa.

—Creía que eras de las que utilizan recatados camisones de algodón abrochados hasta la garganta.

Ella enarcó las cejas con altivez antes de dar media vuelta y entrar en la habitación.

—Solía serlo —confesó, haciendo un gesto en dirección al delicado camisón de seda que se amoldaba a sus curvas—. Este trapito... Bueno, fue idea de Camden.

Michael la siguió y tuvo que hacer un enorme esfuerzo para apartar la vista de la inmodesta y diáfana prenda que flotaba alrededor de su cuerpo desnudo.

—¿De Camden?

A pesar de la penumbra, distinguía el contorno de sus enhiestos pezones y las excitantes curvas de sus pechos y sus caderas, así como la torneada silueta de sus muslos. Tenía los brazos desnudos, al igual que la espalda, y la seda de color marfil se movía de forma provocativa sobre sus redondeadas nalgas mientras regresaba al interior del dormitorio.

A Camden debía de gustarle mucho fustigarse...

—Quería que utilizara este tipo de camisones por si acaso se incendiaba la embajada en plena noche y me veía obligada a salir corriendo *en déshabillé*. —Se detuvo y se giró para mirarlo a los ojos—. Pero yo creo que en realidad estaba preocupado por la opinión de los criados. Era su forma de proteger mi reputación, no la suya. —Esbozó una sonrisa crítica—. Después de todo —añadió, acariciando la seda—, nunca los vio.

Se detuvo frente a ella y la miró a los ojos. Acto seguido, inclinó la cabeza.

—Pues eso que se perdió el muy necio.

La besó y ella lo besó en respuesta. Sin embargo, alzó una mano hasta una de sus mejillas y se apartó para mirarlo a los ojos.

—¿Por qué has venido?

—No podía dormir —contestó, al tiempo que la aferraba por las caderas. Era cierto... al menos en parte.

Caro estudió su mirada y a sus labios asomó una sonrisa maliciosa. Permitió que la acercara hasta que sus cuerpos estuvieron pegados de cintura para abajo y después comenzó a frotarse contra él de un modo muy provocativo.

—¿Y esperas... dormir en mi cama? —le preguntó, enfatizando la palabra «dormir».

—Sí —contestó. Desde ahora y para siempre, pensó. Se encogió de hombros—. Una vez que nos hayamos dado algún que otro gusto... —Inclinó la cabeza para darle un beso tras el lóbulo de la oreja y murmuró—: Dormiré a pierna suelta. —«Contigo, exhausta, a mi lado», concluyó para su fuero interno.

Caro lo observó con las cejas enarcadas antes de que su sonrisa se ensanchara.

—En ese caso, será mejor que nos metamos en la cama. —Se acercó de nuevo a él y clavó los ojos en su torso al tiempo que bajaba las manos para acariciarlo—. Tendrás que quitarte la ropa.

Atrapó sus manos antes de que prosiguieran con su pícara exploración; una exploración que, de todas formas, estaba abocada a terminar demasiado pronto. Verla ataviada con esa excusa de camisón —y al parecer todos sus camisones eran del mismo estilo, detalle en el que no quería ni pensar en ese momento—, por no mencionar el roce de su cuerpo mientras se frotaba contra él, lo había excitado hasta tal punto que tenía una palpitante erección. No necesitaba mayor aliciente.

—Me quitaré la ropa mientras tú te despojas del camisón. Si lo toco, lo haré trizas. Así que será mejor que nos desnudemos primero y luego todo se andará.

Caro soltó una carcajada que exudaba sensualidad.

—¿Estás seguro de que no necesitas ayuda?

—Segurísimo —contestó, soltándola.

Mientras retrocedía, respiró hondo y se acercó a los pies de la cama. Se sentó en el colchón para quitarse las botas.

—Siempre supuse que estas prendas estaban pensadas para que un hombre pudiera quitarlas con rapidez —musitó Caro al tiempo que se desabrochaba los corchetes que unían los tirantes del camisón.

—Esas prendas... —replicó con voz tensa una vez que se hubo quitado las botas y comenzaba a deshacerse el nudo de la corbata—. Esas prendas están pensadas para enloquecer a los hombres hasta tal punto que el deseo los impulse a hacerlas jirones.

Caro soltó una carcajada, sorprendida de poder reírse con tal facilidad. De estar tan alegre a pesar de los nervios. Desabrochó los corchetes y el camisón se deslizó por su cuerpo hasta quedar arrugado a sus pies.

—Bueno, eso quiere decir que ahora ya no corres peligro de volverte loco...

—No sé yo... —objetó él mientras se quitaba la camisa sin desviar los ojos ni un ápice. Su mirada la abrasó como el roce de una llama.

Envalentonada, se inclinó para recoger el camisón y lo arrojó sobre la banqueta del tocador.

Michael apartó la vista, lanzó la camisa al suelo y se desabrochó los pantalones con ademanes casi desesperados. Una vez que estuvieron con el resto de sus prendas, se dio la vuelta y extendió los brazos hacia ella, que se dejó abrazar.

La risa murió en su garganta en cuanto sus cuerpos desnudos se rozaron. En cuanto sintió la pasión que lo embargaba, el deseo. Se entregó a ellos sin pensarlo. Se entregó a él.

Le ofreció su boca y la inundó la felicidad cuando Michael aceptó la ofrenda con voracidad. Su ardorosa respuesta le supo a gloria. Se deleitó con las caricias de sus manos, que la recorrían presas de un irrefrenable anhelo que ella compartía.

Un anhelo que aumentaba con cada jadeo, con cada excitante roce.

Le enterró las manos en el pelo y arqueó el cuerpo. Apenas fue consciente de que la alzaba en brazos y la dejaba sobre las sábanas. Estaba atrapada por las llamas; abrumada por su ávido calor. Se sentía vacía, embargada por un doloroso deseo que necesitaba ser apaciguado.

La inundó cierto alivio cuando sintió su peso sobre ella. Sin pérdida de tiempo, Michael le separó los muslos, se colocó y la penetró.

Sin más.

El súbito movimiento le arrancó un jadeo que resonó en el silencio de la noche. Sin dejar de mirarla a los ojos, se hundió en ella hasta el fondo, inclinó la cabeza y se apoderó de sus labios al tiempo que comenzaba a moverse. Con unas poderosas embestidas.

Sus envites eran desenfrenados, pero parecía controlar la situación mientras la arrastraba hacia esa danza que tanto su cuerpo como sus sentidos ansiaban; que una parte de sí misma deseaba con desesperación. La introdujo en un reino de sueños sensuales donde sus pieles enfebrecidas se frotaban, sus lenguas se batían en duelo y sus cuerpos se retorcían íntimamente unidos. La dureza masculina suavizada por la delicadeza femenina.

Cuando notó que ella se tensaba y arqueaba el cuerpo, Michael la abrazó con fuerza. Incrementó el ritmo de sus embestidas mientras percibía cómo Caro ascendía hasta coronar la cresta de esa ola tan conocida. Alcanzó el orgasmo con un grito que él bebió de sus labios. Sin dejar de abrazarla, siguió moviéndose en su ardiente interior hasta que el sublime olvido lo arrastró a su lado.

Poco después, salió de ella y se dejó caer sobre el colchón. Completamente exhausto y satisfecho, comprendió justo antes de que el sueño lo arrastrara que su instinto había estado en lo cierto.

Allí era donde quería pasar la noche; en la cama de Caro, con ella dormida a su lado. Le pasó un brazo por la cintura, cerró los ojos y se durmió.

A la mañana siguiente tuvo que hacer malabarismos para evitar a las doncellas, no sólo en Bramshaw House, sino también en Eyeworth Manor. Cuando regresó para recoger a Caro a las ocho en punto como había prometido, descubrió que el carruaje ya los aguardaba frente a la puerta principal. Los caballos estaban enganchados y ansiosos por ponerse en marcha.

Por desgracia para todos, aunque Caro ya estaba lista, los criados aún no habían acabado de cargar su cuantioso equipaje, compuesto por un sinfín de maletas y sombrereras. Había acudido a Bramshaw House acompañado de un lacayo, que conducía su tílburi. Después de indicarle que dejara las dos maletas que llevaba al lado de las de Caro, se acercó al porche, donde ella aguardaba charlando con Catten y su doncella portuguesa, una mujer ya entrada en años.

Catten lo saludó con una reverencia. La doncella se inclinó, pero lo miró con expresión severa.

Caro sonrió de oreja a oreja y, a fin de cuentas, eso era lo único importaba de verdad.

—Tal y como ves —comenzó ella, haciendo un gesto hacia los criados que estaban cargando su equipaje en el carruaje—, estamos preparados... o casi. No debería llevarles más de media hora.

Eso se temía. De todos modos, le devolvió la sonrisa.

—No importa. Tengo que hablar con Edward.

—Imagino que está escuchando a Elizabeth mientras practica con el piano.

—Iré a buscarlo —le dijo al tiempo que asentía con la cabeza. Dio media vuelta y se alejó.

Encontró al secretario en el salón, como Caro le había dicho. Le bastó una mirada para indicarle que se acercara. Elizabeth lo saludó con una sonrisa, pero siguió tocando. Se encontró con Edward en mitad de la estancia y ambos caminaron hasta la terraza.

Cuando se detuvieron, guardaron silencio un instante.

—¿Órdenes de última hora? —preguntó Edward.

—No —respondió, mirándolo de reojo. Titubeó, pero, a la postre, dijo—: Son más bien planes de futuro. —Antes de que pudiera replicar, prosiguió—: Quiero hacerte una pregunta cuya respuesta, obviamente, necesito conocer. Pero si no puedes divulgar esa información, por el motivo que sea, lo entenderé.

Edward tenía a sus espaldas una amplia experiencia en el ámbito diplomático, de modo que su expresión no traslució nada en absoluto.

Con las manos en los bolsillos y la mirada perdida al frente, Michael siguió hablando.

—La relación de Caro con Camden... ¿cómo era?

Después de la explicación de la noche anterior sobre los camisones, necesitaba saberlo. Había elegido sus palabras con sumo cuidado. No revelaban nada específico, pero dejaban bien claro que sabía el tipo de relación que no habían tenido.

Lo que, por supuesto, haría que Edward se preguntara cómo lo había averiguado.

El silencio se alargó. Y él no hizo nada por llenarlo. No esperaba que el secretario de Caro estuviera muy dispuesto a revelar nada, pero esperaba que comprendiera que, si bien Camden estaba muerto, ella seguía viva.

A la postre, Edward carraspeó. Su mirada también estaba clavada al frente.

—Le tengo mucho cariño a Caro, ya lo sabes... —Hizo una pausa y continuó poco después con el tono de voz que, sin duda alguna, empleaba para presentar sus informes—. Es habitual que toda la información relevante acerca de la vida de un embajador, incluyendo su matrimonio, se pase de un secretario a otro cuando hay un reemplazo de personal. Es lo que se considera, en determinadas circunstancias, información crucial. Cuando asumí mi puesto en Lisboa, mi predecesor me dijo que era de conocimiento público entre el personal de servicio de la embajada que Camden y Caro jamás dormían juntos. —Hizo una pausa antes de proseguir—: Se sabía que ésa era la tónica de su matrimonio prácticamente desde que se casaron. O, al menos, desde que Caro llegó a Lisboa. —Hubo una nueva pausa que se alargó un poco más que la anterior antes de que continuara con evidente renuencia—: Se sospechaba, aunque jamás pasó de eso, que jamás habían consumado el matrimonio.

Aunque se percató de que Edward lo miraba de reojo, mantuvo la vista clavada al frente. Su interlocutor prosiguió poco después.

—De todos modos, Camden tuvo una amante mientras estuvo casado con Caro. Sólo una. Además, era la misma a la que mantenía desde antes de casarse. Según me dijeron, retomó su relación al mes de la boda.

A pesar de su experiencia y su disciplina, Edward no pudo disimular la desaprobación que tenía su voz.

Le costó bastante asimilar la revelación; cuando por fin lo hizo, le preguntó con expresión ceñuda:

—¿Lo sabía Caro?

Edward resopló con tristeza.

—No me cabe la menor duda. Ella... Bueno, jamás se le habría pasado por alto algo así. Claro que tampoco ha dado muestras de saberlo, ya fuera mediante sus actos o sus palabras. —Edward se movió, lo miró y volvió a clavar la vista al frente—. Hasta donde yo sé, y también por lo que me han contado mis predecesores en el puesto de secretario, Caro jamás ha tenido un amante.

«Hasta ahora», dijo para sus adentros. Claro que no tenía la menor intención de negar ni confirmar nada. Dejó que el silencio se alargara antes de mirar a Edward. Cuando éste enfrentó su mirada, asintió con la cabeza.

—Gracias. Eso era, en parte, lo que necesitaba saber.

Explicaba ciertas cosas, pero suscitaba nuevos interrogantes. Unos cuyas respuestas sólo tenía Caro.

Regresaron al salón.

—¿Me avisarás si hay algún contratiempo en Londres? —preguntó Edward.

Observó a Elizabeth, totalmente inmersa en el concierto que estaba interpretando.

—Si pasa algo que requiera de tu presencia hasta el punto de que sea preferible que abandones a Elizabeth, te lo haré saber.

—Es probable que lo sepas, pero de todos modos te lo diré. No le quites ojo a Caro. Es de fiar en muchos aspectos, pero no siempre sabe reconocer el peligro —dijo con un suspiro.

Sin apartar los ojos de Edward, asintió con la cabeza. Elizabeth interpretó las triunfales notas finales. Con su mejor sonrisa de político, atravesó la estancia para despedirse de ella.

Llegaron a Londres a última hora de la tarde. El ambiente era húmedo y el calor ascendía de forma bochornosa desde el suelo adoquinado. El sol poniente se reflejaba en las ventanas y calentaba los muros de piedra. La ciudad estaba medio desierta a finales de julio, ya que muchos de sus habitantes se marchaban en verano a sus propiedades campestres, ya fueran mansiones o simples casas de campo. El parque, frecuentado sólo por unos cuantos jinetes y algún que otro carruaje, yacía en mitad de la ciudad como un oasis verde en un desierto de piedra gris y marrón. Sin embargo, cuando su carruaje dobló la esquina y enfiló Mayfair, Michael fue consciente de que se le aceleraba el pulso. Una reacción física a su regreso al foro político. Al lugar donde se meditaban, se cambiaban y se tomaban las decisiones. Llevaba la política en la sangre, tal y como le dijera a Caro en una ocasión. Sentada a su lado, ella se enderezó para echar un vistazo por la ventana. Comprendió de pronto que también estaba reaccionando ante la capital, la sede del gobierno, de un modo muy similar al suyo. Con una emoción apenas contenida.

Se dio la vuelta, lo miró a los ojos y sonrió.

—¿Dónde te dejo?

Michael sostuvo su mirada antes de preguntar:

—¿Dónde has planeado alojarte?

—En casa de Angela. En Bedford Square.

—¿Está en Londres?

—No... pero sí está el personal de servicio —contestó, sin dejar de sonreír.

—Te refieres a un retén mínimo, ¿no?

—Bueno, sí. Estamos en pleno verano...

—Creo que sería mucho más acertado —replicó él mientras clavaba la vista al frente— que te alojaras con mi abuelo, en Upper Grosvenor Street. En realidad, la situación se aplicaría a los dos.

—Pero... —protestó Caro, que miró hacia el exterior al percatarse de que el carruaje aminoraba la marcha. Vislumbró la placa que indicaba que estaban en Upper Grosvenor Street. La idea de haber propiciado sin pretenderlo su propio secuestro la asaltó de repente. Miró a Michael—. No podemos imponerle nuestra presencia a tu abuelo, así sin más.

—Por supuesto que no —convino él, echándose hacia delante en el asiento—. Le envié un mensaje esta mañana.

El carruaje se detuvo por fin y Michael la miró a los ojos.

—Aquí es donde resido cuando estoy en la ciudad y mi abuelo apenas abandona Londres. Así que el personal de servicio está al completo. Créeme cuando te digo que tanto él como sus sirvientes estarán encantados de tenernos en casa. A los dos.

—Estaríamos trasgrediendo todos los límites del decoro si me alojo en casa de tu abuelo estando tú bajo el mismo techo.

—Se me ha olvidado comentarte que Evelyn, una prima de mi abuelo, vive con él y se encarga de los asuntos domésticos. Tiene setenta años, año arriba, año abajo, y tú eres viuda. No me cabe la menor duda de que nuestra presencia no despertará rumor alguno. —Su voz se tornó más tajante cuando prosiguió—: Además, ningún chismoso se atrevería a insinuar que ha pasado algo escandaloso en casa de Magnus Anstruther-Wetherby.

Eso era indiscutible.

Lo miró con los ojos entrecerrados.

—Lo has planeado desde el principio.

Michael sonrió al tiempo que extendía el brazo para asir el picaporte de la portezuela.

No estaba muy convencida de que fuera una buena idea, pero no se le ocurrió ningún argumento que pudiera esgrimir para negarse; de modo que le permitió ayudarla a apearse y lo siguió hasta la puerta principal.

Un mayordomo altísimo abrió la puerta. Su rostro lucía una expresión benévola.

—Buenas tardes, señor. Bienvenido a casa.

—Gracias, Hammer. —Michael se hizo a un lado para dejarla pasar—. Ésta es la señora Sutcliffe. Se quedará con nosotros una semana más o menos. Tenemos unos cuantos asuntos de los que ocuparnos en la ciudad.

—Señora Sutcliffe —la saludó el mayordomo con una reverencia. Su voz ronca la sorprendió tanto como su altura—. Si necesita cualquier cosa, sólo tiene que tocar la campanilla. Será un placer atenderla.

Ella esbozó una sonrisa encantadora. Por muchas reservas que albergara, no pensaba delatarse.

—Gracias, Hammer. —Señaló el carruaje con la mano—. Siento mucho traer tanto equipaje...

—No se preocupe, señora. Lo tendrá en su habitación sin demora. —El mayordomo miró a Michael—. La señora Logan ha dispuesto que preparen la habitación verde al considerarla la más adecuada.

Michael asintió con la cabeza mientras hacía un visible esfuerzo por recordar cuál era esa estancia en concreto.

—Magnífica elección. Estoy seguro de que la señora Sutcliffe la encontrará de su agrado.

—Por supuesto. —Lo miró, intentando leer más allá de la máscara que acababa de ponerse con el fin de adivinar lo que estaba pensando. No lo logró—. Mi doncella se llama Fenella —le dijo al mayordomo—. Habla inglés con fluidez. ¿Podrías indicarle dónde está mi habitación? Necesito darme un baño y cambiarme de ropa para la cena.

Hammer hizo una reverencia a modo de respuesta.

—Y ahora será mejor que me presentes a tu abuelo —le dijo a Michael, tomándolo del brazo.

La acompañó hasta la biblioteca, el santuario de su abuelo.

—Ya lo conoces, ¿no?

—Me lo presentaron hace años. No estoy segura de que se acuerde de mí. Fue en una recepción en alguna embajada, no recuerdo en cuál.

—Él lo recordará perfectamente. —No le cabía la menor duda.

—¡Caray! ¡Señora Sutcliffe! —exclamó su abuelo con voz estentórea en cuanto Caro entró en la biblioteca—. Perdone que no me ponga en pie.

Esta puñetera gota, ya sabe. Es un suplicio. —Su abuelo la atravesó con sus penetrantes ojos azules mientras ella se acercaba hasta el enorme sillón orejero que ocupaba frente a la chimenea. Tenía un pie vendado y alzado en un taburete—. Es un placer verla de nuevo, querida.

Le ofreció la mano y Caro la tomó haciendo un alarde de serenidad y saber estar. Hizo una reverencia mientras decía:

—El placer es mío, señor.

Su abuelo desvió la mirada hacia él, que de pronto se vio atravesado por esos ojos azules que lo observaban desde debajo de unas pobladas cejas. Se limitó a sonreír como respuesta a la pregunta implícita en esa mirada.

—Según mi nieto, disfrutaremos de su compañía durante una semana —le dijo, dándole unas palmaditas en la mano. Cuando la soltó, se reclinó en el sillón sin dejar de observarla.

Caro inclinó la cabeza.

—Siempre y cuando mi presencia no ocasione ninguna molestia, por supuesto.

En los labios de su abuelo apareció una sonrisa fugaz.

—Querida, soy un viejo y, como tal, estoy encantado de que mis últimos años se vean iluminados por la presencia de la belleza y el ingenio.

Caro esbozó una sonrisa al escucharlo.

—En ese caso —comenzó, recogiéndose las faldas para sentarse en el diván—, será todo un honor aceptar su invitación y su hospitalidad.

El anciano la miró y se percató de su actitud segura y de su serenidad antes de sonreír.

—Muy bien, y ahora que hemos acabado con las formalidades, ¿de qué se trata todo esto?

Miró a su nieto, quien, a su vez, la miró a ella.

Comprendió que Michael estaba dejando en sus manos la decisión de explicárselo todo a su abuelo y, al mismo tiempo y no sin cierto asombro, cayó en la cuenta de que no había tenido tiempo de pensar en los motivos que habían ocasionado su precipitado viaje a Londres desde que tomaron la decisión de hacerlo.

Enfrentó la mirada de Magnus y sopesó los años de experiencia del hombre hasta que llegó a la conclusión de que podía confiar en él.

—Al parecer, a alguien le disgusta mi presencia en este mundo.

El anciano frunció el ceño, lo que unió sus pobladas cejas sobre la nariz. Al instante, rugió:

—¿Por qué?

—La respuesta a esa pregunta —contestó mientras se quitaba los guantes— es lo que nos ha traído a Londres.

Se lo explicó todo con la ayuda de Michael y fue un alivio ver que Magnus compartía su reacción ante lo sucedido. La experiencia del anciano en los entresijos del mundo de la política y la diplomacia era muy amplia. Si veía las cosas como ellos, no cabía duda de que estaban en lo cierto.

Esa misma noche, una vez que Fenella la dejó para que se acostara, Caro se demoró frente a la ventana de su elegante habitación, decorada en varios tonos de verde, para observar la ciudad, rodeada por los seductores brazos de la oscuridad. Un paisaje muy distinto al del campo y, sin embargo, un lugar en el que se sentía igual de a gusto. El incesante rumor de la vida nocturna de la ciudad le resultaba tan familiar como el profundo silencio de la campiña.

Después de hablar con Magnus en la biblioteca, había subido hasta su dormitorio a fin de bañarse y cambiarse de ropa para la cena. Una vez que pasaron al salón, dedicaron el tiempo a hacer planes para recuperar tanto los documentos privados de Camden como su testamento, convenientemente guardados en la mansión de Half Moon Street, mientras Magnus asentía con la cabeza. Habían decidido que la residencia del anciano, que contaba con la constante presencia del nutrido personal de servicio así como con la del propio Magnus, quien apenas abandonaba su hogar, sería un lugar mucho más seguro que una casa deshabitada.

La estrategia a seguir para desenmascarar a quienquiera que quisiera hacerle daño y para desbaratar sus planes le parecía de lo más acertada. No tenía dudas al respecto.

Sin embargo, no se sentía tan segura en cuanto a la relación que estaba entablando con Michael. Cuando decidió pasar el día en la casita, había tenido la intención de meditar largo y tendido hasta llegar a algún tipo de conclusión. No obstante, el destino se había interpuesto en su camino y había desencadenado una serie de acontecimientos que le había impedido alcanzar su objetivo.

En esos momentos y disfrutando por fin de un poco de tiempo para reflexionar sobre el asunto, comprendía que no había avanzado nada. El insaciable deseo que Michael sentía por ella (junto con todo lo que éste conllevaba por parte de los dos, como, por ejemplo, su inesperada aparición en Bramshaw House la noche anterior) era algo tan novedoso que le impedía ver más allá, que le imposibilitaba ver el cuadro completo.

No podía ver adónde la llevaba. Ni tampoco adónde lo llevaba a él.

El silencio reinaba en la casa. Escuchó los amortiguados pasos de Michael un momento antes de que el pomo de la puerta girara y él entrara en la habitación.

Se dio la vuelta para observarlo mientras cruzaba la estancia. La embargó la alegría; una alegría que sólo se traslució en el asomo de la sonrisa que afloró a sus labios. Llevaba un buen rato preguntándose si él aparecería esa noche... y se había puesto otro de sus camisones por si acaso.

Michael se había cambiado de ropa. No parecía llevar nada debajo de la bata de seda anudada al descuido a la cintura. Mientras se acercaba a ella, sus ojos la recorrieron de la cabeza a los pies, absorbiendo el efecto de la provocativa prenda de gasa transparente, aceptable sólo gracias a las tres rosas bordadas en tres puntos estratégicos.

Una vez que estuvo frente a ella, se detuvo y la miró a los ojos.

—Supongo que eres consciente de que soy incapaz de pensar cuando llevas esos camisones, ¿verdad?

Su pregunta le arrancó una ronca carcajada. Se lanzó a sus brazos sin demora, estrechándolo con fuerza. Michael titubeó un instante y siguió mirándola a los ojos. La pasión de esa mirada le aseguró que el comentario no había sido una exageración por su parte. No tardó en inclinar la cabeza y abrazarla con más fuerza...

Aunque ella lo detuvo poniéndole una mano en el pecho.

Michael la contempló, extrañado, mientras su mano descendía hasta encontrarse con el cinturón de la bata. Desató el nudo con un tirón e introdujo ambas manos bajo la prenda en busca de...

... su miembro que ya estaba duro y completamente erecto.

Semejante reacción seguía sorprendiéndola. La alegría la inundó y sintió un nudo en la garganta. Decidió que quería compartir su dicha y comenzó a acariciarlo mientras observaba el cambio en su expresión. Michael cerró los ojos y el deseo demudó su rostro.

Entretanto, utilizó la mano libre para quitarle la bata. El frufrú de la seda al resbalar por su cuerpo y caer al suelo le provocó un escalofrío. Se pegó a él y le besó el pecho. Sin dejar de acariciarlo, recorrió su torso con la mano libre y los labios, y comenzó a descender hasta quedar de rodillas.

Sacó la lengua y lamió con delicadeza la redondeada punta de su miembro. El súbito estremecimiento que lo recorrió la llevó a separar los labios y a metérselo en la boca muy despacio.

Notó que los dedos de Michael se enterraban en su pelo y la aferraban con fuerza cuando comenzó a experimentar. Lo lamió, lo chupó y lo exploró a placer. Lo aferró por las nalgas y analizó con detenimiento sus reacciones, la tensión que le crispó los dedos, los entrecortados jadeos que se le escapaban, mientras aprendía a darle placer.

Mientras aprendía a llevarlo hasta el borde del precipicio como él había hecho con ella en otras ocasiones.

De repente, lo escuchó respirar hondo y notó que le clavaba los dedos en un hombro. Acto seguido, la instó a ponerse en pie mientras le decía:

—Ya vale.

Su voz sonaba bastante tensa. Lo obedeció y se puso en pie, dejando que sus manos lo acariciaran entretanto.

Cuando por fin lo miró a los ojos, su mirada la abrasó.

—Quítate el camisón.

Sin dejar de mirarlo a los ojos, se llevó las manos a los hombros y desabrochó los corchetes.

En cuanto la gasa tocó el suelo, Michael la agarró y la besó con ferocidad. El fuego de la pasión comenzó a correr por sus venas hasta que se sintió arder.

La alzó del suelo y ella le arrojó los brazos al cuello al tiempo que le rodeaba las caderas con las piernas. Cuando notó que estaba a punto de penetrarla, echó la cabeza hacia atrás y jadeó. En ese instante, él la hizo bajar muy despacio y la fue penetrando centímetro a centímetro hasta que estuvo enterrado en ella por completo.

Fue él quien impuso el ritmo, alzándola y volviéndola a bajar. Lo miró a los ojos y dejó que la hechizara, que la arrastrara con esa marea de pasión hasta que se sumergió en ella y se fundieron en un solo ser para compartir tanto sus pensamientos como su deseo. En un momento dado, sus labios se encontraron y volvieron a besarse. Se trasladaron a otro mundo.

Un mundo donde nada importaba salvo esa unión. Salvo la fusión de sus cuerpos, de sus mentes y de sus pasiones.

Se entregó a esa unión y supo que él también lo había hecho.

Juntos remontaron el vuelo hasta tocar el sol; se fundieron, se derritieron y, después, como era inevitable, regresaron a la tierra.

Cuando por fin estuvieron en la cama, exhaustos y abrazados, musitó:

—Esto es de lo más escandaloso. ¡Estamos en casa de tu abuelo!

—Tú lo has dicho. En casa de mi abuelo, no en la mía.

Las roncas palabras reverberaron por su cuerpo, ya que estaba apoyada sobre su pecho.

—¿Por esto querías que me alojara aquí?

—En parte, sí —contestó mientras comenzaba a juguetear con su pelo. Sus dedos se detuvieron al llegar a la nuca—. Tengo ciertos problemas de insomnio que sé que tú puedes curar.

Ella se echó a reír, agotada pero feliz.

Michael cerró los ojos, sonrió y se dejó arrastrar por el sueño, tan feliz como ella.

17

Caro introdujo la llave en la cerradura de la puerta principal de la mansión de Half Moon Street.

—Nuestra antigua ama de llaves, la señora Simms, viene dos veces por semana para airear las habitaciones y limpiar el polvo, de modo que todo esté listo si decido regresar.

Michael entró tras ella en un amplio vestíbulo con suelos de mármol blanco, negro y ocre con alguna que otra veta dorada. Caro no se había instalado en ese lugar cuando regresó a la ciudad. Al parecer, ni se le había ocurrido. Tras cerrar la puerta principal, echó un vistazo a su alrededor mientras ella se detenía en el arco de entrada de lo que supuso que era el salón. Las puertas dobles estaban abiertas de par en par. Caro observó detenidamente la estancia antes de continuar hacia la siguiente puerta, abrirla y hacer lo mismo.

Se percató de la calidad de los revestimientos de madera de roble, de las consolas y del enorme espejo que decoraban el vestíbulo conforme se acercaba a Caro para ojear por encima de su hombro la estancia que ella estaba mirando. Y se quedó boquiabierto. La estancia en cuestión era el comedor. Dentro había una larga mesa de caoba con la superficie más brillante que había visto jamás y un conjunto de sillas que, pese a su deficiente conocimiento, catalogó como antigüedades... francesas. No atinaba a ubicar el periodo, pero su valor era evidente.

La siguió de estancia en estancia; todo lo que veía podría encontrarse en un museo, incluso los objetos decorativos y los apliques. Aun así, la casa no estaba abarrotada, ni era fría ni excéntrica. Parecía que hubiese sido creada con un amor increíble, con mucho esmero y con un maravilloso sentido estético para después, por algún motivo, apenas usarla.

Mientras subía la escalinata detrás de Caro, se dio cuenta de que Edward había estado en lo cierto. La mansión y lo que contenía eran muy valiosos... hasta el punto de que alguien podría matar por ellos. Alcanzó a Caro al llegar al descansillo.

—El testamento primero.

Ella lo miró y echó a andar por uno de los pasillos.

La habitación en la que entró había sido a todas luces el despacho de Camden. Mientras ella se acercaba a la pared de detrás del escritorio para quitar un cuadro que se parecía sospechosamente a una famosa obra maestra y que dejó al descubierto una caja fuerte, él se apoyó en el marco de la puerta y recorrió la estancia con la mirada. Intentó imaginarse a Camden allí. Con Caro.

Menos masculino que la mayoría de los despachos, el lugar transmitía serenidad y buen gusto. Al igual que en el resto de las habitaciones, el mobiliario estaba compuesto por antigüedades y las tapicerías eran muy lujosas. Analizó lo que veía, y volvió a llegar a la conclusión de que no era capaz de imaginar la relación exacta que había existido entre Caro y su marido.

Los había visto juntos en multitud de ocasiones en veladas diplomáticas, en cenas y en eventos de ese estilo. Jamás habría sospechado que su matrimonio sólo era una fachada. A esas alturas ya lo sabía; sin embargo, en ese lugar, en la mansión que según sus propias palabras Camden había creado a lo largo de los años sólo para ella...

Caro cerró la caja fuerte y volvió a colocar el cuadro en su lugar. Tenía un sobre en la mano. La observó atravesar la estancia y tuvo que hacer un esfuerzo por aclararse las ideas. Tal vez Camden hubiera creado la casa, pero era de Caro. Era un fiel reflejo de su persona, la vitrina perfecta donde exhibirse y desplegar sus numerosas habilidades.

En cuanto esa idea tomó forma, supo que era verdad. No obstante, si Camden se había volcado hasta ese punto —y no sólo en el aspecto monetario— en el proyecto de crear esa obra maestra para ella, ¿por qué seguía siendo virgen? ¿Por qué había descuidado el aspecto físico de su relación?

¿Por qué había traslado sus atenciones a una amante?

Se enderezó y cogió el grueso sobre que Caro le tendía.

—No cabrá en mi ridículo.

Consiguió metérselo en el bolsillo interior de la chaqueta.

—No soy un experto en temas legales... ¿Te importa si lo llevo a un abogado para que lo analice y compruebe que no hay nada raro que se nos pudiera pasar por alto?

Caro enarcó las cejas, pero asintió.

—Me parece sensato. Y ahora... —dijo al tiempo que señalaba hacia el otro extremo del pasillo—. Los documentos privados de Camden están por ahí.

Para su sorpresa, no lo condujo a otra estancia, sino que se detuvo delante de unas puertas dobles. Ni más ni menos que delante de un armario empotrado en el pasillo.

Abrió las puertas de par en par y dejó a la vista los estantes en los que se guardaban las toallas y sábanas pulcramente dobladas. El armario contaba con dos partes separadas por una tabla central, como si fueran dos estanterías contiguas. Caro extendió el brazo hacia el fondo y accionó un mecanismo que las separaba.

—Apártate.

La obedeció y, anonadado, siguió observándola mientras tiraba de las estanterías hacia fuera como si se tratara de una puerta. Tras ellas apareció una especie de almacén organizado con numerosos estantes en los que se alineaban un sinfín de cajas.

—Los documentos privados de Camden —le informó al tiempo que retrocedía un paso y señalaba el interior.

Los observó un instante antes de mirarla a ella.

—Es una suerte que hayamos traído dos lacayos.

—Desde luego.

Cuando ella sugirió que lo hicieran, no entendió el motivo...

Caro dio media vuelta y se encaminó escaleras abajo en dirección a la parte posterior de la mansión. Una vez allí, salió al jardín con la intención de abrir la verja trasera. El enorme carruaje de su abuelo los esperaba en las caballerizas que había al otro lado.

A partir de ese momento, Michael se encargó de todo. Una hora más tarde, con la mansión de Half Moon Street nuevamente cerrada, regresaron a Upper Grosvenor Street y comenzaron a desembalar toda una vida de escritos.

Evelyn, una tranquila pero formidable dama a quien Caro había conocido la noche anterior durante la cena, les había sugerido que apilaran los documentos en la salita de la planta alta, una estancia situada cerca de la escalinata del ala central de la mansión.

—Es más seguro —les había asegurado—. Siempre hay algún criado por las cercanías.

Magnus había resoplado, pero también le había dado la razón. Así pues, apilaron las cajas pulcramente contra una de las paredes de la salita, a la espera de que las revisaran. Cuando los lacayos se retiraron una vez cumplido su deber, ojeó un instante el trabajo que tenía por delante y suspiró.

Michael, que estaba apoyado contra el marco de la puerta, estaba observándola.

—Mi abuelo te ayudaría si se lo dejas caer...

—Lo sé —replicó con un nuevo suspiro—, pero por respeto a Camden, si alguien tiene que leer sus diarios y su correspondencia privada, debería ser yo. Al menos hasta que sepamos si hay algo importante en estos papeles.

Michael la miró en silencio un instante antes de asentir con la cabeza y enderezarse. En la planta baja sonó el gong.

—Salvada por la campana... Empezaré después del almuerzo —dijo con una sonrisa.

Se colocó un rebelde rizo detrás de la oreja, lo tomó del brazo y salieron de la estancia, tras lo cual Michael cerró la puerta.

Examinaron el testamento durante el almuerzo. Lo leyeron todos, incluso Evelyn, tan obstinada como irascible era Magnus, si bien era una dama muy inteligente y experimentada a su manera. Ninguno de ellos tenía la certeza de comprender totalmente el complejo lenguaje legal, así que se abstuvieron de sacar conclusiones.

—Será mejor que busquemos la opinión de un experto —declaró Magnus.

Caro volvió a expresar su consentimiento y Michael devolvió el testamento a su bolsillo.

En cuanto terminaron de almorzar, la acompañó de vuelta a la salita. Pasaron la siguiente media hora colocando las cajas en cierto orden antes y, después, Caro se sentó en un sillón con la primera de ellas abierta a los pies... y lo miró. Con una ceja enarcada en un gesto burlón.

—No, no voy a quedarme aquí mientras tú lees —le aseguró con una sonrisa al tiempo que se daba unos golpecitos en el pecho, sobre el testamento—. Voy a llevar esto para que lo examinen. Me aseguraré de que se haga con la discreción más absoluta.

Caro le devolvió la sonrisa.

—Gracias.

Sin embargo, titubeó un instante.

—¿Me haces un favor? —le preguntó cuando Caro volvió a enarcar la ceja.

—¿Qué quieres?

—Que te quedes aquí. A salvo en casa. Prométeme que no te moverás de aquí hasta que yo vuelva.

Ella esbozó una dulce sonrisa y esos serios ojos grises se clavaron en él durante un buen rato antes de inclinar la cabeza.

—Te lo prometo.

La observó un instante antes de despedirse de ella con un gesto y salir de la estancia.

No tuvo que ir muy lejos. De Upper Grosvenor Street a Grosvenor Square había un paso. Atravesó la parte norte de la plaza mientras observaba las caras de las damas, de los niños y de las niñeras que paseaban y jugaban en los jardines en busca de una cara conocida. Aunque se llevó una decepción. Una vez que llegó a la imponente mansión que se alzaba en el centro de la manzana, subió los escalones y rezó para que sus propietarios se encontraran en casa.

El destino le sonrió. Estaban allí.

Quería hablar con Diablo.

Sentado tras el refugio que le proporcionaba el escritorio, su cuñado lo saludó, enarcó las cejas y esbozó una sonrisa maliciosa y un tanto burlona.

—¡Vaya! Y yo que te creía inmerso en la búsqueda de una esposa... ¿Qué te trae por aquí?

—Un testamento. —Arrojó el documento sobre el escritorio y se dejó caer en una de las sillas emplazadas frente a su cuñado.

Diablo se reclinó en su sillón mientras observaba el sobre, pero no hizo ademán alguno de cogerlo.

—¿De quién?

—De Camden Sutcliffe.

Al escuchar la respuesta, su cuñado levantó la vista y lo miró a la cara. Tras observarlo un instante, le preguntó:

—¿Por qué?

Y se lo contó. Tal y como había supuesto, bastó con describirle los intentos de asesinato que había sufrido Caro para hacerse con la atención de su poderoso cuñado.

Diablo cogió el testamento.

—Así que la respuesta podría estar en este documento.

—O en los documentos privados de Camden. Caro los está revisando en este preciso momento... Me preguntaba si podrías hacer que tu gente revisara esto de cabo a rabo —dijo al tiempo que señalaba el testamento con un gesto de cabeza.

Podría haber buscado la ayuda de los abogados que llevaban los asuntos de su abuelo, pero eran tan viejos como él. Diablo, en cambio, como duque de St. Ives y cabeza de familia del poderoso clan Cynster (razón por la que se veía constantemente inmerso en todo tipo de asuntos legales), contaba con los servicios de un grupo de abogados jóvenes y muy bien preparados. Si existía un abogado capaz de descubrir algún tipo de amenaza para Caro en el testamento de su difunto esposo, estaría a las órdenes de su cuñado.

Mientras hojeaba el documento, Diablo asintió con la cabeza.

—Les ordenaré que se pongan manos a la obra de inmediato. —Torció el gesto mientras doblaba el testamento y lo guardaba en el sobre—. Esto hace que uno se pregunte adónde ha ido a parar el idioma. —Lo dejó en el escritorio y cogió una hoja de papel en blanco—. Añadiré una nota para que sepan que deben darse prisa.

—Gracias —dijo y se puso en pie—. ¿Está Honoria en casa?

Su cuñado esbozó una sonrisa torcida.

—Sí y estoy convencido de que a estas alturas ya le habrán dicho que estás aquí. —Lo miró a la cara y sonrió—. Es probable que se abalance sobre ti en cuanto salgas del despacho.

El comentario le hizo enarcar las cejas.

—Me sorprende que no haya entrado sin más. —Honoria no se regía por el protocolo y su marido no tenía secretos para ella.

La sonrisa de Diablo se ensanchó antes de bajar la vista para redactar la nota.

—Creo que intenta no inmiscuirse en tu vida amorosa... Aunque el esfuerzo la esté matando.

Michael soltó una carcajada y se encaminó hacia la puerta.

—Será mejor que vaya a salvarla.

Diablo se despidió con un gesto de la mano.

—Te avisaré en cuanto sepa algo.

Tras la despedida, salió del despacho y enfiló el largo pasillo hasta el vestíbulo principal.

—Supongo que tenías la intención de subir a verme —escuchó la voz altanera de su hermana, típica de una duquesa, en cuanto pisó el suelo del vestíbulo—, ¿verdad?

Dio media vuelta, levantó la vista hacia la enorme escalinata donde estaba Honoria y sonrió.

—Iba a subir ahora mismo.

Subió los escalones de dos en dos y la abrazó, gesto que ella le devolvió con una sonrisa encantada.

—Y, ahora —le dijo al tiempo que se separaba un poco para mirarlo a la cara—, cuéntame las novedades. ¿Qué haces en la ciudad? ¿Ya has pedido la mano de alguien?

Él se echó a reír.

—Te lo contaré todo, pero aquí no.

Honoria lo tomó del brazo y lo condujo a su gabinete privado. Una vez allí, se sentó en un sillón, y ni siquiera le dio tiempo a acomodarse antes de exigirle una respuesta.

—Vamos, cuéntamelo. Con pelos y señales.

Procedió a contárselo todo, ya que no tenía sentido resistirse. Cualquier intento de evasión por su parte habría logrado que su hermana se lanzara a sonsacarle la información (a él o a su marido) con uñas y dientes. Sólo se reservó, tal y como había hecho con Diablo, la verdad acerca del matrimonio de Caro. Tampoco dijo abiertamente que Caro Sutcliffe era la mujer a la que quería por esposa, pero no hubo necesidad, ya que su hermana lo entendió sin problemas.

Cuando le habló sobre los intentos de asesinato contra Caro, Honoria se puso muy seria, ya que en otro tiempo habían sido buenas amigas, aunque se limitó a asentir con la cabeza cuando le explicó sus planes para enfrentarse al asunto. Con tres niños a los que supervisar, su hermana estaba demasiado ocupada como para intervenir. Sin embargo...

—Tráela hoy a tomar el té —le dijo, aunque luego se lo pensó mejor—. No, hoy ya es demasiado tarde. Tráela mañana.

Sabía que podía contar con el sutil y discreto apoyo de su hermana en la campaña para lograr que Caro aceptara su proposición de matrimonio. No podría haber deseado un aliado mejor, aunque... En fin, sería mejor que su aliado conociera todos los detalles

—Le he pedido que se case conmigo. Aún no me ha contestado.

Honoria enarcó las cejas. Parpadeó sorprendida, pero después sonrió, consciente de la situación.

—Pues entonces tendremos que ayudarla a tomar una decisión —concluyó, poniéndose en pie—. Ahora, sube a pagar el precio... Tus sobrinos están en el aula.

Se puso en pie con una sonrisa, encantado de pagar el precio que le exigía.

Los últimos días de julio en la capital tal vez estuvieran acompañados de un calor pegajoso, pero había pocos eventos sociales ineludibles. En consecuencia, esa noche cenaron los cuatro en familia: Caro, su abuelo, su tía Evelyn y él. Mientras comían, repasaron los hechos y redefinieron su estrategia.

—He comenzado a leer los diarios de Camden —dijo Caro con un mohín—. Era increíblemente detallado en sus descripciones. Es muy posible que fuera testigo de algo que alguien pueda considerar peligroso y lo anotara.

—¿Es muy farragosa la lectura? —le preguntó.

—Mucho. He empezado por la fecha en la que se hizo cargo de la embajada de Portugal, ya que me parecía el punto más lógico.

—¿Qué hay de sus cartas?

—Las revisaré más tarde si no encuentro nada en los diarios.

Mientras hablaban, era muy consciente de que su abuelo se estaba mordiendo la lengua para no exigir que le dejaran ayudar con las cartas, de modo que describió sucintamente la visita a Diablo y su decisión de llevar el testamento a sus abogados para que lo revisaran.

—Tiene que haber algo más que puedas hacer. —Su abuelo lo miró con el ceño fruncido.

Esbozando apenas una sonrisa él desvió la mirada hacia Caro.

—Los portugueses son los únicos sospechosos. Es muy posible que Leponte organizara el allanamiento a Sutcliffe Hall. Sabemos que registró Bramshaw House. Creo que sería oportuno averiguar si él o algún miembro de su familia han venido a la ciudad.

—Y, en caso de que no lo hayan hecho —masculló su abuelo—, tenemos que mantenerlos vigilados.

—Desde luego. —Volvió a mirar a Caro—. Tenemos que tirar de algunos hilos. ¿Cuál es el mejor método de averiguar qué miembros de la delegación portuguesa se encuentran en Londres?

Empezaron a intercambiar nombres de asistentes y otros funcionarios de varias categorías. A la postre, lograron reunir una lista bastante corta.

—Les haré una visita mañana por la mañana para ver qué pueden contarme.

—Acabo de caer en la cuenta de que —comenzó Caro, observándolo desde el otro lado de la mesa con la barbilla apoyada en la mano—, entre todos, contamos con numerosos contactos en los círculos políticos y diplomáticos de los que podríamos aprovecharnos, no de forma oficial, pero sí a un nivel social. Tal vez puedan ayudarnos, y no sólo para decirnos quién se encuentra en la ciudad, sino para averiguar lo que puedan recordar y descubrir hasta qué punto están al tanto de la situación actual... Tal vez sepan de algún cambio de poder en Portugal o en cualquier otro lugar. —Desvió la vista hacia su abuelo—. No sabemos cuándo comenzó la conexión con Camden, ni por qué de repente tiene tanta importancia. —Hizo una pausa y esos ojos grises volvieron a clavarse en él—. Tal vez alguien esté enterado de algo, aunque no se me ocurre la manera de sacar el tema a colación.

Su abuelo estaba asintiendo con la cabeza.

—Es una perspectiva bastante lógica, aunque aún no podamos sacar partido de ella. Lo primero que hay que hacer es correr la voz de que has vuelto a la ciudad.

—Como estamos en verano, los círculos sociales están muy reducidos y, por tanto, son mucho más selectos. —Caro dio unos golpecitos en la mesa—. No debería resultarnos difícil hacernos notar y, de paso, averiguar todo lo que podamos de la delegación portuguesa. Entretanto podemos aprovecharnos de cualquier oportunidad que se nos presente por el camino.

La observó con detenimiento y se preguntó si sería consciente del motivo por el que su abuelo estaba tan ansioso de verlos moverse en sociedad. Sin embargo, la sugerencia había partido de ella.

—¿Por qué no nos reunimos de nuevo mañana, durante el almuerzo, para comprobar nuestros progresos? Así podremos trazar un plan más concreto antes de salir a la palestra.

Evelyn apartó su silla de la mesa y se puso en pie con ayuda del bastón.

—Yo estaré fuera toda la mañana y también por la tarde —les informó con una sonrisa—. Tal vez seamos viejos, pero vamos al grano... y no nos dejamos engañar, que es lo más importante. Averiguaré qué anfitrionas celebran alguna velada durante los próximos días.

—Gracias. —Caro se levantó con una sonrisa. Rodeó la mesa y tomó a su tía del brazo—. Eso nos sería de muchísima ayuda.

Tomadas del brazo, se trasladaron al salón donde las aguardaba la bandeja del té; no tardarían más de una hora en retirarse.

Volvió a tomar asiento, ya que se había puesto en pie en deferencia a las damas. Esperó a que Hammer dejara las licoreras sobre la mesa y después procedió a llenar dos copas. Cuando el mayordomo se marchó y volvieron a quedarse a solas, se reclinó en la silla, le dio un sorbo al brandi y observó a su abuelo.

Consciente del escrutinio, el anciano enarcó una de sus pobladas cejas.

—¿Qué?

Saboreó el excelente brandi de su abuelo antes de preguntar:

—¿Qué sabes de Camden Sutcliffe?

Al cabo de una hora y media más o menos, ayudó a su abuelo a subir a su dormitorio y entró en el suyo... Para desvestirse, ponerse la bata y marcharse a la habitación de Caro. Mientras se quitaba el alfiler de oro de la corbata, reflexionó acerca de la imagen de Camden Sutcliffe que su abuelo le había ofrecido. Como era natural, lo había conocido, aunque de forma superficial. Su abuelo tenía más de ochenta años, una década mayor de Camden, y si bien había participado en numerosos eventos diplomáticos a lo largo de su dilatada carrera política, ninguno de ellos había tenido lugar en Portugal durante la época de Camden como embajador de ese país.

Aun así, el anciano era un observador muy agudo y taimado. Había hecho una sucinta y acertadísima descripción de Camden, tildándolo de ser un caballero de los pies a la cabeza; un caballero que, al igual que ellos, daba por sentada su posición en la vida y no sentía la necesidad de impresionar a nadie. No obstante y en palabras de su abuelo, el difunto marido de Caro había hecho gala de un encanto exquisito que sabía utilizar en la justa medida según la persona con la que estuviera tratando. Un encanto letal que combinaba con un temperamento agradable y unos modales impecables para ponerlos al servicio de su país... y de sí mismo.

La imagen que su abuelo le había ofrecido dejaba a Camden Sutcliffe como un hombre extremadamente engreído, pero que era un patriota de los pies a la cabeza. Un hombre que anteponía su país a cualquier cosa, que consideraba un deber supremo servir a su país y serle fiel, pero que, en cualquier otra circunstancia, pensaba única y exclusivamente en sí mismo.

Esa imagen encajaba a la perfección con la revelación de Caro según la cual Camden se había casado con ella por su habilidad como anfitriona. También encajaba con las revelaciones de Edward y con los retazos de información que él mismo había ido recavando a lo largo de los años, y lo que le habían contado otras personas como Geoffrey, George Sutcliffe y otros muchos que habían conocido a Camden en profundidad.

Sin embargo, no explicaba lo que había visto en Half Moon Street.

Se puso la bata y se anudó el cinturón. Desechó el todavía inexplicable rompecabezas que suponía la relación de Caro con su difunto esposo y abrió la puerta de su dormitorio para reunirse con ella.

Con la viuda de Camden... Con su futura esposa.

Al día siguiente, a la hora del almuerzo, ya sabía que Ferdinand Leponte estaba en Londres. Regresó a Upper Grosvenor Street y se sentó con los demás a la mesa. Una vez sentado, miró a Caro. Cuando sus ojos se encontraron, Caro los abrió de par en par.

—Has averiguado algo. ¿El qué?

Eso lo sorprendió, ya que sabía que no era fácil descifrar su expresión. No obstante, asintió con la cabeza y les contó lo que había averiguado:

—Ni los duques ni los condes han venido con él. Al parecer, siguen en Hampshire. Leponte, en cambio, ha dejado su yate y los encantos del Solent en verano para venir a Londres. Se aloja en unas dependencias anexas a la embajada.

—¿Cuándo llegó a la ciudad? —le preguntó su abuelo.

—Ayer. —Intercambió una mirada con Caro, sentada al otro lado de la mesa.

Ella asintió con la cabeza.

—Tuvo tiempo de ir a Bramshaw House, preguntar por mí y enterarse de que había venido a la ciudad.

—No he averiguado nada más de interés —les dijo al tiempo que cogía su copa—. ¿Tú has descubierto algo?

Ella hizo un mohín y negó con la cabeza.

—Las descripciones son muy variopintas, pero no hay la menor referencia a algo que pueda ser inconfesable. Nada que pueda ser peligroso en caso de salir a la luz.

Los tres miraron a Evelyn, que había sacado una nota de su bolsillo y la estaba alisando.

—He hecho una lista de los eventos sociales que se celebran esta noche. —Se la ofreció a Caro—. Podéis empezar por ahí.

Ella le sonrió, agradecida, después de echarle un vistazo a la lista.

—Gracias... Es perfecta. —Lo miró—. Tu tía Harriet celebra una velada esta noche.

Aunque sabía que su expresión no lo delataba, estaba seguro de que Caro había adivinado sus pensamientos, en esos momentos ocupados con los recuerdos de su último encuentro con su tía Harriet... y con la conversación que Caro había mantenido con ella. Harriet pensaba que su interés estaba puesto en Elizabeth.

—Es evidente que debemos asistir —dijo ella con una sonrisa.

Torció un poco el gesto, pero asintió con la cabeza.

Cuando abandonaron la mesa y se separaron, Caro se detuvo en el vestíbulo. Era evidente que estaba trazando su plan de acción mientras le daba golpecitos a la nota de Evelyn.

Seguía allí cuando regresó de ayudar a su abuelo a volver a la biblioteca. Se detuvo para deleitarse con su esbelta figura, con su orgulloso porte, con su ensimismada expresión, antes de reunirse con ella.

—¿Vas a ponerte de nuevo con los diarios?

Ella lo miró y le sonrió.

—No. Si vamos a lanzarnos al torbellino social, necesito guantes nuevos y más medias. Creo que iré a Bond Street. —Hizo un mohín que no tardó en desaparecer—. Con respecto a los diarios, por hoy ya he tenido suficiente.

No hubo ni rastro de tristeza en sus palabras, claro que ¿sería capaz de detectarla si la hubiera? ¿Permitiría Caro que se revelaran hasta ese punto sus emociones? No tenía ni idea del tipo de revelaciones que Camden había anotado en sus diarios.

—Iré contigo. —Las palabras, al igual que la intención, fueron instintivas. En ese sentido, ni siquiera necesitaba pensar.

Caro parpadeó, sorprendida.

—¿Quieres ir a Bond Street?

—No. Pero si tú vas, yo también.

Caro lo miró en silencio durante todo un minuto antes de que una discreta sonrisa asomara a sus labios.

—Pues será mejor que vayamos ahora. Aunque antes tengo que cambiarme de ropa —dijo, mientras se alejaba hacia la escalinata.

—Te espero en la biblioteca —replicó él, conteniendo un suspiro.

Estaba leyendo un tratado sobre la historia más reciente de Portugal cuando Caro abrió la puerta de la biblioteca y asomó la cabeza. Se puso en pie y su abuelo levantó la vista de los papeles que estaba revisando, también sobre el mismo tema, antes de mascullar una despedida y echarlos de la estancia con un gesto de la mano.

Una vez salió al pasillo, inspeccionó detenidamente el atuendo que Caro había escogido, un vestido de gasa estampada de un delicado azul. En su cabeza apareció la imagen de un lago en un caluroso día de verano y deseó que pudiera ser cierto. Caro sonrió y echó a andar hacia la salida, ajena por completo al efecto del contoneo de sus caderas enfundadas en la gasa.

Cuando se detuvo, rodeada por la luz del sol, en el vano de la puerta que Hammer les había abierto y se giró hacia él a la espera de que dijera algo, titubeó. Por un instante, consideró la idea de arrastrarla a su dormitorio... pero se dio cuenta de que ella no entendería su reacción en un principio, de que, a pesar de todo lo que habían compartido hasta el momento, todavía no comprendía la profundidad del deseo que despertaba en él. De modo que cabía la posibilidad de que su reacción no fuera la apropiada, al menos de inmediato.

Inspiró hondo y se obligó a adoptar una expresión afable y paciente antes de tomarla del brazo.

—El carruaje debe de estar esperándonos.

Y así era. La ayudó a subir y se sentó a su lado justo antes de que el vehículo se pusiera en marcha y enfilara la calle. Bond Street no estaba lejos. En un santiamén estuvieron paseando cogidos del brazo, de escaparate en escaparate. Caro sólo entró en dos establecimientos, uno donde compró los guantes y otro donde compró las medias. En ambas ocasiones la esperó en la acera, dando gracias porque no fuera una de esas damas inclinadas a entrar en toda tienda por la que pasaran.

La calle estaba menos concurrida que en plena temporada social y, por tanto, era bastante agradable pasear por ella mientras saludaban a alguna que otra dama. El grueso de la alta sociedad estaba ausente, disfrutando de los placeres de la campiña; los miembros que sí se encontraban en la ciudad lo hacían por imposición, ya fuera por su cargo en algún estamento del Gobierno o por su función primordial en algún círculo de relevancia.

Era normal que Caro atrajera las miradas de hombres y mujeres por igual. Tenía un estilo particular, elegante y exclusivo... Suyo. En esa ocasión, todos la reconocieron. Muchas de las damas que paseaban por Bond Street también eran anfitrionas de gran influencia que la consideraban una de las suyas.

Tras separarse de lady Holland, una dama muy influyente con la que se habían encontrado, la miró con una ceja enarcada mientras ella se cogía de nuevo de su brazo.

—Así que sólo guantes y medias, ¿no?

Ella sonrió.

—Era una oportunidad demasiado buena para dejarla pasar. Si vamos a volver al redil, estas damas son las primeras que deben saberlo.

—Y hablando de oportunidades... Se me ha olvidado mencionarte algo —dijo al tiempo que ella lo miraba con expresión curiosa—. Honoria me pidió que te llevara a tomar el té hoy. Tengo entendido que será una reunión familiar. O eso supongo, ya que de momento no recibe como antes.

La alegría iluminó el rostro de Caro.

—No la he visto desde... Bueno, no he hablado con ella desde hace años. Desde que tus padres murieron. Sólo la vi un par de ocasiones durante la pasada temporada en los salones de baile, pero no tuvimos la oportunidad de hablar con tranquilidad. —Lo miró a los ojos—. ¿Qué hora es?

Se sacó el reloj y lo consultó mientras ella lo miraba, ansiosa. Tras devolver el reloj al bolsillo, echó un vistazo a su alrededor.

—Si doblamos esa esquina, regresamos al carruaje y vamos directamente a su casa, llegaremos en el momento preciso.

—Excelente. —Le colocó la mano en el brazo y comenzó a andar—. Veamos con quién más nos encontramos.

Fueron dos anfitrionas más y, después, para su sorpresa, con Muriel Hedderwick.

—Caro. —La dama la saludó con un gesto de cabeza antes de mirarlo a él, que le cogió la mano y le hizo una reverencia. Muriel le devolvió el saludo y se concentró en Caro.

—¿Has venido a alguna reunión? —le preguntó ella, al parecer a sabiendas de que rara vez acudía a la ciudad por otro motivo.

—Así es —replicó Muriel—. De la Sociedad de la Abnegación por los Huérfanos. Se celebró un pleno de inauguración ayer. Nuestro objetivo, por supuesto... —Se lanzó a una apasionada descripción de los predecibles objetivos de dicha sociedad.

Al notar que cambiaba de postura, Caro le dio un pellizco en el brazo. Tal parecía que era inútil interrumpirla, Muriel diría lo que tenía previsto decir. Cualquier intento por distraerla sólo alargaría el sermón.

A la postre, la locuacidad de Muriel tocó a su fin.

—Vamos a celebrar una reunión del consejo de administración esta noche —les informó, con los ojos clavados en Caro—. Dado que ahora vives en Inglaterra, estoy segura de que sería el tipo de asociación a la que te gustaría dedicar parte de tu tiempo. Tienes que asistir, no admito un no por respuesta... La reunión será a las ocho en punto.

—Gracias por la invitación... Haré todo lo posible para asistir —le aseguró con una sonrisa.

Tal parecía que se trataba de uno de esos casos en los que era preferible un engaño. Si Caro se negaba y decía que ya tenía otro compromiso, Muriel se sentiría obligaba a abogar por su causa hasta que se diera por vencida y le prometiera asistir a la reunión. No le quedaría más remedio que disculparse la próxima vez que se encontraran.

Al percatarse de su mirada, volvió a pellizcarle el brazo para que guardara silencio y sonrió a Muriel.

Ésta asintió con la cabeza, más altanera que nunca.

—La reunión se celebrará en el número 4 de Alder Street, al lado de Aldgate.

El lugar de la cita le resultó extraño, pero no dijo nada. Miró a Caro. Era imposible que conociera Londres tan a fondo, al menos fuera de los límites de las zonas más exquisitas.

Una sospecha que ella confirmó al sonreírle a Muriel e inclinar la cabeza.

—Nos veremos allí.

—Bien. —Muriel se despidió de ellos con otro altivo gesto de cabeza y una mirada regia en su dirección.

Contuvo el impulso de aconsejarle que llevara a un lacayo, uno bien fornido, si pensaba ir a Aldgate. Muriel no le perdonaría un consejo supuestamente tan presuntuoso.

Esperó hasta que se hubo alejado para murmurar:

—No vas a ir a ningún lugar cerca de Aldgate.

—Por supuesto que no —le aseguró Caro al tiempo que volvía a tomarlo del brazo y reanudaban el paseo—. Estoy convencida de que el consejo de administración está a rebosar de ansiosos y más que interesados miembros... Se las arreglarán a las mil maravillas sin mí. El problema es que Muriel está obsesionada con sus sociedades y sus asociaciones. No aprecia a aquellos que no lo están, al menos a aquellos que no están tan interesados como ella. —Le sonrió—. Pero cada cuál a lo suyo...

La miró a los ojos.

—En ese caso, vamos a tomar el té.

Mucho más frívolo que una reunión de la Sociedad de la Abnegación por los Huérfanos... pero también mucho más relajado.

Honoria no había elegido el salón de invitados, sino una preciosa salita con vistas a la terraza posterior de la mansión de Grosvenor Square. Allí tomaron el té, comieron pastas y se pusieron al día de sus respectivas vidas.

En cuanto tomó las manos de Honoria y se vio rodeada en un afectuoso abrazo, tuvo la impresión de que los años no habían pasado o, al menos, de que no habían estado separadas mientras pasaban. Honoria era tres años mayor que ella. Habían sido buenas amigas de niñas. Pero, después, sus padres murieron en un trágico accidente y eso las había distanciado y no sólo en el plano físico.

Se parecían mucho en ciertos aspectos, y sospechaba que eso no había cambiado. Siempre había correspondido al temperamento enérgico de Honoria con la seguridad en sí misma.

Ella había seguido en Hampshire, ya que era la mimada benjamina de la feliz familia que habitaba Bramshaw House, hasta que se casó con Camden. Mientras Honoria se valía por sí misma, ella, catapultada al más alto escalafón social, batallaba con las exigencias que el papel de anfitriona le imponía. Exigencias que en un principio habían sido demasiadas para su corta edad. Pero lo había superado. Al igual que Honoria.

Aunque su relato de los años que pasó con unos familiares lejanos en el campo (sin nadie más que Michael en el mundo), fue bastante somero, estaba convencida de que esos años habían dejado huella en su amiga, como la dejó el accidente que ocasionó la muerte de sus padres. En ese momento, sin embargo, no veía sombra alguna en los ojos de Honoria. Su vida era totalmente satisfactoria, en todos los sentidos.

Se había casado con Diablo Cynster.

Echó una miradita por encima del borde de su taza a la figura arrellanada en el sillón que hablaba con Michael. Se habían sentado enfrente del diván que Honoria y ella ocupaban. Era la primera vez que veía a Diablo Cynster de cerca.

En los círculos sociales, el apellido Cynster se asociaba a cierto tipo de caballero y a cierto tipo de esposa. Y estaba claro que Honoria encajaba a la perfección con la típica esposa Cynster; tan claro como que Diablo era el epítome de un Cynster, a juzgar por todo lo que veía en ese momento y por todo lo que había escuchado.

Era un hombre alto, fuerte y delgado de facciones duras. No había ni un ápice de dulzura en su persona. Incluso sus enormes ojos verdes, tan claros que parecían cristalinos, tenían una expresión adusta y penetrante. Aun así, se había percatado de que cada vez que se posaban en Honoria, esa expresión se suavizaba. Incluso sus austeras facciones y el rictus de sus labios parecían suavizarse.

Irradiaba poder. Había nacido con él, y no sólo lo poseía en el plano físico, sino también en todos los demás. Y lo utilizaba, de eso no le cabía la menor duda. Sin embargo, mientras hablaba con Honoria, consciente del profundo y sorprendentemente intenso vínculo que traslucían sus miradas y sus sutiles caricias, percibió, sintió, más bien, que su relación estaba regida por otro tipo de poder. Que tanto Honoria como Diablo se habían sometido a él.

Y que eran felices. Totalmente felices.

Dejó la taza a un lado, cogió otro pastelillo y le preguntó a Honoria por las personas que se encontraban en la ciudad. A esas alturas, su amiga sabía el verdadero motivo por el que estaban en Londres, ya que su hermano se lo había contado.

—Tendremos que dejarnos ver para averiguar todo lo que podamos.

Honoria arqueó las cejas.

—En ese caso, déjame decirte que Therese Osbaldestone vino hace un par de días. Mañana por la mañana hay un grupo muy selecto invitado a tomar el té en su casa. —Sonrió—. Deberías acompañarme.

—Sabes perfectamente que se abalanzará sobre mí y me echará un sermón. Sólo quieres tener un chivo expiatorio para que te deje tranquila —la acusó.

Honoria abrió los ojos como platos y gesticuló con las manos.

—Por supuesto. ¿Para qué, si no, están las amigas?

La réplica le arrancó una carcajada.

Diablo y Michael se pusieron en pie y ellas se giraron con curiosidad. Diablo sonrió.

—Voy a buscar el testamento de su difunto marido. Aunque mis abogados no han encontrado nada importante, hay ciertos asuntos que necesito discutir con Michael. Así que, si nos disculpáis, nos retiraremos a mi despacho.

Descubrió, sobresaltada, que correspondía con una sonrisa y un gesto afirmativo, a pesar de que el comentario no había sido una pregunta y tampoco pedía opinión. Sin embargo, cuando llegó a esa conclusión la puerta de la salita se estaba cerrando. Miró a Honoria y enarcó una ceja.

—Dime, ¿esos «asuntos» que necesita discutir con Michael tienen algo que ver con el testamento o son de otra índole?

—Eso mismo me pregunto yo. Diablo y Michael comparten ciertos intereses. Sin embargo, tengo la sensación de que esos asuntos están relacionados con el testamento de Camden. —Se encogió de hombros—. Da igual. Se lo sonsacaré más tarde a mi marido y tú puedes arrancarle la información a Michael. —Se levantó y le hizo un gesto para que la imitara—. Vamos, quiero enseñarte la otra mitad de mi vida.

Se puso en pie y, tomadas del brazo, salieron a la terraza. Más allá de las puertas abiertas se escuchaban las risas y los gritos de los niños que jugaban en el jardín.

—¿Cuántos?

—Tres.

La satisfacción y la profunda felicidad que irradiaba la voz de su amiga atravesaron sus defensas y la desarmaron. Miró a Honoria, pero ésta tenía la vista clavada al frente. El amor y el orgullo estaban patentes en su expresión.

Siguió su mirada hasta los tres pequeñines que correteaban por el jardín. Los dos niños de cabello castaño llevaban espadas de madera y simulaban un duelo bajo la atenta supervisión de sus niñeras. Una tercera hacía botar a una pequeñina de pelo negro sobre su rodilla.

—Sebastian, también conocido en ocasiones como Earith —le dijo Honoria mientras bajaban los escalones—, tiene casi cinco años. Michael tiene tres y Louisa tiene uno.

—Has estado atareada —replicó ella con una sonrisa.

—No, Diablo ha estado atareado... Yo he estado ocupada. —La felicidad era evidente a pesar de la pulla.

La niña las vio y comenzó a agitar sus bracitos regordetes.

—¡Mamá!

La orden fue imperiosa. Se acercaron a ella y Honoria la cogió en brazos. La pequeña se acurrucó, literalmente, le rodeó el cuello con los brazos y apoyó la cabeza en el hombro de su madre. Sus claros ojos verdes, abiertos de par en par y con unas pestañas increíblemente largas, estaban clavados en ellas con una expresión curiosa.

—Aunque no lo parezca —dijo Honoria mientras miraba a su hija—, ésta es la más peligrosa. Ya maneja a su padre como quiere y cuando sus hermanos no se están peleando, son sus caballeros de brillante armadura y dispone de ellos a su antojo.

—Una jovencita muy inteligente —replicó con una sonrisa.

Honoria rio entre dientes y meció a la pequeña con ternura.

—Lo será.

En ese momento, se escuchó un grito:

—¡Ayyyy! ¡Lo has hecho adrede!

Todos los ojos se clavaron en los futuros espadachines. Los niños se habían internado en el jardín y, en ese momento, Michael rodaba por el suelo mientras se aferraba la rodilla.

Sebastian estaba de pie a su lado, mirándolo con el ceño fruncido.

—No te he pegado ahí, eso sería un golpe bajo. Ha sido con tu propia espada. ¡Te has dado con la empuñadura!

—¡No es verdad!

Las niñeras se acercaron sin llegar a intervenir, ya que sus pupilos aún no habían llegado a las manos.

Honoria le echó un vistazo al rostro de su hijo mayor y se quitó los brazos de Louisa del cuello.

—Toma, cógela —le dijo—. Dentro de un momento habrá un insulto mortal que tendrá que ser vengado.

Puesto que no le quedaba otro remedio, aceptó el ligero y tibio peso de la niña.

Honoria echó a andar a toda prisa por el jardín.

—¡Quietos los dos ahora mismo! ¿Qué está pasando aquí?

—Gu, gu, gu.

El sonido captó su atención. A diferencia de lo que había hecho con su madre, la pequeña no se había acurrucado, sino que estaba derecha, observándola.

—Gu, gu, gu —repitió la niña, señalando sus ojos con esos dedos regordetes. Después, le rozó las mejillas. Se acercó para mirarla de cerca y observó primero un ojo y luego otro.

Era evidente que los encontraba fascinantes.

—Tú, preciosa, también tienes unos ojos muy bonitos —le dijo. Eran los ojos de su padre, aunque no exactamente. El tono era parecido, pero más claro y más intrigantes... Le resultaban familiares. Rebuscó en su memoria hasta que lo recordó y sonrió—. Tienes los ojos de tu abuela.

Louisa parpadeó varias veces y después alzó la vista hacia su cabello. A sus labios asomó una enorme sonrisa.

—Guuuuuuuu.

Extendió las manos hacia sus exuberantes rizos y ella se tensó, a la espera del tirón que estaba por llegar. Sin embargo, esos deditos acariciaron sus mechones con mucho cuidado. El asombro iluminó el rostro de la niña. La miró con los ojos desorbitados mientras le tocaba el pelo, sacando rizos del recogido.

Sabía que debía detenerla, pues su cabello ya era bastante indómito de por sí, sin embargo... era incapaz. Se quedó allí observándola, con el corazón desbocado, mientras la pequeña exploraba, curiosa y ensimismada. El asombro de un nuevo descubrimiento asomó a su carita e iluminó sus ojos.

Aunque lo intentó con todas sus fuerzas, fue incapaz de detener la pregunta que apareció en su mente. ¿Tendría alguna vez entre los brazos a un niño suyo? ¿Volvería a ser testigo de ese asombro tan sencillo, volvería a sentirse conmovida por una muestra de alegría tan inocente?

Los niños jamás habían formado parte de su matrimonio. Aunque mantenía una estrecha relación con sus sobrinos, apenas los había visto cuando eran pequeños... No recordaba haber cogido en brazos a ninguno, ni siquiera a la edad de Louisa.

No había pensando en tener hijos propios, se había negado a hacerlo. No había tenido sentido. Aun así, el cálido cuerpecito de Louisa en sus brazos había despertado un anhelo del que no se había percatado hasta ese momento.

—Gracias —dijo Honoria cuando regresó—. Hemos evitado una guerra y vuelve a reinar la paz. —Extendió los brazos hacia su hija.

La soltó con cierta renuencia que Louisa se encargó de aumentar al expresar sus protestas con una serie de ruiditos guturales. A Honoria no le quedó más remedio que acercarla de nuevo, y la niña tomó la cara de Caro entre sus manitas y le dio un húmedo beso en la mejilla.

—¡Guuuuuuuu! —exclamó, satisfecha, antes de acomodarse en los brazos de su madre.

—Cree que eres guapa —le explicó Honoria con una sonrisa.

—¡Vaya! —exclamó ella.

Giraron la cabeza al escuchar unos pasos en la terraza. Diablo y Michael acababan de salir. Los niños también los vieron y, corrieron hacia ellos entre vítores y con las espaldas en alto.

Con una sonrisa indulgente, Honoria comprobó que las niñeras estaban recogiendo los juguetes desperdigados y, con Louisa en brazos, emprendió la marcha hacia la terraza.

A su lado, Caro intentó librarse, o al menos suprimir en cierta medida, de la idea que acababa de apoderarse de su mente. Casarse para tener hijos era sin duda tan malo como casarse para contar con los servicios de una anfitriona. Pero no pudo evitar mirar a Louisa, que descansaba segura en los brazos de su madre.

La pequeña tenía los ojos abiertos de par en par y lo miraba todo, lo absorbía todo, con una tremenda curiosidad. Recordó una vez más por qué le parecían familiares esos ojos. Unos ojos de expresión sabia, atemporal y penetrante.

Inspiró hondo y alzó la vista al llegar a los escalones de la terraza.

—Tienes razón. Es la más peligrosa —le murmuró a Honoria mientras subían.

Honoria se limitó a sonreír. Observó a su primogénito, que escuchaba atentamente a su padre mientras éste le contaba algo importantísimo. Michael estaba hablando con su tocayo. Se recordó que debía dar órdenes de que les hicieran un postre especial esa noche... Y a Louisa también, por supuesto.

No podría haber planeado una escena mejor de haberlo intentado.

18

—¿Qué novedades tenía Diablo sobre el testamento de Camden? —En el interior del carruaje, Caro se giró para poder ver la cara a Michael.

—Te dejó la mansión sin condiciones —contestó éste con una sonrisa fugaz—. Está a tu nombre y tras tu muerte no volverá a formar parte de las propiedades de los Sutcliffe ni de ningún otro. Irá directamente a tus herederos.

—Mis herederos... Pues son Geoffrey, Augusta y Angela, que desde luego no intentan matarme. Así que en el testamento de Camden no hay nada oculto para que alguien quiera verme muerta —dijo al tiempo que se reclinaba en el asiento.

—Directamente no. Sin embargo, hay una cantidad inusual de legados a personas que no están relacionadas con la familia. Diablo me ha preguntado si te importaría que dos de sus primos investigaran discretamente a esos herederos.

—¿Qué primos? ¿Y por qué? —preguntó con el ceño fruncido.

—Gabriel y Lucifer.

—¿Quiénes?

Michael hizo una pausa mientras intentaba recordar los nombres verdaderos.

—Rupert y Alasdair Cynster.

—¡Menudos apodos! —exclamó, poniendo los ojos en blanco.

—Bastante apropiados. O eso me han dicho.

—¿De veras? ¿Y cómo se supone que estos dos caballeros van a ayudarnos?

—Gabriel es el experto en inversiones de los Cynster. Dentro de la alta sociedad no hay nadie que tenga mejores contactos en el mundo financiero y económico que él. El interés de Lucifer se decanta por las antigüedades, sobre todo por la plata y las joyas, pero tiene una amplia experiencia y grandes conocimientos en muchos otros temas.

—En nuestras circunstancias, semejantes habilidades podrían sernos de utilidad —replicó tras un instante de reflexión.

Michael la observó con detenimiento.

—Supuse que no te importaría, de manera que acepté en tu nombre. Dado que estamos hablando de Gabriel y Lucifer, la discreción está asegurada. —Buscó sus ojos—. ¿Te parece bien?

Sus miradas se entrelazaron... y llegó a la conclusión de que la pregunta debería ser si él se sentía más cómodo llevando a cabo dicha investigación. Había aceptado que alguien (una persona desconocida) la quería muerta, posiblemente para que no contara algo que dicha persona creía que sabía. No terminaba de creerse que la mansión o cualquiera de sus enseres explicara ese afán por verla desaparecer.

Michael, en cambio, se había enfrentado voluntariamente a los horrores de Bond Street. El motivo que lo había llevado a pedirle que no abandonara la casa de su abuelo sin él estaba bastante claro. Era la primera vez que alguien estaba tan pendiente de su seguridad; no podía evitar sentirse conmovida y agradecida, aunque encontrara un poco fuera de lugar la posibilidad de investigar a los restantes herederos.

Se acomodó en el asiento con una sonrisa en los labios.

—Si quieren investigar discretamente, no creo que tenga nada de malo.

Esa noche, entró en el salón de Harriet Jennet del brazo de Michael. No los habían invitado; pero, como miembro de la familia, Michael tenía acceso permanente. Y como anfitriona diplomática de renombre, ella podría decir lo mismo.

Había esperado detectar un atisbo de sorpresa en los ojos de Harriet; no obstante, la dama la saludó con su habitual aplomo, aunque tal vez teñido con una nota socarrona bastante elocuente. Verla llegar del brazo de su sobrino era justo lo que había estado esperando.

—¿La has avisado? —Le dio un pellizco en el brazo mientras se alejaban de Harriet y entraban en el salón donde se reunía la flor y nata de los círculos políticos.

Michael la miró.

—No.

—Pues entonces ha sido Magnus —masculló ella—. ¡Estaba deseando ver la expresión sorprendida de Harriet! Creo que hace años que nadie lo consigue.

Pasaron una noche muy agradable mezclándose con la élite de la política, donde ambos encajaban a la perfección. Su llegada del brazo de Michael suscitó a todas luces la curiosidad de muchos, pero nadie se apresuraría a sacar conclusiones. Eran quienes eran porque sabían que no debían llegar a una conclusión sin pruebas fehacientes.

Regresaron a Upper Grosvenor Street a medianoche, satisfechos por la facilidad con la que habían proclamado su presencia en Londres entre los círculos políticos. Los círculos diplomáticos eran otra cuestión. Mientras subían las escalinatas, pensó en profundidad la mejor forma de atacar ese bastión.

Michael apareció en su dormitorio más tarde, cosa que se estaba convirtiendo rápidamente en una costumbre. El deseo inagotable y voraz que sentía por ella le resultaba maravilloso y cautivador a la par que sorprendente. No se atrevía a pensar, ni mucho menos a creer, que esa situación durara mucho.

De modo que disfrutaría mientras pudiera, aceptaría todo lo que él le diera y se lo devolvería con creces. Su relación era una constante fuente de sorpresas. Todo había sido tan rápido... incluyendo su inesperada y confiada entrega inicial y todo lo que había sucedido de forma tan natural a partir de ese momento. Aún seguía luchando por comprender lo que significaba, lo que sentía y por qué lo sentía... Cuando estaba en los brazos de Michael tenía la impresión de que era otra persona, otra mujer.

A la mañana siguiente, Honoria pasó a recogerla en su carruaje y juntas fueron a ver a lady Osbaldestone, que estaba en casa de su hija, en Chelsea.

Era una mansión antigua con una terraza con vistas al río. Las damas invitadas, todas casadas o viudas, se sentaron al sol para beber té y hablar de su exclusivo círculo social.

Tuvo que admitir que era la oportunidad perfecta de hacer público su regreso a la capital. Entre exquisitos emparedados y pastas, respondió a todas las damas que se interesaron que se alojaba con los Anstruther-Wetherby en Upper Grosvenor Street.

Como era de esperar, el único momento de tensión se produjo cuando Therese Osbaldestone la arrinconó.

—Honoria me ha dicho que te hospedas con ese viejo chocho de Magnus Anstruther-Wetherby. —La mirada penetrante de la mujer la atravesó—. ¿Por qué?

Ninguna otra persona se atrevería a formular una pregunta tan ofensiva. Claro que ninguna otra persona se atrevería a llamar «viejo chocho» a Magnus Anstruther-Wetherby.

—Estaba en Hampshire con mi hermano y tenía que venir a la capital por ciertos asuntos —contestó, restándole importancia con un gesto de la mano—. Unos detalles relacionados con las propiedades de Camden. Michael Anstruther-Wetherby es nuestro vecino y, como también tenía que venir por asuntos de negocios, tuvo a bien acompañarme. —Rogó para sus adentros que su expresión fuera tan inocente como la situación lo requería—. Aún no he reabierto la mansión de Half Moon Street y Angela sigue en el campo, de modo que Michael sugirió que me quedara con ellos.

Therese Osbaldestone la observó un buen rato antes de arquear las cejas.

—¿De veras? ¿Eso quiere decir que no hubo ningún motivo especial para que aparecieras anoche en la velada de Harriet del brazo de Michael?

—Ambos queríamos asistir —contestó, encogiéndose de hombros.

Una de las cejas de Therese se alzó todavía más.

—Ya veo...

Mucho se temía que la dama lo viera, sí.

No obstante, tras otra elocuente pausa, la anciana se limitó a decir:

—¿Las propiedades de Camden? Creía que esos asuntos se habían resuelto hace años.

—Es algo relacionado con los legados individuales. —No estaba por la labor de seguir hablando del tema y su tono de voz lo dejó bien claro.

Therese pareció aceptarlo.

—Me alegró verte de nuevo durante la temporada —le aseguró con voz agradable—. Me alegra saber que no vas a esconderte por ahí. A mi entender —prosiguió, atravesándola con aquellos ojos negros—, no tienes ninguna excusa para no hacer un buen uso de tus talentos y tu experiencia.

Lo más seguro era guardar silencio, así que puso punto en boca.

Therese esbozó una sonrisa.

—Y, ahora, dime, ¿qué diplomáticos hay holgazaneando en Hampshire?

Contestó la pregunta de la dama y también le habló de su verbena estival y de cómo los prusianos y los rusos comenzaban a limar asperezas. En sus tiempos, Therese Osbaldestone había sido una excelente anfitriona diplomática; su marido había sido ministro, embajador y estadista en su vejez. Había muerto hacía más de una década, pero Therese había seguido ligada a los círculos políticos y diplomáticos. Era tan influyente en ellos como en la alta sociedad.

La anciana le profesaba un cariño especial, sentimiento que era mutuo. Siempre se habían entendido a la perfección, habían comprendido los desafíos de la vida diplomática de un modo imposible de comprender para alguien ajeno a esos círculos.

—Y también estaban los portugueses. Bueno, una parte de la delegación. Creo que el embajador está en Brighton.

Therese asintió con la cabeza.

—Lo conozco de oídas, pero tú debes conocerlos a todos de primera mano. —Resopló—. Los portugueses siempre fueron la especialidad de Camden, incluso antes de que aceptara el cargo de embajador.

—¿Sí? —La información despertó su interés. Después de todo, Therese era de la misma edad que su difunto marido.

—No creo que te lo hayan contado, pero Camden era uña y carne con una multitud de cortesanos portugueses. Siempre sospeché que lo nombraron embajador para obligarlo a refrenarse en ese aspecto... Antes de que se viera involucrado en algo que pudiera lamentar más tarde.

—¿Lamentar? —Miró a la anciana con un interés muy genuino.

Therese meneó la cabeza.

—No me enteré de los detalles. Fue una de esas cosas que se dan por sentadas sin más, sin cuestionarse la decisión.

Asintió con la cabeza al comprender perfectamente lo que Therese quería decir. Sin embargo, el comentario era el primer indicio de que podría haber algo revelador en el pasado de Camden, en sus documentos, por lo que algún portugués estuviera dispuesto a matar.

Una bocanada de aire le provocó un escalofrío.

—Se está levantando viento. Vayamos adentro.

Therese abrió la marcha y ella la siguió. No tenía sentido hacerle más preguntas, ya que de haber sabido más, se lo habría dicho.

Tras regresar a Upper Grosvenor Street y almorzar con Magnus y Evelyn —pues Michael aún estaba fuera, en los clubes donde se reunían los políticos y los diplomáticos—, se retiró a la salita de la planta superior, dispuesta a seguir revisando los diarios de Camden.

Las palabras de Therese la habían animado a proseguir, dado que conferían mucha más veracidad a la posibilidad de que los intentos de asesinato estuvieran motivados por algún detalle oculto en los diarios. La lentitud con la que revisaba los diarios, escritos en una letra minúscula, era de lo más frustrante.

Además, la sensación de que dichos intentos de asesinato suponían una distracción iba cobrando fuerzas. Eran una irritante molestia que le impedía concentrarse en otros asuntos muchísimo más importantes... como lo que estaba sucediendo entre Michael y ella. Como lo que había sentido en casa de Honoria y que había suscitado la duda de si debía poner en práctica la idea que se apoderó de ella cuando cogió a Louisa o no.

Todas esas cosas (pensamientos, conceptos y sentimientos) eran nuevos para ella. Quería explorarlos, analizarlos y comprenderlos; pero, lógicamente, resolver el misterio de quién intentaba matarla tenía prioridad.

Dejó el diario que estaba leyendo sobre el montón que había junto a la silla y suspiró. Contempló la hilera de cajas que discurría a lo largo de de la pared. Sólo había revisado dos.

Necesitaba ayuda. ¿Sería sensato pedirle a Edward que fuera a la ciudad? Acudiría de inmediato y podía confiarle la tarea de leer las cartas de Camden.

Pero no le cabía duda de que Elizabeth lo seguiría y eso sí que no lo podía permitir.

Hizo un mohín mientras calculaba cuánto tiempo le llevaría revisar todas las cajas. La respuesta fue un deprimente número de semanas. Volvió a devanarse los sesos en busca de alguien que pudiera ayudarla, alguien a quien pudiera confiarle la lectura de las cartas personales de Camden. No se le ocurría nadie...

—¡Sí que lo hay! —Se irguió en la silla, entusiasmada por la posibilidad que se le había ocurrido. La meditó a conciencia. No podría darle los diarios, ya que contenían comentarios y notas demasiado personales, pero las cartas... Sí, podía confiarle su lectura—. Y conociéndolo, seguro que está en la ciudad.

Titubeó un instante antes de levantarse con la barbilla en alto para tocar la campanilla de la servidumbre.

—Buenas tardes. ¿Se encuentra en casa el vizconde de Breckenridge?

El mayordomo, a quien no había conocido nunca y cuyo nombre, por tanto, desconocía, la miró sorprendido y titubeó.

—¿Señora?

Le tendió la tarjeta que tenía preparada y entró en la casa. El mayordomo se lo permitió.

—Llévasela de inmediato. Me recibirá. —Echó un vistazo a su alrededor y vio que la puerta que daba al salón estaba abierta—. Esperaré en el salón, pero antes de que le lleve mi tarjeta al vizconde, haga el favor de decirle a mis lacayos dónde pueden guardar estas cajas.

—¿Cajas? —El mayordomo se giró hacia la puerta. Con los ojos desorbitados contempló a los dos lacayos que aguardaban en la entrada con varias cajas en los brazos.

—Las cajas son para Breckenridge. Su ilustrísima lo entenderá en cuanto me vea. —Les hizo un gesto a los lacayos para que entraran—. Son unas cuantas. Si hay un despacho o una biblioteca, será el lugar idóneo para almacenarlas.

El mayordomo parpadeó, irguió los hombros y admitió su derrota.

—El despacho de su ilustrísima está por aquí.

Se marchó para mostrarles el camino a los lacayos; mientras tanto, ella entró en el salón con una sonrisa. Echó un vistazo a su alrededor antes de quitarse los guantes y sentarse en un sillón orejero a la espera de la llegada de Timothy.

Cinco minutos después, la puerta del salón se abrió y Timothy Danvers, el vizconde de Breckenridge, entró en la estancia.

—¿Caro? ¿Qué ha pasado? —Se detuvo al ver el escrutinio al que sometía su cabello alborotado y la bata de seda que se había puesto a la carrera encima de unos pantalones igualmente recién puestos.

Tuvo que esforzarse mucho para contener una sonrisa mientras miraba los ojos color avellana del vizconde.

—¡Vaya por Dios! Creo que he venido en un momento de lo más inoportuno.

Lo vio apretar los labios, sin duda para contener un improperio, tras lo cual se giró para cerrar la puerta en las narices de su interesado mayordomo.

—¿Qué demonios estás haciendo aquí? —le preguntó cuando volvió a mirarla.

Le sonrió para que se calmara, aunque no fue capaz de controlar la mirada burlona. Timothy tenía treinta y un años, tres más que ella, y era un hombre extremadamente apuesto, alto, de anchos hombros, delgado y atlético, con el rostro de un Adonis y una elegancia sin par. Los rumores lo tildaban de ser demasiado peligroso para cualquier mujer que tuviera menos de setenta años. Sin embargo, no lo era para ella.

—Tengo que pedirte un favor.

Timothy frunció el ceño.

—¿Qué favor? —Avanzó hacia ella y se detuvo de repente, alzando una mano—. Pero antes dime que has venido cubierta de los pies a la cabeza con una capa y un velo y que has tenido el buen tino de utilizar un carruaje sin blasón.

Una vez más, tuvo que contener la sonrisa.

—Ni capa ni velo, pero sí he venido acompañada de dos lacayos. Los necesitaba para cargar con las cajas.

—¿Qué cajas?

—Las que contienen las cartas de Camden. —Se reclinó en el asiento, sin apartar la vista de Timothy, que la observaba con detenimiento. Al instante meneó la cabeza, como si quisiera despejarse.

—¿Y tu carruaje?

—No es el mío, es el de Magnus Anstruther-Wetherby... Pero no tiene blasón.

—¿Dónde está?

Ella enarcó las cejas, sorprendida.

—Pues esperándome en la calle, por supuesto.

Timothy la miró de hito en hito, como si le hubiera crecido una segunda cabeza, soltó una maldición y se alejó para llamar a la servidumbre.

—Haz que el carruaje de la señora Sutcliffe espere en las caballerizas —masculló cuando apareció su mayordomo. En cuanto éste desapareció, la atravesó con la mirada—. Menos mal que nunca intentaste engañar a Camden.

Alzó las cejas con altivez y estuvo a punto de preguntarle que cómo sabía que no lo había hecho.

Timothy se dejó caer en el otro sillón.

—Ahora déjate de rodeos. ¿Por qué me has traído las cartas de Camden?

Y se lo contó. Su expresión se fue tornando más seria a medida que ella hablaba.

—Debe de haber alguien a quien pueda sonsacarle información... —dijo.

—No... No puedes —replicó. Timothy tenía un brillo en los ojos y una expresión que no le gustaban un pelo. La tajante negativa hizo que la taladrara con la mirada, pero no se dejó amedrentar—. Yo misma, o Michael, o cualquiera de los Anstruther-Wetherby, incluso Therese Osbaldestone podríamos, pero tú no. No estás relacionado con este asunto y no tienes contactos en los círculos diplomáticos. Si te inmiscuyeras, alertarías a todo el mundo de inmediato. —Le concedió un instante para que asimilara lo que acababa de decirle antes de añadir—: He venido para pedirte ayuda, pero para algo que sólo tú puedes hacer. —Esperó apenas un instante y prosiguió—: Se trata de los documentos privados de Camden. La respuesta tiene que estar en algún lugar, pero no puedo confiarle la tarea a nadie más, me niego a hacerlo. Y tú mejor que nadie sabes el motivo. —Hizo una nueva pausa y después prosiguió, sin apartar la mirada—: Yo me encargaré de los diarios. Están plagados de referencias que sólo yo y tal vez Edward o algún otro de los asistentes de Camden podríamos descifrar. Sus cartas son diferentes. Son más específicas, más formales, más directas. Tú eres la única persona a la que confiaría su lectura. Si quieres ayudarme, lee esas cartas.

Timothy era, sin lugar a dudas, un hombre de acción, pero también era un hombre muy culto e inteligente, como bien sabía ella. Pasado un momento, suspiró, en absoluto contento pero resignado con su papel.

—Estamos buscando alguna referencia de cualquier relación políticamente incorrecta con los portugueses, ¿no?

—Sí. Y por lo que me dijo Therese Osbaldestone, debió de ser en sus primeros años como embajador, o tal vez justo antes de que lo nombraran.

Timothy asintió.

—Empezaré de inmediato. —Su mirada se desvió hacia el techo.

—Lo siento —dijo con un mohín—. No se me ocurrió. He interrumpido...

—No. Eso no importa. Pero tú sí —afirmó antes de torcer el gesto—. Y te agradecería mucho que no pensaras en lo que has interrumpido. —Apretó los labios y la fulminó con una mirada severa—. Te ayudaré con una condición.

—¿Cuál? —preguntó con las cejas arqueadas.

—Que bajo ninguna circunstancia vuelvas a venir. Si quieres verme, mándame una nota y seré yo quien vaya a verte.

La respuesta le hizo fruncir el ceño.

—¡Tonterías! —Se levantó y comenzó a ponerse los guantes—. Soy La Viuda Alegre, ¿recuerdas? La alta sociedad sabe que no me dejo seducir así como así.

Lo miró con sorna. Por un instante, Timothy siguió mirándola sin levantarse, pero después se puso en pie.

Se acercó a ella con tal rapidez e irradiando tal poder masculino con sus movimientos que la dejó sin aliento. Se detuvo apenas a un palmo y la miró directamente a los ojos. A sus labios asomó una sonrisa más propia de un depredador.

—Pero la alta sociedad también sabe —añadió con voz ronca y seductora— que yo no me rindo así como así.

Lo miró a los ojos sin decir nada antes de darle unas palmaditas en el brazo.

—Bueno... pero eso no tiene nada que ver conmigo. —Se giró hacia la puerta y lo escuchó mascullar una maldición. Eso le arrancó una sonrisa—. Y, ahora, ya puedes acompañarme a mi carruaje.

Timothy masculló algo ininteligible, pero la siguió y le abrió la puerta para que pasara. De camino a la entrada principal, él la cogió del brazo y la hizo girar en dirección contraria.

—Si insistes en visitar a uno de los libertinos más afamados de Londres, vas a tener que aprender cómo se hace. El carruaje siempre se deja en las caballerizas, donde nadie pueda verte partir ni saber cuándo lo has hecho.

—Entiendo —replicó con las cejas enarcadas y reprimiendo una vez más la sonrisa.

La condujo por un pasillo y salieron a la terraza después de atravesar la salita matinal. Desde allí, enfilaron el sendero del jardín hasta llegar a la puerta trasera de la propiedad, protegida por un alto muro de piedra. Tras abrir la puerta, Timothy echó un vistazo antes de hacerla salir y meterla sin más preámbulos en el carruaje, que la esperaba justo delante de la puerta. Se inclinó hacia fuera antes de que él cerrara la portezuela y se alejara.

—Por cierto, me gustan los pavos reales —le dijo.

Timothy parpadeó ostensiblemente antes de echar un vistazo a la bata que llevaba puesta... y maldecir entre dientes. Cuando la miró, sus ojos echaban chispas.

—La próxima vez —espetó—, ¡avisa antes!

La portezuela del carruaje se cerró de golpe, al igual que lo hizo la puerta trasera de la residencia del vizconde. Recostada contra los almohadones, dio rienda suelta a las carcajadas que había estado conteniendo mientras el carruaje se ponía en marcha.

Michael y ella tenían que asistir a una velada esa noche. Un evento íntimo en el consulado corso al que también asistirían las delegaciones española e italiana.

—¿Crees que los españoles saben algo? —le preguntó a Michael mientras el carruaje traqueteaba sobre los adoquines de la calle—. ¿Podría ser algo que sucediera durante las guerras napoleónicas?

Michael se encogió de hombros.

—Es imposible saberlo. Sólo podemos mantenernos alerta. Si alguien está desesperado hasta el punto de querer enterrar para siempre este secreto, debe de haber algo que lo haya motivado a actuar en este preciso momento, tanto tiempo después de que sucediera.

—Cierto. Tal vez obtengamos alguna pista de quien menos lo esperamos —dijo, y asintió con la cabeza.

Michael cubrió la mano de Caro que reposaba entre ellos sobre el asiento y se sintió dividido, como un espadachín que tuviera que enfrentarse a dos enemigos a la vez. Los portugueses parecían ser los culpables más evidentes, aun así...

—He hablado con Diablo hoy. Ya se ha puesto en contacto con sus primos. Gabriel estuvo de acuerdo en que la larga lista de beneficiarios merece una exhaustiva investigación. Ya está en ello, comprobando si alguno de los individuos tiene razones para creer que le corresponde más porción de los bienes de Camden, que ahora son tuyos. En cuanto a Lucifer, al parecer le bastó un vistazo a la lista de los beneficiarios para declarar que tenía que echar un vistazo a lo que había en la mansión de Half Moon Street. —La miró a la cara—. Al principio, Diablo creyó que su primo sólo quería ver la colección, pero Lucifer le explicó que la falsificación, al menos de objetos como los descritos en la herencia, era un negocio en auge. Sospecha que Camden podría haberse visto involucrado sin saberlo; que lo hubieran utilizado para poner en el mercado falsificaciones y hacerlas pasar como auténticas.

—Nunca me fijé demasiado en la colección de Camden —dijo con el ceño fruncido—. Llevaba años coleccionando objetos antes de conocerlo. Y siguió sin más, no le di importancia. Además, sé que trataba siempre con las mismas personas, y que esas relaciones se remontaban a años atrás. Sólo trataba con personas en las que confiaba. —Buscó su mirada—. Aprendió a ser muy precavido.

—En fin, da igual, ¿tienes alguna objeción a que Lucifer eche un vistazo por la mansión?

Negó con la cabeza.

—No. De hecho, creo que es una idea excelente. Cuantas más cosas podamos descartar...

Le dio un apretón en los dedos.

—Exactamente.

—Por cierto, me he acordado de un antiguo amigo de Camden —dijo Caro, al recordar sus otras líneas de investigación—. Hoy le he hecho una visita y le he pedido que revisara las cartas de Camden. Ha accedido a ayudarnos.

El carruaje se detuvo delante del consulado corso y un lacayo les abrió la portezuela. Michael asintió con la cabeza para indicarle que la había escuchado y descendió primero para ayudarla a bajar.

Su anfitriona los esperaba justo al otro lado de la puerta abierta. Ambos esbozaron una sonrisa y subieron los escalones. Fueron recibidos con la efusividad y la amabilidad típicas de los corsos. Los invitados habían sido escogidos con mucho tiento. Si bien imperaba la formalidad habitual de ese tipo de eventos, la atmósfera era mucho más relajada. Todos se conocían entre sí y conocían lo que hacían, cuáles eran sus aspiraciones. Se desarrollaban los mismos juegos de poder, pero no había necesidad de ocultarlos.

Ella era la única que carecía de un papel definido. Aunque el escenario le resultaba conocido, se sentía muy rara al no tener un papel concreto que interpretar. Eso resaltó en gran medida los papeles del resto de los presentes, en especial el de Michael. Aunque la velada era un evento del círculo diplomático, había unos cuantos políticos nacionales presentes, aquellos con los que el personal del consulado se relacionaba para velar por los intereses de su país. Todos los caballeros se detuvieron para saludar a Michael, para asegurarse de que estaba al tanto del papel que cada uno de ellos jugaba en esos momentos y del papel que jugaban en las relaciones internacionales.

En ningún otro círculo, ni siquiera en la alta sociedad, corrían tanto los rumores.

Su presencia al lado de Michael llamó la atención de todos, pero nadie supo cómo interpretarla. Se presentaron ante ellos como amigos y vecinos, y como tales los aceptaron, al menos en primera instancia. Aun así, a medida que la velada progresaba, se encontró ayudando a Michael como lo hiciera durante la cena de Muriel. Era un hábito adquirido y tan natural que le parecía una grosería no hacerlo. Mas aún si tenía en cuenta lo mucho que él la estaba ayudando.

Cuando un miembro de la delegación española los saludó, supo de manera instintiva que Michael no sabía quién era. Le tendió la mano al señor Fernández con una sonrisa. Mientras éste le hacía una reverencia y alababa su buen gusto al vestir, ella dejó caer su nombre, su rango y ciertos retazos de su pasado en la conversación. Sin perder el compás, Michael siguió sus directrices.

Más tarde, separados por la conversación, echó un vistazo por encima del hombro alertada por un sexto sentido y vio que la esposa de un alto funcionario del Ministerio de Exteriores sacaba a Michael del grupo de diplomáticos con el que había estado hablando.

Era una situación peliaguda: el futuro ministro de Asuntos Exteriores, si los rumores eran ciertos, hablando en privado con la esposa de uno de los funcionarios del ministerio, tal vez para promocionar la carrera de su marido. Una situación susceptible de crear resentimientos entre las filas. A juzgar por lo que veía, Michael era consciente del peligro que encerraban las circunstancias, pero le estaba costando librarse de las garras de esa mujer.

—Si es tan amable de disculparme... —Le dijo al cónsul en funciones con una sonrisa—. Tengo que hablar un momento con el señor Anstruther-Wetherby.

Al cónsul le bastó una mirada para comprender el aprieto en el que se encontraba Michael. Le devolvió la sonrisa y le hizo una reverencia.

—El señor Anstruther-Wetherby es un hombre afortunado.

Con una sonrisa afable, se alejó del corso y rodeó el grupo hasta llegar junto a Michael.

—¡Aquí estás! —Se cogió de su brazo antes incluso de ponerse a su lado y fingió no haber visto a su interlocutora hasta ese momento—. Lady

Casey. —Sonrió—. Ha pasado mucho tiempo desde la última vez que tuve el placer de verla.

Le tendió la mano a la dama. Y ésta se vio obligada a aceptarla y sonreírle en respuesta, sin bien la atravesó con la mirada deseando en su fuero interno que no hubiera aparecido.

—Mi querida señora Sutcliffe... —dijo, colocándose mejor el chal—. Tenía entendido que se había retirado de la escena.

—Tal vez ya no sea la esposa de un embajador, pero los viejos hábitos..., ya sabe. En fin —continuó como si nada—, hoy mismo me han echado un sermón para que deje de esconderme. Según me han dicho, tengo el deber de continuar participando en los eventos diplomáticos.

A juzgar por su expresión, lady Casey ardía en deseos de contradecirla. Sin embargo, fuera o no la esposa de un embajador, su posición social superaba con creces la de la dama. Tras decidir que era mejor una retirada a tiempo, lady Casey inclinó la cabeza.

—Si me disculpan, debo reunirme con mi marido.

Se separaron en términos amistosos.

En cuanto la dama se alejó, Michael soltó el aire que había estado conteniendo.

—Gracias. Intentaba acorralarme hasta que aceptara una invitación a cenar.

—De lo más inapropiado —replicó ella—. A ver, ¿has hablado ya con monsieur Hartinges?

Michael la miró.

—¿Quién es monsieur Hartinges?

—Uno de los asistentes de mayor relevancia del embajador francés. Es inteligente, llegará lejos y tiene muy buena disposición.

—Vaya. —Le dio un apretón en la mano, impidiéndole que le soltara el brazo, impidiéndole que se alejara de su lado—. Evidentemente debería conocerlo.

—Desde luego. Está junto a la ventana y lleva toda la noche observándote, a la espera de que llegara su momento.

—Llévame hasta allí —dijo con una sonrisa.

Y lo obedeció. Pasó los siguientes veinte minutos hablando con el francés, un hombre que estaba por la labor de enterrar el pasado y de estrechar los lazos comerciales entre ambos países... Uno de los asuntos más importantes con los que tendría que enfrentarse el próximo ministro de Asuntos Exteriores.

Tras separarse cordialmente de monsieur Hartinges, volvieron a mezclarse con la multitud, aunque sin perder de vista que querían marcharse en breve.

—Debería hablar con Jamieson antes de marcharnos. Acaba de llegar.
—Hizo un gesto con la cabeza en dirección a un caballero delgaducho de modales un tanto nerviosos que en esos momentos saludaba a la anfitriona con una reverencia, sin duda expresando sus más sinceras disculpas por llegar tarde.

—Es extraño que llegue tan tarde —musitó Caro.

—Cierto. —La guió hacia el recién llegado, un subsecretario del Ministerio de Asuntos Exteriores. Jamieson los vio cuando se alejaba de la esposa del cónsul y se encontró con ellos a medio camino.

Saludó a Caro con una reverencia ya que se conocían desde hacía bastante tiempo.

—Señor —le dijo al tiempo que inclinaba la cabeza respetuosamente.

Michael le tendió la mano y él, un tanto más relajado, se la estrechó.

—¿Ha pasado algo? —le preguntó.

Jamieson torció el gesto.

—Algo de lo más extraño. Han entrado en las oficinas. Por eso he llegado tarde. Han registrado dos de los almacenes, pero sólo contenían informes antiguos. —Desvió la mirada hacia Caro—. Lo más raro de todo es que son los informes de Lisboa.

—¿Por qué es tan raro? —inquirió Caro con el ceño fruncido.

Jamieson lo miró antes de volver a clavar los ojos en Caro.

—Porque acabamos de enterarnos de que alguien entró en nuestras oficinas de Lisboa hace un par de semanas. Las tormentas han retrasado la llegada del paquete que contenía las noticias, pero ya lo hemos recibido. Primero en Lisboa y ahora aquí. Jamás pasó nada parecido durante el mandato de Camden. —Toda la atención del hombre estaba puesta en Caro—. ¿Tiene alguna idea de quién podría estar detrás de todo esto?

Ella abrió los ojos de par en par y negó con la cabeza.

—¿Qué buscaban? ¿Se han llevado algo de alguna de las oficinas?

—No —contestó, desviando la mirada hacia él—. Todas las hojas de los informes están numeradas y no falta ninguna. Es evidente que alguien los ojeó, pero aparte de eso... —Se encogió de hombros—. No hay nada remotamente útil, al menos en el ámbito diplomático. Las oficinas de Lisboa están bajo mi jurisdicción, pero los informes en cuestión son bastante anteriores a mi nombramiento. De cualquier forma, Roberts, mi predecesor, era extremadamente preciso. Es impensable que se le pueda haber escapado algo.

—¿De qué periodo son los informes? —preguntó Caro.

—Cubren un par de años anteriores al nombramiento de Camden y también los primeros años de su labor. Creemos que alguien buscaba información sobre alguna actividad a la que Camden pusiera fin. —Frunció los labios—. Me alegro de este encuentro porque me ha evitado una visita a su casa. Si se le ocurre algo que pueda ser relevante para aclarar este asunto, hágamelo saber.

—Por supuesto —respondió ella, asintiendo con la cabeza.

Salieron del consulado poco después de separarse de Jamieson.

—¿Sabes una cosa? —le preguntó Michael mucho más tarde mientras la abrazaba en su dormitorio—. Empiezo a preguntarme si nuestro asaltante se está preocupando en vano... Si no había nada en los informes del Ministerio...

—Es muy posible —admitió, arrojándole los brazos al cuello.

—Detecto un «pero» en tu voz... —puntualizó él mientras se separaba para mirarla a la cara.

Esbozó una sonrisa, no porque le hiciera gracia la situación sino porque ya se había resignado a su perspicacia.

—Conociendo a Camden, su pasión por la intriga y los contactos que tenía entre la flor y nata de la sociedad portuguesa, es muy posible que haya algo incendiario oculto en sus documentos privados. —Observó con detenimiento su expresión antes de continuar—: Therese Osbaldestone me recordó hasta qué punto estaba Camden involucrado con los portugueses, incluso antes de que lo nombraran embajador. Si lo tenemos en cuenta, es posible que no haya nada en los informes del Ministerio de Asuntos Exteriores... por la sencilla razón de que Camden considerara el asunto en cuestión como algo ajeno al ministerio, habida cuenta de que todo sucedió antes de que aceptara el cargo.

—¿Quieres decir que tal vez haya evitado hacer referencia al asunto en los informes oficiales?

—Si no afectaba de ninguna manera a la embajada de la que era responsable, sí. —Asintió con la cabeza—. Creo que era capaz de hacer algo así.

—Pero sí podría haberlo mencionado en sus documentos privados.

—Desde luego. —Suspiró—. Tal vez debería haberlos leído con más atención, pero al menos ahora sé en qué periodo de tiempo debo concentrarme.

En ese preciso momento, sin embargo, rodeada por las sombras de la noche y por los brazos de Michael, los documentos privados de Camden no eran su máxima prioridad. Lo estrechó con fuerza y se pegó a él.

—Bésame.

Michael sonrió y aceptó su invitación, recordándose mentalmente que debía preguntarle a qué antiguo amigo le había confiado la lectura de las cartas de Camden. Sin embargo, la invitación de Caro se hizo mucho más explícita y se sumergió en cuerpo y alma en ese mar de sensualidad, olvidando todo lo demás.

Jamás había compartido una unión semejante con una mujer, ni se imaginaba haciéndolo con otra que no fuera ella. A medida que pasaban las noches, los días, las veladas y las horas que compartían en ese mundo privado, parecían convertirse en dos mitades cada vez más compatibles y definidas que conformaban un todo sin igual.

Lo supo de repente y la certeza le provocó una tremenda alegría. El júbilo lo recorrió de los pies a la cabeza. Daba igual que Caro aún no hubiera cambiado de opinión y no hubiera accedido a casarse. Él, por su parte, no veía otra salida; de hecho, se negaba a considerar ningún otro resultado. El camino que los conducía hasta este momento tal vez estuviera velado por las sombras que le impedían saber cuándo llegaría el momento y cómo sería, pero el destino final era inmutable.

Más tarde, ya saciado y complacido, abrazó a una exhausta Caro, la acurrucó entre sus brazos y se apoyó en los almohadones.

Recordaba que había algo que quería preguntarle, pero no recordaba...

—¿Quién te sermoneó sobre tu deber? —Esperaba que no hubiera sido su abuelo.

—Therese Osbaldestone. —Adormilada, frotó la mejilla contra su brazo—. Está encantada de que no me esté escondiendo.

El comentario le recordó que no debía quitarle ojo a lady Osbaldestone. No la necesitaba para que hiciera campaña en su favor y presionara a Caro, en ningún sentido.

Si hubiera albergado alguna duda acerca de lo mucho que necesitaba a Caro, sólo a ella, a su lado, las dos noches pasadas la habría disipado por completo. Aun así, se trataba de su carrera profesional. Si bien esas consideraciones añadían ímpetu a su decisión (un motivo que iba haciéndose cada más poderoso y que lo instaba a casarse con ella cuanto antes), esos mismos argumentos despertarían la desconfianza de Caro... Y no podría culparla en absoluto.

El matrimonio... Bueno, cuanto más pensaba en el asunto y lo contemplaba desde todos los ángulos, más claro tenía que debía basarse en algo más que en intereses personales y, desde luego, en algo más que en el sentido del deber. Caro rechazaría volver a doblegarse ante el deber y él se negaba a casarse con ella de ese modo. No por ese motivo.

Por ese motivo, ni por asomo.

Fue consciente de que lo invadía la impaciencia a pesar de la tranquilidad que lo rodeaba allí tumbado en la calidez de las sábanas arrugadas, dejándose arrastrar por el sueño mientras lo arrullaba la suave respiración de Caro y sentía el calor que irradiaba su voluptuoso cuerpo. Su presencia era una promesa mucho más poderosa que las simples palabras. Sin embargo, sabía que no debía dejarse llevar por la impaciencia.

Sabía que lo sensato era dejar que ella tomara una decisión por sí sola, sin presiones ni intentos de coacción...

Se le ocurrió algo justo antes de que el sueño lo reclamara. Tal vez hubiera algo que sí pudiera hacer.

Influir en las personas sin que éstas se dieran cuenta era la moneda de cambio de un político. Y él era un político excelente. Y así se lo recordó a la mañana siguiente, después de dejar a Caro en la salita de la planta superior revisando los diarios de Camden, y mientras recorría Upper Grosvenor Street para salir a Grosvenor Square.

Nada de presiones ni coacciones, aunque había otras formas, otras maneras. Una acción valía más que mil palabras.

Honoria estaba en casa. Se encontraron en la salita y los niños entraron en tromba tras ella. Después de admirar obedientemente el bate y la bola de sus dos sobrinos y de pasar varios minutos haciéndole cosquillas a Louisa, miró a su hermana. Honoria se percató de ello y ordenó a los niños que salieran a jugar al jardín, donde les esperaban sus niñeras.

—¡Ya está! —Honoria lo miró desde el vano de la puerta—. ¿Qué pasa?

Se acercó a la puerta para que su hermana pudiera vigilar a sus hijos mientras charlaban.

—Quiero casarme con Caro, pero... —Con la vista perdida en el jardín, continuó—: Su anterior matrimonio se sustentaba en la necesidad que Camden tenía de sus habilidades, ya que vio su potencial nada más ponerle los ojos encima. Y yo necesito esas habilidades en una esposa, pero ése sería el último motivo que Caro aceptaría para contraer un segundo matrimonio.

Honoria hizo un mohín.

—Entiendo lo que quieres decir. Camden era bastante mayor que ella.

—Así es. Aunque lo peor es que se trató de un matrimonio concertado... pensado para cubrir las necesidades de Camden. Sin embargo, Caro no lo supo hasta más tarde.

La expresión de su hermana reflejó su consternación.

—¡Ay, Dios! —Desvió la vista hacia él un instante—. Así que si formulas tu proposición ofreciéndole sólo la posición que va a ocupar a tu lado...

—Si sólo le ofreciera eso —concluyó con pesar—, no tendría la menor oportunidad de conseguirla. —Inspiró hondo y expulsó el aire antes de proseguir—: Para conseguir a Caro, tengo que ofrecerle más... mucho más. —Miró a su hermana a los ojos—. Razón por la que me encuentro aquí.

Quería preguntarte qué te hizo cambiar de opinión y aceptar la proposición de Diablo cuando te negabas en redondo al principio. ¿Qué inclinó la balanza?

Honoria observó el rostro de su hermano, su expresión. Comprendía a la perfección lo que le estaba preguntando. Su mente se remontó siete años atrás, a aquel largo verano. Recordó... Se giró hacia el jardín y buscó las palabras que explicaran qué la había llevado a aceptar la oferta de Diablo, a no dejar pasar su oportunidad, a aceptar el desafío... a recoger el guante que el destino le había arrojado de forma inesperada.

¿Cómo podía explicar el atractivo y la tentación que suponía el amor? La tentación que suponía un corazón puesto a sus pies, aunque fuera a regañadientes o en contra de la naturaleza de quien lo ofrecía. ¿Cómo podría explicar que esa misma renuencia, en según qué circunstancias, confería aún más valor al regalo porque constataba que era una entrega meditada?

Inspiró hondo y buscó las palabras necesarias para explicarse. A la postre, dijo:

—Cambié de opinión porque me ofreció lo que de verdad necesitaba, lo que haría realidad mis sueños e incluso los superaría. Porque estaba preparado para ofrecerme todo eso y, con ello, lo que yo valoraba sobre todo lo demás.

Su mirada se clavó en los niños. ¿Debería mencionarle que Caro quería tener hijos, que anhelaba tenerlos en la misma medida que lo había deseado ella? Un anhelo oculto y muy íntimo que sólo otra persona que lo hubiera experimentado podría reconocer. Lo había adivinado y había aprovechado la oportunidad que le presentó Louisa para corroborarlo, para despertar ese anhelo.

No obstante, si se lo contaba a Michael... Era un hombre. ¿Sabría cómo utilizar ese conocimiento a su favor? Tal vez llegara a creer que la promesa de tener niños bastaba en sí misma en lugar de verla como el resultado, como la consecuencia de ese otro regalo mucho más valioso.

Aparte del deseo de ver a su hermano feliz, casado con una dama que estuviera a su altura, también sentía la compulsión de hacer todo lo que estuviera en su mano para que Caro fuese feliz. De hacer que su amiga de la infancia encontrara la misma felicidad que ella había encontrado.

Lo último que quería era que el primer matrimonio de Caro, tan desastroso como fue, mermara sus posibilidades de ser feliz.

Cuando miró a Michael, se percató, a pesar de su expresión inescrutable, de que intentaba asimilar sus palabras, de que intentaba comprenderlas.

—No puedo explicarlo de otra manera. Cada mujer exterioriza su anhelo personal de un modo único, pero la clave reside en ofrecerle aquello que haga sus sueños realidad, o al menos en mostrarse dispuesto a hacerlo.

Michael la miró con una sonrisa torva.

—Gracias.

—Espero que te sirva de algo —le dijo con un suspiro.

—Me sirve... o me servirá —le aseguró al tiempo que le daba un apretón en la mano. Tras echarles una última mirada a sus sobrinos, que correteaban entre risas y gritos por el jardín, le soltó la mano y se despidió de ella—. Te dejo con tu sueño.

Honoria resopló, pero ya había salido a la terraza cuando él llegó a la puerta. Se detuvo para hablar con Diablo, que no tenía noticias nuevas, y después se marchó a sus clubes. Mientras caminaba, siguió dándole vueltas a las palabras de Honoria.

Las había pronunciado con la mirada fija en sus hijos. Dado su historial familiar y la trágica pérdida de sus padres y sus hermanos, era fácil entender que, para Honoria, el hogar, la familia y los hijos eran muy importantes. Él también valoraba esas cosas en la misma medida.

¿Había querido decir que lo mismo sucedía con Caro?

De ser así, ¿por dónde empezaba?

¿Cuál era el anhelo más profundo de Caro?

19

Regresó a Upper Grosvenor Street justo antes de las tres, aunque aún no había llegado a nada concluyente, ni sobre sus pesquisas ni sobre los deseos de Caro. Alejó su mente de esos derroteros y subió los escalones de dos en dos hasta la salita. Cuando abrió la puerta, se dio un festín con la imagen de Caro, sentada en un sillón y enfrascada en uno de los diarios de Camden.

Ella levantó la vista. Esos increíbles rizos le enmarcaban el rostro. El sol que se filtraba por la ventana brillaba sobre su cabello, rodeándola con una especie de halo que resaltaba sus delicadas facciones y sus ojos almendrados. Unos ojos que se iluminaron al verlo.

—¡Gracias a Dios! —Cerró el diario y lo dejó encima del montón antes de extender las manos hacia él—. Deseo de todo corazón que hayas venido a rescatarme.

Entró en la estancia con una sonrisa, le cogió las manos y la instó a ponerse en pie... para encerrarla en un abrazo. Inclinó la cabeza y ella alzó la suya, de modo que sus labios se encontraran a medio camino. Compartieron un beso lento y ardoroso, aunque ambos pusieron mucho empeño en controlar la pasión, en no dejarse arrastrar por las llamas.

Sus labios se separaron un instante antes de volver a fundirse y saborearse en una entrega mutua. A la postre, fue él quien alzó la cabeza.

—Supongo que debemos irnos —dijo ella, que suspiró y abrió los ojos.

Su evidente renuencia le supo a gloria. Aun así...

—Mucho me temo que sí. —La soltó y retrocedió un paso—. Lucifer nos espera.

Habían acordado enseñarle la mansión de Half Moon Street a las tres. Cuando llegaron, Lucifer los esperaba apoyado contra la verja de la entrada principal, muy apuesto con su aire de libertino.

Sonrió al verlos llegar y se enderezó para ayudar a Caro a descender del carruaje antes de hacerle una elegante reverencia.

—A sus pies, señora Sutcliffe. Es un placer conocerla.

Ella sonrió.

—Gracias. Pero, por favor, llámeme Caro.

A él lo saludó con un gesto sucinto y después hizo un ademán para que se trasladaran a la casa.

—Confieso que me muero por ver la colección.

Tras abrir la puerta, Caro los hizo pasar al vestíbulo principal.

—No me había dado cuenta de que Camden era un coleccionista reconocido.

—No lo era, pero en cuanto comencé a hacer indagaciones, resultó que era muy conocido sobre todo por la excentricidad de sus gustos. —Estudió el aparador y el jarrón que había encima—. La mayoría de las personas coleccionan un objeto determinado. Sutcliffe coleccionaba todo tipo de objetos, y para una casa además... para esta casa. —Señaló la mesa redonda que había en el centro del vestíbulo y el espejo que colgaba de una de las paredes—. Todo se eligió para ocupar un sitio en concreto y para cumplir una función específica en esta casa. Y todo es único... La colección en sí es única, no tiene igual.

—Comprendo. —Los condujo al salón y se acercó a las ventanas para descorrer las cortinas y dejar así que la luz del sol se derramara sobre los maravillosos muebles, se reflejara en los espejos e hiciera relucir los dorados y la plata bruñida—. Nunca me extrañó. —Se giró hacia él—. ¿Qué necesita ver?

—Las habitaciones principales, supongo. Pero, dígame, ¿sabe con quién trataba? Tengo algunos nombres, pero me preguntaba con qué otros tratantes estaría en contacto.

—Wainwright, Cantor, Jofleur y Hastings. Con nadie más.

Lucifer levantó la vista.

—¿Está segura?

—Sí. Camden se negaba a tratar con más. En una ocasión me comentó que no tenía intención de que lo timaran, razón por la que insistía en tratar sólo con caballeros en los que confiaba.

Lucifer asintió con la cabeza.

—Y acertó con esos cuatro, así que ya podemos olvidarnos de que haya falsificaciones. Si alguno hubiera descubierto que le había vendido una falsificación, habría insistido en devolverle el dinero. Si sólo trataba con ellos, está claro que no tenemos que preocuparnos por ese tipo de fraude.

—Por ese tipo de fraude... —Enarcó las cejas—. ¿Hay más posibilidades?

—Una que está empezando a ser la más probable. —Lucifer miró a su alrededor—. Pero prefiero echar un vistazo antes de explicar nada.

Caro lo guió por la planta baja, respondiendo a las preguntas que Lucifer le hacía y confirmando que Camden había mantenido un registro actualizado de todas sus compras. En el comedor, mientras esperaban a que Lucifer estudiara el contenido de una vitrina, se percató de que un candelabro que normalmente solía estar en el centro del aparador se encontraba a la izquierda. Lo colocó e intentó recordar la posición que había ocupado cuando Michael y ella fueron en busca de los documentos de Camden. Estaba segura de que el candelabro había estado en su lugar de costumbre.

La señora Simms debía de haber pasado por allí. Claro que la mujer debía de haber estado muy distraída para no colocar el candelabro en su lugar de siempre. No faltaba nada y no había nada más fuera de lugar. Tras recordarse que debía enviarle un mensaje al ama de llaves para hacerle saber que había regresado a la ciudad, se giró hacia Lucifer al tiempo que éste se enderezaba.

—Venga, le enseñaré la planta alta.

Michael los seguía, escuchando sólo a medias ya que estaba muy pendiente de aquello que lo rodeaba. No como Lucifer, que examinaba los objetos uno a uno, ni como lo hiciera la última vez que estuvo en la mansión, sino para averiguar lo que ésta podía decirle sobre Caro; para descubrir las pistas que podía ofrecerle sobre los anhelos de su dueña, sobre aquello que codiciaba y que aún no había logrado. ¿Qué faltaba en esa magnífica mansión?

Niños, eso fue lo que se le ocurrió, pero mientras echaba un vistazo a su alrededor, se dio cuenta de que lo que faltaba no eran pequeños de dedos regordetes correteando por los pasillos o deslizándose entre carcajadas por el elegante pasamanos tallado de la escalinata.

La casa estaba vacía. Vacía por completo. Camden la había creado para Caro, de eso no le cabía ya la menor duda, pero era una casa fría, carente de corazón y de vida, carente de ese aire especial que le daba una familia, el mismo que le habría dado vida y la habría llenado de felicidad. Era sin duda un cascarón exquisito y hermoso, pero nada más.

Lo que esa casa necesitaba para cobrar vida era el único regalo que Camden no le había dado a Caro. O bien lo había pasado por alto o bien había carecido de lo necesario para dárselo.

¿Qué hacía que una casa cobrase vida, que no sólo fuera la residencia habitual de la familia, sino que se transformara en un hogar?

Estaba en el pasillo de la planta alta cuando Caro y Lucifer salieron del despacho.

Lucifer hizo un gesto en dirección a la escalinata.

—Bajemos —dijo con expresión sombría. Una vez en el vestíbulo, dio media vuelta para mirarlos—. Esta casa encierra un peligro que podría estar detrás de los ataques contra Caro. La colección como tal no representa una tentación, pero sí algunas piezas individuales. Sutcliffe tenía buen ojo para escoger sólo lo mejor... Y muchas de las piezas son obras maestras. Lo bastante buenas como para tentar a un coleccionista obsesionado, uno de esos que tienen que hacerse con la pieza una vez que la han visto. —Miró a Caro—. Dado el motivo que llevó a Sutcliffe a crear la colección, dudo mucho que vendiera alguna pieza una vez que la comprara. ¿Estoy en lo cierto?

Caro asintió con la cabeza.

—Se pusieron en contacto con él en muchas ocasiones para comprar ciertos objetos; pero, tal y como ha dicho, una vez que había dado con la pieza perfecta para un lugar, no estaba interesado en venderla. Para él no tenía sentido alguno.

—A eso precisamente es a lo que me refiero. —Lucifer lo miró—. Entre esos coleccionistas obsesionados hay quienes se saltarían todas las leyes habidas y por haber para conseguir ciertas piezas. Se obsesionan hasta tal punto que tienen que conseguirla cueste lo que cueste.

—¿Por qué no limitarse a hacerle una oferta a Caro? —le preguntó él con el ceño fruncido.

Lucifer desvió la vista hacia Caro.

—¿Vendería algo?

Caro enfrentó su mirada y, tras meditarlo, respondió:

—No. Esta casa es obra de Camden... No podría destruirla.

Lucifer volvió a mirarlo.

—Ahí tienes la razón. Supondrían que no vendería nada, que estaría tan obsesionada con la pieza en cuestión como ellos mismos.

—¿Por qué no entrar y robarla? —Abarcó la estancia con la mano—. Puede que las cerraduras sean buenas, pero un ladrón decidido...

—Poco haría para satisfacer a los coleccionistas obsesionados. Aparte del objeto, desean demostrar su autenticidad y la única manera de conseguirlo es a través de una venta legítima.

Caro lo miró con los ojos desorbitados.

—¿Intentarían matarme para obligarme a vender?

—Quien herede este lugar cuando muera... ¿se sentirá tan unido a la casa como usted? ¿O, en caso de que alguien se le acerque discretamente y como es debido, estaría dispuesto a vender algunas piezas pasado un tiempo prudencial?

Caro parpadeó sorprendida y lo miró. No le hizo falta interpretar esa mirada.

—Geoffrey, Augusta y Angela venderían cualquier cosa. No de inmediato, pero sí pasado un tiempo —respondió él.

—Sí, lo harían —reiteró Caro.

—Cuando empecé a hacer pesquisas, me sorprendió el gran número de personas que conocía el contenido exacto de esta mansión. —Lucifer volvió a mirar a su alrededor—. Definitivamente aquí dentro hay motivos más que suficientes para asesinar.

En lugar de estrechar el cerco, lo estaban ampliando, ya que los motivos para asesinarla se multiplicaban en lugar de ir disminuyendo. Después de tomar el té con ellos en Upper Grosvenor Street, Lucifer se marchó para continuar con sus pesquisas; empezaría primero por los beneficiarios del testamento y después seguiría investigando con sus contactos en los bajos fondos del mundo de las antigüedades en busca de rumores sobre algún «coleccionista obsesionado», según sus palabras, que deseara hacerse con algunas de las piezas más importantes de la mansión de Half Moon Street.

Durante la cena, discutieron la situación con Magnus y Evelyn. Magnus se mostró indignado y molesto por no poder ayudarlos, ya que sus contactos, que se limitaban a la esfera política, no eran de utilidad. Fue Evelyn la que sugirió que Magnus y ella visitaran a la anciana lady Claypoole.

—Su marido fue predecesor de Camden como embajador de Portugal. Lord Claypoole murió hace mucho tiempo, pero Ernestine tal vez recuerde algo que nos sea de utilidad. Ahora mismo está en la ciudad, de visita con su hermana. No veo nada malo en ir a verla para averiguar qué tiene que decirnos.

Todos estuvieron de acuerdo en que era una idea excelente. Tras dejar a Magnus y Evelyn para que trazaran sus planes, Michael y ella partieron hacia sus obligaciones sociales: dos veladas muy exclusivas, la primera en la embajada belga y la segunda en la residencia de lady Castlereagh.

Cuando entraron en el salón de la embajada belga, atisbó una cabeza de pelo oscuro entre la multitud. Se inclinó hacia Michael.

—¿El hombre que está junto a las puertas francesas es Ferdinand?

Michael desvió la vista en esa dirección y apretó los labios.

—Sí. —La miró—. ¿Te parece que le preguntemos qué hace en la ciudad?

—Vamos —contestó con una sonrisa que no le llegó a los ojos.

Cuando por fin se abrieron paso entre los invitados, a los que tuvieron que saludar, y llegaron a las puertas francesas, Ferdinand ya no estaba. Michael levantó la cabeza y escudriñó la multitud.

—No está aquí.

—Nos ha visto y ha huido. —En semejante compañía, se cuidó mucho de fruncir el ceño, pero miró a Michael con expresión seria—. Me pregunto qué dice eso de su conciencia.

Michael enarcó una ceja.

—¿Acaso tiene?

Se encogió de hombros en un gesto muy elocuente y se giró para saludar a lady Winston, la esposa del gobernador jamaicano, que se acercaba a ellos a toda prisa.

Le presentó a Michael, y una vez finalizada la conversación, siguió a su lado mientras circulaban entre los invitados. Una vez satisfechos, se trasladaron a la velada de lady Castlereagh, donde tampoco se separaron. No sabía muy bien si la mutua y tácita decisión de trabajar en equipo se debía a su reacción ante las necesidades de Michael —unas necesidades que percibía cada vez con más claridad y a las que respondía de modo instintivo— o al deseo de éste de mantenerla cerca, protegida y al alcance de la mano. Se movían entre los invitados tomados del brazo, y la mano de Michael cubría la suya, comunicándole ese deseo sin palabras.

La noche no desveló nada acerca de ningún secreto largamente guardado que los portugueses se afanaran por enterrar para siempre, pero sí sirvió para que se percatara de muchas otras cosas.

Ya de vuelta en Upper Grosvenor Street, cuando Michael estuvo con ella en la cama después de haber compartido y satisfecho su mutuo deseo y se hubieron bañado en un mar de placer compartido que los dejó exhaustos, relajados y al borde del sueño, se permitió reflexionar acerca de todo lo que había visto, de todo lo que había percibido, de todo lo que había averiguado.

Acerca de Michael. Acerca de lo mucho que la necesitaba, y no sólo en el plano físico que acababan de saciar, ni a nivel profesional, aunque comenzaba a darse cuenta de que su necesidad era acuciante en ese sentido, sino en la necesidad que denotaban sus abrazos y sus tiernos besos en el pelo. O su forma de abrazarla por la cintura incluso mientras dormía. O la tensión que lo embargaba y que lo aprestaba a protegerla de cualquier peligro, ya fuera físico o emocional.

La necesitaba porque así lo revelaba esa compulsión por protegerla.

Le había dicho que quería casarse con ella, que la proposición seguía vigente y que sólo tenía que dar el sí para que se casaran. En un primer momento no había creído posible que algo pudiera hacerla cambiar de opinión, que pudiera vencer su aversión al matrimonio, sobre todo de un matrimonio con otro político y, sin embargo, esa esquiva necesidad que atisbaba en su comportamiento lo había conseguido. Poseía un poder ante el cual ni siquiera su endurecido corazón, ese corazón que ella había endurecido a propósito, era inmune. Si bien ya no era tan joven, tan inocente y tan ingenua como para dar las cosas por sentado, los años también le habían enseñado a no despreciar los regalos del destino.

Unos regalos que se presentaban en escasas ocasiones. Pero cuando lo hacían...

¿Estaba preparada para enfrentarse de nuevo al reto de amar a un político? ¿A un hombre con un encanto innato, para quien la persuasión era una habilidad imprescindible?

Sin embargo, no eran las palabras de Michael las que la estaban persuadiendo. Eran sus actos, sus reacciones. Y las emociones que las motivaban.

El sueño la fue venciendo, aletargando sus sentidos y dispersando sus pensamientos. Alimentando su fantasía.

Lo último que percibió de forma consciente fue la cercanía del cuerpo de Michael, cálido, desnudo y relajado por la satisfacción, acurrucado tras ella y protegiéndola. Su simple presencia lo decía todo: no era Camden.

Acostado junto a Caro en su cama, Michael se percató del momento en el que el sueño se apoderaba de ella. Por su parte, intentó resistirse con la intención de meditar acerca del problema, de ver más allá de las implicaciones, de identificar el deseo que albergaba el corazón de Caro, sus sueños más preciados.

Un hogar, una familia, un marido, ser anfitriona de un político o un diplomático, ser la esposa de un ministro: una posición en la que sus habilidades serían más que apreciadas y valoradas... Él podía darle todo eso, pero ¿cuál era la clave, qué era lo que la llevaría a aceptar un matrimonio con él?

A pesar de todos sus esfuerzos, el sueño acabó venciéndolo, arrastrándolo a la inconsciencia mientras seguía buscando la respuesta.

A lo largo de los días siguientes, Caro se dedicó en cuerpo y alma a los diarios de Camden. Se pasaba el día leyendo en la salita, sin salir de casa, salvo para asistir por las noches a las selectas veladas que Michael y ella elegían.

Si la clave que resolvía el misterio de los intentos de asesinato estaba en los documentos privados de Camden, era evidente que debía poner todo su empeño en descubrirla.

Evelyn y Magnus disfrutaron de lo lindo con su visita a lady Claypoole, si bien la mujer sirvió de poca ayuda salvo por el hecho de que confirmó con sus vagos recuerdos que hubo algún tipo de escándalo político al final del mandato de su esposo en Lisboa. No obstante, la salida mejoró el estado de ánimo de ambos ancianos, de modo que algo habían salido ganando.

Michael siguió interpretando el papel del futuro ministro de Asuntos Exteriores y se aprovechó de la predisposición que mostraban los demás a congraciarse con él para averiguar todo cuando le era posible sobre los portugueses. No sólo buscó información con los diplomáticos ingleses, también se acercó a los españoles, franceses, corsos, sardos, belgas e italianos. Cada cual tenía sus propias fuentes, así que alguien tendría que saber algo relevante.

Y después estaba Ferdinand.

No se había olvidado de él ni del personal de la embajada portuguesa. Sin embargo, no podía acercarse a ellos directamente. Con la ayuda de Diablo, orquestaron un plan para infiltrarse en sus filas y averiguar todo cuanto pudieran; el único problema era que una operación semejante llevaba su tiempo.

Un tiempo del que tal vez carecieran y eso lo preocupaba cada vez más.

Una tarde, después de regresar a Upper Grosvenor Street sin haber avanzado en la investigación, subió la escalinata y se detuvo en la puerta de la salita para observar a Caro, que estaba leyendo. Cuando levantó la vista y le sonrió, entró en la estancia.

Se dejó caer en el sillón que había junto al suyo con un suspiro.

Caro lo miró con una ceja enarcada.

—¿Nada?

Negó con la cabeza.

—La paciencia, bien lo sé, es una virtud, pero...

Caro sonrió y bajó la vista para retomar la lectura.

Se quedó allí sentado, observándola, extrañamente complacido porque no se sintiera en la necesidad de darle conversación como haría cualquier otra dama. Era muy agradable que lo aceptara con tal naturalidad, que pudieran estar juntos sin que se interpusieran las habituales barreras sociales.

Esa sensación de camaradería alivió su frustración y disipó su irritación.

El distante sonido de la campanilla de la puerta principal llegó hasta ellos. Las pisadas de Hammer resonaron sobre las baldosas del vestíbulo y, un instante después, la puerta principal se cerró. No tardaron en escuchar que el mayordomo subía la escalinata.

Hammer apareció en la puerta y les hizo una reverencia antes de entrar en la estancia y tenderles una bandeja.

—Ha llegado una nota para usted, señora. El mensajero no espera respuesta.

Caro cogió la nota doblaba.

—Gracias, Hammer.

El mayordomo se fue tras ejecutar una reverencia. La observó mientras leía el mensaje y fue testigo de la sonrisa que asomó a sus labios cuando dejó la nota a un lado.

—Es de Breckenridge.

—¿¡De Breckenridge!? —La miró con los ojos desorbitados. ¿Habría oído bien?—. ¿El vizconde de Breckenridge, el heredero de Brunswick?

—El mismo. Ya te dije que le había pedido a un viejo amigo en quien confío plenamente que leyera las cartas de Camden. Timothy dice que aún no ha encontrado nada. —Su expresión se tornó afectuosa mientras contemplaba la nota—. Creo que está preocupado porque vaya a su casa, así que ha preferido enviar una nota.

¿Timothy? ¿Ir a su casa? Sus palabras le provocaron un vértigo atroz.

—Esto... no lo harías, ¿verdad? ¿O sí? —Cuando ella lo miró con expresión confundida, carraspeó—. Me refiero a ir a ver a Breckenridge... —Dejó la frase en el aire al ver que Caro parecía más confundida por momentos.

—Bueno, tenía que llevarle las cartas —replicó, parpadeando varias veces—. Mejor dicho, tenía que llevar conmigo a dos lacayos para que le llevaran las cartas. Después tuve que explicarle lo que quería que hiciera, lo que tenía que buscar.

Se limitó a mirarla sin más por un momento.

—Entraste en la residencia de Breckenridge sola. —Su voz sonaba rara, ya que estaba intentando asimilar la información.

Caro lo miró con el ceño fruncido y semblante severo.

—Conozco a Timothy desde hace más de diez años. Bailamos en mi boda. Camden lo conocía desde hacía casi treinta años.

Eso lo sorprendió.

—Breckenridge tendrá poco más de treinta.

—Treinta y uno —puntualizó ella con aspereza.

—Y es uno de los libertinos más afamados de Londres... ¡O el que más! —Se puso en pie de golpe y la observó mientras se pasaba la mano por el pelo.

—No empieces —le advirtió ella con voz desabrida y los ojos entrecerrados.

En ese instante se percató del obstinado rictus de sus labios y del brillo belicoso de sus ojos... Y sintió cómo se le tensaba más la mandíbula en respuesta.

—¡Por el amor de Dios! No puedes... visitar a un hombre de la reputación de Breckenridge sin más como si fueras a tomar el té.

—Claro que puedo... Aunque ahora que lo mencionas, no me ofreció una taza de té.

—Lo supongo —masculló.

Caro enarcó las cejas.

—Dudo mucho que puedas suponer nada. Y empiezas a parecerte demasiado a él, con ese empeño en que saliera por la puerta de atrás. Una práctica de lo más innecesaria que no venía a cuento. —Su mirada lo atravesó mientras proseguía—: Tal y como le recordé a él, deja que te recuerde a ti también que soy La Viuda Alegre. Mi viudez está más que consolidada... y a ningún miembro de la alta sociedad se le ocurriría pensar que estoy dispuesta a sucumbir a los ardides de un libertino.

Se limitó a mirarla fijamente como respuesta.

Se percató del ligero rubor que cubría sus mejillas antes de que se encogiera de hombros.

—Sólo tú estás enterado de eso... Además, no eres un libertino.

—Caro... —Entrecerró los ojos y apretó aún más los dientes.

—¡No! —exclamó ella, levantando la mano—. Escúchame. Timothy es un viejo y querido amigo, uno en el que confío ciegamente, sin reservas. Lo conozco desde siempre, era uno de los socios... mejor dicho, uno de los conocidos de Camden, y si bien sé lo que es y tengo su reputación muy presente, te aseguro que no corro ningún peligro estando con él. Ahora bien —puntualizó, mirando el montón de diarios—, aunque me alegra que Timothy haya enviado una nota porque no tengo tiempo de ir a su casa para averiguar qué tal le va, tampoco tengo tiempo que perder en discusiones tontas. —Cogió un diario y levantó la vista hasta que sus ojos se encontraron—. Así que en vez de fulminarme con la mirada en vano y sin razón, ya puedes ayudarme. Aquí tienes, empieza con éste. —Le arrojó el diario.

Él lo cogió y la miró con el ceño fruncido.

—¿Quieres que lo lea?

Caro había vuelto a abrir el diario que había estado ojeando. Levantó la vista y lo miró con las cejas enarcadas.

—Estoy segura de que sabes leer tan bien como Timothy. A él le di las cartas, pero los diarios están escritos con letra muy pequeña y son mucho más pesados de leer. —Bajó la vista y siguió hablando en voz más baja—. Y aunque confío en Timothy para que lea las cartas, hay ciertas referencias en los diarios que preferiría que no viese.

Contempló la cabeza agachada de Caro mientras calibraba el peso del diario que tenía en la mano. Era demasiado astuto como para pasar por alto el flagrante intento de manipulación del que estaba siendo objeto. Confiaba en él para esa tarea cuando no había confiado en Breckenridge (¡en Timothy!). Sin embargo, aunque fuera consciente de ello...

Pasado un momento, se volvió a sentar muy despacio. Abrió el diario y pasó unas cuantas páginas.

—¿Qué tengo que buscar?

Caro respondió sin levantar la vista.

—Cualquier mención a la corte portuguesa o a Leponte, Oporto o Albufeira. Si encuentras algo, enséñamelo, yo sabré si es lo que estamos buscando.

Descubrir que la dama con quien pensaba contraer matrimonio se relacionaba, al parecer sin la menor precaución, con el libertino más peligroso de Londres le habría puesto los pelos de punta a cualquiera, o eso se decía Michael.

Desde luego, ésa había sido su reacción, hasta tal punto de haber considerado la idea de rodearla con guardias, una medida que estaba seguro de que acabaría en otra discusión, una que él no ganaría.

Sabía mejor que ninguna otra persona que, tal y como había dejado caer, Caro jamás se había relacionado en el plano físico con Breckenridge ni ningún otro hombre de su clase. Sabiendo eso, tal vez estuviera sacando las cosas de quicio, aun así...

Mientras Caro se preparaba para asistir a la cena que celebraba lady Osterley, él aprovechó para sentarse en la biblioteca y echarle un vistazo al Registro de la Aristocracia de Burke.

Timothy Martin Claude Danvers, vizconde de Breckenridge. Único hijo del conde de Brunswick.

Los estudios habituales, Eton y luego Oxford, y la lista habitual de clubes. Se apresuró a seguir leyendo, buscando alguna referencia cruzada entre los Danvers, los Elliot (la familia materna de Breckenridge) y los Sutcliffe. No encontró la conexión a la que Caro había hecho alusión.

Cuando la escuchó bajar la escalinata, cerró el libro y lo devolvió a la estantería. Tras recordarse que debía darle prioridad al asunto de Breckenridge entre lo que debía investigar al día siguiente, se encaminó hacia el vestíbulo principal.

Caro no estaba segura de los sentimientos que le provocaban los celos de Michael por su relación con Timothy. Según había observado, los hombres celosos tendían a ser dictatoriales, a coartar a las mujeres y a intentar encerrarlas. Su mente lógica recelaba de los hombres celosos. Sin embargo...

Jamás había experimentado la sensación de que un hombre tuviera celos por su causa. Aunque era irritante en ciertos aspectos, también debía admitir que era una idea muy intrigante. Sutilmente reveladora. Lo bastante interesante como para ayudarla a soportar el silencio que Michael guardó durante todo el trayecto hasta casa de los Osterley. No estaba enfadado, estaba meditando, pensando... más sobre ella que sobre Timothy, o eso suponía.

Aun así, cuando llegaron a su destino y él se apeó para ayudarla a bajar, fue consciente de que toda su atención recaía sobre ella. Una atención que siguió clavada en ella mientras subían los escalones y saludaban a su anfitriona, mientras pasaban al salón y se reunían con los invitados, sin importar las distracciones. Estaba pendiente de ella...

Lejos de enfadarla, le pareció que ser su centro de atención era de lo más agradable. Después de todo, tener al lado a un hombre celoso no era tan malo.

El salón de los Osterley estaba repleto de la flor y nata de la política. Además de los invitados habituales, también se encontraban allí Magnus, que había acudido por separado, Harriet Jennet, la tía de Michael, y Therese Osbaldestone. Diablo y Honoria también estaban presentes.

—Lord Osterley es un pariente lejano de los Cynster —le explicó Honoria cuando se saludaron con un breve apretón de manos y un beso en la mejilla.

Había pocos invitados que no conociera. Pasaron un rato con Diablo y Honoria antes de que se separaran con la intención de conversar con otros invitados y reforzar alianzas, tal y como se esperaba de ellos. La concurrencia conformaba la élite política, el poder supremo del país. Todos los estamentos de la política estaban representados. Aunque el actual gobierno manejara los hilos, todos aceptaban que eso podría cambiar en el futuro, tras las elecciones.

El verdadero motivo de la cena no era otro que retomar viejas amistades, hacer otras nuevas... intercambiar nombres, recordar caras, averiguar a qué clubes pertenecía tal o cual caballero, su posición actual y sus aspiraciones, aunque nadie lo admitiera. Semejantes veladas se repetían dos o tres veces al año, rara vez se necesitaban más. Los invitados tenían una memoria excelente.

Al llegar al otro extremo del salón, miró por encima del hombro, analizando, considerando...

—¿Qué? —le preguntó Michael, acercándose a ella.

—Estaba pensando que es una multitud considerable, pero que está escogida con mucho cuidado. —Lo miró a los ojos—. Ni siquiera están todos los ministros actuales.

—Algunos —le explicó Michael, que la cogió del codo y la instó a moverse— se han cavado su propia tumba. Otros, por más que me duela admitirlo, son tan cerrados de miras que no están dispuestos a cambiar, y el cambio se masca en el ambiente.

Asintió con la cabeza. Durante los dos últimos años, dado que ya no tenía que concentrarse en la política portuguesa, había seguido de cerca el estado de la nación. La reforma de los plebiscitos era uno de los innumerables desafíos a los que se enfrentaba el Gobierno.

Ya no bastaba con gobernar sin más. Los tiempos que corrían, el futuro más inmediato, obligaban a tomar parte activa en ellos.

La diplomacia y la política eran viejos compañeros de cama; su experiencia en el primer ámbito le otorgaba un vasto conocimiento del segundo. Le resultó muy sencillo mezclarse con la multitud, cautivando y dejándose cautivar por los demás, interactuando con los invitados y absorbiendo toda la información que sus preguntas y comentarios arrancaban.

Michael no necesitaba su ayuda en ese ámbito, no necesitaba que lo animaran ni que le dieran consejos directos. Se encontraba más a gusto que ella misma. Lo que sí le vendría bien era una persona que comprendiera no sólo las palabras, sino también sus matices, una persona que desarrollara un tema o cambiara el rumbo de la conversación para averiguar más cosas.

Cuando se alejaron de lord Colebatch y del señor Harris, el Ministerio de la Guerra, su mirada se topó con la de Michael. Intercambiaron una sonrisa muy breve, y muy íntima.

—Formamos un equipo magnífico —comentó él, acercándose aún más.

—Colebatch no quería hablarte de su participación en el nuevo ferrocarril.

—Y no lo habría hecho si tú no hubieras hecho esa pregunta... ¿Cómo te percataste del tema?

—Pareció incómodo cuando Harris mencionó el asunto. Tenía que haber un motivo. —Alzó la vista—. Y lo había.

Michael reconoció su astucia con una inclinación de cabeza y la condujo hacia nuevos pastos.

Como era habitual en ese tipo de reuniones, se alargó el tiempo que los invitados compartían en el salón antes de pasar al comedor e, incluso después de que todos estuvieran sentados a la larga mesa, la tónica de la conversación siguió siendo el ingenio y la astucia. En una cena semejante, la comida no era el plato fuerte, sino la información.

Ideas, sugerencias, observaciones... Todo tenía su lugar. En semejante compañía, todos eran tratados con respeto. A la vista de cualquier espectador, la escena era deslumbrante y suntuosa, pero de una elegancia exquisita. Tal vez un tanto descomedida por el valor económico de la cubertería bañada en oro, de la vajilla de Sevres y de la reluciente cristalería, cuyo brillo era una pobre imitación de los diamantes que adornaban los cuellos de las damas.

Todos lo sabían, aunque lo pasaran por alto. Todos estaban pendientes de la conversación, que era el motivo por el que se encontraban allí.

Para ella la experiencia era agotadora a la par que emocionante. Habían pasado más de dos años desde que asistiera a un evento semejante. Para su sorpresa, no habían desaparecido el entusiasmo y el deleite que el rápido intercambio de agudos comentarios, réplicas ingeniosas y conversaciones entremezcladas le provocaba. En todo caso, habían aumentado.

La cena tocaba a su fin cuando se reclinó un instante en el respaldo de la silla y tomó un sorbo de vino para recuperar el aliento tras una conversación bastante larga e hilarante con George Canning. En ese momento, se encontró con la mirada de lady Osterley. Sentada en el extremo más alejado de la mesa, la anfitriona era una de las damas más influyentes y le comunicó su aprobación alzando la copa en su dirección a modo de silencioso brindis.

Aunque le devolvió la sonrisa, se preguntó a qué se debía semejante gesto y recorrió la mesa con la mirada. Se dio cuenta de que todas las anfitrionas de renombre, todas ellas damas reconocidas por el poder que ostentaban, estaban estratégicamente colocadas entre los invitados a fin de que se hicieran cargo de un sector de la mesa, asegurándose así de que la conversación no cesara en ningún momento, cosa impensable en una cena semejante.

La habían incluido en el círculo de poder femenino.

El corazón le dio un vuelco, por la alegría sin duda alguna, por la satisfacción.

Cinco minutos después, lady Osterley se puso en pie y condujo a las damas de vuelta al salón para que los caballeros discutieran asuntos políticos mientras bebían su oporto.

Las damas tenían sus propios asuntos, igual de relevantes, que atender. Ella fue una de las últimas en entrar en el salón y se topó con Therese Osbaldestone, que la estaba esperando. La anciana se cogió de su brazo y señaló hacia las puertas francesas abiertas que daban al balcón.

—Necesito un poco de aire... Ven conmigo.

Intrigada, adaptó su paso al lento andar de la anciana mientras cruzaban la amplia estancia. Como siempre, Therese iba impecablemente ataviada con un vestido de cuello alto de seda castaña. En sus dedos deformados por la edad relucían los anillos mientras movía el bastón; un bastón que usaba a su antojo.

Complacida con su propio aspecto, pues había elegido un magnífico vestido de seda en un tono verde pálido y joyas de ámbar verdoso engastadas en plata para el cuello y las muñecas, siguió a Therese hacia el estrecho balcón. Disponían de todo el espacio para ellas solas, tal y como había pretendido Therese, sin duda alguna.

Tras colgarse el mango plateado del bastón de un brazo, la anciana se aferró a la barandilla y la observó. Con expresión especulativa.

Se enfrentó con total serenidad a la mirada de esos ojos negros, una mirada que desconcertaba a la mayoría, ya que ésa era su finalidad.

Therese esbozó una sonrisa antes de apartar la vista hacia los jardines en penumbra.

—La mayoría se habría asustado, pero tú no, por supuesto. Me gustaría felicitarte por tu buen juicio.

«Buen juicio... ¿en qué?», se preguntó, pero antes de que pudiera pronunciar las palabras en voz alta, Therese continuó hablando:

—Creo que, con demasiada frecuencia, solemos olvidar decirles a los demás cuándo han hecho una buena elección. Después, cuando empiezan los problemas y los errores, los criticamos y nos olvidamos de que, tal vez, no nos tomamos la molestia de apoyarlos cuando habríamos debido hacerlo. Puedes considerar mis comentarios desde esa perspectiva si eso te place... Y, si bien no tengo deseos de organizarte la vida —dijo, y volvió a mirarla a los ojos—, creo que unas palabritas de ánimo no te vendrían mal.

Caro esperó a que continuara.

—Tal vez no te acuerdes, pero yo no fui de los que aplaudieron tu matrimonio con Camden. —Desvió de nuevo la vista a los jardines—. A mi parecer, Camden era un asaltacunas, aunque la sociedad se muestre permisiva al respecto. Pero conforme fue pasando el tiempo, cambié de opinión. Y no porque creyera que era el esposo adecuado para ti, sino porque me di cuenta de que era, a todas luces, el mejor mentor que podrías tener.

Las palabras de la anciana hicieron que desviara la vista hacia los jardines, rodeados por la oscuridad de la noche. Percibió que Therese la observaba, pero no se giró hacia ella.

—Si no me equivoco —prosiguió en voz baja y seca—, el concepto de tutor y pupila describe a la perfección tu relación con Camden. Es por eso que quería aplaudir con todas mis fuerzas tu regreso a la actividad. —Su voz se endureció—. Tienes un gran talento, una habilidad muy desarrollada y mucha experiencia. Créeme cuando te digo que este país necesita esas cualidades. Se avecinan tiempos turbulentos, necesitamos a hombres íntegros, comprometidos y valientes para navegar por ellos, y dichos hombres necesitan el apoyo de... —Hizo una pausa y, cuando ella levantó la vista para enfrentarse a su mirada, esbozó una media sonrisa—. De mujeres como nosotras.

La miró con los ojos desorbitados por la sorpresa. El hecho de que la compararan con Therese Osbaldestone, que fuera ella misma quien lo hiciera, era asombroso. Y un honor.

Y Therese era muy consciente de ello. Inclinó la cabeza y torció el gesto con sorna.

—Sí, ya lo sé, pero tú también sabes que lo digo en serio. Tu «buen camino», querida Caro, conlleva noches como ésta. Muy pocas mujeres pueden enfrentarse a eventos de este nivel, y tú eres una de ellas. Es importante para todas nosotras (y sí, hablo en nombre de las demás) que sigas moviéndote en nuestro círculo. Esperamos de todo corazón que vuelvas a casarte y que estés ahí para apoyar a uno de esos hombres que están por venir; aunque, con indiferencia de todo eso, tú formas parte de nuestro círculo.

Le costaba respirar. Therese la miraba sin pestañear, de modo que era imposible dudar de la sinceridad de sus palabras; al igual que era imposible dudar del poder que la anciana ostentaba.

—Ésta, querida, es tu verdadera vida... Este círculo, la posición que te dará las mayores satisfacciones, que hará que te sientas realizada. —Torció el gesto—. Si tuviera una vena melodramática, diría que es tu destino.

Era imposible descifrar la expresión de esos ojos negros. Como muy bien sabía el rostro de la anciana sólo reflejaba lo que ella quería mostrar. Aun así, tuvo la impresión de que la miraba con cariño.

Y, como si quisiera confirmar sus sospechas, Therese le sonrió y le dio unas palmaditas en el brazo. Después, volvió a apoderarse de su bastón y se giró hacia el salón. Ella la acompañó en su lento regreso hacia el iluminado interior.

Nada más transponer las puertas francesas, Therese se detuvo y clavó la mirada en un punto concreto. Ella desvió la vista hacia allí... y se encontró con Michael. Acababa de entrar en el salón con el primer ministro y el actual ministro de Asuntos Exteriores, George Canning.

—Si no me equivoco —musitó Therese—, estás a punto de llegar a tu cénit, como diría El Bardo. Quería asegurarte que vas por buen camino, quería decirte que no desaproveches la oportunidad cuando ésta se presente, que te dejes guiar por el corazón, te armes de valor y cojas el toro por los cuernos.

Con ese último comentario, inclinó la cabeza y se alejó con paso regio, dejándola allí plantada mientras atesoraba sus palabras en la memoria para examinarlas más tarde antes de dirigirse al grupo más cercano. Y retomar el papel que le habían asignado.

Michael se percató de que Caro se reunía con un grupo de invitados en el otro extremo del salón. De forma inconsciente, sabía dónde se encontraba en todo momento, aunque estuviera pendiente de la conversación que mantenían los tres caballeros que estaban junto a él: Liverpool, Canning y Martinbury. No intentó meter baza. Sabía que Liverpool y Canning querían hablar con él, pero que estaban esperando a que Martinbury se marchara.

Caro pasó a otro grupo, del que formaba parte Honoria. Captó la mirada que intercambiaban su amante y su hermana; la atesoró en su fuero interno como otro ejemplo más de lo bien que Caro encajaba en su vida.

Alguien abandonó un grupo situado por detrás de ellas y el movimiento llamó su atención. Era Diablo, que se separó de dos importantes damas y fue a reunirse con su mujer. Honoria, que estaba de espaldas a él, se dio la vuelta para recibirlo.

Contempló el rostro de su hermana desde el otro extremo de la habitación. Observó la sonrisa deslumbrante que esbozaba y la radiante expresión que iluminaba su semblante. Desvió la vista hacia Diablo y en su rostro vio una expresión que, si bien no era tan evidente, transmitía las mismas emociones. Era la expresión física de un vínculo muy íntimo y tan poderoso que resultaba un tanto aterrador.

De hecho, resultaba aterrador dado el hombre que la lucía en ese momento.

Las palabras de Honoria acudieron a su mente: «Porque estaba preparado para ofrecerme todo eso y, con ello, lo que yo valoraba sobre todo lo demás»

En un principio creyó que se refería al plano físico y, por tanto, había buscado lo que era importante para Caro en ese sentido. Sin embargo, tal vez Honoria se refiriera a otra cosa... A algo más simple, más etéreo y mucho más poderoso.

Aquello de lo que dependía todo lo demás.

—¡Ah, Harriet! Me alegro de verte, querida.

Su atención regresó de nuevo a la conversación y vio que Liverpool saludaba a su tía Harriet. Martinbury la saludó con un gesto de cabeza y se marchó. Canning le hizo una reverencia a su tía mientras Liverpool se giraba hacia él.

—Oportuna como siempre, Harriet... Estaba a punto de tener una charla con tu sobrino aquí presente.

Los tres integrantes del grupo se giraron hacia él y cerraron un poco más el círculo. Por un instante, tuvo la fantasiosa impresión de que lo habían arrinconado. Cuando Liverpool sonrió, ya no le cupo la menor duda de que no eran imaginaciones suyas.

—Muchacho, quería decirte que nuestro George se va a retirar en breve. —Le hizo un gesto a Canning, que tomó la palabra.

—Las largas negociaciones con los norteamericanos me han agotado, ¿sabes? —El ministro se dio un tironcito del chaleco—. Es hora de que entre sangre joven, con más ímpetu. He hecho cuanto he podido, pero ha llegado el momento de que pase el testigo.

Harriet contemplaba la escena con ávido interés, preparada para intervenir si atisbaba algún indicio de que la cosa se torcía.

Liverpool dejó escapar el aire y miró a su alrededor.

—La cuestión es que tendremos una vacante en el Gobierno, la del ministro de Asuntos Exteriores, de aquí a unas semanas. Sólo quería hacértelo saber.

—Gracias, señor —dijo, inclinando la cabeza pero con expresión impasible.

—Así que Caro Sutcliffe, ¿no? —La mirada del primer ministro se posó en Caro y sus ojos se iluminaron con algo muy parecido a la dicha—. Incuestionable elección, muchacho... Una dama de lo más capaz. —Cuando lo miró de nuevo, se percató de que nunca lo había visto tan contento—. Me alegra comprobar que te tomaste tan a pecho mi consejo. En los tiempos que corren, es muy difícil ascender a un hombre soltero. El partido no sería capaz de soportarlo en este momento. Y no podrías haber escogido mejor. Esperaré ansioso tu invitación de boda en las próximas semanas.

Sonrió mientras respondía con una evasiva. Sospechaba que sólo su tía se había dado cuenta de la sutileza de su réplica. De todos modos, una vez que se despidieron con las cortesías de rigor, el grupo se separó y Harriet se alejó del brazo de Canning con una sonrisilla.

Aliviado, se escapó hacia otro grupo, rodeando la estancia poco a poco hasta llegar junto a Caro.

Levantó la vista y sonrió a Michael cuando éste se colocó a su lado. Le bastó una palabra y una mirada para introducirlo en la conversación que estaba manteniendo con el señor Collins, un miembro del Ministerio del Interior.

Le alegraba que Michael se hubiera reunido con ella. Había ciertas personas con las que sería bueno que hablara antes de regresar a casa.

Se separaron del señor Collins con una sonrisa y guió a Michael por la estancia, tomada de su brazo.

Como era habitual en semejantes eventos, las horas pasaron sin que la conversación decayera. Siguieron circulando entre los invitados. Era consciente de que había suscitado la curiosidad y también más de una mirada interesada. Poco a poco, se percató de que la verdadera naturaleza de su relación con Michael debía ser evidente. A todas luces, Therese Osbaldestone no era la única que se había percatado de ello.

Las palabras de Therese, que denotaban una sabiduría incuestionable, resonaron en su cabeza. Y se fueron clavando poco a poco en su corazón. Mientras seguía al lado Michael, interpretando su papel sin perder el compás, una parte de ella sopesaba sus posibilidades desde un punto de vista analítico y calculador, casi desapasionado.

Ésa era la vida, la posición y el objetivo que quería, que necesitaba. Era en eventos como ése cuando esa verdad brillaba con luz propia. Ella formaba parte de ese círculo.

Miró a Michael y contempló ese perfil tan masculino, mientras conversaba con otros invitados. Se preguntó si él lo sabría, si también habría visto la verdad.

En cierto sentido, se trataba de poder. De poder femenino. Ya lo había ostentado antes y se había acostumbrado a utilizarlo, a disfrutar de la satisfacción que le reportaba. Eso era lo que Camden le había enseñado, su legado más duradero y valioso. Seguir involucrada en los asuntos políticos y diplomáticos era esencial para su felicidad, para sentirse realizada. Therese Osbaldestone había estado en lo cierto.

Sin apartar la mirada de Michael, admitió que Therese también había estado en lo cierto en ese sentido. Con Camden, ella siempre había estado en la sombra. Él había sido el gran hombre, el gran embajador. Michael tenía un puesto diferente... y era un hombre completamente distinto. Una relación entre ellos sería una sociedad a partes iguales, una unión entre iguales, dos mitades de un todo. Y, lo más importante, era que los demás verían su relación con el mismo cristal y la aceptarían.

Sí... Therese había estado en lo cierto. La certeza de haber llegado a la conclusión correcta la invadió y sintió un irrefrenable deseo de aceptar el papel que se le presentaba. Un papel que sería su cénit.

En esa ocasión sería diferente.

Cuando Michael la miró, se limitó a sonreírle y a darle un apretón en el brazo. Un instante después, sintió que él le correspondía apretándole la mano mientras se despedían de ese grupo para pasar al siguiente.

Acababan de unirse a él cuando vieron que el primer ministro les hacía señas.

Michael retrocedió e intentó que lo acompañara, pero se negó.

—No —le dijo en voz baja—. Ve tú, puede que sea confidencial.

Michael titubeó antes de asentir con la cabeza y alejarse.

Dos minutos después, mientras escuchaba la conversación sin participar, sintió que alguien le tocaba el brazo. Al girarse, vio que Harriet le sonreía.

—Una cosa, Caro, antes de irme. —Harriet miró al otro lado de la estancia, donde se encontraba Michael—. Ha sido una noche muy larga.

Le dio la razón y se alejó con ella hacia un lateral del salón.

Harriet comenzó a hablar muy deprisa. La felicidad teñía sus palabras.

—Sólo quería decirte lo contenta que estoy... Bueno, lo contentos que todos estamos. No sólo de que hayas vuelto, sino de que lo hayas hecho del brazo de Michael. —Le tocó la muñeca en un gesto tranquilizador—. Es un alivio tan grande... No sabes cuánto me preocupaba que Michael no se esforzara.

La suposición de Harriet era evidente. Le bastó una mirada a su rostro para saber que no intentaba presionarla. La felicidad que brillaba en sus ojos y su franca expresión dejaban bien claro que daba por sentado que se celebraría una boda entre Michael y ella; creía que habían tomado la decisión de casarse aunque aún no lo hubieran anunciado.

—Mi mayor preocupación, por supuesto, era el tiempo —confesó la mujer.

Eso la sorprendió, pero Harriet no se percató de ello y siguió hablando:

—Ahora que Canning ha anunciado su dimisión, aunque no sea oficial, el nombramiento del próximo ministro de Asuntos Exteriores se hará en septiembre, ¡y ya estamos en agosto! —Dejó escapar el aire, con la mirada todavía puesta en Michael—. Siempre ha sido de los que lo dejan todo para última hora, pero esto ya ha sido el colmo. —Sonrió y la miró—. Al menos, a partir de ahora serás tú quien se encargue de llevarlo por buen camino.

En su fuero interno, dio gracias por los años de experiencia ya que consiguió esbozar una sonrisa. Harriet siguió charlando. Una parte de su cabeza siguió prestando atención a sus palabras, pero otra (la mayor parte) se empeñó en repetirle algo: septiembre estaba a la vuelta de la esquina.

20

Si durante el trayecto a casa de los Osterley Michael sufrió un episo-
dio de mudez, durante el regreso a la residencia de Magnus le tocó a ella
sumirse en sus pensamientos. Michael también parecía absorto y era probable que estuviera reflexionando acerca de su inminente nombramiento.
Semejante posibilidad agitó aún más sus pensamientos.

Una vez en la mansión de Upper Grosvenor Street, subieron la escalinata. Magnus se había marchado de casa de los Osterley una hora antes
que ellos y todo estaba en silencio en la planta alta. Cuando llegaron a la
puerta de su dormitorio, Michael le dio un ligero apretón en la mano y se
separó de ella. Se marchó para cambiarse de ropa.

En cuanto entró en su habitación, Fenella dio un respingo y se levantó del sillón en el que había estado dormitando para ayudarla a ponerse el
camisón. Por primera vez desde que llegara a esa casa, se aferró a cada uno
de los minutos que pasaban, deseando que se eternizaran. Michael no saldría de su dormitorio hasta que escuchara a Fenella alejarse por el pasillo,
rumbo a las estancias de los criados.

Y ella tenía mucho en lo que pensar. Las cosas parecían haberse precipitado, aunque en el fondo sabía que no era así. Llevaba días, semanas
más bien, reconsiderando su postura; desde que Michael le dejó bien claro que estaba en sus manos tomar la decisión de si se casaban o no. Eso
no significaba que él hubiera cejado en su empeño, sino que reconocía
su derecho a decidir su propio futuro. Le había entregado las riendas
de su relación de forma deliberada y se había encargado de que las suje-
tara con fuerza.

Lo que no había comprendido hasta hacía escasamente una hora era el hecho de que también le había entregado las riendas de su carrera política. A sabiendas de lo que estaba haciendo.

Una vez que se puso otro de sus diáfanos camisones, cubierto en esa ocasión por una bata de seda más tupida que otras, aunque apenas decente, se acercó a la ventana y clavó la vista en el jardín trasero mientras Fenella se encargaba de ordenarlo todo.

Intentó imaginarse el futuro. Sopesó la idea de acceder a casarse con Michael y lograr así el cénit de su vida. Recordó lo que Therese Osbaldestone le había dicho y meditó sobre sus consejos. Agregó la revelación que había descubierto poco antes y desechó ese camino con un suspiro. Su reticencia y las heridas que había sufrido eran demasiado profundas como para emprender ese camino... otra vez.

La última vez, las consecuencias fueron desastrosas.

Sin embargo, ya no se oponía tan enconadamente al matrimonio. Al menos, no cuando pensaba en Michael como su pareja. Si contara con el tiempo suficiente para convencerse de que ese algo indefinible que había entre ellos era lo que sospechaba, de que era lo bastante fuerte y, sobre todo, de que su naturaleza era tan duradera como pensaba, le complacería sobremanera convertirse en su esposa.

No existía ningún otro impedimento. Sólo su reticencia y las duras lecciones que la vida le había enseñado.

Sólo los recuerdos y sus inmutables consecuencias.

No podía acceder de nuevo a un matrimonio por el simple hecho de que pareciera la opción correcta. No podía dejarse arrastrar con la esperanza como única garantía. La primera vez se dejó llevar alegremente y al final acabó varada en una isla que no tenía deseos de volver a visitar.

Bien era cierto que la vida con Camden no había sido una experiencia desagradable. Jamás le había faltado nada en el terreno material. Sin embargo, había estado muy sola. Su matrimonio acabó convirtiéndose en una concha vacía, como la mansión de Half Moon Street. De ahí que se mostrara renuente a regresar a ella: porque por muy bonita que fuera, por atestada que estuviera de objetos de incalculable valor, no guardaba nada en su interior.

Nada importante. Nada sobre lo que cimentar una vida.

Vio por el rabillo del ojo que Fenella le hacía una reverencia y la despachó con un gesto distraído de la mano.

Todavía no sabía si podía creer y dar el paso. Si el amor (porque eso creía que era) que había surgido entre Michael y ella perduraría y crecería con fuerza; si se convertiría en la piedra angular de su futuro en lugar de desvanecerse como la niebla al cabo de un mes... como sucedió con Camden.

347

Y, en esa ocasión, el riesgo era muchísimo mayor. El enamoramiento juvenil que sintiera por Camden (a pesar de que el tiempo podría haberlo convertido en algo más) no era nada al lado de lo que en esos momentos, a sus veintiocho años, sentía por Michael. La comparación era ridícula.

Si se dejaba arrastrar en esa ocasión y el navío de su amor naufragaba en las corrientes, acabaría destrozada. Acabaría con unas heridas mucho más profundas que las que Camden le había provocado con su rechazo a los pocos días de la boda.

Escuchó el chasquido del picaporte. Se dio la vuelta y vislumbró la silueta de Michael entre las sombras mientras cerraba la puerta. Lo observó mientras se acercaba a ella con pasos seguros.

Sólo podía hacer una cosa.

Enderezó la espalda, alzó la cabeza y lo miró a los ojos.

—Necesito hablar contigo.

Michael aminoró el paso. Había una vela encendida en la mesita de noche, pero su llama no iluminaba lo suficiente como para distinguir la expresión de los ojos de Caro. No obstante, su postura le advirtió que ella no esperaba que le gustase lo que iba a decirle. Se detuvo frente a ella. Aparte de una implacable determinación, no pudo adivinar qué le pasaba por la cabeza. Enarcó una ceja mientras le preguntaba:

—¿Sobre qué?

—Sobre nosotros. —Sin dejar de mirarlo a los ojos, inspiró hondo... y titubeó. Sin embargo, cuando habló, lo hizo sin inflexión alguna en la voz—. Cuando comenzamos nuestra relación, me aseguraste que dejabas en mis manos la decisión de casarnos. Creo que fuiste sincero. Sabía que tu futuro nombramiento como ministro te obligaría a contraer matrimonio sin demora; de hecho, supuse que anunciarías un compromiso para octubre o así. —Inspiró hondo, se rodeó la cintura con los brazos y bajó la vista—. Esta noche me he enterado de que la renuncia de Canning es inminente, lo que obliga a nombrar un nuevo ministro sin pérdida de tiempo. —Lo miró a los ojos—. Ahora tienes que casarte a mediados de septiembre a más tardar.

Él la miró en silencio un instante y, después, replicó:

—Yo también me he enterado esta noche.

Para su alivio, Caro asintió con la cabeza.

—Sí, bueno. De todas formas, ahora tenemos un problema. —Antes de que pudiera preguntarle cuál era, ella tomó una honda bocanada de aire, le dio la espalda y dijo—: No sé si puedo hacerlo.

No le hizo falta pedirle que se explicara. Se le retorcieron las entrañas, aunque de repente cayó en la cuenta de que Caro no había descartado de plano la posibilidad de que se comprometieran llegado octubre. La gélida tensión se disolvió y la esperanza lo invadió. El problema era que no tenía ni idea de lo que estaba pasando por su cabeza.

Se movió para apoyarse en el marco de la ventana, de modo que pudiera ver su perfil recortado contra la débil luz de la luna.

Parecía tensa, sí, pero no abrumada. Había fruncido el ceño y los labios, como si estuviera lidiando con un problema insalvable. Y eso lo hizo reflexionar.

—¿Por qué no? —le preguntó con voz queda, sin el menor rastro de enfado.

Caro lo miró de reojo antes de clavar la vista en el exterior.

—Ya te he dicho que Camden me conquistó de inmediato —respondió, haciendo un gesto con la mano—. Pero no tanto como para no tener ciertas reservas al respecto. Aunque no lo pareciera, no era ninguna tonta. Quería un poco más de tiempo para asegurarme de que tanto sus sentimientos como los míos eran verdaderos, pero él tenía que casarse en un plazo de dos meses para regresar a su puesto. Permití que me convenciera. Me dejé conquistar. Y aquí estoy, once años después, considerando la idea de casarme con otro político... Y una vez más con la presión política para que acepte que todo es maravilloso, que es tan perfecto como parece ser a simple vista. —Tomó una entrecortada bocanada de aire—. Sabes que te tengo cariño... mucho cariño. Pero jamás volvería a cometer una estupidez semejante... ni siquiera por ti.

Y entonces comprendió el problema. Las palabras de Caro lo confirmaban.

—Jamás permitiré que me obliguen a tomar una decisión de forma apresurada. En esta ocasión seré yo quien la tome... cuando esté segura.

—¿Qué te dijo Harriet?

Volvió a mirarlo de reojo.

—Sólo que Canning dimitiría en breve. —Frunció el ceño y pareció adivinar sus pensamientos—. No me presionó en absoluto. Nadie lo ha hecho. —Suspiró y clavó de nuevo la vista en el jardín—. No es la gente quien me presiona esta vez, son las circunstancias en general. Las posibilidades, la posición, el papel que ocuparía. Sé que encajaría a la perfección, pero también lo creí en el caso de Camden...

Decidió que lo más prudente era tantear el terreno. La observó con detenimiento y, al ver que no estaba alterada, le preguntó:

—No estarás imaginando que voy a elegir a otra como esposa, ¿verdad? Y, por supuesto, ni se te ocurriría sugerirlo...

Ella apretó los labios. Tardó un instante en contestar:

—Debería hacerlo.

—Pero no vas a hacerlo, ¿verdad?

—No quiero que te cases con otra —confesó después de soltar el aire muy despacio y sin mirarlo.

El alivio lo inundó de repente. De momento, las cosas parecían ir bien.

—¡Pero ésa no es la cuestión! —exclamó de repente al tiempo que se llevaba las manos a la cabeza y se daba la vuelta para mirarlo de frente—. Tienes que casarte dentro de unas semanas, así que no me quedará más remedio que decidirme. ¡Y no puedo hacerlo! ¡Así no!

La cogió por las manos antes de que escapara hasta el otro extremo de la habitación. En cuanto la tocó, comprendió que estaba mucho más tensa que lo que dejaba entrever; tenía los nervios a flor de piel.

—Te refieres a que necesitas más tiempo, ¿no?

Sus ojos, que brillaban como la plata más pura, se clavaron en él.

—¡Me refiero a que no puedo prometerte que dentro de unas semanas accederé alegremente a convertirme en tu esposa! —Su expresión era sincera, no había velos ni máscaras. Nada ocultaba el torbellino, casi angustioso, de sus pensamientos—. No puedo decirte que sí, pero tampoco quiero decirte que no —concluyó con un hilo de voz al tiempo que meneaba la cabeza.

De repente, lo vio con una claridad meridiana y supo la respuesta a la pregunta que más lo atormentaba. La respuesta a la pregunta de lo que era más importante para Caro. El impacto fue tan fuerte que se vio obligado a parpadear para aclararse las ideas. Clavó la vista en ella y tiró de sus manos para acercarla a él.

—No tienes que decir que no. —Antes de que pudiera discutir, añadió—: No tienes por qué tomar una decisión si no te sientes preparada para hacerlo. Si no estás segura de ella.

Continuó acercándola poco a poco y ella se dejó hacer con expresión ceñuda y evidente renuencia.

—Te lo dije desde un principio: nada de presiones. No voy a intentar persuadirte de nada. La decisión es tuya y debes tomarla tú sola. —Por fin comprendía la verdad. Inspiró hondo y la miró a los ojos—. Quiero que tomes esa decisión. Entre nosotros no hay ningún reloj de arena que marque un plazo de tiempo determinado. —Se llevó una de sus manos a los labios y la besó—. Esta vez es importante, para ti, para mí, para nosotros, que seas tú quien tome la decisión.

Acababa de comprender lo importante que era ese detalle. Lo crucial. No sólo para ella, sino también para él. Tal vez fuera la sinceridad de sus sentimientos lo que Caro ponía en duda, pero a menos que tomara una decisión por sí misma, él tampoco podría estar seguro de lo que sentía ella.

—Te garantizo que tendrás todo el tiempo del mundo para meditarlo —le aseguró con voz ronca y sincera—. Quiero estar seguro de que me aceptas de verdad; de que accedes libremente a convertirte en mi esposa, a compartir tu vida conmigo.

Ella estudió su mirada con manifiesta confusión.

—No te entiendo.

—Me importa un comino el nombramiento —replicó con una sonrisa torcida.

Lo miró echando chispas por los ojos. Sin duda alguna, creyó que estaba bromeando y por eso intentó zafarse de sus manos.

Él la abrazó por la cintura y la inmovilizó.

—No. Sé lo que estoy diciendo. —Buscó su mirada y tensó la mandíbula—. Lo digo de corazón.

—Pero... —musitó ella mientras lo miraba de hito en hito—. Eres un político... y te convertirías en ministro...

—Sí, en fin... Claro que me importa, pero... —Inspiró hondo y cerró los ojos un instante. Tenía que explicárselo, tenía que hacerse entender. De no ser así, Caro no lo comprendería, no lo creería. Abrió los ojos y la miró—. Soy un político. Lo llevo en la sangre. De modo que sí, el éxito en ese ámbito es importante para mí. Sin embargo, ser un político es una parte de mi vida, pero no es la fundamental. La otra parte de mi vida, la otra mitad, sí que lo es.

Vio que Caro fruncía el ceño e hizo una pausa antes de proseguir:

—La otra parte, la más importante... Fíjate en Diablo. Mi cuñado dedica media vida a dirigir el ducado, pero la razón por la que lo hace, la que da sentido a su vida, es la otra mitad. Honoria y su familia, los Cynster al completo. Por eso lo hace. Eso es lo que da sentido a su vida, la razón de ser de su existencia.

Caro parpadeó y observó esos ojos azules con detenimiento.

—¿Y cuál es la tuya? —A tenor de la tensión que parecía haberlo embargado, la conversación no le hacía mucha gracia. Aun así, estaba decidido a llegar al final.

—A mí me pasa igual que a Diablo. Necesito... te necesito a ti. Necesito una familia que sea mi punto de apoyo. Que sea mi piedra angular, que conforme los cimientos de mi vida. Que se convierta en mi razón de ser. Quiero que seas mi esposa, quiero tener hijos contigo, quiero formar un hogar contigo, una familia. Eso es lo que necesito. Y no tengo la menor duda al respecto. —Tensó la mandíbula, pero prosiguió—: Si el precio que tengo que pagar para que seas mi esposa no es otro que el de dejar pasar la oportunidad de convertirme en ministro de Asuntos Exteriores, lo pagaré con gusto. El puesto no me importa ni la mitad de lo que me importas tú.

Por mucho que lo mirara, sólo veía una cruda honestidad en su mirada.

—¿De verdad significo tanto para ti? —No era exactamente una sorpresa, pero sí sobrepasaba todos sus sueños.

Michael sostuvo su mirada y contestó con voz queda:

—Mi carrera está en la periferia de mi vida; tú estás en el centro. Sin ti, lo demás carece de sentido.

Sus palabras flotaron en el aire un instante. No podían ser más sinceras.

—¿Y tu abuelo? ¿Y tu tía? —preguntó sin poder evitarlo.

—Por extraño que parezca, creo que comprenderán mis motivos. O, al menos, mi abuelo lo hará.

—¿Tanto me deseas? —volvió a preguntar con cierta inseguridad.

—Tanto te necesito —la corrigió, con los dientes apretados. La intensidad de sus palabras lo estremeció tanto como a ella.

—Yo... —Hizo una pausa, perdida en las profundidades azules de sus ojos—. No sé qué decir.

Él la soltó.

—No tienes por qué decir nada todavía. —Alzó las manos y le tomó el rostro entre ellas. Recorrió su mentón con los pulgares y le alzó la cabeza para que lo mirara a los ojos—. Sólo tienes que creerme... y acabarás haciéndolo. Por mucho que tardes en hacerlo, te esperaré.

El voto resonó en la oscuridad. Los atravesó.

Michael le ladeó la cabeza mientras se acercaba a sus labios y la besó.

Y el deseo lo embargó con una fuerza arrolladora, ya fuera por el roce de esa mano que cubrió la suya, por la conversación que acaban de tener acerca de sus anhelos o por el hecho de haberse aferrado a sus propios anhelos con fuerza; a ese poder irresistible que corría por sus venas y lo inundaba por completo. Que redujo a cenizas su resistencia y lo dejó a merced de la pasión que lo consumía. A merced del deseo visceral, potente y arrollador de demostrarle a Caro lo que significaba realmente para él de modo que no le quedara la menor duda al respecto.

De modo que entendiera la naturaleza de lo que sentía por ella.

Caro percibió el cambio que se obró en Michael. Ella ya se encontraba a la deriva en un mar infinito. Sus palabras acababan de arrancarla de la roca a la que su pasado la había anclado y la habían arrojado a las revueltas aguas de lo desconocido. A la marea.

Las fuertes corrientes la sumergieron. La arrastraron a un misterioso infierno donde él la aguardaba, consumido por la pasión y por un deseo voraz.

Sus lenguas se fundieron, pero era Michael el agresor, era él quien dominaba. Se acercó a ella hasta dejarla aprisionada contra la pared, al lado de la ventana. Una de sus manos se apartó de su rostro para enterrarle los dedos en el pelo e inmovilizarle la cabeza, a fin de poder devorar su boca. A fin de darse un festín con sus labios y marcarla a fuego con esa pasión que irradiaba su cuerpo. La otra mano descendió hasta un pecho y en cuanto lo rozó, las llamas los rodearon.

Le arrojó los brazos al cuello mientras el mundo giraba fuera de control a causa de sus caricias. Un deseo rayano en el dolor corría por sus venas como si fuera un potente elixir. Sin embargo, no sabía quién era el responsable de semejante frenesí. ¿Él? ¿Ella? ¿Los dos?

Michael comenzó a acariciarle el pezón hasta arrancarle un gemido y, acto seguido, se hundió en su boca y aceleró el ritmo de sus caricias. Se quedó sin aliento. Le clavó los dedos en los hombros, se puso de puntillas y lo instó a continuar con su asalto.

El duelo los dejó jadeantes y excitados. Sentía que el fuego le quemaba la piel, pero la de Michael parecía estar aún más caliente y sus manos dejaban una ardiente impronta allí donde la tocaban. Su salto de cama no la protegía en absoluto. Aprisionada contra la pared, esas manos la exploraban con afán posesivo.

De repente, dejó de acariciarla... para quitarle la bata, que acabó en el suelo. El camisón de seda estaba diseñado con la intención de ser un envoltorio erótico e irresistible. Michael inclinó la cabeza hacia un pecho y comenzó a lamerle un pezón a través de la diáfana gasa antes de chuparlo con fuerza y arrancarle un grito. A partir de ese momento, ya no estuvo segura de quién era el seductor y quién el seducido.

Utilizó la tela para excitarla, tensándola sobre sus endurecidos pezones y deslizándola sobre la piel enfebrecida. Sus caricias adquirieron un nivel de sensualidad que le robó el sentido. En ese instante, Michael la amoldó a su cuerpo y le separó las piernas con una de las suyas hasta que notó la presión de su miembro contra la entrepierna. Sin dejar de besarla, comenzó a frotarse contra ella y a excitarla hasta hacerla jadear.

Soportó la marea a duras penas, aferrada a su cuello y con los dedos enterrados en su pelo para anclarse al mundo y defenderse del fuego y del deseo. Para defenderse de la angustiante sensación de vacío que se extendía por su interior; del impetuoso deseo que crecía por momentos.

Michael se alejó un poco, pero siguió aferrándola por una cadera. Introdujo la otra mano entre sus cuerpos y fue descendiendo hasta rozar los rizos de su entrepierna por encima del camisón. Exploró los excitados pliegues a través de la delicada gasa y los separó para penetrarla con un dedo poco a poco hasta tensar la tela sobre su entrepierna.

Cada una de sus caricias y de sus sucesivos movimientos frotaba la gasa sobre ese lugar tan sensible. Una y otra vez. Michael puso fin al beso y se apoyó contra ella, aplastándola contra la pared sin dejar de darle placer.

Apoyó la frente en la pared y la miró de reojo. Caro sintió su mirada clavada en ella, pero era incapaz de hilar un solo pensamiento consciente debido a las crecientes sensaciones.

Cuando giró la cabeza para observarlo, su mirada la atrapó. Se humedeció los labios y logró decir con un hilo de voz:

—Llévame a la cama.

—No —replicó él con voz ronca y sensual—. Todavía no.

Su voz tenía una nota distinta. Su expresión era crispada y los ángulos de su rostro parecían más afilados. Lo observó un instante y el instinto le dijo lo que ocurría. Se estremeció y cerró los ojos.

Sus sentidos se concentraron en ese punto que la gasa acariciaba y notó que emprendía el ascenso hasta la ya conocida cumbre.

—Michael... —le dijo, empujándolo por los hombros. Él no se apartó ni un milímetro.

Al contrario, su dedo la penetró aún más.

—Aquí. Ahora. Déjate llevar.

Y tuvo que obedecerlo. No le quedó más remedio. Sus caricias prosiguieron hasta que alcanzó el clímax.

Se apoyó contra la pared y notó que sus manos la abandonaban. Aguardó a que la tomara en brazos y la llevara a la cama. En cambió, Michael le alzó el vaporoso camisón hasta la cintura y sintió el roce cálido de la fragante brisa nocturna en su enfebrecida piel. El movimiento le abrió la bata de seda y dejó su cuerpo a la vista. La cogió por los muslos y la alzó. Una vez que la tuvo apoyada contra la pared, la penetró.

Jadeó y arqueó el cuerpo al sentir cómo se iba hundiendo en ella. Al sentir cómo su cuerpo, excitado, húmedo y aún presa del sublime placer lo acogía. Al sentir cómo cada centímetro de su miembro la penetraba poco a poco.

Lo rodeó con las piernas por instinto, desesperada por aferrarse a algo sólido en un mundo que de repente parecía fuera de control.

Y entonces Michael se movió. Y las llamas los rodearon de nuevo. Sólo necesitó un par de embestidas para arrastrarla a la hoguera.

Gimió y se abrazó a él con todas sus fuerzas mientras la arrojaba de nuevo al embravecido mar. Cada uno de sus poderosos envites alimentaba las corrientes del deseo y la pasión, arrastrándola hasta las profundidades.

Hasta que la consumieron.

Hasta que estuvo convencida de que su cuerpo estaba en llamas.

Pero, en un momento dado, el ritmo de sus caderas se ralentizó. Siguió penetrándola, pero no lo bastante fuerte ni lo bastante rápido. La instó a mover la cabeza hasta que sus frentes se rozaron y sus miradas se entrelazaron. Dos fuertes embestidas y se detuvo. Sus alientos se mezclaron. Ambos resollaban. La miró a los labios antes de regresar a sus ojos.

—Nunca jamás renunciaré a ti. —Su voz era ronca, gutural y muy seria—. Ni esta noche, ni mañana, ni dentro de cincuenta años. —Volvió a moverse, acompañando cada frase con una embestida—. No me lo pidas. No esperes que suceda y no imagines que pueda llegar a suceder. No sucederá. No renunciaré.

Volvió a mirarla a los labios y Caro sintió que el deseo los hacía palpitar.

En cuanto se apoderó de ellos, el volcán entró en erupción. Los derritió. Los fusionó.

Sin embargo, cuando ella comenzó a estremecerse en las garras del placer, Michael no la siguió. Continuó moviéndose en su interior hasta que ella recobró la normalidad. A la postre, alzó la cabeza para tomar una entrecortada bocanada de aire. Abrió los ojos y enderezó la espalda para mirarlo, un tanto desorientada.

Michael se contuvo a duras penas. Sintió que el cuerpo de Caro sufría un último espasmo que aprisionó su miembro, cosa que le hizo recordar que él aún no había llegado al orgasmo.

Antes de que ella pudiera hablar, salió de su cuerpo.

—Primer acto. —Su voz era tan roca que no sabía si Caro lo habría entendido. Esperó hasta que le quitó las piernas de la cintura y la alzó en brazos. De camino a la cama, la miró a los ojos—. Esta noche, quiero algo más. Mucho más.

Comprobó que había comprendido la indirecta al verla abrir los ojos de par en par. Había comprendido el cariz visceral, primitivo y básico de la pasión que lo embargaba. No quedaba nada de su habitual sofisticación cuando la dejó sobre la cama. Ni cuando la siguió y la colocó como quería, de rodillas frente a él.

No quedaba ni rastro de su fachada, de la máscara que mostraba al mundo, cuando le alzó el camisón hasta la cintura. Cuando le acarició las nalgas. Cuando separó su sexo y hundió su palpitante miembro en ese paraíso ardiente.

La escuchó jadear y contener la respiración. Por un instante se tensó, pero acabó por rendirse y le permitió penetrarla sin más. Él así lo hizo. Su cuerpo le dio cobijo, le dio la bienvenida cerrándose a su alrededor. Abrasándolo en su acogedor abrazo. La agarró por la cintura para inmovilizarla y colocarla en el ángulo preciso mientras se hundía en ella hasta el fondo.

Y después comenzó a moverse.

Tal y como le había dicho, le exigió más, porque quería más de ella. Lo necesitaba. Y ella se lo dio sin reservas. Su cuerpo, excitado hasta el límite, respondía a la menor caricia, de modo que el roce de la seda suponía otra nueva fuente de placer. Respondía a cada una de sus embestidas alzando las caderas, buscando el ángulo justo que les diera más placer. Se movía con abandono y sensualidad, aceptándolo en su interior y presionando las nalgas contra su abdomen cada vez que se hundía en ella hasta el fondo.

Se percató de que estaba intentado contener los gemidos, los jadeos, pero en vano. Esa muestra de total abandono estuvo a punto de volverlo loco de pasión. Era incapaz de pensar. Aunque tampoco lo necesitaba. El instinto se había apoderado de él y se mostraba implacable y exigente.

Se inclinó sobre la espalda de Caro y le cubrió los pechos con las manos. Le acarició los pezones, tan apetitosos como la fruta madura y duros por el deseo, y los pellizcó. Ella soltó un grito, arqueó el cuerpo y se vio obligado a abandonar sus pechos para instalar a que volviera a inclinarse.

Caro jadeó al comprender que estaba indefensa.

Pero se entregó al momento. Se arrojó a la turbulenta corriente y dejó que la arrastrara hasta donde Michael quisiera llevarla. Se entregó en la medida que él le exigía y le dio todo lo que necesitaba, recibiendo a cambio todo lo que ansiaba y dejándolo que le enseñara todo lo que quisiera.

Michael no se impuso restricción alguna, ni se mostró delicado. Arrojó al viento todos los pretextos y dejó que Caro percibiera lo que significaba realmente para él; que sintiera los impulsos básicos que lo azotaban y que ella y sólo ella provocaba.

Dejó que sintiera el poder que lo dominaba. Que entendiera a través de ese poder todo lo que significaba para él, todo lo que despertaba en su interior. La magnitud del control que ejercía sobre él.

Le importaba un comino que Caro entendiera o no ese último punto. La necesitaba hasta un extremo que trascendía los límites de la lógica y de cualquier intento de autoprotección. La vida ya no existía sin ella.

El ritmo de sus movimientos había aumentado hasta que escapó a su control. Y al de Caro. El deseo rugía por sus venas. La pasión los azotaba y los engullía en su salvaje abrazo.

Hasta que ambos acabaron consumidos por ella.

Cuando Caro llegó a la cumbre, lo arrastró consigo y, en esa ocasión, se dejó llevar sin protestar. Se rindió al deleite. Se rindió a ella.

Se rindió al poder que los unía en ese instante y para siempre.

Michael volvió a despertarla en mitad de la noche.

Sintió que se movía tras ella y se percató de que estaba tapada con las mantas y tenía la cabeza apoyada en la almohada. Debió de ser Michael quien la arropara. El poder que los había unido mientras hacían el amor reverberaba todavía en la médula de sus huesos.

Y aunque debían de haber pasado horas, aún se sentía rodeada por las sensaciones del momento, por la pasión, por el irrefrenable y apremiante deseo.

Sensaciones que no sólo Michael había demostrado. Ella también lo había hecho.

A pesar de todas las ocasiones previas en las que se habían entregado al placer y habían compartido la gloria del éxtasis, no había entendido... no había comprendido realmente cuál era la fuente del poder que lo impulsaba, que lo animaba. Sin embargo, esa noche... aun cuando no pudo mirarlo a la cara, sintió ese poder. Y descubrió que era tan fuerte que resultaba casi tangible. Un poder que los rodeaba y los fusionaba. Hasta que dejaron de ser dos entes distintos y se convirtieron en un solo ser.

Sintió que le colocaba la mano en el muslo y que le alzaba el camisón hasta la cintura. Le acarició el trasero y su cuerpo cobró vida de inmediato. No contento con eso, descendió hasta colarse entre sus muslos y allí siguió explorando con suavidad. Sin previo aviso, le alzó el muslo, separó los pliegues humedecidos de su sexo y la penetró.

Caro se preguntó si sabría que había estado despierta todo el rato. Evidentemente, en esos momentos debía de tenerlo muy claro, porque en cuanto se hundió en ella, arqueó el cuerpo y soltó un jadeo. Cerró los ojos y se limitó a saborear el delicioso momento.

Michael se detuvo un instante, permitiéndole que lo disfrutara al máximo.

Una vez que ella se relajó, comenzó a moverse muy despacio.

Lo sentía dentro, detrás y alrededor.

Deslizó una mano por su cintura y se la colocó en el abdomen para mantenerla pegada a su cuerpo. Ella la cubrió con una de las suyas y musitó algo, aunque se quedó sin aliento cuando una de sus embestidas resultó algo más profunda que las demás.

La pasión comenzó a crecer y a envolverlos. La marea subió y ella flotó sobre las olas de ese mar de sensualidad.

En esa ocasión no hubo prisa. Fue una entrega lenta y pausada que ninguno quiso apresurar.

Por su parte, el simple hecho de sentir su miembro bien adentro antes de retirarse y volverse a hundir en ella era como estar en la gloria. A medida que pasaban los minutos y el ritmo seguía invariable, comprendió que Michael sabía lo mucho que estaba disfrutando.

Sin embargo, la lentitud le permitía pensar. De modo que fue incapaz de reprimir la pregunta:

—¿Por qué? —Estaba segura de que no tendría que explicar nada más. Con la cabeza apoyada en una mano, Michael se inclinó hacia ella y contestó con los labios pegados a su garganta:

—Por esto —dijo, con una voz ronca y rebosante de promesas—. Porque de todas las mujeres a las que podría conquistar, te quiero a ti... así. —Aminoró el ritmo y le dejó sentir lo mucho que la deseaba. Y volvió a unir sus cuerpos con un certero envite—. Así. Desnuda a mi lado en la cama, donde pueda hacerte mía cuando quiera. —Su tono de voz se tornó más gutural—. Mía para hacerte el amor cuando quiera y llenarte con mi simiente. Quiero que engendres mis hijos. Te quiero a mi lado cuando envejezca. Porque, por mucho que quiera explicarme, al final todo se reduce a esto. Tú eres la única esposa que quiero y, por ti, para conseguirlo, esperaré toda la eternidad.

Caro sintió que la alegría le inundaba el corazón. El ritmo aumentó y ya no hubo más palabras, sino una comunicación no verbal basada en una unión tan antigua como el tiempo. Michael la abrazó con fuerza y se pegó a su espalda cuando llegó al orgasmo y alcanzó las estrellas. Él la siguió de inmediato y ambos acabaron tumbados en esa playa lejana donde no había nadie salvo ellos.

21

Michael salió de casa a la mañana siguiente con la sensación de que su mente estaba despejada en vez de nublada por primera vez en semanas. Como si se hubiera desvanecido una espesa niebla y por fin pudiera ver con claridad.

Caro era lo único que le importaba de verdad. De modo que no sólo era lógico sino también totalmente comprensible que se concentrara en cuerpo y alma, que se dedicara por completo a protegerla. Que se desentendiera de las demás preocupaciones, ya que ella era, después de todo, la clave de su futuro.

La había dejado durmiendo, satisfecha y calentita en su cama, a salvo en la casa de su abuelo. Puso rumbo a los clubes y contactó con sus informantes. No tenían noticias nuevas. Después de almorzar en Brooks con Jamieson, que seguía muy inquieto y desconcertado por el allanamiento (no tanto por el hecho en sí como por lo incomprensible que era), se dirigió a Grosvenor Square, convencido de que había examinado toda la información que habían recabado, sin pasar nada por alto.

Había quedado con Diablo a las tres en punto. Gabriel había dado con algo extraño entre los beneficiarios del testamento a los que Lucifer había decidido que valía la pena investigar. La reunión era de lo más oportuna, ya que él podría informarles de sus hallazgos, o más bien de la falta de ellos, y Diablo podría ponerlo al día de los tejemanejes de Ferdinand.

El mayordomo de Diablo ya lo esperaba en la entrada. Sospechaba que Honoria estaba ajena a la reunión. Su cuñado albergaba serios prejuicios en contra de la posibilidad de exponer a su esposa a cualquier peligro, por remoto que fuera. Prejuicios que él compartía a esas alturas, al igual que otra serie de reacciones y emociones de las que siempre se había creído a salvo. Cada vez que pensaba en Caro y en todo lo que le hacía sentir, se preguntaba cómo había estado tan ciego.

Diablo y Lucifer lo esperaban en el despacho. Gabriel llegó justo cuando se estaba sentando en uno de los cuatro sillones enfrentados que había delante de la chimenea. Cuando el recién llegado ocupó el último asiento, Michael observó sus rostros. Mantenía una estrecha relación con los Cynster. Desde que Honoria se casara con Diablo, lo habían tratado como a uno más de la familia. Y él había llegado a corresponder el sentimiento. Ayudarse los unos a los otros era una regla tácita entre los Cynster. No parecía nada extraño, ni siquiera a sus ojos, que aparcaran otras cosas y se dedicaran en cuerpo y alma a ayudarlo.

—Cuéntanos primero lo que has averiguado —dijo Gabriel, mirándolo a la cara.

Torció el gesto. Resumir sus nulas averiguaciones le llevó un instante...

—Leponte se ha estado escondiendo —dijo Diablo—. Sligo está convencido de que ha contratado a alguien para vigilar las instalaciones del Ministerio de Asuntos Exteriores, pero ha puesto especial cuidado en actuar a través de intermediarios. Aun así, es imposible establecer el paradero de Leponte durante la noche en cuestión. Tal vez se quedara en la embajada... o tal vez no.

—Si está buscando algo incriminatorio —añadió él—, es probable que no quiera que nadie más lo lea. Mientras estuvo en Sutcliffe Hall, pudo pedirle a alguien que se llevara todo lo que encontrasen, haciendo desaparecer un archivador...

—Tendría que revisarlo —convino Diablo—. Y tal vez lo hiciera, pero como de todas formas no se deja ver mucho, su ausencia no es una prueba concluyente.

Los cuatro hicieron una mueca, bastante irritada, antes de girarse hacia Gabriel.

—No sé si lo que he averiguado es importante o no —dijo éste—, pero es de lo más extraño. Comprobé la lista de beneficiarios a los que les había correspondido algún objeto de valor. Había nueve, y todos heredaron piezas muy antiguas que Camden había adquirido a lo largo de la última década. Todas muy valiosas. Ocho fueron a manos de hombres que Camden conocía desde hace años, prácticamente desde sus inicios en el ámbito diplomático. Lo normal entre amigos de toda la vida a quienes se aprecia. Le pasé la lista a Lucifer...

—Los ocho son reputados coleccionistas —explicó el aludido—. Las piezas que recibieron encajan a la perfección en sus colecciones privadas.

Por lo que vi en Half Moon Street, desprenderse de ellas no ha arruinado la colección de Camden. Es evidente que compró los objetos como regalos en sí mismos, de modo que no me sorprende que los incluyera en el testamento.

—Esto me llevó —prosiguió Gabriel— a hacer unas cuantas preguntas y me enteré de que ninguno de esos ocho caballeros está pasando apuros económicos.

—Ni tampoco están considerados unos «coleccionistas obsesionados» —añadió Lucifer.

—Así que ocho de los beneficiarios no despiertan la menor sospecha —dijo él—. ¿Qué pasa con el noveno?

—Es en este punto cuando las cosas se ponen interesantes. —Gabriel lo miró a los ojos—. Al principio, no me percaté de su importancia. El noveno objeto de valor está descrito como «una escribanía Luis XIV de mármol y oro con incrustaciones de piedras preciosas».

—El caso es que esa pieza en particular —añadió Lucifer, que se hizo cargo de la narración— no es una escribanía del periodo de Luis XIV, sino que es la escribanía del mismo Luis XIV. Vale una fortuna nada desdeñable.

—¿Quién es el noveno beneficiario? —preguntó Diablo.

Gabriel miró a su primo.

—Aparece como TM. C. Danvers.

—¿¡Breckenridge!? —exclamó Michael, mirando a Gabriel de hito en hito—. ¿También es coleccionista?

—No —respondió Lucifer con voz seria—. No lo es, ni mucho menos.

—Pero lo conoces —dijo Gabriel—. Por más que he buscado, no he encontrado conexión alguna entre Camden Sutcliffe y Breckenridge, salvo por el hecho de que, de alguna manera, se conocían.

—Caro me dijo que se conocían desde hacía treinta años... Desde que Breckenridge nació, prácticamente —añadió con el ceño fruncido—. Le dio las cartas de Camden para que las leyera y le explicó lo que estábamos buscando. —Miró a los demás—. Confía plenamente en él.

Las expresiones de los tres hombres le indicaron que, al igual que él, creían que Caro no debía confiar en un hombre de la ralea de Breckenridge.

—¿Te explicó cuál era el vínculo entre su difunto marido y el vizconde? —preguntó Diablo.

—No, pero no está relacionado con la política ni con la diplomacia. Me habría enterado si Breckenridge se moviera en esos círculos, pero no lo hace. —Sintió que se le crispaba el rostro—. Le preguntaré a Caro —dijo, y miró a Gabriel—. Si no es un coleccionista, ¿podría tener motivos económicos?

Gabriel frunció los labios.

—Me gustaría decir que sí, pero mis pesquisas me llevaron a la conclusión contraria. Breckenridge es el heredero de Brunswick, y las finanzas del conde son más sólidas que el Peñón de Gibraltar. En lo tocante al dinero, es digno hijo de su padre. Ha invertido sabiamente, aunque tal vez sea demasiado conservador para mi gusto, y sus ingresos superan con mucho sus gastos. El tipo tiene sus vicios, pero el juego no es uno de ellos. El principal son las mujeres, aunque incluso en este sentido es muy cuidadoso. No he encontrado indicios de que esté en manos de alguna arpía, ni mucho menos de que alguna amante lo esté desplumando.

—Tengo entendido que es peligroso enemistarse con él —murmuró Diablo—. No tenemos razones para creer que sea un extorsionador, y no me lo imagino siendo víctima de uno.

—Tal vez lo obligaran a actuar como peón para desplumar a Sutcliffe —sugirió Lucifer.

—Muy improbable, diría yo —objetó Diablo con una inclinación de cabeza.

—De modo que sólo tenemos a un aristócrata sin vínculo aparente con Sutcliffe al que le deja una considerable fortuna en su testamento de forma soterrada. —Se detuvo un instante antes de añadir—: Tiene que haber un motivo.

—Desde luego —convino Diablo—. Y si bien sabemos que los portugueses están intentando eliminar algo del pasado de Sutcliffe y estamos casi seguros de que querrían silenciar a Caro para siempre, cabe la posibilidad de que los intentos de asesinato se deban a algo muy diferente.

—Como los tesoros de Sutcliffe. —Lucifer se levantó—. Tenemos que averiguar qué une a Sutcliffe y a Breckenridge sin pérdida de tiempo.

—Caro lo sabe. —Se puso en pie, al igual que los demás, y los miró—. Iré a preguntárselo.

Diablo le dio una palmadita en el hombro cuando se giraron hacia la puerta.

—Si es algo potencialmente peligroso, háznoslo saber.

Asintió con la cabeza.

Lucifer abrió la puerta... justo cuando Honoria iba a hacerlo. Su hermana se detuvo en el pasillo y observó la escena sin perder detalle.

—Buenas tardes, caballeros —los saludó con voz altiva—. ¿Qué tenemos aquí?

Diablo sonrió.

—Aquí estás. —Su cuñado le dio un sutil empujón para que avanzara hacia la puerta. Su hermana retrocedió y le permitió salir al pasillo. Con consumada eficacia, Diablo hizo que sus primos traspusieran la puerta...

hacia la libertad—. Estaba a punto de ir a buscarte para contarte las novedades.

Echó la vista hacia atrás mientras Gabriel, Lucifer y él se alejaban por el pasillo. La expresión de su hermana era la viva imagen de la incredulidad. Incluso su exclamado «¿¡De veras!?» sonó incrédulo.

Cuando salían al vestíbulo principal, escucharon la respuesta ronca y seductora de Diablo:

—Entra y te lo contaré.

Casi escucharon el resoplido de Honoria, pero un instante después, oyeron el clic de la puerta al cerrarse. Se detuvieron en los escalones de entrada para intercambiar una mirada.

—Me pregunto cuánto le dirá —musitó Lucifer.

Gabriel meneó la cabeza.

—Yo no apostaría mucho.

Les dio la razón a ambos. Se despidió de ellos con una sonrisa, bajó los escalones y echó a andar hacia Upper Grosvenor Street. Cuando su mente volvió a concentrarse en la tarea que lo aguardaba, su sonrisa desapareció.

—Breckenridge. —Estaba frente a Caro, mirándola con expresión impasible.

Ella parpadeó sin decir nada. Estaba sentada en uno de los sillones de la salita con uno de los diarios de Camden en las manos. El silencio reinaba en la mansión, bañada por la luz dorada de la tarde.

Vislumbró la sorpresa en esos ojos grisáceos, una sorpresa que ella no intentó disfrazar. Había entrado sin más, la había saludado con un gesto de cabeza y había cerrado la puerta tras él antes de soltar un seco «Breckenridge».

Parte de la tensión de sus hombros se había desvanecido. Miró a su alrededor y después se sentó en el sillón que estaba frente a ella.

Caro no lo veía desde el amanecer, y en aquel momento su expresión era tranquila, habida cuenta de la satisfacción que lo inundaba.

—¿Qué pasa con Timothy? —preguntó mientras cerraba con calma el diario.

El uso del nombre de pila tocó una fibra sensible, pero controló la reacción.

—Me dijiste que Breckenridge era un antiguo y querido amigo de Camden, que su amistad se remontaba a la niñez del vizconde. —La miró a los ojos—. ¿En qué se basaba su relación?

Caro enarcó las cejas y esperó...

Tuvo la impresión de que estaba bajando sus defensas a regañadientes. Y lo hizo porque presentía su determinación, y porque sabía que no cedería hasta obtener una respuesta.

—Hemos estado investigando a los beneficiarios del testamento de Camden. —Le contó lo que Gabriel y Lucifer habían descubierto, así como el informe de Diablo sobre los movimientos de Ferdinand y su fracaso a la hora de averiguar el objetivo y la motivación de los portugueses.

Caro escuchó sin pronunciar palabra, pero cuando él le explicó con argumentos que los intentos de asesinato tal vez estuvieran relacionados con la colección de Camden, negó con la cabeza... aunque se detuvo de golpe.

Al ver su reacción, aguardó a que dijera algo con una ceja enarcada. Ella lo miró a los ojos antes de inclinar la cabeza.

—Aunque no puedo descartar la idea de que alguien quiera matarme por alguna de las piezas de la colección de Camden, sí que puedo asegurarte sin temor a equivocarme que Breckenridge no tiene absolutamente nada que ver. Ni con alguna supuesta irregularidad en la colección de Camden, ni con los intentos de asesinato contra mi persona.

—¿Confías tanto en él? —le preguntó con voz desabrida después de observar su rostro con detenimiento.

Caro sostuvo la mirada de Michael y, acto seguido, extendió la mano para entrelazar sus dedos y darle un ligero apretón.

—Sé que para ti es difícil aceptar este hecho, incluso comprenderlo, pero sí, sé que puedo confiar ciegamente en Breckenridge.

El silencio se extendió y un buen rato después la expresión de Michael le indicó que había decidido aceptar lo que le decía.

—¿Cuál es o era la naturaleza de la relación entre Camden y Breckenridge? —le preguntó él.

—Es, porque sigue existiendo. Y aunque sé cuál es y por más que desee contártelo —respondió, y dejó que sus ojos le dijeran lo mucho que deseaba contárselo—, mucho me temo que no puedo —concluyó, diciéndole con la mirada que no se trataba de una falta de confianza ni mucho menos—. Como has descubierto, la relación es un secreto, oculto a los ojos del mundo por un sinfín de buenas razones. No me corresponde a mí revelarlo.

Observó su expresión mientras asimilaba la respuesta, y decidía que no le quedaba más remedio que aceptarla. Que no le quedaba más remedio que respetar su decisión de no romper la confianza que habían depositado en ella, ni siquiera por él. Que no le quedaba más remedio que confiar en ella. Tras mirarla de nuevo a los ojos, asintió con la cabeza.

—De acuerdo. En ese caso, no es Breckenridge.

La alegría le inundó el corazón. No se había dado cuenta de que la confianza de Michael significara tanto para ella, pero así era. Sonrió.

Él se reclinó en el sillón y le devolvió la sonrisa.

—¿Cómo vamos con los diarios?

No podía cambiar de opinión y darle el sí así sin más. No después de lo que había sucedido la noche anterior y de lo que había descubierto tanto de sí misma y como de él.

Estaban sentados en la salita, a escasa distancia, leyendo los diarios. Mientras que una parte de su mente seguía el relato de Camden acerca de las reuniones sociales, otra parte divagaba por otros derroteros.

Desde que se despertó esa mañana, saciada y exhausta entre las sábanas revueltas, había estado dándole vueltas al asunto, evaluando de nuevo la situación... Algo en absoluto sorprendente teniendo en cuenta el seísmo de proporciones épicas que había supuesto la noche anterior. Uno que Michael había provocado. Y con toda deliberación.

Había intentado convencerse de que no había hablado en serio, de que era imposible que no le importase.

Le había bastado una mirada a las marcas que tenía en los muslos, pruebas fehacientes de la intensidad que lo había guiado, para recordar el poder que lo motivaba, y que se apoderaba de ella cada vez que estaban juntos.

Lo había sentido, experimentado y reconocido. Sabía que no eran imaginaciones suyas, que no era falso. De hecho, cuando se apoderaba de ellos, era imposible mentir y engañar. Creía en ese poder, creía que existía entre ellos, que estaba allí. Al recordar sus palabras, el fervor y la convicción con la que había hablado, se veía obligada a creer también en ellas.

Michael no había vuelto a mencionar su decisión. Parecía haberse convertido en una parte de él. Era evidente que no sentía la necesidad de proseguir con sus intentos de convencerla. Le había dicho todo lo que necesitaba decirle. Todo lo que tenía que decirle.

Todo lo que ella necesitaba saber.

Levantó la vista y contempló su rostro mientras pasaba página y continuaba la lectura. Lo observó durante un buen rato; se recreó en la fuerza, en la seguridad y en la determinación que lo animaban y que estaban tan arraigadas en él que pasaban desapercibidas. Después, sus ojos descendieron.

Seguía faltando algo en la ecuación. Se encontraban en territorio desconocido, ya que ninguno de los dos lo había explorado antes. Ignoraba lo que todavía debía manifestarse entre ellos; sin embargo, su instinto (al que su experiencia le decía que hiciera caso) le aseguraba que había algo más. Algo que aún les faltaba y que tenían que encontrar y afianzar para que su relación, una relación que ambos querían y necesitaban, fructificase.

Ése sería su objetivo a partir de ese momento. La decisión de Michael de permitirle tomar una decisión le daba la oportunidad de comprenderlo todo. Más aún, con esa decisión le había revelado lo importante que era para él que su relación se asentara sobre unos sólidos cimientos.

Así que no pasaría de largo, aprovecharía la oportunidad que Michael le había brindado. Esperaría y seguiría buscando hasta encontrar esa pieza fundamental. Él le había dado fuerzas para no dejarse arrastrar por la corriente.

Ya habían informado a su abuelo de los progresos y estaban subiendo la escalinata a fin de arreglarse para la cena cuando Hammer salió al vestíbulo y los vio.

—Señora Sutcliffe. —Se detuvieron en el descansillo. Con paso firme, Hammer subió los escalones y le tendió una bandeja después de hacerles una reverencia—. Un mensajero acaba de entregar esta nota para usted por la puerta trasera. Supongo que no se requiere respuesta, ya que desapareció sin mediar palabra.

—Gracias, Hammer. —Caro cogió la nota, que tenía su nombre escrito.

Cuando el mayordomo se retiró, desplegó el papel y ojeó el mensaje antes de sostenerlo en alto para que él pudiera leerlo por encima de su hombro.

—¿Crees que será alguien de la embajada portuguesa? —le preguntó después de examinar con más detenimiento las palabras.

Michael estudió la cuidada caligrafía y el estilo... diplomático y formal.

Si la señora Sutcliffe desea averiguar la razón subyacente tras los extraños acontecimientos acaecidos de un tiempo a esta parte, la invito mediante la presente a reunirse conmigo en su residencia de Half Moon Street a las ocho en punto de hoy. Siempre que acuda sola o con el señor Anstruther-Wetherby como único acompañante, prometo revelar todo lo que sé. En caso contrario y si aparecen otras personas, no podré asumir el riesgo de dar la cara y transmitir la información que tengo en mi poder.

La nota concluía con una despedida muy formal, aunque, como era de esperar, no estaba firmada.

Caro bajó la nota y lo miró a la cara.

—Sí, tienes razón... parece que sea un asistente diplomático extranjero —dijo después de coger la nota, doblarla y guardársela en un bolsillo. La miró a los ojos—. Sligo, el hombre de confianza de Diablo, ha dejado caer por ahí que estamos buscando información.

—Y éste es el resultado —dijo Caro, sin dejar de mirarlo—. Vamos a ir, ¿verdad? Un asistente diplomático en mi casa no puede ser muy peligroso, ¿verdad?

Le hizo un gesto con semblante impasible para que siguiera subiendo. Cuando ella obedeció, aprovechó el momento para meditar la respuesta a su pregunta.

El instinto le indicaba una cosa y la experiencia y el sentido común de Caro, otra muy distinta. Además, ya eran más de las siete. Aunque alertase a alguno de los Cynster, era muy improbable que pudieran rodear la mansión subrepticiamente antes de las ocho.

Y si alguien los veía... apoyaba la suposición de Caro de que el informador no daría la cara. En el ámbito diplomático, las reglas eran sagradas. Una demostración de confianza era esencial.

Al llegar a la planta alta, Caro se giró para mirarlo a la cara. Su mirada lo atravesó y tras interpretar la pregunta que aquellos ojos grises le hacían, asintió con un gesto rígido de cabeza.

—Iremos. Solos tú y yo.

—Bien. —Caro observó el ligero vestido mañanero—. Tengo que cambiarme de ropa.

Tras consultar el reloj, volvió a asentir con la cabeza.

—Mientras tanto, le contaré a mi abuelo lo de la nota y el lugar al que vamos. Te espero en la biblioteca.

Unos veinte minutos antes de las ocho, un carruaje de alquiler se detuvo frente a la mansión de Half Moon Street. Mientras subía los escalones de la entrada, Michael echó un vistazo a ambos lados de la calle. Era bastante larga y estaba en una zona bastante concurrida, de modo que circulaban los carruajes a pesar de la hora y de la estación del año; unos se detenían delante de las casas y otros pasaban de largo.

Había caballeros apoyados en las rejas de las mansiones, charlando; otros paseaban y otros estaban solos. Cualquiera de los carruajes, cualquiera de los hombres presentes en la calle, podía ser su hombre. Era imposible saber quién.

Caro abrió la puerta principal y él la siguió hasta el vestíbulo, recordándose por el camino que debía refrenar su instinto de protegerla. Era probable que la persona con quien estaban a punto de encontrarse no fuera una amenaza, no a menos que aquello fuera una trampa.

Dado que había contemplado esa posibilidad, aprovechó los minutos que pasó con su abuelo para trazar un plan y ponerlo en acción. Sligo, el que fuera ayudante personal de Diablo y que se había convertido en su hombre de confianza, tenía muchos trucos bajo la manga y era mucho más experimentado que la mayoría de los criados. Le había mandado un recado sin pérdida de tiempo. Llegaría sobre las ocho y vigilaría el exterior. Aunque lo vieran, nadie pensaría que ese hombre delgado y de apariencia anodina supusiera un peligro.

En cuanto al interior de la casa... Cerró los dedos en torno a la empuñadura de su bastón. El estoque que escondía en su interior estaba bien afilado y templado.

Caro abrió la puerta que daba al salón.

Cuando la siguió, se percató de que se encaminaba hacia las ventanas.

—Deja las cortinas corridas. —Aún no había anochecido—. Quienquiera que sea no querrá arriesgarse a que lo vean.

Lo miró un instante antes de asentir con la cabeza. Cambió de rumbo y se acercó al aparador, donde encendió dos candelabros de tres brazos. Las velas chisporrotearon un momento antes de prender, derramando así su luz por la estancia. Dejó uno de los candelabros en el aparador y después colocó el otro en la repisa de la chimenea.

—Así está mejor. Al menos podremos ver.

Aunque la oscuridad en el salón no era absoluta, la luz de las velas resultaba reconfortante.

Echó otro vistazo a su alrededor y volvió a experimentar la sensación de que la mansión era un cascarón que dormitaba a la espera de que lo convirtieran en un hogar. Miró a Caro...

Un chirrido amortiguado, el ruido de la madera al rozar contra la piedra, llegó hasta ellos.

—Viene del piso de arriba —dijo Caro entre dientes, con los ojos abiertos como platos y una expresión perpleja.

Con el rostro imperturbable, él dio media vuelta y salió al vestíbulo. Transpuso la puerta del extremo del pasillo y por un instante sopesó la posibilidad de ordenarle a Caro que se quedara en el salón, pero reconoció que era inútil. Discutir allí en medio no serviría de nada y, además, tal vez estuviera más segura con él.

El pasillo que había al otro lado de la puerta era estrecho y estaba en penumbra. También era relativamente corto y giraba a la derecha. Al otro lado se escuchaban unos ruidos amortiguados. Avanzó sigilosamente y con mucho cuidado.

Sintió la mano de Caro en la espalda; acto seguido, extendió el brazo por delante de su costado y señaló hacia la derecha para indicarle con un gesto muy elocuente que había unas escaleras al doblar la esquina. Él asintió con la cabeza. Estuvo a punto de sacar el estoque, pero no habría modo de sofocar el sonido en un espacio tan cerrado y, teniendo en cuenta las escaleras de servicio... el estoque podría ser un peligro en lugar de una ayuda, dado que no había mucho espacio para maniobrar.

Apretó con más fuerza el bastón y se detuvo al llegar a la esquina. Los sonidos que les llegaban desde el otro lado eran pasos, definitivamente.

Extendió la otra mano hacia atrás en busca de Caro. Mientras la retenía con la mano, dobló la esquina y se asomó al descansillo.

El hombre que estaba al pie de las escaleras levantó la vista. La escasa luz que se filtraba por el montante situado sobre la puerta trasera no le iluminaba el rostro. Lo único que vislumbró fue la silueta de un hombre alto, delgado, de hombros anchos y de pelo oscuro ligeramente ondulado. No era Ferdinand, y tampoco lo conocía.

Se contemplaron mutuamente durante un instante cargado de tensión.

Después, el extraño subió corriendo los escalones y él se lanzó hacia abajo mientras maldecía.

El intruso no había visto el bastón, de modo que se lo colocó por delante con la intención de detener su avance y empujarlo escaleras abajo. Desde luego que lo detuvo, pero el tipo cogió el bastón con ambas manos. Se debatieron un momento antes de que ambos perdieran el equilibrio y cayeran por las escaleras.

Aterrizaron en el suelo, el uno sobre el otro. Tras comprobar sus respectivos estados, supieron al punto que el otro no había quedado incapacitado. Se pusieron en pie de un salto. Michael le lanzó un puñetazo, pero el desconocido lo bloqueó y, en respuesta, se vio obligado a esquivar el puñetazo dirigido a su mandíbula.

Aferró al tipo como pudo y comenzaron a debatirse como posesos mientras intentaban asestar un golpe definitivo. Escuchó la voz de Caro en la distancia. Les estaba gritando, pero se encontraba demasiado ocupado esquivando los golpes como para prestarle atención.

Tanto su atacante como él tuvieron la idea de hacer que el otro perdiera el equilibrio a la par. Se lanzaron el uno contra el otro, pero como estaban aferrados, ninguno cayó al suelo...

Un chorro de agua helada cayó sobre ellos. Los empapó de la cabeza a los pies.

Se separaron resollando y escupiendo agua mientras intentaban secarse el rostro para ver algo.

—¡Basta! ¡Los dos! ¡Ni un solo puñetazo más, os lo advierto!

Ambos la miraron, anonadados.

Ella los contempló echando chispas por los ojos, con el jarro de la señora Simms en las manos, ya vacío.

—Permitidme que os presente. Michael Anstruther-Wetherby y Timothy, el vizconde de Breckenridge.

Se miraron entre sí con los ojos entrecerrados.

—¡Por el amor de Dios! ¡Daos la mano! ¡Ahora! —exclamó, totalmente frustrada.

Ambos la miraron antes de observarse mutuamente. A regañadientes, Michael extendió la mano. Un renuente Timothy se la estrechó. Brevemente.

Michael lo miró con frialdad.

—¿Qué está haciendo aquí? —Aunque había hablado en voz baja, la amenaza que teñía sus palabras era incuestionable.

Timothy le devolvió la mirada antes de desviar la vista hacia ella.

—Recibí una nota. En ella me decían que estabas en peligro y que si quería averiguar más, me encontrara con el autor de la nota aquí a las ocho en punto.

No le quedó la menor duda de que Michael no creyó ni una palabra.

Timothy, que debió de recuperar sus infalibles instintos una vez superada la sorpresa, la miró con expresión asesina después de mirar a Michael.

—¿Qué estás tramando? ¿A qué viene todo esto?

Su tono debería calmar todas las dudas de Michael, ya que rebosaba de irritación y preocupación masculinas.

—Yo también recibí una nota —le explicó con la barbilla en alto—. Muy parecida a la tuya. Vinimos para reunirnos con su autor. —Echó un vistazo al reloj que la señora Simms mantenía en hora, situado al otro lado de la cocina—. Son las ocho menos diez y aquí estamos, discutiendo.

—Y aquí estamos, empapados. —Timothy inclinó la cabeza y se pasó la mano por el pelo, dejando un reguero de gotas en el suelo.

Michael, que estaba quitándose el agua de los hombros, no le quitaba ojo de encima.

—¿Cómo ha entrado?

Timothy lo miró. Aunque su posición no le permitía verle el rostro, Caro se imaginó a la perfección la mueca socarrona que compuso mientras respondía:

—Con una llave, por supuesto.

—¡Ya basta! —Lo miró echando chispas por los ojos. Timothy intentó componer una expresión inocente, pero falló, como de costumbre. Tras desviar la mirada hacia el rostro pétreo de Michael, dijo—: La razón de que la tenga es perfectamente aceptable y lógica.

Michael se mordió la lengua. El libertino más afamado de Londres tenía una llave de la casa de su futura esposa... y ella afirmaba que había una razón aceptable. Contuvo a duras penas un resoplido. Con un florido gesto de la mano, le indicó a Breckenridge que lo precediera por las escaleras. El vizconde, con una expresión socarrona en el rostro, lo obedeció.

Caro había desaparecido. Cuando salieron al pasillo, ella apareció por la puerta de la habitación del ama de llaves, sin jarro en esa ocasión. Tras cerrar la puerta tras de sí, los precedió de vuelta al vestíbulo principal.

—Espero que el autor de la nota no llamara a la puerta mientras estábamos ahí abajo. No estoy segura de que la campanilla funcione —dijo, con la vista clavada en Timothy.

Éste negó con la cabeza.

—Yo tampoco lo sé. Hace bastante tiempo que no vengo por aquí.

Asimiló la conversación mientras atravesaban el vestíbulo en dirección al salón. Caro los condujo hasta la zona de la chimenea. Mientras la seguía con Breckenridge a su lado, fue muy consciente de que el vizconde los miraba alternativamente.

Se detuvieron antes de pisar la exquisita alfombra que había delante de la chimenea, ya que ambos seguían chorreando.

Breckenridge observaba a Caro con una mirada penetrante.

—No se lo has dicho, ¿verdad?

Ella enarcó las cejas y lo miró con expresión irritada.

—Por supuesto que no. Es tu secreto. Si alguien tiene que contarlo, eres tú.

Fue su turno para mirarlos de forma alternativa. La conversación que mantenían era muy similar a las que él solía mantener con Honoria y bien poco tenían éstas de amorosas.

Con las cejas enarcadas, Breckenridge se giró hacia él y lo contempló con ojo crítico.

—Como sin duda alguna Caro querrá que se entere del motivo —dijo con aplomo— y como es muy difícil explicar mi presencia en esta casa sin desvelarle el secreto... le diré que Camden Sutcliffe era mi padre. —Sus ojos habían adquirido un brillo risueño; miró a Caro—. Lo que convierte a Caro en mi... No estoy muy seguro. ¿En mi madrastra?

—Lo que sea —contestó ella—. Eso explica tu relación con Camden y con la mansión, y también explica por qué te legó esa escribanía.

—¿Se ha enterado de eso? —le preguntó el vizconde, con las cejas alzadas por la sorpresa y una expresión algo más respetuosa.

—No hemos encontrado nada que haga suponer que exista un vínculo... —respondió, negándose a que lo engatusaran. Sin embargo, dejó la protesta en el aire mientras las piezas comenzaban a encajar.

Breckenridge sonrió.

—Por supuesto. No sólo se guardó el secreto, sino que además el asunto quedó totalmente enterrado por acuerdo de ambas partes. Mi madre, que Dios la tenga en su gloria, estaba muy contenta con su marido, pero siempre afirmó que Camden había sido el amor de su vida. Un amor muy corto, pero... —Se encogió de hombros—. Siempre fue muy pragmática. Camden estaba casado. Su aventura tuvo lugar durante una breve visita a Lisboa. Mi madre regresó a Inglaterra y le dio a mi padre, y me refiero a Brunswick, su único hijo varón. Yo. —Se acercó al aparador, donde había un decantador.

Lo miró a los ojos al tiempo que señalaba las copas. Cuando él negó con la cabeza, se sirvió una copa y prosiguió:

—Aparte de los problemas obvios, había que considerar el hecho de que si no me reconocían como heredero de Brunswick, el título y las propiedades irían a parar a la Corona, arreglo que sólo complacería al tesorero real. —Hizo una pausa para beber—. El problema es que mi padre es muy envarado. Si se entera, tal vez se sienta en la obligación de desheredarme, sacrificando no sólo su posición, sino también la de la familia y la mía, en el proceso. Aunque, debo admitir, yo no tuve ni voz ni voto en el asunto. Mi madre lo decidió todo por mí. Claro que informó a Camden de mi nacimiento. Dado que no tenía más hijos, se mantuvo al tanto de mis progresos, aunque siempre desde la distancia.

Bajó la vista y tomó un sorbo de brandi antes de continuar:

—Hasta que cumplí los dieciséis. Mi madre me acompañó durante un viaje a Portugal. En Lisboa, tuvimos una entrevista privada con Camden Sutcliffe, el afamado embajador. Juntos, me contaron que era mi padre. —A sus labios asomó una sonrisa torcida—. Por supuesto, jamás lo consideré como tal... Brunswick siempre ha sido y siempre será mi padre. No obstante, saber que Camden era quien me había engendrado explicaba muchas cosas que, hasta el momento, eran difíciles de comprender. Y aunque Camden sabía que siempre consideraría a Brunswick como mi padre, cosa que nunca intentó cambiar y eso le honra, siempre me ayudó en cuanto pudo y se interesó por mi bienestar. Jamás me ha atraído la vida diplomática, ni la política; tengo la intención de ocupar el puesto de Brunswick y continuar con la labor que él y todos sus antepasados han llevado a cabo. A pesar de todo, Camden se mostró... tan afectuoso como su naturaleza se lo permitía.

Su mirada se tornó distante.

—Viajé a Lisboa con regularidad hasta la muerte de Camden. Aprendí mucho mientras lo conocía. —Apuró la copa de un trago y lo miró—. Sobre mí mismo.

Se había dado la vuelta para dejar la copa en el aparador cuando el reloj de la repisa de la chimenea marcó las ocho.

Era un reloj enorme, y sus campanadas resonaron por toda la estancia. Se miraron entre sí.

Caro se enderezó cuando la puerta del salón se cerró de golpe y abrió los ojos de par en par. El vizconde y él se giraron a la par.

Muriel Hedderwick emergió de las sombras. Se había ocultado tras la puerta, entreabierta hasta ese momento.

Caro la observó, atónita. Muriel avanzó muy despacio, con una sonrisa en los labios. Al llegar al centro de la estancia, se detuvo y levantó el brazo. Empuñaba una pistola de duelo. Y la estaba apuntando directamente al corazón.

—Por fin. —Las palabras fueron muy sentidas y destilaban tanto odio que ninguno de los tres se atrevió a hablar. Un brillo satisfecho iluminaba sus ojos oscuros mientras los observaba—. Por fin tengo a mi merced a las dos personas que más odio en el mundo.

Michael se giró para mirar a Muriel de frente, movimiento que lo acercó a Caro.

—¿Por qué me odias?

—¡A ti no! —respondió Muriel con una expresión desdeñosa—. ¡A ellos! —Señaló a Caro y a Breckenridge con la barbilla, pero la pistola no se movió ni un ápice—. ¡Las dos personas que me han arrebatado lo que me correspondía! —Su voz irradiaba una convicción absoluta.

El vizconde parecía estar tan sorprendido como Caro.

—Muriel... —le dijo ésta, dando un paso al frente.

—¡No! —El rugido resonó por todo el salón mientras la fulminaba con una mirada rebosante de odio.

Breckenridge aprovechó el momento para alejarse un poco más. Aunque Michael entendía cuál era su intención y no se le ocurría nada mejor que hacer, no le gustaban los riesgos del plan.

—No me digas que lo he tergiversado todo... ¡Y no intentes salir de ésta con explicaciones tontas! —La furia de Muriel se tornó en desdén.

—Sólo te conozco de vista —dijo el vizconde, llamando su atención—. Apenas te conozco. ¿Cómo he podido perjudicarte?

Muriel lo miró con un rictus feroz.

—Tú eras su niñito mimado —masculló—. Se preocupaba de ti. Te hablaba. ¡Te reconoció!

Breckenridge frunció el ceño.

—¿Camden? ¿Qué tiene él que ver con esto?

—A estas alturas, nada. Ya es demasiado tarde para que arregle las cosas. Pero él también era mi padre y tendré lo que me corresponde.

Cuando miró a Caro, vio su sorpresa y su consternación.

—Muriel...

—¡No! —Una vez más, los ojos de la mujer refulgieron, pero de malicia en esa ocasión—. ¿Crees que me lo estoy inventando? ¿Que tu querido Camden no se acostó con su cuñada? —Desvió la mirada hacia el vizconde y torció el gesto—. Mira, él sabe que es verdad.

Caro miró a Timothy y sus ojos se encontraron por un instante fugaz. Con los labios apretados, él desvió la vista hacia Muriel.

—Ahora entiendo ciertas referencias que he encontrado en las cartas que la esposa de George le escribió a Camden.

Muriel asintió con la cabeza.

—Por supuesto. Mi madre se lo dijo. Jamás quiso a George, era a Camden a quien adoraba. Le dio dos hijos a su marido antes de que Camden regresara a casa para enterrar a su primera esposa. Era el momento perfecto, o eso creyó ella, pero Camden se casó con Helen y regresó a Lisboa... y yo nací en Sutcliffe Hall. Yo. Yo soy la primogénita de Camden —le gruñó a Timothy—, pero jamás me prestó la más mínima atención. Ni siquiera se dignó a considerarme suya... ¡Siempre me trató como si fuera la hija de George! —Sus ojos refulgieron—. Pero no era su sobrina. ¡Era su hija!

—¿Cómo supiste de mi existencia? —preguntó Timothy. Su voz denotaba muy poco interés y mucha menos preocupación.

Con la mirada clavada en la pistola que le apuntaba al corazón, Caro era muy consciente de que a Muriel no le temblaba la mano en absoluto. Además, la pistola pertenecía a una pareja. Las pistolas de duelo de Camden. Esperaba que Timothy y Michael se dieran cuenta. Ella sabía que Muriel era una tiradora excelente y que había planeado la escena al detalle. Lo había organizado todo para que los tres estuvieran allí. No se enfrentaría a ellos con una sola pistola. De ahí que mantuviera la otra mano escondida.

—Viniste a darle el pésame cuando Helen murió. Os vi juntos por los jardines. No os parecíais mucho... —dijo con voz burlona—. Salvo de perfil. Fue entonces cuando lo supe. Si Camden era capaz de acostarse con su cuñada, ¿por qué no con otras mujeres? Aunque no me importó, al menos no entonces. Me convencí de que por fin, con la muerte de Helen y dada su edad, Camden me recibiría con los brazos abiertos. No me importaba que se refiriera a mí como su sobrina en lugar de reconocer abiertamente que era su hija. El hecho es que estaba preparada para el puesto. —Alzó la barbilla—. Contaba con una preparación excelente para actuar como su anfitriona en la embajada.

Muriel desvió la mirada hacia ella muy despacio. La expresión asesina de su rostro hizo que tanto Michael como Timothy se tensaran en un esfuerzo visible por contener el instinto de acercarse a ella para protegerla.

—Sin embargo —prosiguió en voz baja y con una rabia apenas contenida. Su pecho subía y bajaba cada vez que respiraba—, tú llamaste su atención. Corrió detrás de ti. ¡De ti! De una chiquilla más joven que su propia hija y sin experiencia alguna. No habló conmigo. ¡Se negó a hablar conmigo! ¡Se casó contigo y te entregó el lugar que me correspondía! ¡Yo debía haber sido su anfitriona! —Su cuerpo irradiaba la furia que sentía. No obstante, aunque temblaba, la pistola siguió apuntándole el corazón—. Durante años, muchos años, tuve que escuchar lo maravillosa que eras, y no sólo de labios de Camden, sino de todo el mundo. Incluso ahora, apareces de la nada y todos los miembros de la Asociación de Damas te rinden honores. Sólo hablan de ti y de tus maravillosas ideas, de lo competente que eres... Y se olvidan de mí. ¡De mí, que hago todo el trabajo! ¡Que lo hago todo bien! ¡Siempre me robas la gloria!

Su voz fue subiendo de tono hasta acabar en un chillido. Ella, por su parte, apenas era capaz de resistir todo el veneno que destilaban sus palabras.

—Cuando volvíamos de la reunión en Fordingham, me cansé. Me di cuenta de que tenía que librarme de ti. Había confiscado el tirachinas de Jimmy Biggs y sus perdigones el día anterior. Los tenía a mis pies, en la calesa, mientras te seguía de camino a casa. No me acordé hasta que te desviaste en el cruce de Eyeworth Manor. Era la oportunidad perfecta, estaba destinado a ser el momento oportuno. —Su mirada se clavó en Michael—. Pero tú la salvaste. Tampoco me importó. Había otras maneras, sin duda mejores, de hacerlo. Contraté a dos marineros para que la secuestraran y se libraran de ella, pero la retrasaste y asaltaron a la señorita Trice. Después de eso, no confié en nadie más para hacer el trabajo. Habría acabado con ella en la fiesta parroquial... pero una vez más, la apartaste justo a tiempo —masculló.

Michael sostuvo su mirada con expresión pétrea, consciente de que, a su derecha, el vizconde se iba apartando poco a poco de él.

—Y después corté los postes de la barandilla del puente. Debería haberse ahogado, ¡pero volviste a salvarla una vez más! —Echaba chispas por los ojos—. ¡Eres un estorbo! —Miró a Caro—. ¿Por qué no fuiste a la reunión que organicé para ti? Claro que no te habrías reunido con los miembros de la asociación, sino con algunos personajes que había contratado para la ocasión. Pero no apareciste. —Por extraño que fuese, parecía estar calmándose. Sus labios dibujaron el asomo de una sonrisa—. Pero te perdono. Te perdono porque gracias a eso vine a este lugar y eché un vistazo. Hice una copia de la llave hace años, pero jamás llegué a usarla. —Sus ojos negros brillaban. Se irguió más—. En cuanto vi este lugar, me di cuenta de que debía ser mío. Yo lo merecía, ¡yo merecía su amor!, pero te lo dio a ti. Ahora lo quiero.

Breckenridge dio otro paso. Muriel se percató, y también se percató de cuál era su intención.

El tiempo pareció detenerse. Michael la vio parpadear, vio la decisión que tomó a sangre fría. Iba a disparar, y él sabía que Muriel tenía una puntería excelente. Supo sin lugar a dudas que Breckenridge estaría muerto en un abrir y cerrar de ojos. Breckenridge, por quien Caro se preocupaba, y quien se había convertido en objetivo de Muriel de forma inocente.

Y su muerte no cambiaría las cosas, ya que sin duda alguna Muriel tenía otra pistola cargada y amartillada.

Su decisión no fue consciente, se limitó a abalanzarse sobre el vizconde. Lo tiró al suelo justo cuando la pistola disparaba.

Caro gritó.

Mientras caían al suelo Michael se percató de que Breckenridge se sacudía, pues el disparo lo había alcanzado, pero en ese momento se golpeó en la cabeza con la pata de hierro forjado de un elegante diván. El impacto le robó la visión. Y el dolor que le provocó fue tan intenso que sintió una oleada de náuseas.

Se aferró a la consciencia con todas sus fuerzas. No había planeado que todo acabara así. Su intención no era que Caro se enfrentara a Muriel y a su segunda pistola a solas...

La sintió inclinarse sobre ellos y arrodillarse a su lado. Sus dedos le tocaron la cara y le aflojaron la corbata para tantearle el cuello en busca del pulso. No tardó en darle un tirón de la prenda para quitársela.

A través del aturdimiento provocado por dolor, la escuchó gritar:

—Muriel, por lo que más quieras, ¡ayúdame! Está sangrando.

Por un momento, se preguntó si sería él, pero se refería a Breckenridge. La sintió cambiar de postura para ayudarlo, intentando cortar la hemorragia, aunque no sabía dónde había recibido el disparo. Intentó abrir los ojos, pero le fue imposible. El dolor hacía estragos en sus sentidos y la inconsciencia amenazaba con tragarse su fuerza de voluntad.

—Déjalo. —La voz de Muriel era más fría que el hielo—. Ahora mismo, Caro. Y lo digo en serio.

Se detuvo, petrificada.

—No ganarás nada si matas a Michael —replicó con voz queda.

—No, tienes razón. Sólo lo mataré si no haces lo que te digo.

—¿Qué quieres que haga? —preguntó tras una pausa.

—Ya te he dicho que quiero esta mansión, así que lo he arreglado todo para que redactes un nuevo testamento. Un abogado te está esperando con él en el número 31 de Horseferry Road. El abogado es el señor Atkins, y no te molestes en pedirle ayuda. No te la prestará. En cuanto hayas firmado el testamento que ha redactado, él y su pasante actuarán como testigos, te dará un objeto que simbolizará que lo has hecho todo tal y como yo he estipulado. Si quieres que Michael viva, tienes que traerme de vuelta ese objeto antes de... —Hizo una pausa—. Antes de las nueve y media.

Quería decirle a Caro que Muriel jamás lo dejaría salir con vida, pero comenzaba a perder la consciencia.

Claro que Muriel había pensado en todo.

—Y no te preocupes por la posibilidad de que mate a Michael una vez que hayas cumplido con tu parte. Sólo quiero lo que me pertenece por derecho. Y cuando todo esté a mi gusto, una vez que hayas muerto, él no supondrá ninguna amenaza para mí. Os enterrará a ti y a Breckenridge y me dejará marchar; porque si no lo hace, les hará mucho daño a muchas personas. A Brunswick y a su familia, a George, a mis hermanos y a sus respectivas familias... Si Michael me desenmascara, las víctimas del legado de Camden se multiplicarán.

A su mente afloró un recuerdo. Aún tenían una oportunidad, muy pequeña, pero lo único que podía hacer era rezar para que Caro tomara el rumbo adecuado. Sintió que ella le acariciaba la mejilla antes de ponerse en pie. En ese instante, la negra inconsciencia derrumbó sus defensas y lo arrastró.

22

Caro se puso en pie mientras se devanaba los sesos a marchas forzadas. Estaba acostumbrada a situaciones de emergencia, pero no de ese tipo. Tragó saliva y echó un vistazo hacia el reloj. Le quedaba menos de una hora para regresar con el objeto convenido.

—Muy bien. —No tenía tiempo para discutir y, a tenor del brillo que iluminaba los ojos de Muriel y de la expresión que lucía su rostro, habría sido en vano—. El número 31 de Horseferry Road. El señor Atkins.

—Correcto —le dijo Muriel mientras señalaba la puerta con una segunda pistola. Soltó la que había utilizado. Tal y como ella sospechaba, llevaba la pareja oculta en la otra mano—. Lárgate ya.

Tras echar un último vistazo a los hombres que yacían inmóviles en el suelo, rezó una corta plegaria en silencio y se marchó.

—¡Y date prisa! —gritó Muriel a su espalda, antes de echarse a reír.

Contuvo un escalofrío mientras se precipitaba hacia la puerta principal. Cuando la cerró al salir, miró a uno y otro lado de la calle. ¿Dónde estaban los coches de alquiler cuando se necesitaban?

Bajó los escalones a toda prisa. ¿Debería ir a Piccadilly, una zona que solía estar plagada de coches de alquiler, o sería mejor que fuera caminando hacia donde pretendía ir? Se detuvo en mitad de la calle y después echó a correr hacia Grosvenor Square.

Había dejado atrás tres casas cuando se detuvo a su lado un carruaje negro sin blasón alguno. Un hombre de baja estatura pero de constitución fuerte abrió la puerta y asomó la cabeza.

—¿Señora Sutcliffe? Soy Sligo, un empleado de su excelencia, el duque de St. Ives.

Caro se detuvo, lo miró de hito en hito y subió al vehículo sin más demora.

—¡Gracias a Dios! ¡Lléveme a casa del duque de inmediato!

—Ahora mismo, señora. Jeffers... a casa, tan rápido como puedas.

De camino, Sligo le explicó que Michael le había pedido que vigilara la mansión mientras estuvieran dentro. Dio las gracias para sus adentros y siguió rezando para que todo saliera bien. El carruaje enfiló Grosvenor Square al cabo de unos minutos de traqueteo sobre los adoquines. Diablo y Honoria salían de casa en esos momentos, ataviados para asistir a algún evento social.

Salió del carruaje y a punto estuvo de caerse por la impaciencia. Diablo la sostuvo en el último momento.

Y ella explicó atropelladamente todo lo que había sucedido.

Honoria conocía a Muriel y se quedó lívida al escucharla.

—¡Válgame Dios!

Diablo miró a su esposa.

—Envíales un mensaje a Gabriel y a Lucifer y diles que los esperamos en el extremo sur de Half Moon Street.

—Ahora mismo. —Honoria la miró mientras le daba un apretón en la mano—. Tened cuidado. —Se dio la vuelta y subió los escalones a la carrera.

Diablo la ayudó a subir de nuevo al carruaje mientras le ordenaba al cochero:

—Al número 31 de Horseferry Road. Tan rápido como puedas. —Subió de un salto y saludó a Sligo con un breve gesto de la cabeza. Se sentó a su lado y la cogió de la mano—. Y, ahora, cuénteme exactamente lo que ha dicho Muriel sobre ese testamento.

Apenas treinta minutos después regresaban a Half Moon Street. Habían realizado el trayecto a una velocidad de vértigo y el encuentro en el despacho del abogado se había solucionado en un santiamén.

A sugerencia de Diablo, Caro interpretó el papel de una mujer sin dos dedos de frente. Entró en el despacho con Sligo. El duque se ocultó en las sombras, al pie de la ventana. El abogado resultó ser tan untuoso como su pasante y ya tenía listo el nuevo testamento para que lo firmara. Ella firmó primero y después lo hicieron Sligo y el pasante en calidad de testigos. Por último, lo hizo el abogado. El tipo se frotó las manos con manifiesto deleite y le ofreció el «objeto convenido»: una pluma de grajo.

Una vez con la pluma bien sujeta, se giró hacia la ventana. Acto seguido, Diablo hizo una melodramática y fulgurante entrada envuelto en su capa negra. Le arrancó el testamento al abogado de las manos y lo hizo trizas.

Un minuto después estaban de regreso en el carruaje. La pluma seguía en su mano.

Echó un vistazo por la ventana. El crepúsculo teñía el cielo de púrpura y azul oscuro. El carruaje aminoró la marcha hasta detenerse cuando llegaron a la esquina de Piccadilly. Diablo abrió la puerta y se asomó. Dos corpulentas siluetas salieron de entre las sombras y se acercaron a ellos.

Gabriel y Lucifer. Los tres hombres conferenciaron brevemente en susurros. Todos se oponían a que regresara para entregarle la pluma a Muriel.

—Tiene que haber otra manera de hacerlo —insistió Gabriel.

A petición de Diablo, les describió la escena que había dejado atrás en el salón. Lucifer meneó la cabeza.

—Es demasiado arriesgado que entremos sin más. Tenemos que asegurarnos de que Muriel sigue en el salón.

—Tengo las llaves de la verja trasera y de la puerta de servicio.

El comentario hizo que los tres desviaran la vista hacia ella al unísono antes de intercambiar una silenciosa mirada. Diablo la ayudó a apearse.

—Quédate con Jeffers —le ordenó a Sligo. Sacó su reloj y echó un vistazo a la hora—. Parad frente a la mansión dentro de quince minutos.

Sligo miró su reloj y asintió con la cabeza.

El duque cerró la puertezuela del carruaje y la tomó del brazo. Seguidos por Gabriel y Lucifer, se internaron sin pérdida de tiempo en los estrechos callejones traseros donde se emplazaban las caballerizas de las residencias de Half Moon Street.

—Ésta es —les dijo mientras se detenía junto a la verja y abría su ridículo para sacar las llaves.

Lucifer extendió un brazo y comprobó que estaba abierta.

Sintió que los tres hombres la miraban mientras ella contemplaba la verja, estupefacta.

—El ama de llaves debió de dejarla abierta. —Posible, aunque bastante improbable.

Gabriel y Lucifer abrieron la marcha por el sendero del jardín. A pesar de su corpulencia, los tres Cynster se movían con sigilo y agilidad. El jardín estaba descuidado. De repente, descubrió que estaba haciendo planes para contratar los servicios de un jardinero a fin de que la mansión estuviera habitable, dada su...

Interrumpió el hilo de sus pensamientos y clavó la vista al frente. Gabriel había desaparecido. Lucifer se había agachado y les hacía gestos para que se detuvieran. Diablo la sacó del sendero y se ocultaron a la sombra de un enorme rododendro.

—¿Qué? —musitó ella.

—Hay alguien ahí —susurró Diablo—. Mis primos se encargarán.

Apenas había acabado de pronunciar las palabras cuando escucharon un golpe sordo seguido de lo que obviamente era un forcejeo y, después, Gabriel y Lucifer regresaron arrastrando a un individuo casi tan alto como ellos. Le tapaban la boca con una mano y lo sujetaban por los brazos, que tenía retorcidos a la espalda.

Los ojos del intruso se clavaron en ella... echando chispas.

Caro emergió de las sombras del rododendro y fulminó con la mirada al inesperado visitante.

—¡Ferdinand! ¿Qué demonios está haciendo aquí?

El aludido parecía dispuesto a no dejarse amilanar. Gabriel lo soltó un instante, lo miró a la cara y le hizo algo que le arrancó un jadeo.

Ella contuvo un respingo. De pronto, cayó en la cuenta de que ésa era la oportunidad perfecta para obtener respuestas directas, aprovechando que tres peligrosos Cynster lo tenían inmovilizado.

—No tenemos tiempo que perder, Ferdinand. ¡Dígame ahora mismo qué está haciendo aquí!

El portugués miró de reojo a Lucifer y después observó a Diablo, semioculto entre las sombras. Se quedó lívido antes de mirarla de nuevo.

—Cartas... Hace muchos años, el duque y el señor Sutcliffe mantuvieron una activa correspondencia. El duque ha obtenido el perdón y quiere regresar a Portugal, pero si esas cartas salen a la luz... será exiliado de por vida. —Hizo una pausa y continuó con voz ansiosa—: Ya sabe cómo es la Corte, Caro...

Ella alzó una mano para que guardara silencio.

—Sí. Lo sé. Y sí, le daré las cartas. Lo único que tenemos que hacer es encontrarlas... si es que existen. —Tenía la vista clavada en la casa y la preocupación por Michael y Timothy crecía por momentos—. Venga a verme mañana y las buscaremos. Ahora no tenemos tiempo para esto. Está sucediendo algo ahí dentro que tenemos que detener. Márchese. Lo espero mañana.

Ferdinand le habría cogido la mano para agradecérselo de corazón, pero el empujón que le dio Lucifer hacia la verja se lo impidió.

Se acercaron a la casa. La cerradura de la puerta trasera estaba bien engrasada, de manera que la llave no hizo el menor ruido. La puerta se abrió sin chirriar. Los condujo por la cocina y, después, abrió la marcha por las escaleras hasta llegar al estrecho pasillo. Se detuvo en la puerta de acceso al vestíbulo superior y, al echar un vistazo por encima del hombro, descubrió que Ferdinand los había seguido, si bien lo hacía a cierta distancia y en silencio.

—El salón es la tercera puerta a la derecha. La más cercana a la puerta principal —susurró.

Todos asintieron con la cabeza. Ella abrió la puerta del pasillo sin hacer ruido y Diablo la sostuvo mientras pasaba. La acompañó mientras los demás aguardaban en el descansillo de las escaleras.

No se escuchaba nada. Cuando llegaron frente a la puerta del salón, Diablo la detuvo poniéndole las manos sobre los hombros. Se adelantó un poco, echó un vistazo hacia el interior y le indicó con un gesto que regresara con los demás. Una vez que estuvieron en el descansillo, les explicó:

—Está sentada en un sillón delante de la chimenea. Tiene una pistola en la mano y hay otra en el suelo, al lado del sillón. Creo que Michael sigue inconsciente. —La miró de soslayo—. Breckenridge ha perdido mucha sangre.

Ella hizo un gesto afirmativo con la cabeza. De repente, comenzaron a zumbarle los oídos con tanta intensidad que le fue imposible escuchar con claridad los susurros de los Cynster. Respiró hondo para calmarse e intentó hacer caso omiso del vacío que sentía en el estómago y del frío que le había helado la sangre en las venas.

—Tienes razón —convino Gabriel a regañadientes—. Si entramos en tromba, lo más seguro es que abra fuego, y vete tú a saber sobre quién.

—Necesitamos distraerla —murmuró Diablo.

Intercambiaron unas cuantas miradas, pero a ninguno se le ocurría nada. El carruaje llegaría al cabo de unos minutos y Muriel esperaría verla entrar.

En ese momento, Ferdinand se acercó a ellos y le dio unos golpecitos a Gabriel en el hombro. Éste lo miró y se apartó para permitirle que se acercara y pudiera hablar sin alzar la voz.

—Tengo una sugerencia. La dama de la pistola... supongo que se trata de Muriel Hedderwick, ¿verdad? —Ella asintió. Ferdinand prosiguió—: ¿Conoce a estos tres caballeros? —Cuando ella negó con la cabeza, él sonrió—. A mí sí me conoce. Puedo entrar e interpretar el papel del «desquiciado portugués». ¿Nos les parece? Muriel dejará que me acerque. No se sentirá amenazada por mí y podré arrebatarle la pistola.

Comprendió de inmediato lo que Ferdinand proponía. Comprendió los motivos. Si lograba salvar a Michael y a Timothy, estaría en deuda con él. Y podría reclamar las cartas a modo de pago.

Los Cynster no parecían muy convencidos, pero a la postre dejaron la decisión en sus manos. Ella asintió con la cabeza. Con determinación.

—Sí. Intentémoslo. Ferdinand tiene una posibilidad de ponerle fin a todo esto. Nosotros no.

El susodicho miró a Diablo y éste hizo un gesto afirmativo con la cabeza.

—Quítele la pistola que tiene en la mano. Tan pronto como la haya desarmado, entraremos.

Ferdinand echó a andar por el pasillo. Se detuvo al llegar a la puerta para colocarse mejor la chaqueta, cuadró los hombros, alzó la cabeza y entró con paso seguro y firme.

—¡Caro! —gritó—. ¿Dónde está?

Lo siguieron en silencio hasta el vestíbulo.

Cuando Ferdinand llegó al salón, echó un vistazo al interior y esbozó una enorme sonrisa antes de entrar.

—¡Caramba! ¡Señora Hedderwick! ¡Qué agradable sorpresa! Ya veo que usted también ha abandonado el campo...

Pronunció la última palabra con una voz un tanto distinta que dejó entrever su férrea determinación. Escucharon un jadeo femenino seguido de los sonidos de un forcejeo.

Gabriel y Lucifer entraron como dos ángeles vengadores. Ella hizo ademán de seguirlos, pero Diablo la cogió por la cintura y la detuvo. Forcejeó con él, presa de la furia.

—¡Maldita sea, St. Ives, suélteme!

—A su debido tiempo —fue su imperturbable réplica.

El sonido de un disparo reverberó por toda la casa.

Diablo la soltó y ella se precipitó hacia la puerta. Aun así, el duque se las apañó para llegar antes que ella y, por un instante, le bloqueó la entrada mientras comprobaba lo que había sucedido en el salón. A la postre, la dejó pasar y la siguió mientras ella volaba en dirección a Michael y Timothy.

Por el rabillo del ojo, atisbó a Muriel, que se debatía como una posesa. Ferdinand y los Cynster estaban tratando de reducirla. La segunda pistola yacía en el otro extremo de la estancia; alguien la había alejado de una patada. Diablo se acercó y la cogió. La que había sido disparada estaba a los pies de Muriel.

Ella se hincó de rodillas junto a Michael y Timothy. Buscó con ademanes frenéticos el pulso de Michael y lo encontró. Aunque su corazón latía con fuerza, no respondió a sus caricias ni a su voz.

El pulso de Timothy, en cambio, era débil y muy irregular. Tenía la camisa y la chaqueta empapadas de sangre. Bajo su espalda se extendía un charco carmesí. No obstante, la hemorragia parecía haberse detenido, porque no manaba más sangre de la herida del pecho. Extendió el brazo para levantar la corbata con la que había intentado taponar la herida... y Diablo la detuvo.

—Será mejor que no lo toque —le advirtió. Ordenó a Lucifer que enviara a Sligo en busca de un médico.

Mientras esperaban, echó un vistazo hacia el lugar donde se encontraba Muriel y descubrió que Gabriel la estaba atando a una silla con los cordones de las cortinas. Sus miradas se entrelazaron desde la distancia. Muriel la miró sin decir nada y, después, echó la cabeza hacia atrás y soltó un alarido.

Los cuatro hombres que estaban conscientes dieron un respingo. Cuando hizo una pausa para respirar, Gabriel soltó un improperio y le metió en la boca el pañuelo que acababa de sacarse del bolsillo. Muriel, con los ojos a punto de salírsele de las órbitas, comenzó a retorcerse contra los cordones que la inmovilizaban mientras farfullaba algo ininteligible. Los nudos, sin embargo, resistieron las embestidas.

La tensión que parecía haberse apoderado de la estancia se alivió. Los hombres se apartaron de Muriel. Ferdinand se acercó mientras se colocaba la chaqueta. Miró brevemente a Michael y a Timothy antes de preguntarle a Diablo:

—¿Sobrevivirán?

El duque ya había palpado la cabeza de Michael y le había alzado los párpados, circunstancia que ella había aprovechado para colocarse su cabeza en el regazo.

—Los dos deberían hacerlo —contestó Diablo mientras contemplaba a Timothy con expresión seria—. Por fortuna, la bala no le atravesó el pulmón.

Ferdinand titubeó antes de decir:

—Creo que será mejor que no esté aquí cuando llegue el médico.

Ella lo miró.

—Sí. Es lo mejor. Venga a verme mañana. A la residencia de los Anstruther-Wetherby en Upper Grosvenor Street. —Sonrió—. Ha sido muy valiente.

La habitual sonrisa del portugués asomó a sus labios en ese momento. Se encogió de hombros.

—Una dama con una pistola... no he corrido ningún peligro.

Sostuvo su mirada mientras lo corregía:

—Salvo cuando la dama en cuestión es una excelente tiradora.

La sonrisa del hombre se desvaneció.

—Está bromeando, ¿verdad?

Ella negó con la cabeza.

—Por desgracia, no.

Ferdinand masculló un improperio en portugués. Miró de reojo a Muriel, que seguía forcejeando en vano con los nudos de Gabriel.

—¿Por qué lo ha hecho?

La pregunta le hizo enfrentar la mirada de Diablo, que estaba a los pies de Michael.

—Sospecho que nunca lo sabremos. Está loca de atar.

El portugués asintió con la cabeza y se marchó. Diablo siguió en cuclillas a los pies de Michael. Gabriel tomó asiento en el diván, sin quitarle la vista de encima a Muriel. Entretanto, ella observaba el rostro de Michael y le acariciaba el cabello mientras recorría con la mirada esos rasgos que ya le resultaban tan familiares.

Lucifer no tardó en volver acompañado del doctor. Caro se puso en pie y, dándole gracias a Dios y a todos los santos, se dispuso a hacer cuanto estuviera en su mano por los dos hombres a los que más quería en el mundo.

La escena final del drama tuvo lugar en la biblioteca de su abuelo. La familia al completo se reunió esa misma noche para escuchar la historia de principio a fin, para comprender lo sucedido, para tranquilizarse y, cómo no, para prestar ayuda en lo que fuera posible.

Michael estaba sentado en un mullido sillón orejero. Sentía un dolor punzante en la cabeza, la cual reposaba en un almohadón de seda. Tenía un doloroso chichón del tamaño de un huevo en la parte posterior de la misma. Alzó la copa que sostenía y tomó un trago... de tisana. Caro, que estaba sentada a su lado en uno de los reposabrazos del sillón, había insistido en que se la tomara. Los demás caballeros presentes estaban bebiendo brandi, pero con Caro tan cerca y con Honoria sentada en el diván sin quitarle ojo, no le había quedado más remedio que beberse el asqueroso potingue.

Diablo estaba presente, junto con Gabriel, Lucifer y sus respectivas esposas, Alathea y Phyllida. Su abuelo ocupaba su sillón preferido mientras escuchaba sin pestañear el detallado relato de los acontecimientos que estaban haciendo entre todos, de modo que las piezas encajaran. Evelyn también los escuchaba, boquiabierta.

—No me lo creí hasta que recordé que Muriel era una excelente tiradora —dijo Caro, mirándolo—. Sobresale en todas esas actividades que, por regla general, no interesan a las mujeres. Conduce carruajes, practica el tiro con arco y es letal con una pistola.

—Y, no te olvides —añadió él—, con los tirachinas.

Caro asintió con la cabeza.

—Cierto, también con los tirachinas.

—De modo que —intervino Honoria—, cuando volviste a Bramshaw, Muriel te habló de la reunión de la Asociación de Damas, te obligó a asistir y, después, cuando vio que el resto de las damas te trataba como si fueras una celebridad, cosa en absoluto extraña, ¿se puso como una fiera?

Caro la miró a los ojos.

—Creo que ésa fue la gota que colmó el vaso —convino mientras recorría con la mirada a todos los presentes—. Muriel se consideraba a sí misma como la verdadera dueña y señora de Sutcliffe Hall. Ella era una Sutcliffe legítima. La primogénita de Camden. La heredera de sus talentos, podríamos decir; pero, cuando su padre se casó conmigo y me convirtió en su anfitriona, me antepuso a ella. Craso error por su parte. A partir de ese momento, se propuso luchar con uñas y dientes para convertirse en la dama más influyente del condado, una posición que se ganó a pulso. Y, a pesar de mis prolongadas ausencias, me bastó con aparecer para que las demás damas me pusieran en el pedestal que ella había ocupado hasta entonces, logrando que se sintiera desplazada. Camden le hizo daño, pero cada vez que yo volvía a casa, era como si le estuviera echando sal a la herida.

Llegados a ese punto, Michael le dio un suave apretón en la mano.

—Tú no tenías la culpa —quiso reconfortarla.

—No —convino ella. Un momento después, alzó la cabeza y prosiguió—: Sin embargo y dada su pertinaz naturaleza, una vez que decidió librarse de mí, nada habría podido detenerla. Después, vio la mansión y ante ella apareció la oportunidad de vengarse de Timothy y...

—No obstante —la interrumpió Magnus, mirándola desde debajo de sus pobladas cejas—, su verdadero objetivo, la persona a la que deseaba castigar de verdad, era Camden. El problema es que está muerto. Las únicas personas sobre las que podía descargar su rencor eran Breckenridge y usted. —Sostuvo la mirada de Caro sin flaquear—. Éstas son las consecuencias de los cabos sueltos que Camden Sutcliffe dejó. No tenía nada que ver con Breckenridge ni con usted.

Caro observó la sabiduría que encerraban los ojos del anciano. Pasado un momento, inclinó la cabeza.

—De todos modos —intervino Diablo—, somos nosotros los que debemos atar este último cabo suelto. —Miró a sus primos, quienes habían llevado a Muriel, atada y amordazada, a su residencia de Londres—. ¿Cómo se lo ha tomado su marido?

Gabriel torció el gesto.

—No ha rechistado... Claro que tampoco se ha sorprendido en lo más mínimo.

—Le ha sorprendido saber lo que había hecho —lo corrigió su hermano—, pero no que finalmente hubiera decidido hacer algo.

—Debía saber hasta qué punto estaba obsesionada —dijo Gabriel—. Estuvo de acuerdo con nosotros en todo. Es un tipo callado, pero parece competente y decidido. Además, le explicamos lo que debía hacer a cambio de nuestro silencio sobre todo este asunto.

—¿Ha accedido a encerrarla?

Gabriel asintió con la cabeza.

—Es una mujer muy fuerte y, dadas sus habilidades, un peligro potencial. Hedderwick tiene una casita de campo muy aislada en la costa de Cornualles y piensa trasladarla allí. Estará vigilada día y noche.

Diablo la miró.

—El médico tiene la intención de velar esta noche a Breckenridge, sólo para curarse en salud, aunque está convencido de que no tardará en recuperarse. —Miró a Michael y enarcó una ceja.

Michael asintió con la cabeza, hizo una mueca por el movimiento y volvió a recostar la cabeza en el almohadón.

—A tenor de las circunstancias, tendremos que consultar la opinión de Breckenridge y la de George Sutcliffe, pero es absurdo airear el asunto. Además de mancillar el recuerdo de Camden Sutcliffe, cuya labor profesional fue ejemplar a pesar de sus defectos en el ámbito personal, el resto de los Sutcliffe sufrirían innumerables quebraderos de cabeza a causa de las investigaciones legales. Por no mencionar a los Danvers. —Sus ojos recorrieron a los reunidos y, al ver que nadie objetaba, asintió con la cabeza—. El asunto ya es bastante desagradable de por sí. Será mejor que lo dejemos estar.

Todos se mostraron de acuerdo, apuraron sus copas y, después, más tranquilos tras saber que las cosas habían acabado de la mejor forma posible, se marcharon.

Michael se despertó en mitad de la noche, cuando el mundo se encontraba sumido en el silencio del sueño. La quietud reinaba en la casa de su abuelo. Caro dormía a su lado, tapada con la sábana.

Sonrió y sintió que lo inundaban el alivio y la alegría. Descubrió que ya no le dolía la cabeza. Se llevó una mano al chichón y comprobó que todavía le dolía si lo tocaba, pero no resultaba demasiado molesto.

Caro se movió. Pareció darse cuenta de que estaba despierto. Alzó la cabeza, lo miró a la cara y abrió los ojos de par en par.

—¿Cómo estás?

Esa noche había llegado a su dormitorio a duras penas y prácticamente se había derrumbado a sus pies. Ella tuvo que ayudarlo a desvestirse y a meterse en la cama. Se quedó dormido en cuanto apoyó la cabeza en la almohada.

—Mucho mejor. —Estudió su expresión un instante y le acarició el pelo mientras sonreía—. Tu tisana ha funcionado.

Ella le lanzó una mirada que decía «Te lo dije», pero no abrió la boca. En cambio, lo miró a los ojos, se acercó a él y apoyó los brazos sobre su pecho para observarlo desde allí.

—Si estás despierto y en uso de tus facultades mentales, quiero hacerte una pregunta.

Estuvo a punto de fruncir el ceño, pero se contuvo. Caro parecía muy seria.

—Estoy despierto. ¿Qué quieres preguntarme?

Ella titubeó y después inspiró hondo... cosa que hizo que sus pechos se aplastaran contra él.

—¿Cuándo podemos casarnos? —Lo preguntó con total serenidad—. Ya he tomado la decisión. Sé lo que quiero y no necesito esperar. Asumiendo —prosiguió mientras enarcaba una ceja—, claro está, que todavía quieras casarte conmigo.

—No tienes ni que preguntarlo. —Le pasó un brazo por la cintura... cubierta por otro de sus camisones de seda. Todavía no lo había visto, pero no tardaría en hacerlo—. Pero... —Intentó contenerse para no tentar al destino, pero tenía que saberlo—. Dime, ¿qué es lo que te ha convencido, lo que te ha ayudado a tomar esa decisión?

—Tú. Yo. —Su mirada lo atravesó—. Y ver que Muriel te apuntaba con la pistola. Eso... Bueno, se puede decir que eso me abrió los ojos. De repente, lo vi todo muy claro. —Hizo una pausa antes de proseguir—: Me habías convencido de que debía casarme contigo, de que ser tu esposa era lo más adecuado para mí, pero tenía la sensación de que faltaba algo. Algo crucial. —Sus labios esbozaron una sonrisa irónica—. Me di cuenta de que lo que faltaba era yo. O mejor dicho, mi decisión. En palabras de Therese Osbaldestone, lo que debía hacer era «armarme de valor y coger el toro por los cuernos». Porque, según ella, hasta que no lo hiciera, hasta que no aceptara de forma consciente el riesgo y decidiera dar el paso, lo que había entre nosotros no podría seguir creciendo. —Se movió un poco y una de sus piernas acabó sobre sus muslos—. Muriel y sus amenazas me ayudaron a comprender el enorme riesgo que estaba corriendo si no tomaba una decisión... si no me arriesgaba a tomar una decisión. La vida es para vivirla, no para pasarla odiando a los demás y mucho menos para dejar que se nos escurra entre los dedos. Tú y yo hemos desaprovechado muchos años, pero ahora tenemos la oportunidad de enmendar nuestro error.

Su expresión estaba desprovista de velos. No se ocultaba detrás de ningún escudo.

—Juntos podemos crear una familia y llenar Eyeworth Manor de niños y de alegría. Y la mansión de Half Moon Street también. Ya me imagino viviendo allí contigo, cumpliendo el papel de tu anfitriona, de tu compañera. De un modo distinto a lo que viví con Camden. —Sus ojos brillaban en la oscuridad como la plata más pura—. Tenemos la oportunidad de crear un futuro juntos. El futuro que nosotros queramos. Tal vez lo que sentimos ahora no perdure, pero... —Ladeó la cabeza—. Es un riesgo, sí, pero uno que merece la pena correr. —Una nueva sonrisa apareció en sus labios—. Es un riesgo que estoy dispuesta a correr contigo.

Él sonrió y sintió que lo abandonaban todas las preocupaciones.

—Gracias. —La abrazó con fuerza y sintió que el calor que irradiaba su cuerpo le calaba hasta los huesos—. Podemos casarnos cuando quieras. Tengo una licencia especial.

Alzó la cabeza para besarla, antes de que pudiera demorarse en el último comentario. Un beso que se les escapó de las manos con rapidez.

Al cabo de unos apasionados minutos, Caro se apartó y le preguntó con voz jadeante:

—¿Y tu cabeza?

—No me pasará nada si tú... —masculló mientras apartaba la sábana. La agarró por las rodillas y la dejó a horcajadas sobre sus caderas—. Si tú te sientas así —concluyó con un suspiro y cerró los ojos.

Caro lo obedeció con una sonrisa radiante y soltó el aire muy despacio mientras sentía cómo la penetraba.

Todo había acabado bien. Muy bien.

El último cabo suelto de Camden quedó bien atado a la mañana siguiente. Caro había recogido todas las cartas de su difunto marido el día anterior, cuando llevaron a Timothy a su casa. Ferdinand llegó a las once, pertrechado con un listado de fechas. No tardaron nada en encontrar las cartas más relevantes.

Las leyó y confirmó que no sólo eran justo lo que Ferdinand andaba buscando, sino que también eran incendiarias. En ellas se hablaba de un golpe de Estado liderado por el duque y que se planeó muchos años atrás, unos meses antes de que Camden fuera nombrado embajador británico en Portugal. Satisfecha al ver que no había nada en ellas que pudiera poner en peligro al gobierno británico actual, se las entregó a Ferdinand.

—¿Por qué no se limitó a pedírmelas sin más?

Él la miró y esbozó su encantadora sonrisa.

—Querida Caro, la conozco muy bien. Si se las hubiera pedido, las habría leído y tal vez se hubiera sentido en la obligación de informar a algún miembro del Ministerio de Asuntos Exteriores... —Se encogió de hombros—. La cosa podría haber acabado muy mal.

A tenor de lo que acababa de leer, tuvo que darle la razón. El duque había corrido un riesgo tremendo... y aún seguía en la cuerda floja.

Ferdinand se despidió de todos con una sonrisa y unos cuantos apretones de manos.

Caro se giró hacia él con una ceja enarcada.

—Si te apetece, me gustaría hacerle una visita a Timothy. Conociendo tu opinión al respecto, he supuesto que preferirías acompañarme, ¿me equivoco?

Él la miró.

—Has supuesto bien.

Encontraron al vizconde acostado en la cama y muy pálido, a todas luces débil, pero consciente. Y en absoluto receptivo a los cuidados de Caro, mucho menos a su tisana. Se percató del ruego implícito en la mirada del hombre y se apiadó de él. Fingió que le dolía la cabeza; en cuanto se dio cuenta, Caro sugirió que tal vez debiera volver a casa para descansar.

Ella reaccionó tal cual había imaginado... con una preocupación inmediata. Tras ella, Timothy puso los ojos en blanco, pero tuvo el buen tino de guardar silencio.

Esa misma tarde, se detuvo de nuevo en casa de Breckenridge de camino a su club, donde había quedado con Jamieson. En esa ocasión, el vizconde estaba sentado en la cama, recostado sobre los almohadones. Él se detuvo en la puerta de la habitación.

—Supongo que debería darte las gracias —dijo Timothy, con una débil sonrisa—. No tenía ni idea de que tuviera tan buena puntería.

—Ya me di cuenta. Pero guárdate los arrebatos de emoción... te salvé por Caro. Parece apreciarte, por extraño que parezca.

Timothy sonrió mientras descansaba la cabeza sobre los almohadones.

—Cierto. Que no se te olvide en el futuro. —Lo miró con expresión pensativa antes de añadir—: Evidentemente no te habrías molestado en salvarme de haber sabido que acabarías fuera de juego en el proceso.

—Jamás habría dejado a Caro desprotegida a propósito —le aseguró con seriedad.

—Justo lo que pensaba. —Sus ojos adquirieron un brillo intenso mientras lo observaba con los párpados entrecerrados. La sonrisa había desaparecido de sus labios.

No le cabía la menor duda de que el vizconde y él se entendían a la perfección.

—Así que, dime... —prosiguió su interlocutor mientras alzaba una copa y tomaba un sorbo de la tisana de Caro. Compuso una mueca asqueada—. ¿A qué has venido?

—A aprovecharme de tu gratitud —contestó—. Dudo mucho que se me presente otra oportunidad como ésta.

Timothy lo miró con las cejas enarcadas y le hizo un gesto para que tomara asiento en una silla.

—¿Qué quieres?

Michael se apartó del marco de la puerta, donde estaba apoyado, entró en la habitación y cerró tras él. Colocó la silla de espaldas a la cama y se sentó a horcajadas en ella. Apoyó los brazos en el respaldo y miró al vizconde a los ojos.

—Quiero saber qué relación tenían Camden y Caro.

—¡Vaya, vaya! —exclamó él al tiempo que abría los ojos de par en par. Parpadeó varias veces y titubeó antes de decir—: Supongo que sabrás que...

—¿Que no consumaron el matrimonio? Sí. Lo que quiero saber es por qué.

Timothy sonrió.

—Muy sencillo. Porque el gran Camden Sutcliffe, mujeriego consumado, se encontró con un hueso duro de roer.

Parpadeó, obligando al vizconde a explicarse.

—Camden era un experto en mujeres. Deseó a Caro desde que le puso la vista encima. No por su físico, sino por el potencial que reconoció en ella. Por aquello que podría llegar a ser. A todos los niveles. Eso fue lo que lo impulsó a casarse con ella. Sin embargo, era muy consciente de que le llevaba cuarenta años. Y cuando pasaron al terreno sexual, el temor de no satisfacerla o de que llegara el momento en el que ya no pudiera hacerlo le provocó tal ansiedad que le resultó imposible tener relaciones con ella.

Miró de hito en hito al vizconde.

—¿Estás seguro?

Timothy asintió con la cabeza.

—Él mismo me lo dijo, años después de que se casaran. No podía hacerlo con Caro.

Asimiló la información antes de volver a mirar al vizconde a los ojos.

—¿La amaba?

—No estoy seguro de que Camden conociera el significado de la palabra «amor». No en el sentido en que tú la usas; ni tampoco en el que la utilizaría Caro. Estaba entregado a ella, obsesionado por ese potencial que podía florecer bajo su atenta tutela, como llegó a suceder. Pero, ¿amarla? —Sus labios adoptaron un rictus desdeñoso—. Supongo que si Camden amó a alguien aparte de a sí mismo... fue a mí.

—¿Porque te pareces a él? —le preguntó, enarcando las cejas.

—Eso creía él —respondió.

A juzgar por lo que había visto, mucho sospechaba que Camden también había errado en esa suposición.

—No creo que Caro supiera los motivos de su comportamiento. Juraría que Camden no se lo explicó jamás. Era un hombre desconcertante; generoso y entregado a su país, pero un egocéntrico redomado en lo que a su vida privada se refería. —El vizconde lo miró a los ojos—. De haber pensado que podría ayudar a Caro, yo mismo se lo habría dicho, pero... —Su expresión se crispó, pero no apartó la mirada—. El pasado no se puede cambiar. Créeme, lo sé de buena tinta. Lo único que podemos hacer con él es enterrarlo. Eso es lo que Muriel no ha sido capaz de aceptar. —Su semblante se aclaró y esbozó una sonrisa—. Caro siempre ha sido mucho más lista.

Estudió su expresión y comprendió que decía la verdad. ¿Una perla de sabiduría en labios de uno de los libertinos más afamados de la alta sociedad?

Timothy apartó la mirada mientras tomaba otro sorbo de la tisana.

—Una cosa más. Antes de que Hedderwick se marche de la ciudad con Muriel, ¿puedes hablar con él? —El vizconde lo miró a los ojos de nuevo—. Aunque me repugna la idea de que sea mi media hermana, me gustaría saber de ella.

Accedió a su ruego. Cabía la posibilidad de que quisiera mantenerse al tanto del paradero de Muriel únicamente por cuestiones de seguridad personal, pero tenía la sospecha de que se debía más a un afán de protegerla, a afán de asegurarse de que estaba bien, que a otra cosa. Porque, a pesar de sus diferencias con Camden, compartía un rasgo inequívoco con él: su complicada personalidad.

Timothy frunció los labios.

—Tengo dos hermanas mayores. Medias hermanas, más bien. Siempre me he referido a ellas, en broma, como mis «diabólicas y desagradables hermanas». —Torció el gesto—. No volveré a decirlo jamás.

Acababa de pronunciar la última palabra cuando alguien llamó a la puerta y apareció su ayuda de cámara.

—Lady Constance acaba de llegar, milord. Se ha enterado de su accidente y exige verlo.

El vizconde le lanzó una mirada desorbitada y se dejó caer sobre los almohadones con un gruñido que le salió del alma.

Él se echó a reír. Se puso en pie, se despidió de Timothy con un apretón de manos y le aseguró que le haría llegar el mensaje a Hedderwick antes de emprender una rápida retirada.

Escuchó como el vizconde mascullaba algo sobre dejar a los compañeros caídos en el campo del honor en manos del enemigo.

Se cruzó en la escalinata con lady Constance Rafferty, una mujer muy atractiva de semblante serio y expresión decidida. Intercambiaron unos breves saludos, pero la dama no detuvo su regio avance y prosiguió en dirección al dormitorio de su hermano.

Salió de la casa con una sonrisa en los labios, encantado de dejar a Timothy en las tiernas manos de su hermana.

Esa noche le relató la visita a Caro mientras la abrazaba en su habitación. Con una sonrisa en los labios, le habló de la llegada de lady Constance y de la reacción de Timothy.

—Parece estar recobrando las fuerzas. Estoy seguro de que, con tus cuidados y los de sus hermanas, su recuperación será milagrosa...

Caro lo miró con los ojos entrecerrados.

—¿Se estaba tomando la tisana?

—Lo vi con mis propios ojos.

—No sé yo... En fin... —Se apoyó en él y alzó las manos para acariciarle el pelo. Con mucho cuidado, tanteó la zona donde estaba el chichón—. Todavía te duele —afirmó al ver que daba un respingo.

—Ya ni siquiera lo noto. —La estrechó con fuerza para amoldarla a su cuerpo—. Y no estoy mareado en absoluto.

Lo miró a los ojos y esbozó una lenta sonrisa rebosante de sensualidad.

—Tal vez deba hacer algo para que... te marees.

—Ciertamente. Estoy seguro de que eso forma parte de las obligaciones de una esposa. —Había utilizado el término «esposa» deliberadamente. Al escucharlo, Caro abrió los ojos de par en par.

Lo miró con detenimiento mientras tomaba una honda bocanada de aire que procedió a soltar muy despacio.

—Aún tenemos que discutir los detalles.

—Los detalles —replicó él— son cosa tuya. Lo que quieras, lo que desees. Y cuando desees.

La mirada de Caro lo atravesó, pero luego la vio esbozar una sonrisa.

—Si no recuerdo mal, mencionaste algo sobre una licencia especial, ¿o me equivoco?

Lo recordaba. No estaba muy seguro de que fuera a hacerlo, pero tal parecía que sí. Asintió con la cabeza.

—Exacto.

Sin apartarse de sus brazos, comenzó a frotar las caderas contra él. Llevaba otro de esos deliciosos camisones de seda que apenas ocultaban sus delicadas curvas.

—Tal vez debamos casarnos lo antes posible... —Clavó la vista en sus labios mientras se humedecía los suyos y después volvió a mirarlo a los ojos—. ¿Se te ocurre algún motivo por el que debamos esperar?

Lo único que se le ocurría eran motivos para apresurarse.

—Tres días —sugirió, al tiempo que la abrazaba con más fuerza a fin de detener el movimiento de esas caderas que lo estaban volviendo loco de deseo—. ¡Ahora mismo!

Ella se echó a reír. Su risa era alegre, argentina, ese sonido que había escuchado en tan escasas ocasiones.

—Estamos en pleno verano... no hay casi nadie en la ciudad. Y jamás nos perdonarán si pasamos por la vicaría sin ellos.

De repente, recordó a Honoria y soltó un gruñido.

—Invitaciones... planes de boda. —Más demora.

—No te preocupes. Yo me encargaré de todo —le aseguró Caro con una sonrisa—. Pongamos que para finales de la semana que viene... —Su sonrisa se desvaneció. Siguió mirándolo sin intentar ocultar sus pensamientos, aunque no supo interpretar su expresión—. ¿Podemos celebrar el banquete en Eyeworth Manor?

—Por supuesto —respondió sin preguntarle por qué. Prefería que fuera ella quien eligiera.

Sus ojos grises siguieron clavados en él.

—Cuando me casé con Camden, lo celebramos en Bramshaw House. Pero ése es el pasado y quiero dejarlo atrás. Quiero hacer borrón y cuenta nueva con nuestra boda. Bueno, para mí sería eso, pero para ti sería un nuevo comienzo, un nuevo camino.

Esos ojos grises que lo miraban con un brillo decidido y sincero lo hipnotizaron. Había estado pensando si debía hablarle sobre las revelaciones de Timothy para que comprendiera que ella no era la culpable del fracaso sexual de su primer matrimonio o si, por el contrario, debía dejar el pasado enterrado.

Sin embargo, Caro había tomado la decisión por él. Había cerrado la puerta con firmeza y le había dado la espalda al pasado. Había decidido emprender el camino hacia el futuro a su lado, tomados de la mano y sacándole todo el partido a su relación.

—Te quiero —le dijo mientras sonreía.

Ella enarcó las cejas y a sus ojos asomó una expresión tierna.

—Lo sé. Yo también te quiero. Al menos, eso creo. —Hizo una pausa antes de decir—: Este sentimiento debe de ser amor, ¿verdad?

Sabía que Caro no se refería a la calidez que ya los embargaba, calentándoles la piel y corriendo por sus venas, sino a la fuerza que la alentaba. Ese poder que se manifestaba con tanta intensidad cada vez que estaban juntos y se entregaban el uno al otro era tan fuerte que casi podían tocarlo. Y los unía cada día un poco más.

—Sí —contestó al tiempo que inclinaba la cabeza. Se apoderó de sus labios, aceptó la invitación que ella le ofrecía y le hundió la lengua en la boca.

Se entregó en cuerpo y alma a convencerla de que, para él, era la mujer más deseable del mundo.

Y se entregó a ese poder.

Se casaron en la iglesia de Bramshaw. La alta sociedad acudió en pleno, así como la flor y nata de los círculos diplomáticos. El acontecimiento podría haberse convertido en una pesadilla, pero con las indicaciones de Caro y la capacidad organizadora de Honoria, por no mencionar la ayuda de todas las Cynster y sus amistades, nadie se atrevió a elevar queja alguna y todo salió a pedir de boca.

Caro y Michael salieron de la iglesia bajo una lluvia de arroz y flores, lanzados por todos aquellos que no habían podido entrar en el abarrotado interior. A la carrera, llegaron hasta un cabriolé descubierto que los llevó de regreso a Eyeworth Manor.

En la mansión los aguardaba un espléndido banquete. Todos fueron bienvenidos. Nadie había declinado la invitación, por lo que se había congregado una verdadera multitud y los buenos deseos de los asistentes nacían de la más absoluta sinceridad. El sol también les otorgó sus bendiciones brillando con fuerza mientras paseaban entre los invitados tomados de la mano, charlando con unos y otros.

La gente comenzó a marcharse a última hora de la tarde. Caro, que todavía no se había cambiado el vestido de novia de seda color marfil con bordado de aljófar, vio a Timothy. Estaba sentado en la cerca de la huerta con una copa en la mano y sonreía mientras contemplaba a un grupo de jóvenes pertrechados con bates y pelotas que jugaban en el extremo más alejado de la avenida.

Se puso de puntillas, le dio un beso a Michael en el mentón y lo miró a los ojos.

—Voy a hablar con Timothy —le dijo con una sonrisa serena.

Él echó un vistazo por encima de su cabeza.

—Yo voy a acompañar a mi abuelo para que descanse. Iré a buscarte cuando termine.

Se alejó de él, consciente de que, a cierto nivel, jamás se separarían del todo, y echó a andar por el borde del prado hasta que llegó al lado de Timothy.

Él alzó la mirada cuando se sentó en la cerca de piedra.

—Una fiesta maravillosa —le dijo, levantando la copa. Con los ojos clavados en ella, la tomó de la mano y le besó los nudillos—. Me alegra ver que eres tan feliz. —Le dio un apretón en la mano antes de soltarla.

Guardaron silencio unos instantes y se dedicaron a observar el juego.

—Hedderwick nos ha enviado una tarjeta de felicitación —le dijo, al recordar su propósito—. Está en Cornualles, con Muriel. Es un hombre callado, pero de carácter firme. Creo que la ama de verdad, pero ella jamás se ha dado cuenta.

—O no ha sabido apreciarlo —la corrigió él, encogiéndose de hombros—. Ésa fue la decisión que tomó Muriel. —La miró a los ojos y esbozó su sonrisa más seductora—. Tú, al menos, has tenido el buen tino de arriesgarte a vivir la vida.

Sus palabras la hicieron arquear una ceja.

—¿Y tú?

Timothy soltó una carcajada.

—Como muy bien sabes, ése ha sido siempre mi credo. —Miró hacia un punto situado tras ella y se puso en pie cuando Michael se acercó.

Se saludaron con afabilidad.

—¿Cómo va el hombro? —le preguntó Michael.

Los escuchó mientras intercambiaban unas cuantas pullas y sonrió para sus adentros. Eran dos hombres muy distintos, pero parecían haber forjado una especie de camaradería basada en el respeto mutuo.

Perdida en sus pensamientos, se sobresaltó cuando Timothy se dirigió a ella. Se puso en pie y tomó el brazo de Michael.

—Debo marcharme —estaba diciendo Timothy—. Me voy al norte para pasar varias semanas con Brunswick. —Miró a Michael de reojo mientras se inclinaba para darle a ella un beso en la mejilla—. Os deseo toda la felicidad del mundo.

Esbozó una sonrisa un tanto tímida y se alejó en dirección a la avenida. Apenas había dado tres pasos cuando se detuvo y se giró para mirarla con el ceño fruncido.

—Cuando vayas a Londres, no se te ocurra presentarte en mi casa sin avisar. ¡Mándame antes una nota! Ya has dañado bastante mi reputación.

Ella se lo prometió entre carcajadas, llevándose la mano al corazón. Timothy resopló con incredulidad, le hizo un gesto de despedida a Michael y echó a andar.

Su flamante marido frunció el ceño.

—¿A qué se refiere con eso de que has dañado su reputación?

Lo miró a los ojos y sonrió.

—Se refiere a la suya, no a la mía —respondió, dándole unas palmaditas en el brazo—. Deberíamos hablar con la señora Pilkington.

Tras recordarse que debía ahondar en el misterio más tarde, Michael permitió que lo distrajera.

Regresaron al lugar donde se congregaba la multitud y siguieron charlando con unos y otros, recibiendo felicitaciones y despidiéndose de los que se marchaban. Había muchísimos niños presentes, correteando de un lado para otro por los jardines, chillando en la huerta y jugando en la avenida. Uno de ellos erró un lanzamiento y él atrapó la pelota. Soltó a Caro y se acercó para devolvérsela a los muchachos, y ya de paso aprovechó la oportunidad para felicitarlos por su estilo de juego.

Caro observó cómo sonreía y le alborotaba el pelo a un muchacho rubio. La imagen hizo que le diera un vuelco el corazón. Era muy posible que estuviera embarazada y... la mera idea de que fuera cierto le provocaba tal emoción que fue toda una hazaña mantener un semblante tranquilo y contener las lágrimas de felicidad. Todavía no. Debía disfrutar las alegrías que ese día les deparara. Una vez que estuviera segura, se lo diría a Michael. Y las noticias serían otra alegría que compartir en privado. Una que en otro tiempo creyó que jamás experimentaría.

De modo que lo esperó con una sonrisa en los labios y embargada por una inmensa alegría. Siguieron paseando entre los invitados hasta que Therese Osbaldestone les hizo un imperioso gesto para que se acercaran.

—Te espero aquí —dijo Michael. Cogió la mano que reposaba en su brazo y le dio un beso en la punta de los dedos antes de soltarla.

—Cobarde —replicó, mirándolo a los ojos.

—No lo niego —convino él con una sonrisa.

Caro se alejó entre carcajadas. La observó mientras se marchaba y, aunque se percató de la penetrante mirada que le lanzaba lady Osbaldestone, fingió no hacerlo.

En ese instante se acercó a él Gerrard Debbington.

—Quería preguntarte si Caro y tú seríais tan amables de posar para mí un día de éstos.

Sorprendido, Michael lo miró.

—Creí que sólo pintabas paisajes.

Gerrard Debbington se había labrado una espectacular reputación como pintor de escenas bucólicas de la campiña inglesa.

El hombre sonrió. Con las manos en los bolsillos, echó un vistazo hacia la multitud y clavó la vista en Caro, que estaba sentada al lado de lady Osbaldestone.

—Es mi especialidad, sí; sin embargo, hace poco tiempo descubrí que los retratos de pareja representan un desafío especial; uno que no había apreciado hasta entonces. Me percaté de ello mientras hacía un retrato familiar de Patience y Vane. Para mí, es como si existiera una dimensión diferente; y una de la que carecen los paisajes. —Lo miró a los ojos—. Me gustaría pintaros; Caro y tú os encontráis en esa dimensión cuanto estáis juntos. Como pintor, me sentiré enormemente satisfecho si soy capaz de reflejarla.

Meditó la propuesta y observó a su esposa mientras intentaba imaginar un cuadro que reflejara ese sentimiento que había nacido y crecido entre ellos. Asintió con la cabeza.

—Se lo diré. ¿La próxima vez que vayamos a Londres te iría bien? —le preguntó.

Encantado, Gerrard asintió con la cabeza y, tras despedirse con un apretón de manos, se marchó.

No tuvo que moverse para despedirse de los demás, ya que los invitados se fueron acercando poco a poco. Caro regresó al cabo de unos minutos.

El sol comenzaba a ponerse. Pasó una hora hasta que todos se marcharon, ya que nadie se alojaba en Eyeworth Manor salvo ellos, Evelyn y su abuelo. Los invitados procedentes de Londres fueron los primeros en despedirse; después, se marcharon aquellos que vivían en los alrededores.

No obstante, Diablo y Honoria fueron los últimos en partir. Tenían pensado regresar a Londres para recoger a sus hijos, ya que habían planeado pasar unas semanas en Somersham. Como era de esperar, los habían invitado a la reunión familiar que celebraban todos los veranos y ellos, encantados, habían aceptado.

Mientras el carruaje de los duques de St. Ives transponía la verja de entrada, Caro exhaló un largo suspiro de contento. Él la miró, igualmente feliz, y sus ojos se demoraron en los gloriosos rizos de su cabello castaño. Ella alzó la vista y sus miradas se encontraron.

Al instante, esbozó una sonrisa mientras contemplaba la extensión de hierba del prado.

—Fue justo allí donde comenzó todo, ¿lo recuerdas?

Echó a andar hacia el monolito y él la siguió, tomado de su mano. Se detuvieron a unos pasos de la piedra conmemorativa.

—Me llamaste insensata —le dijo, sonriendo.

Él le dio un apretón en la mano.

—Es que me diste un susto de muerte. Incluso en aquel entonces ya sabía que no podía permitirme el lujo de perderte.

Con toda deliberación, mantuvo los ojos clavados en el monolito y esperó... Sin embargo, sólo escuchó los trinos de los pájaros y el suave susurro de la brisa. Sólo sintió la calidez del cuerpo de su esposa mientras se apoyaba contra su costado.

No había relinchos de caballos. El miedo paralizante había desaparecido.

Los recuerdos seguían ahí, pero sus efectos se habían mitigado. Habían quedado enterrados bajo algo mucho más poderoso.

Miró a Caro y sonrió. Le cogió una mano, la besó y echaron a andar hacia la casa con las manos entrelazadas.

Observó la mansión, sus ventanales y los tejadillos de los áticos, y sintió una profunda satisfacción. Una oleada de seguridad, de emoción... de felicidad.

La familia que perdió conformaba su pasado, mientras que Caro era su presente y su futuro.

Había descubierto su novia ideal; juntos, emprenderían el camino hacia el futuro.